ISBN 978-0-428-22775-3
PIBN 10337065

ANNALEN

DER

NATURPHILOSOPHIE

HERAUSGEGEBEN

VON

WILHELM OSTWALD

SECHSTER BAND

MIT FIGUREN

LEIPZIG

VERLAG VON VEIT & COMP.

1907

Q 3
A 6
J. 6

Inhalt.

1) Abhandlungen.

2) Neue Bücher.

Das nächste Problem der Chemie.

Von

F. Wald,
Kladno in Böhmen.

1. Durch die Faraday-Lekture Prof. Ostwalds[1] ist wenigstens für kurze Zeit die Aufmerksamkeit auf meine Arbeiten gelenkt worden, und haben sich nun auch meine Gegner hören lassen. Soviel ich weiß, haben sich Prof. Arrhenius[2] und Prof. Nasini[3] zur Sache abfällig geäußert. Ihre Darlegungen wären mir insofern wertvoll, als sie mir zeigen könnten, welche Punkte ich etwa bisher nicht ausführlich genug behandelt habe, aber dieser mögliche Vorzug ihrer Arbeiten wird durch den auffallenden Umstand beeinträchtigt, daß sich keiner von den beiden Herren die Mühe nahm, alle meine Publikationen zu lesen, und ihnen daher ein guter Teil der Fortschritte entging, die mir im Laufe der Zeit gelungen waren. Immerhin ergeben sich mir genug Anhaltspunkte, um den Kernpunkt des Widerspruches zu erkennen und aufzuklären.

Vor allem war es nie mein letztes Ziel, die Atomhypothese aus der Chemie zu beseitigen, sondern meine diesbezüglichen Bestrebungen sind nur das unvermeidlich gewordene Mittel zum eigentlichen Zweck. Letzterer ist aber selbst ein doppelter. Einmal soll dadurch die Chemie von den laxen Denkweisen gesäubert werden, die unter der Herrschaft der Atomhypothese in ihr gang und gäbe geworden sind, und besonders soll die unumgänglich gewordene erkenntniskritische Aufklärung über die fundamentalen Tatsachen der Chemie ermöglicht werden. Zweitens soll aber die Bahn zur Behandlung eines wichtigen

---

[1] Diese Annalen 3, Seite 368.
[2] Theorien der Chemie, 1906.
[3] Gazz. Chim. Ital. 36, 1906.

Problems gebrochen werden, welches sich auf dem bisherigen Wege der Forschung als völlig unlösbar erwiesen hatte.

Das Problem, um welches es sich handelt, ist in üblicher Sprechweise folgendes: Betrachten wir ein Reaktionsgebiet mit n Elementen, so sollte nach den herrschenden Anschauungen jede Phase dieses Reaktionsgebietes $n-1$ Variationen der elementaren Zusammensetzung besitzen. Dies ist aber theoretisch und empirisch leicht als vollständig falsch zu erweisen, d. h. die einzelnen Phasen haben regelmäßig nur eine kleinere Anzahl solcher Variationen, und selbst diese Variationen sind begrenzt. Das Problem besteht nun einfach in der Aufgabe, zu ermitteln, welcher Art die Beschränkungen sind, welchen die qualitativen Variationen der einzelnen Phasen unterworfen sein müssen.

Daß hier ein Zwang besteht, geht aus dem Umstande hervor, daß es ohne solche Beschränkungen der qualitativen Variabilität der Phasen überhaupt keine chemische Analyse geben könnte; jede Analyse besteht doch schließlich in der Darstellung von Phasensystemen solcher Art, daß einige Elemente ganz in einem Teile der Phasen vereinigt sind, also die anderen Phasen von diesen Elementen völlig frei bleiben. Wäre nun jede Phase fähig, unter allen Umständen alle Elemente in beliebiger Menge aufzunehmen, so wäre selbstverständlich jede chemische Analyse ganz unmöglich.

2. Dies gibt auch Prof. Arrhenius zu und legt dar, daß die Chemie auf die Existenz fester Körper begründet ist.[1] Einerseits verhindern feste Körper das Ineinander-Diffundieren der chemischen Produkte, anderseits mischen sich feste Phasen nicht: „Wir können einen Eiskristall und einen Chlornatriumkristall noch so dicht nebeneinander legen, bei einer Temperatur unter $-21\cdot3^{0}$ C. bleiben sie unverändert, sie mischen sich nicht miteinander."[2]

Ich kann diesen Ausführungen im ganzen beistimmen, sie stehen in etwas anderer Form schon in meiner „Genesis der stöchiometrischen Grundgesetze".[3] Was sie im Detail Unrichtiges enthalten, bringt Prof. Arrhenius selbst vor; er sagt z. B.: „Den starren Körpern fehlt diese Eigenschaft (fremde Substanzen aufzulösen), abgesehen von den festen Lösungen."[4] Er be-

---

[1] a. a. O. Seite 38.
[2] a. a. O. Seite 36.
[3] Zeitschr. f. phys. Chemie, 18, Seite 345, 357.
[4] a. a. O. Seite 37.

hauptet nämlich kurz vorher auch, „die festen Lösungen sind seltene Erscheinungen, so daß wir hier davon absehen können." (In beiden Zitaten habe ich selbst unterstrichen.)

So kommt denn Arrhenius zu dem Schlusse: „Die festen (kristallisierten) Körper aber befolgen Daltons Gesetz, und deshalb ist es nicht richtig, zu behaupten, daß die Anwendbarkeit dieses Gesetzes auf einer willkürlichen Abgrenzung beruht."[1] Vorher sagt er in ähnlichem Sinne:[2] „Diese Eigentümlichkeit der konstanten Proportionen ist charakteristisch für die Chemie im Gegensatz zur Physik, wo der einfachere, kontinuierliche und schrittweise Übergang vorherrscht, z. B. bei Mischungen von Alkohol und Wasser."

Es ist nun klar, in welchem Punkte wir auseinander gehen: Ich fasse jede mögliche Phasenform als Gegenstand der Chemie auf, er aber schiebt alle veränderlichen Phasen der Physik zu. Er will von allen festen Lösungen als seltenen Ausnahmen absehen, ich aber will es nicht. Sein Wille ist durch die Absicht diktiert, auf dem herkömmlichen Wege zu bleiben, meiner durch die Absicht, Neues zu entdecken.

Es kommt nun darauf an, ob man wirklich die Fähigkeit fester Körper, fremde Substanzen aufzunehmen, einfach ignorieren darf, denn Prof. Arrhenius führt die Allgemeingültigkeit der Daltonschen Gesetze darauf zurück, daß sie für feste Körper immer gelten, und schneidet damit jede weitere Untersuchung über den Ursprung dieser Gesetze ab. Ihm sind feste Körper in der Regel Phasen von konstanter Zusammensetzung, von der immerhin zugestandenen Veränderlichkeit dieser Phasen sieht er einfach ab, weil sie selten sei. Ich bin allerdings der Meinung, daß eine Wissenschaft, die sich erlaubt, auch nur von seltenen Erscheinungen abzusehen, noch sehr weit vom Ideale der Exaktheit entfernt ist und sich bedenklich der Grammatik nähert, wo keine Regel ohne Ausnahme bleibt. Untersuchen wir aber einmal, wie es mit der Seltenheit dieser Erscheinung aussieht.

Ich erinnere mich dunkel, von einem gewissen Mitscherlich gehört zu haben, der die Isomorphie gewisser Salze entdeckt haben soll; auch ein gewisser Retgers scheint auf diesem Gebiete merkwürdige und sehr häufige Ausnahmen von der Regel des Prof. Arrhenius entdeckt zu haben. In der Mineralogie

---

[1] a. a. O. Seite 38.
[2] a. a. O. Seite 14.

findet man fast bei jedem Mineral „vikarierende Bestandteile" angegeben, und es existiert sogar eine besondere Schreibweise für
die Angabe derselben. Bei Atomgewichtsbestimmungen macht es
(wenn ich nicht ganz irre) in der Regel die größten Schwierigkeiten, ein Präparat zu erhalten, welches der Regel folgt und —
nicht durch andere Körper verunreinigt ist.

Eine gewisse Theorie, an deren Entwicklung — so viel mir
erinnerlich — auch Prof. Arrhenius bedeutenden Anteil hat,
operiert aber frank und frei mit „halbdurchlässigen Wänden",
welche dem festen Aggregatzustande angehören, jedoch fähig sind,
andere Körper auf einer Seite aufzunehmen, auf der anderen wieder
abzugeben. Es scheinen also wohl diese halbdurchlässigen Wände
doch gegen die Regel als veränderlich in ihrer Zusammensetzung
gedacht zu werden?

Prof. Tammann hat eine Reihe kristallisierter, wasserhaltiger
Salze entdeckt, welche ihren Wassergehalt stetig ändern, ohne
ihre Durchsichtigkeit einzubüßen; er ist dadurch zu Betrachtungen
über die Gültigkeitsgrenzen des Daltonschen Gesetzes angeregt
worden, und bei dieser Gelegenheit brachte ich die jetzt erwähnten
Dinge auch schon zur Sprache.[1]

Schließlich wird jeder chemische Praktikant ein Lied davon
singen können, wie es häufig mit der chemischen Reinheit von
Präparaten, auch festen, bestellt ist, die doch nach der „Regel" —
rein sein sollten.

Herr Prof. Arrhenius wird wahrscheinlich über diese Dinge
ebenso oder besser unterrichtet sein, wie ich; wenn er also mir
gegenüber sagt, es sei nicht richtig, zu behaupten, daß die Anwendbarkeit des Daltonschen Gesetzes auf einer willkürlichen
Abgrenzung — nämlich der Abgrenzung auf chemisch reine
Körper — beruht, so kann ich dies nur als eine glänzende Rechtfertigung meines obigen Ausspruches auffassen, daß in der
Chemie unter der Herrschaft der Atomistik laxe Denkweisen gang und gäbe geworden sind. In einer anderen
Wissenschaft, welche auf Exaktheit Anspruch macht und ihrer
ganzen Natur nach der Mathematik, Geometrie und Physik am
nächsten steht, dürfte man doch wohl keinen Satz auftischen, der
mit vorzüglich studierten, allgemein bekannten Tatsachen in grellem
Widerspruche steht.

---

[1] Zeitschr. f. phys. Chemie, 28, Seite 13.

An der Regel des Prof. Arrhenius ist nur so viel wahr, als ich schon vor nahezu zwölf Jahren als richtig ansah: Feste Phasen sind ebenso veränderlich zusammengesetzt wie alle anderen, und dürfen also nicht als unveränderlich hingestellt werden; nur ist die Spannweite der wirklich ausführbaren Variationen der Zusammensetzung meist viel kleiner als bei flüssigen und gasförmigen Phasen, und es scheint bei ihnen auch die Anzahl freier Variationen geringer zu sein. Jedenfalls ist aber die Variabilität immer noch so groß, daß von ihr überhaupt nicht abgesehen werden kann. Ein „circulus in demonstrando" existiert aber dann nicht in meinen Entwicklungen, sondern in jenen des Prof. Arrhenius, und der Zeiten Lauf von Dalton bis heute hat mit dieser Frage überhaupt nichts zu schaffen.

3. Die Laxheit der chemischen Denkweisen wird auch durch den Umstand illustriert, daß die herrschende Lehre für jede (auch feste) Phase $n-1$ Variationen der elementaren Zusammensetzung zuläßt, während herkömmlich feste Phasen als nonvariant angesehen wurden, so daß trotz Isomorphie u. s. w. die Entdeckung „fester Lösungen" überraschend wirkte.

Die Erfahrung zeigt, daß keine Phase nonvariant ist; eine Entwicklung der Theorie nach der bisherigen Richtung wird also nicht nach der „Regel" des Prof. Arrhenius stattfinden können; sie wird nur derart möglich sein, daß man zwar im Prinzipe jede Phase als $n-1$-variant annimmt, sich aber — etwa nach dem Vorbilde von Gibbs — vorstellt, es sei das Nebeneinandersein der Phasen schuld an der Scheidung der Elemente. Ist dieser Gedanke undurchführbar, dann muß eben der bisherige Weg verlassen werden, wenn man nicht überhaupt auf jeden Fortschritt verzichten will.

Es war nie meine Meinung, daß die Entwicklungen um so mehr zu bewundern seien, je unabhängiger von den alten chemischen Theorien sie wären, und so ging ich zunächst auf die oben angedeutete Fortbildung derselben aus; es geschah dies in meiner „Genesis" und auch die Darlegungen Prof. Ostwalds führen diesen Gedanken näher aus. Die Einwände Prof. Nasinis decken aber, so weit sie berechtigt sind, nur die Schwächen eben dieses Gedankens auf. Die Gibbssche Phasenlehre ist auf diesem Gebiete nicht in dem Maße anwendbar, wie ich ursprünglich meinte. Phasensysteme, in welchen jede einzelne Phase die gleichen $n-1$ qualitativen Variationen besitzt, sind für die allgemeine Erklärung aller chemischen Trennungen von Bestandteilen unbrauchbar, obwohl wie sie zu einer praktischen Ausführung eines Teils von Trennungen durch endlose Wiederholung gewisser Operationen immerhin noch gebraucht werden können.

Diesen Tatbestand habe ich schon vor etwa 9—10 Jahren erkannt, wenn ich auch noch nicht anzugeben wußte, wo eigentlich der Fehler liege. Ich trug ihm zunächst dadurch Rechnung, daß ich mich um eine Abteilung der stöchiometrischen Gesetze bemühte, in welcher nur noch rein chemische Tatsachen, unter Ausschluß aller Phasentheorie, zur Geltung gebracht wurden. Dies gelang mir[1] in einer Weise, die ich heute noch für einwandfrei halte, und habe ich daher unlängst gern die Gelegenheit benützt, diese Entwicklungen in neuer Form nochmals zu publizieren.[2]

4. Der Irrtum, welchem ich ursprünglich verfallen war, ist leicht aus dem überwältigenden Eindruck der Vollkommenheit zu erklären, welchen das Gibbssche Werk auf jeden Leser macht. So habe ich denn das mathematische und physikalische Genie von Gibbs weit überschätzt, wenn ich glaubte, daß es auch allen chemischen Fragen bis auf den Grund gegangen sei. Gibbs hat die chemischen Ansichten unserer Zeit unbesehen in sein Werk aufgenommen, und so ist es denn auch unmöglich, seinem Werke direkt ein chemisches Resultat zu entnehmen, welches nicht ohnehin auch schon in den landläufigen Ansichten mitgegeben wäre.

Daraus folgt aber noch lange nicht, daß alles falsch sei, was ich auf Grund der Phasenlehre von Gibbs in chemischen Fragen erschlossen habe. Zunächst bleibt der fundamentale Begriff einer Phase als einer polydimensionalen Mannigfaltigkeit; es bleibt die Erkenntnis, daß Elemente und Verbindungen, wenn sie von uns im „chemisch reinen" Zustande dargestellt werden, eben auch nur Phasen sind, also besondere Punkte der Mannigfaltigkeit. Alles was für Phasen im allgemeinen gilt, muß dann auch für chemische Individuen wahr sein, nicht aber umgekehrt: Also bewegt sich die ganze heutige Chemie in falscher Richtung, wenn sie, von den Reaktionen der Individuen ausgehend, alle anderen chemischen Erscheinungen bewältigen will. Die Gesetze, welche sie bisher festzustellen vermochte, sind nur besondere Fälle allgemeinerer Wahrheiten, und letztere werden für die Chemie unerkennbar bleiben, so lange sie nicht die

---

[1] Zeitschr. f. phys. Chemie, 22, Seite 253, 23, Seite 78.
[2] Chemiker-Zeitung 1906, No. 79 bis 80.

Notwendigkeit einer Verallgemeinerung ihrer Gesetze einsieht. Selbstverständlich erscheint dann auch eine Verallgemeinerung des chemischen Teiles der Gibbsschen Phasentheorie notwendig, so daß in dieser Verallgemeinerung die Gibbssche Lehre als besonderer Fall mitenthalten sei. Ein wesentlicher Fehler derselben liegt jedenfalls darin, daß sie bei n freien Bestandteilen immer jeder Phase $n-1$ freie Variationen der Zusammensetzung zuschreibt, oder mit anderen Worten darin, daß Gibbs jedes Phasensystem als auf eine einzige Phase reduzierbar ansieht, statt die Minimalzahl Phasen größer als Eins anzunehmen.

5. In der Vorrede zu seinem Buche sagt Prof. Arrhenius bei Besprechung der chemischen Theorien: „Solche Gegner sollten den Stil des neuen Gebäudes nicht zu ändern versuchen, denn dieser Stil ist der Ausdruck der modernen Arbeitsweise und der Natur des wissenschaftlichen Baumaterials. Arbeitsweise und Material sind im großen und ganzen fast dieselben geblieben seit der Zeit, als Boyle, Lavoisier, Richter und Dalton die ersten Grundsteine zum Gebäude der modernen Chemie legten".

Ich weiß nicht, ob Prof. Arrhenius mit diesen Worten gegen meine Richtung sprechen wollte; der ausführliche, hier nicht wiedergegebene Text der Vorrede spricht bei genauem Studium dagegen, der erste Eindruck beim Lesen aber für diese Meinung. Sei es wie immer, so kann ich doch auch für meine Darlegungen behaupten, daß sie eine konsequente und notwendige Weiterentwicklung des bisherigen Entwicklungsganges der Chemie sind. Nur bezüglich des Stils sind wir uneinig, denn mir ist klar geworden, daß neben der Chemie auch andere Wissenschaften, z. B. die Mathematik, Fortschritte gemacht haben, welche in der Chemie berücksichtigt werden müssen. Der Stil der „reinen" Chemie verkörpert einem Simplismus, dem die Regel de tri als höchste Leistung in mathematischem Denken erscheint. In der physikalischen Chemie hat man diesen Stil allerdings schon verlassen müssen, aber in der eigentlichen, reinen Chemie ist er noch in voller Blüte.

Gibbs hat uns die Auffassung einer Phase als einer Mannigfaltigkeit von mehreren Dimensionen ermöglicht, und seither ist es unläugbar, **daß künftig die Chemie zu Reaktionsgleichungen emporsteigen muss, in welchen die Ausgangskörper und Produkte der Reaktion nicht mehr eindeutig bestimmte chemische Individuen, sondern eben Phasen in der ganzen Fülle ihrer qualitativen Ver-**

änderlichkeit sein müssen. Eine solche Aufgabe ist aber nicht mehr mit den primitiven Denkmitteln zu lösen, über welche jeder Schulknabe verfügt; da muß man sich wohl oder übel auf einen höheren mathematischen Gesichtspunkt erheben, wie es uns Gibbs wenigstens für einen Teil dieser Probleme gelehrt hat.

Daß es auf dem bisherigen Wege nicht weitergeht, ist doch aus der beschämenden Tatsache ersichtlich, daß die atomistische Chemie aus sich heraus noch keine Begriffsbestimmung eines chemischen Individuums gegeben hat; natürlich weiß jeder Chemiker aus der Erfahrung genau, was er sich darunter denken soll, aber die herkömmliche Theorie ist unfähig, die Merkmale des Individuums auszusprechen; sie kennt ja weder Mannigfaltigkeiten, noch unabhängige und abhängige Variationen. Die atomistische Chemie bemerkt aber diesen Mangel garnicht, sie hat für logische Skrupel überhaupt keinen Sinn. (Ich werde letztere Behauptung auch noch an gewissen Darlegungen Prof. Nasinis beweisen.) So hat denn auch weder Prof. Arrhenius noch Prof. Nasini das Bedürfnis gefühlt, zu sagen, wodurch sich ein chemisches Individuum von einer veränderlich zusammengesetzten Phase schlechtweg unterscheidet. Hätten sie dies nicht bloß zu denken, sondern auch scharf auszusprechen versucht, so wären sie wohl darauf verfallen, daß der Unterschied nur in der „chemischen Reinheit" oder nach einem unexakten, früher auch von mir benutzten Ausdruck in der „konstanten Zusammensetzung" liegt. Es ist also doch eine willkürliche Abgrenzung vorhanden, und Prof. Nasini hätte den Vergleich wirklich passend gefunden: „Einem Quadrate kommt durch die Definition die Gleichheit der vier Seiten und der vier Winkel zu u. s. w." Ich behaupte ja, daß die chemischen Individuen ex definitione eine konstante Zusammensetzung haben. Der Ausdruck „konstant" wird übrigens gleich durch einen richtigeren ersetzt werden.

6. Alle Phasen, auch feste, haben im allgemeinen eine veränderliche Zusammensetzung, aber die Zahl der möglichen Qualitätsvariationen einer einzelnen Phase ist bei n Bestandteilen eines Reaktionsgebietes, welches überhaupt irgend eine chemische Analyse ermöglicht, kleiner als $n-1$. Das bestätigt die tägliche Erfahrung, ist auch notwendige Bedingung der Analysierbarkeit.

Verschiedene Phasen haben jedenfalls eine verschiedene Auswahl möglicher Variationen, vielleicht auch eine verschiedene Anzahl.

Kann man aus n Bestandteilen (oder Ausgangskörpern beliebiger Art) bei freien Variationen der Massenverhältnisse überhaupt nie weniger als z. B. f Phasen gewinnen, und sind die Massen der Phasen bei konstanter Qualität noch freier Variationen fähig, so kann keine Phase des Produktenkomplexes mehr als $n—f$ freie Variationen der Qualität („Zusammensetzung") besitzen. Ich habe dies unlängst erwiesen,[1] es ist das eine Folgerung, welche bei richtiger Betrachtungsweise des Problems geradezu banal erscheint, übrigens implicite schon in der Gibbsschen Theorie enthalten ist.

Es ist nun naheliegend, ein geometrisches Bild zur Veranschaulichung heranzuziehen, welches bei minder furchtsamen Geistern sogar in das Märchengebiet der n-dimensionalen Geometrie hinüberreichen dürfte. Jede einzelne Phase wird dann ein eigenes Bild dieser Art erfordern; hat die Phase z. B. g Qualitätsvariationen, so wird das Bild ebensoviele Koordinatenaxen haben müssen. Suchen wir zu einer bestimmten Phasenform den zugehörigen Bildpunkt auf, so wird er im allgemeinen g Variationen der Lage besitzen.

Es ist bereits eine spezifisch chemische Eigenschaft der Phasen, daß ihre qualitative Freiheit kleiner ist als jene des ganzen Forschungsgebietes, welchem sie angehören, d. h. daß $g < n—1$ ist. Damit ist aber das Eigentümliche der Phasen noch nicht erschöpft. Versucht man auf operativem Wege (Zufuhr von Reagentien, Änderungen der Temperatur und des Druckes bei koexistenten Phasen) eine Variation der Phasenqualität zu bewirken, so geht dies, so lange wir aus dem g-dimensionalen Raume nicht heraus wollen, im allgemeinen nach beliebigen Richtungen anstandslos vor sich. Denkt man sich derartige Variationen längs gerader Linien geführt, so wird man sagen können, daß im allgemeinen jedem Phasenpunkte ein vollständiger Stern von Strahlen entspricht.

Setzt man aber die Variation längs einer Geraden in bestimmter Richtung beharrlich fort, so ändert sich häufig das Verhalten der Phase gänzlich: Man kann nicht mehr vorwärts, nur noch zurück oder seitwärts. So muß es auch sein, wenn es überhaupt eine chemische Analyse gibt. Wir müssen uns daher das polydimensionale Bild einer Phase von festen, undurchdringlichen Wänden begrenzt denken. Dabei bleibt es vorläufig noch un-

---

[1] Diese Annalen 5, Seite 275.

gewiß, ob diese Wände die Phase vollkommen umfassen oder ob sie dieselbe nur teilweise begrenzen; vielleicht schließen die Wände gar nur Hohlräume im Phasenbilde ein. Unbedingt sicher ist es aber, daß diese Wände frei von jeder Krümmung gedacht werden können, denn nur unter dieser Voraussetzung ist es begreiflich, wie die Chemie auf ihrem bisherigen Wege überhaupt irgend etwas über chemische Erscheinungen auffinden konnte.

In einem dreidimensionalen Bilde werden also die Wände durch Ebenen darzustellen sein, allgemein in einem g-dimensionalen durch Räume von $g-1$ Dimensionen; solcher Wände gibt es offenbar in jeder Phase eine größere Anzahl, so daß zuletzt auch Schnittpunkte resp. Eckpunkte existieren. Die Zusammensetzung der Phase in diesen Punkten ist nach einer Seite (aus der Phase heraus) ganz unveränderlich, nach der anderen dagegen frei. Indem wir eine Phase „reinigen,“ setzen wir ihre Variationen so weit fort, bis wir (z. B. längs der „Oberfläche“) in so einen Eckpunkt gelangen. Die Elemente und chemischen Verbindungen entsprechen eben diesen Eckpunkten. Man liebt es, zu sagen, die Phase habe dann eine konstante Zusammensetzung, was natürlich, streng genommen, falsch ist. Wirklich steht die Sache so, daß wir (die physikalische Chemie ausgenommen) die noch möglichen Variationen nicht vornehmen wollen, weil wir dabei die Phase „verunreinigen“ würden; unmöglich sind nur die Variationen, die wir in der Richtung der „Reinigung“ eventuell „Sättigung“ fortzusetzen versuchen, oder die Variationen, welche einer von den $n-1-g$ Dimensionen angehören, welche die Phase überhaupt nicht besitzt.

Die herrschende Theorie befaßt sich nur mit den Eckpunkten der Phase; es kann aber ein Individuum von bestimmter Zusammensetzung mehreren Phasen angehören (z. B. Eis — Wasser — Dampf, allgemein Hylotropie) während das für allgemeinere Phasenformen offenbar nur in bescheidenerem Maße der Fall ist. Man wird also künftig mehr Nachdruck auf die Phase legen müssen, die Vereinigung phasisch verschiedener Körper in einen Begriff wie Element, chemische Verbindung ist unzweckmäßig, weil sie nur ausnahmsweise möglich ist; gerade das Allgemeingültige wird dabei verdeckt. Die Chemie wird künftig daran gehen müssen, die ganzen Phasen zu studieren, nicht bloß einzelne Eckpunkte in den Phasen, wobei sie auch noch die Phase selbst unbeachtet läßt. Es gilt, die Gleichungen der Grenzlinien,

Grenzebenen u. s. w. bis hinauf zu den Räumen von $g—1$ Dimensionen zu bestimmen.

Nun müssen aber auch die Gleichungen, welche für eine Phase gelten, in einem gewissen (allerdings noch unbekannten) Zusammenhange mit jenen für die übrigen Phasen stehen, und diese Zusammenhänge sind selbstverständlich auch noch aufzudecken.

Es ist nun klar, daß das Daltonsche Gesetz wirklich nur ein ganz spezieller Fall der allgemeineren Gesetze ist, die hier notwendig vorliegen müssen; aber die Atomhypothese ist unfähig gewesen, die theoretische Lösbarkeit des hier entwickelten Problemes auch nur zu ahnen, geschweige denn einen Weg zu weisen, auf dem es gelöst werden könnte. Das Problem ist des Schweißes der Edlen wert, die Atomistik ist aber ein Hindernis auf dem Wege zu einer Lösung, sie ist hier ein Hemmnis des Fortschritts.

Das Problem wird notwendig auch experimentell in Angriff genommen werden müssen; wie es aber bisher im Geiste der Atomistik aussah, mußte es als so kompliziert erscheinen, daß es überhaupt als praktisch unlösbar gelten mußte. Es ist auch niemals nur der bescheidenste Versuch unternommen worden, es experimentell zu lösen, abgesehen von den Forschungen über Isomorphismus und feste Lösungen, bei welchen aber doch die Erfassung des ganzen Problems und seines Zusammenhanges mit der Analysierbarkeit der Phasen fehlt.

Es handelt sich also um eine durchgreifende, heute schon ganz unvermeidlich gewordene Reform der „reinen" Chemie, welche offenbar auch die physikalische Chemie neu befruchten wird. Jede Phase stellt im Sinne von Gibbs eine Mannigfaltigkeit dar, in welcher die physikalischen Eigenschaften eines jeden Punktes die gleiche Art Abhängigkeit von den Koordinaten zeigen. Es gibt also gewissermaßen so viele chemisch-physikalische Gesetze als verschiedene Phasen. Hat aber eine Phase g Variationen der Zusammensetzung, so verlangt die Chemie nur, daß keine physikalische Eigenschaft der Phase eine größere Anzahl Variationen besitze als g, denn die überzähligen Variationen können nicht mehr chemisch erklärt werden, und müssen auf andere Ursachen (wie Magnetismus und dergl.) zurückgeführt werden, nicht auf Änderungen der Zusammensetzung. Wohl aber kann es vorkommen, daß eine Eigenschaft nonvariant, eine andere (z. B. die Masse) monovariant, eine dritte divariant u. s. w. sei.

Da Elemente auch nur besondere Formen von Phasen sind, ergibt sich auf diese Weise die freudige Hoffnung, daß es künftig einmal wird gelingen müssen, auch die Erfahrungssätze, welche z. B. im Mendelejeffschen Systeme der Elemente zusammengefaßt werden, auf alle existierenden Phasenformen auszudehnen. Es ergibt sich aber auch die Aussicht auf die Entdeckung physikalisch-chemischer Gesetze von einer Allgemeinheit, von welcher bisher nur geträumt werden durfte.

Um mich möglichst verständlich auszudrücken, habe ich im Vorstehenden überall nur von der elementaren Zusammensetzung gesprochen. Es ist unschwer, zu erkennen, daß es sich (genau genommen) überhaupt um jede Änderung der Zusammensetzung handelt, also auch um jede solche, bei welcher eine chemische Verbindung statt eines Elementes die Rolle eines Gibbsschen freien Bestandteiles der Phase spielt.

7. Es erübrigt mir noch die Aufgabe, mich über einen Einwand des Prof. Nasini auszusprechen, wobei ich diesem Forscher gern wenigstens den guten Willen zugestehe, sich in meinen Gedankenkreis hineinzufinden und meine Darlegungen nicht von oben herab zurückzuweisen. Ich habe vor Jahren die Entdeckung gemacht, daß der für Wechselzersetzungen giltige Richtersche Satz einer wesentlichen Verallgemeinerung fähig ist, indem man gewisse Determinanten gleich Null setzt. Später lernte ich, dies auf noch allgemeinere Weise auszusprechen und auf den Umstand zurückzuführen, daß bei chemischen Reaktionen von Individuen die Anzahl Bestandteile gleich oder größer sein kann als die Anzahl aller Körper in der Reaktionsgleichung. Da ich unlängst dieses Thema in einer allgemein verbreiteten, chemischen Zeitschrift neuerdings behandelt habe,[1] möchte ich ihm hier nicht wieder kostbaren Raum spenden. Prof. Nasini gibt zu, daß Richter seinen Satz auf dem Wege entdeckt haben könnte, wie Prof. Ostwald und ich behaupten; er verkennt aber den Umstand, daß die Reaktion $CaCO_3 + MgH_2O_2 = CaH_2O_2 + MgCO_3$ auch in dasselbe Gebiet gehört. Es handelt sich garnicht darum, aus der Menge dieser Körper ihre Zusammensetzung zu berechnen, sondern die notwendigen Beziehungen in der Zusammensetzung dieser Körper zu finden, damit trotz vier Bestandteilen die Umsetzung nur vier, nicht aber mehr

---

[1] Chemiker-Zeitung a. a. O.

Körper umfasse. Es irritiert ihn, daß er eine von seinen Gleichungen aus den drei anderen ableiten kann, und doch ist gerade dies eine Folge der gesuchten Beziehung.[1]

Die sonstigen Einwände Prof. Nasinis, so weit sie meine Darlegungen betreffen, halte ich durch das früher Gesagte schon als mit erledigt. Ich muß aber meinerseits einen Einwand gegen Prof. Nasinis Formulierung der stöchiometrischen Gesetze machen, die mir vom Standpunkte strenger Logik sehr unvollkommen zu sein scheint.

Daß wir betreffs seines ersten Gesetzes, des der konstanten Proportionen, uneinig sind, braucht kaum einer Erwähnung, ich sehe in diesem Gesetze überhaupt nur ein Surrogat für die Definition chemischer Individuen. Das dritte Gesetz (betreffs der Äquivalente) würde ich einfach auf die Ganzzahligkeit der Größen λ zurückführen, die vorhin in der Fußnote erwähnt wurden. Den Begriff des Atoms kann man dabei überhaupt vermeiden, doch fällt dies nicht in die Wagschale; auffallend ist aber, daß Prof. Nasini in seiner Formulierung der Gesetze die Möglichkeit ins Auge faßt, daß eine Verbindung aus einer variabelen Anzahl Atome bestehen könnte, und daß Atome desselben Elementes auch variabele Gewichte haben könnten.

Natürlich weist Prof. Nasini diese Gedanken selbst wieder zurück, und zwar durch den Wortlaut seiner Gesetze. Diese Gedanken an Variabilität von Zahl und Gewicht der Atome in einer gegebenen Verbindung muß ich aber als Mißgeburten der Atomistik ansehen, welche sich hier als geradezu irreführend erweist. Die Widerlegung dieser Gedanken müßte auch auf ganz andere Weise geschehen.

Es ist ein chemischer Grundsatz, daß sich die elementare Zusammensetzung eines Körpers nicht ändern kann, ohne daß der Körper auch seine physikalischen Eigenschaften ändert; denn

---

[1] Diese Beziehung kann auch durch gewisse Gleichungen mit den Größen λ ausgedrückt werden, die an angegebenem Orte nachgesehen werden mögen. Diese Größen λ hängen einerseits mit den Valenzen zusammen, anderseits bringen sie aber den Umstand zum Ausdrucke, daß sich Elemente entweder zu zusammengesetzten Bestandteilen vereinigen oder sich „substituieren"; welche von diesen Auffassungen gilt, entscheiden die Vorzeichen der Größen λ. Ich habe dies eingehend in der Arbeit „Verbindung und Substitution" sowie „Die rechnerischen Grundlagen der Valenztheorie" dargelegt. (Zeitschr. f. phys. Chemie, 25, Seite 525 und 26, Seite 77.)

anders würden wir einen solchen Vorgang nur als die Umwandlung eines Elementes in ein anderes auffassen können, und schließlich gäbe es überhaupt keine verschiedenen Elemente mehr, sondern nur ein einziges Urelement. Daher sollte auch in jedem
chemischen Lehrbuche, welches auf wissenschaftlichen Wert Anspruch macht, sich aber, wie üblich, der Atomhypothese bedient,
gleich bei der Einführung der Begriffe „Element“ und „Atom“
der Satz stehen:

Das Atomgewicht und die Zahl der Atome in irgend einem
Körper von gegebenen physikalischen Eigenschaften können nicht
veränderlich sein, denn eine Veränderlichkeit dieser Größen würde
eine Änderung der prozentischen Elementarzusammensetzung bei
unveränderten physikalischen Eigenschaften bedeuten: sie wäre
also mit einer Transmutation der Elemente gleichbedeutend, die
bisher nicht, oder doch nicht in dieser Allgemeinheit, beobachtet
werden konnte.

Mit den stöchiometrischen Gesetzen hat also dieser Satz nichts
zu schaffen; es ist auch bemerkenswert, daß Prof. Nasini vorher
nur davon spricht, es könnte die Anzahl Atome nicht gar zu groß
sein, weil man anders die fraglichen Gesetze nicht hätte aufdecken
können. Er setzt also hier stillschweigend Gewicht und Zahl der
Atome als konstant voraus. Bei der Formulierung seiner Sätze
schießt ihm aber dann der Gedanke an eine Veränderlichkeit von
Anzahl und Gewicht der Atome durch den Kopf, und hat er dann
viel Mühe, den Gedanken wieder umzubringen. Gerade dadurch
hat er aber wider seine Absicht dargetan, daß die Atomhypothese nicht einmal eine elegante Demonstration der
stöchiometrischen Gesetze bietet. Zum Mindesten ist sie
ihm nicht gelungen, obwohl ihm gerade darum zu tun war. —

Die von Noyes, Nasini und Arrhenius angefochtene Erklärung der einfachen Proportionen des Prof. Ostwald erweist
sich als unantastbar, wenn man den Erfahrungssatz mit heran-
zieht, daß Reaktionen chemischer Individuen nicht notwendig eine
größere Anzahl solcher aufweisen müssen als Bestandteile; ich
habe dies in der erwähnten Publikation in der Chemiker-Zeitung
neuerdings erwiesen und möchte nur bemerken, daß der Hilfssatz
natürlich nicht mehr gilt, wenn es sich nicht um Individuen,
sondern um Phasen überhaupt handelt. Von den allgemeinen
Phasenformen zu den Individuen gelangt man aber durch „Reinigung“ der Phasen, also durch Prozesse, welche die Anzahl der

Phasen (resp. die Anzahl Qualitätsvariationen der Phasen) in der Reaktionsgleichung verkleinern.

Mein Hilfssatz ist also nur eine andere Form der Voraussetzung, daß eine Reinigung der Phasen vorangegangen sei. Sieht man dies ein, so erkennt man leicht, daß meine und Prof. Ostwalds Ableitung im Wesen identisch sind und beide auch mit derjenigen Richters übereinstimmen. Nur ist Prof. Ostwalds Ableitung anschaulicher, da sie bloß mit drei Elementen auskommt, während Richter vier Bestandteile benötigte. Meine Entwicklung ist die allgemeinste, doch habe ich früher wirklich geglaubt, daß man nicht unter vier Bestandteile herabgehen könne.

Illusive Reihen.

Nachtrag zur Kausalitätslehre

von

Dr. Wilh. M. Frankl.

Illusive Reihen,[1] d. h. Reihen, deren Glieder in der Zeit aufeinander folgen, ohne eine Kausalreihe[2] zu bilden, scheint es von siebenfacher Art zu geben.

Verbindet man aufeinander folgende Phasen verschiedener Kausalreihen, so erhält man eine solche; sie besteht z. B. aus einer Wachstumsphase eines Baumes und der Phase einer Fahrt eines Eisenbahnzuges. Allgemein: Gegeben sind die beiden Reihen

$$At_1 \ At_2 \ldots \ \text{und}$$
$$Bt_1 \ Bt_2 \ldots$$

Daraus bildet man $At_1 \ Bt_2$.[3]

In ähnlicher Weise erhält man eine illusive Reihe, wenn man nur gewisse Komponenten der Ursachen und Wirkungen einer Kausalreihe in Betracht zieht. (Auch diese bilden ja keine Kausalreihe, da hier nicht das eine Glied Gesamtursache des folgenden ist.)

Schema: Ursache *(ab)*, Wirkung *(cd)*.

Daraus bildet man *ac*.[4]

---

[1] Vergl. Frankl, „Zur Kausalitätstheorie". Diese Annalen V. Bd., S. 446.

[2] Kausalreihe ist eine chronologisch geordnete Reihe, in der immer das vorhergehende Glied (direkte) Gesamtursache des nächstfolgenden ist.

[3] Um Reihen dieser Art in den Kreis o. g. Arbeit einzubeziehen, müßte Satz 8 den Zusatz erhalten „oder auf eine Mehrheit von Kausalreihen". — Das Übrige bleibt unverändert, denn von „Veränderung" (Satz 9) wird man in einem solchen Falle doch nicht sprechen wollen. Vergl. auch Mally, „Zur Gegenstandstheorie des Messens" in Meinong, „Untersuchungen zur Gegenstandstheorie und Psychologie" S. 197.

[4] Um Reihen dieser Art in den Kreis o. g. Arbeit einzubeziehen, müßte Satz 8 den weiteren Zusatz erhalten: „oder deren Glieder sind Bestandstücke von Gliedern einer Kausalreihe". — Das Übrige bleibt ungeändert.

Diese beiden Formen der illusiven Reihen können füglich subjektive[1] genannt werden. Im ersten Falle trägt das Zusammengeben, im zweiten das Weglassen etwas Willkürliches an sich. An diese beiden Formen von subjektiven Reihen habe ich, das sei hier betont, bei Abfassung oben genannter Arbeit „Zur Kausalitätstheorie" nicht gedacht. Für diese gelten auch die betreffenden Sätze nicht ohne Zusätze. Sie gelten vielmehr für die übrigen fünf „objektiven" illusiven Reihen.

Es ist klar, daß sich für die einzelnen Gruppen die entsprechenden Sätze der o. g. Arbeit näher determinieren.

Die erste der objektiven ist zu bilden aus einer Kausalreihe mit Überspringen von Gliedern.

Aus der Kausalreihe abc erhält man die illusive Reihe ac.

Die zweite dieser Formen — die ich besonders im Auge hatte — ist die Reihe unmittelbarer Nebenwirkungen der gleichen Art. (Die nicht der gleichen Art würden unter Form 2 der subjektiven i. R. zu subsumieren sein.) Es spielt sich z. B. ein Leuchtprozeß $A—B—C$ ab und zeigt in seinen Phasen Nebenwirkungen a, b, c, die eventuell Ausgangspunkte anderer (sekundärer) Kausalreihen sein können — es aber nicht sein müßten.

Schema:
$$A \diagdown B \diagdown C \diagdown$$
$$\quad a \quad\ b \quad\ c$$

abc bilden die illusive Reihe.

Die dritte Form der objektiven illusiven Reihen wird gebildet durch mittelbare Nebenwirkungen eines Kausalprozesses, die derselben Phase angehören — (nicht notwendig derselben Zeitdifferenz zwischen ihr und dem entsprechenden Ausgangspunkte der primären Kausalreihe.) Beispiel: Durch einen Leuchtprozeß bewirkte Beleuchtung einer ebenen oder unebenen Fläche.

Schema:
$$A - B - C$$
$$| \qquad | \qquad |$$
$$\alpha \quad \beta_1 \quad \gamma$$
$$| \qquad | \qquad |$$
$$a \quad \beta_2 \quad c$$
$$\quad | \quad$$
$$\quad b \quad$$

Die griechischen Buchstaben bedeuten Vorgänge im Äther.[2]
abc ist die illusive Reihe.

---

[1] Einen gewissen subjektiven Einschlag zeigen alle „illusiven" Reihen — am wenigsten jedoch Form 2, 3 der objektiven.

[2] Um dies als Beispiel verwenden zu können, braucht man sich noch nicht betreffs der Ätherhypothese gebunden zu haben.

Die vierte dieser Formen sind Reihen von Nebenwirkungen eines Kausalprozesses verschiedener Phasen.

(Man könnte zwar 2, 3, 4 dieser Formen unter dem Titel „Nebenwirkungsreihen" zusammenfassen, sie zeigen jedoch charakteristische Verschiedenheiten.)

So ist z. B. auch bei gleichbleibendem Lichte — es läßt sich ein solches als Kausalprozeß wenigstens fingieren, vergl. obige Aufschreibung! α von b verschieden. $\alpha\,b$ bilden eine illusive Reihe. Und als verschieden erfordern sie eine Veränderungsreihe (nach Satz 8 o. g. Arbeit), die aber hier nicht mit der primären, sondern mit einer sekundären Kausalreihe zusammenfällt.

Als fünfte Form endlich könnte man Reihen von pseudoexistierenden[1] Gegenständen anführen, von Gegenständen also, die als eine Quasi-Zeitbestimmung, die Zeitbestimmung[2] einer auf sie gerichteten psychischen Tatsache, tragen. — Ihnen entspricht einfachst die Reihe der ihnen entsprechenden psychischen Tatsachen.[3]

Sonstige Formen scheinen als Komplikationen aus diesen sieben aufgefaßt werden zu können.

Mitunter läßt sich mit Sicherheit feststellen, daß eine Reihe nicht Kausalreihe ist; daß eine Reihe Kausalreihe sei, läßt sich mit absoluter Sicherheit niemals feststellen. Dementsprechend (und darüber hinausgehend) haben manche Denker die Illusivität der Welt behauptet, ohne ihr jedoch eventuell jede Art von Sein absprechen zu wollen. Man ersieht hieraus zugleich, daß ich nicht absichtslos das Wort „illusiv", das anscheinend zunächst Gedanken ganz anderer Art hervorruft, zur Bezeichnung des hier vorliegenden Tatbestandes gewählt habe — und anderseits bekommt man dadurch ein Gefühl dafür, wie widersinnig es ist, den noumenis,

---

[1] Ebensowenig müßte man sich zur Lehre von der Pseudoexistenz der Sinnesqualitäten bekennen, obwohl diese sowie die Ätherhypothese recht gut beglaubigt ist, Pseudoexistenz koinzidiert dem, was man gewöhnlich mißverständlich als „Existenz in der Vorstellung" bezeichnet. Siehe Meinong, „Über Gegenstände höherer Ordnung", S. 186 f. Man könnte von pseudoexistierenden Gegenständen sagen: „non sunt ipsa sed ipsorum sunt."

[2] Was eine Zeitbestimmung trägt, ist entweder wirklich oder steht in positiver Beziehung zu Wirklichem. Vergl. Ameseder, Beiträge zur Grundlegung der Gegenstandstheorie in Meinong d. W., S. 79.

[3] Inwiefern und daß Satz 6, 7, 8 o. g. Arbeit für die objektiven illusiven Reihen gelten, das nachzukontrollieren sei dem Interesse des Lesers überlassen.

den Dingen an sich, Kausalität absprechen zu wollen,[1] vielmehr scheint dieselbe gerade als deren Kriterium angesehen werden zu können.

[1] Vergl. Meinong, „Über die Grundlagen unseres Erfahrungswissens", Ameseder a. a. O., S. 94, Frankl, „Grundzüge der allgemeinen Wirklichkeitstheorie", S. 21 ff.

Die allgemeinsten Gesetze
des physikalischen Geschehens und ihr Verhältnis zum zweiten Hauptsatze der Wärmelehre.

Von

Arthur Erich Haas
in Wien.

Unter allen physikalischen Gesetzen gibt es wohl kaum eines, das trotz des hiefür erbrachten Beweises so viele Bedenken erregt hat, wie der zweite Hauptsatz der mechanischen Wärmetheorie. Das Mißtrauen, das ihm von so vielen Seiten immer wieder entgegengebracht wird, hat einen doppelten Grund. Die kosmologischen Folgerungen, die sich aus ihm ergeben, scheinen vielen unannehmbar und müssen namentlich diejenigen sehr enttäuschen, die in der Physik den mächtigsten Verbündeten in ihrem Kampfe gegen die Annahme einer außerweltlichen Existenz finden zu können glauben. Die zweite Ursache ist die merkwürdige Ausnahmestellung, die der zweite Hauptsatz gerade der Wärme gegenüber den anderen Arten der Energie einzuräumen scheint und die ein um so größeres Unbehagen hervorrufen muß, je mehr wir uns daran gewöhnt haben, alles Naturgeschehen von einheitlichen Gesichtspunkten aus zu betrachten.

Es soll die Aufgabe der folgenden Ausführungen sein, nach allgemeineren, nicht nur für die Wärmelehre, sondern für alle Teile der Physik geltenden Gesetzen zu suchen, denen sich der vielumstrittene Satz vielleicht unterordnen läßt und aus denen sich einfacher und klarer als aus dem zweiten Hauptsatze die kosmologischen Folgerungen ergeben, zu denen jener den Anlaß gibt.

I. Quantität und Intensität.

Den Ausgangspunkt der folgenden Betrachtungen sollen zwei Begriffe bilden, die ihre weitere Verbreitung besonders durch G. Helm (Die Lehre von der Energie, Leipzig 1887) und W. Ostwald (Vorlesungen über Naturphilosophie, 3. Aufl., Leipzig 1905) gefunden haben. Es sind die Begriffe der Quantität (auch Kapazität oder Extensität genannt) und der Intensität. Ihre Definition ist durch die Gleichung $dE = I \cdot dQ$ gegeben, wenn E die Energie bedeutet.

Für die drei Hauptarten der Energie, die kinetische, potentielle und thermische — von den übrigen Arten, die Ostwald noch aufzählt, möge hier abgesehen werden, zumal, da sie sich den drei Hauptarten wohl unterordnen lassen — ergeben sich auf diese Weise drei Hauptarten der Quantität und der Intensität. Bei der kinetischen Energie sind es bewegte Masse und halbes Geschwindigkeitsquadrat, bei der potentiellen Energie gravitierende,[1] magnetische oder elektrische Masse und Potential, bei der thermischen Energie Entropie und Temperatur.

Bei der kinetischen Energie bestehen zwei Möglichkeiten der Zerlegung. Sie läßt sich entweder in Bewegungsgröße und Geschwindigkeit oder eben in Masse und halbes Geschwindigkeitsquadrat spalten.[2] Daß im Gegensatze zu Helm vorhin die zweite Wahl getroffen wurde, hat nicht nur in der Ansicht seinen Grund, daß die Größen v und dv unbedingt zusammengehören;[3] es war auch das Bestreben maßgebend, der kinetischen Quantität, ebenso wie es bei den anderen Quantitäten der Fall ist, eine absolute und nicht nur eine relative Bestimmbarkeit zu sichern. Dies wäre aber nie möglich, wenn man als Quantität die Bewegungsgröße einführt, die einem nur relativ bestimmbaren Faktor, der Geschwindigkeit, proportional ist.

---

[1] Daß die Unterscheidung zwischen bewegter und gravitierender Masse mehr als eine Wortspielerei ist, zeigt das Beispiel der Atwoodschen Fallmaschine.

[2] Ähnlich liegen die Verhältnisse auch bei der elektrischen Energie, indem man auch hier die Quantität (Elektrizitätsmenge) als das Produkt aus Intensität (Potential) und einem für jeden Konduktor konstanten Faktor (der Kapazität) darstellen kann.

[3] Dies scheint namentlich daraus hervorzugehen, daß nur bei der Zerlegung in m und $\frac{v^2}{2}$ in einem absoluten Maßsystem mit zwei Grundeinheiten alle Quantitäten einerseits und alle Intensitäten andererseits dieselbe Dimension haben. Vgl. physikal. Zeitschrift, 6, 204—205, 1905.

II. Die Grundform der natürlichen Ereignisse.

Die große Bedeutung des Intensitätsbegriffes liegt, wie zuerst Helm erkannte und dann Ostwald näher ausführte, darin, daß das Vorhandensein (nicht kompensierter) Intensitätsunterschiede die unumgänglich notwendige Voraussetzung für alles natürliche Geschehen darstellt. Als den einfachsten Fall und als die Grundform eines natürlichen Ereignisses werden wir also die Verminderung oder vollkommene Beseitigung von Intensitätsunterschieden einer bestimmten Art ansehen können. Der Intensitätsausgleich erfolgt bei der kinetischen Energie durch Stoß oder Reibung, bei der potentiellen Energie und bei der Wärme durch Konvektion, Leitung oder Strahlung.

Anmerkung. Es möge hier noch auf einen Einwand hingewiesen werden, der in bezug auf die früher getroffene Festsetzung der kinetischen Quantität erhoben werden könnte. „Man denke sich" — so etwa würde der Einwand lauten — „zwei gleiche, unelastische Kugeln, die sich mit gleicher, aber entgegengesetzter Geschwindigkeit gegeneinander bewegen. Dann tritt doch sicher ein Ereignis ein, da ja Energieänderungen infolge der Erwärmung der beiden Kugeln stattfinden, und doch hatten beide Kugeln dieselbe Intensität, nämlich $\frac{v^2}{2}$. Folglich ist entweder der Satz von der Ursache des Geschehens oder die getroffene Festsetzung der kinetischen Quantität, wenn nicht beides, falsch."

Auf diesen Einwand wäre folgendes zu erwidern: Wir erhalten die gemeinsame Geschwindigkeit nach einem beliebigen unelastischen Stoße auch, wenn wir zu den Geschwindigkeiten vor dem Stoße eine beliebige additive Konstante hinzufügen, für die so gemessenen Geschwindigkeiten die Ausgleichsgeschwindigkeit bestimmen und von der derart bestimmten nun die additive Konstante wieder abziehen. Es folgt dies ja schon daraus, daß die bei dem Stoße entwickelte Wärme als etwa objektiv Gegebenes von unserer Art der Geschwindigkeitsmessung unabhängig sein muß. Wir können dann die additive Konstante stets entgegengesetzt gleich der Geschwindigkeit des einen Körpers wählen, so daß diese selbst in dem neuen Maße null wird. Dann wird ein Stoß auch tatsächlich nur bei Intensitätsverschiedenheit möglich sein.

III. Die Relativität der Energie.

Die bisherigen Betrachtungen haben gezeigt, daß für das Ergebnis aller Ereignisse (die sich, wie später gezeigt werden soll, ja alle auf die Grundform zurückführen lassen), nur die Intensitätsunterschiede in Betracht kommen, während die absoluten Werte der Intensität hiebei überhaupt keine Rolle spielen.[1] Wenn wir uns dieser Tatsache auch nicht stets völlig bewußt bleiben, machen wir doch von ihr fast überall in der Physik Gebrauch. Die Wärmelehre ist der einzige Zweig, in dem wir Intensitäten in absolutem Maße anzugeben pflegen; dem Potential und der Geschwindigkeit kommt stets nur ein relativer Wert zu. Im Gegensatze zu den Intensitäten sind Quantitäten stets absolut bestimmbar, d. h. ihre Werte sind in allen denkbaren Maßsystemen immer nur durch einen konstanten Faktor, nie aber durch eine additive Konstante unterschieden. Mißt aber das Produkt aus Quantität und Intensität die Energie, so kann auch dieser unmöglich ein absoluter Wert zukommen. Wir sind gezwungen, in ihr ebenso eine nur relative Größe zu erblicken, wie in allen Ausdrücken, die mit der Bewegung zusammenhängen.

So bedeutungsvoll auch das Prinzip von der Erhaltung der Energie für die gesamte theoretische Physik ist, so wertvoll es sich auch bei der Betrachtung von Prozessen erweist, die sich im Rahmen eines festgelegten Koordinatensystems abspielen und bei denen es unberücksichtigt gelassen werden darf, daß sich der willkürlich gewählte Nullpunkt der Intensität während des Prozesses selbst verschiebt — so verfehlt erscheint es, die Energie als eine absolute Größe der Materie zur Seite zu stellen oder an ihren Platz zu setzen, wie es so oft geschieht. Die Geschwindigkeit eines Körpers und daher auch seine kinetische Energie können wir durch eine Veränderung des Koordinatensystems jedesfalls vergrößern. (Bewegt sich etwa, durch ein Uhrwerk getrieben, ein Körper mit der Geschwindigkeit 3 cm sec $^{-1}$ in einem Zimmer, so wird seine Geschwindigkeit, wenn wir den Ursprung des Koordinatensystems, das früher in bezug auf das Zimmer in Ruhe war,

---

[1] Daß bei der kinetischen Energie auch Intensitätsunterschiede nur bei gewissen Vereinfachungen absolut angegeben werden können, wurde schon am Ende des zweiten Abschnittes hervorgehoben. Trotzdem sind infolge des Wegfalls von Konstanten gewisse, aus Intensitätsunterschieden aufgebaute Ausdrücke (darunter auch der später zu erwähnende für den „Ereignisvorrat") stets absolut bestimmbar.

in die Sonne verlegen, eine Million mal, seine kinetische Energie
also eine Billion mal so groß wie früher — in völligem Widerspruche mit dem vielleicht doch zu allgemein gehaltenen Satze von
der „Unerschaffbarkeit" der Energie.) Etwas Absolutes, objektiv
Gegebenes können wir aber durch Gedanken allein nie abändern,
und die Behauptung, daß in einem solchen Falle der Vermehrung
der kinetischen Energie eine ebenso große Verminderung der
potentiellen entspreche, wäre natürlich ebenso unrichtig wie die
Annahme, daß sich bei einer derartigen Koordinatenverlegung
wohl die kinetische Energie eines einzelnen Körpers ändere, die
gesamte Bewegungsenergie des Systems aber ungeändert bleibe.

IV. Einführung der Begriffe der Spannung und des Ereignisvorrats.

Wenn wir die Größen, die für den Energieumsatz in einem
Systeme maßgebend sind, absolut bestimmen wollen, müssen wir
jedesfalls statt von dem Begriffe der Intensität von dem des In-
tensitätsunterschiedes ausgehen. Denken wir uns ein System von
Quantitäten, so werden, wenn alle Intensitätsunterschiede beseitigt
sind (und dies herbeizuführen ist ja, wie noch gezeigt werden
soll, die Tendenz aller Prozesse der Wirklichkeit), alle Quantitäten
dieselbe Intensität besitzen. In bezug auf diese können wir aber
die durch die Übereinstimmung mit den Spezialfällen gerechtfertigte
Annahme machen, daß ihr Wert von der Aufeinanderfolge und
der Art der einzelnen Teilprozesse unabhängig ist. Wir wollen
dann die Differenz zwischen der Intensität einer Quantität
und der Ausgleichsintensität als die „Spannung" der betreffenden Quantität bezeichnen.

Die Spannung ist im Gegensatze zur Intensität in einem bestimmten Systeme eine absolut meßbare Größe; ihr Nullpunkt
verschiebt sich nicht wie der der Intensität während der Prozesse.
Trotzdem ist sie natürlich nichts objektiv Gegebenes; denn ihr
Wert hängt ja davon ab, wie wir das System abgrenzen, wie viel
andere und welche Quantitäten wir miteinbeziehen wollen. Eine
allgemeine Formel für die Ausgleichsintensität läßt sich natürlich
auch nicht aufstellen, da ihr Wert von den besonderen Eigenschaften des betrachteten Systems abhängt (von den Werten der
elektrostatischen Kapazität, der spezifischen Wärme u. s. w.).

Es liegt nun nahe, eine Größe einzuführen, die, ebenso wie
die Energie mit dem Produkte aus Quantität und Intensität, so

mit dem Produkte aus Quantität und Spannung zusammenhängt, die aber freilich ganz andere Eigenschaften zeigt als die Energie. Diese neue, für ein bestimmtes System absolut meß- bare Größe möge der „Ereignisvorrat" des Systems genannt und als die Summe der Produkte aus allen Quantitäten und den zugehörigen Spannungen $(\Sigma Q \cdot S)$ definiert werden.[1] Mit dem üblichen Begriffe der freien oder disponiblen Energie deckt sich der des Ereignisvorrats nur teil- weise. Ein aus einem geladenen Konduktor bestehendes und völlig abgeschlossen gedachtes System (bei dem also alle elektrischen Massen dasselbe Potential haben) besitzt zwar freie Energie, aber keinen Ereignisvorrat.

V. Die Kompensierbarkeit des natürlichen Geschehens.

Eine Verminderung von Intensitätsunterschieden oder, wie wir unter Benutzung der zuletzt entwickelten Begriffe sagen können, eine Verminderung des Ereignisvorrats kann deshalb als die Grund- form des natürlichen Geschehens bezeichnet werden, weil nur Vor- gängen dieser Art eine selbständige Existenz zukommt, weil nur sie „von selbst" eintreten können. Vorgänge, bei denen Intensitäts- unterschiede vergrößert werden, der Ereignisvorrat also vermehrt wird, können nur auftreten, wenn sie mit Vorgängen der Grund- form entweder simultan oder sukzessiv in lückenloser Aufeinander- folge verbunden sind, also den Ereignisvorrat, der bei jenen primären Vorgängen verschwindet, wieder ausnutzen. Der primäre und die sekundären Prozesse können entweder dieselbe Art der Energie (wie bei dem elastischen Stoße) oder aber verschiedene Arten be- treffen (wie bei der Arbeit einer Dampf- oder Dynamomaschine).

Fehlt bei einem primären Vorgange die Verbindung mit anderen sekundären oder die Möglichkeit einer völligen Ausnutzung des verschwindenden Ereignisvorrats, so geht dieser ganz oder teilweise verloren, ohne daß er je wieder nutzbar gemacht werden könnte (wofern nur das System abgeschlossen bleibt). Befinden sich in einem abgeschlossenen System zwei geladene Konduktoren von verschiedenem Potential und lassen wir nun den natürlichen

---

[1] Diese Summe muß stets ihrem absoluten Betrage nach (d. h. ohne Be- rücksichtigung des Vorzeichens des Endresultates) bestimmt werden, da ja das Vorzeichen und die Richtung vom Negativen zum Positiven bei den Intensitäten (mit Ausnahme der Temperatur) willkürlich gewählt sind.

Prozeß der Potentialausgleichung erfolgen, so können wir bei geeigneten Vorkehrungen den Eintritt scheinbar unnatürlicher Ereignisse bewirken, das primäre Geschehen kompensieren, indem wir es beispielsweise erreichen, daß sich Körper von der Erde wegbewegen. Schalten wir nichts in den Stromkreis ein und hat nach einiger Zeit der durch den Strom erwärmte Leiter die Temperatur der Umgebung angenommen, so ist es unmöglich, die einmal versäumte Ausnutzung nachzuholen.

Aus allen diesen Tatsachen der Erfahrung ergibt sich, daß die Menge des bei einem natürlichen Ereignis zurückgewinnbaren und anderweitig verwendbaren Ereignisvorrats eine obere Grenze haben muß, die dann erreicht wird, wenn der gesamte Ereignisvorrat, der bei dem primären Prozesse verschwindet, ausgenutzt wird.

VI. Der zweite Hauptsatz der Wärmelehre als besonderer Fall eines allgemeineren Gesetzes und die Gründe seiner scheinbaren Sonderstellung.

Der zuletzt aufgestellte und für alle Teile der Physik gültige Satz führt, wenn man im besonderen für die Quantität die Entropie und für die Intensität die Temperatur setzt, zu dem zweiten Hauptsatze der mechanischen Wärmetheorie in der Fassung Carnots. Kühlt sich infolge eines natürlichen Prozesses eine Wärmemenge W von der Temperatur T_1 auf die Temperatur T_2 in adiabatischer Weise ab, wie es bei dem Carnotschen Kreisprozesse vorausgesetzt ist, so erhält man den hiedurch bedingten Verbrauch an Ereignisvorrat, wenn man die bei dem isentropischen Prozesse konstant bleibende Quantität mit der Differenz der Spannungen vor und nach dem Prozesse multipliziert. Die Quantität, in diesem Falle die Entropie, ist durch die Größe $\frac{W}{T_1}$ gegeben, die Differenz der Spannungen ist gleich

$$S_1 - S_2 = (T_1 - T_0) - (T_2 - T_0) = T_1 - T_2.$$

(T_0 bedeutet die Ausgleichsintensität.) Die obere Grenze der zu gewinnenden Arbeit ist also, da sie dem bei der Abkühlung verbrauchten Ereignisvorrat gleich ist, durch die Formel

$$A\,max = C \cdot \frac{W}{T_1}(T_1 - T_2)$$

dargestellt, die mit der Carnotschen völlig übereinstimmt. (*C* bedeutet das mechanische Wärmeäquivalent.)

In der anderen, von Clausius begründeten Fassung (es könne Wärme nicht von selbst aus einem kälteren in einen wärmeren Körper übergehen) stellt sich der zweite Hauptsatz als Spezialfall des früher erwähnten, allgemeineren Gesetzes dar, wonach eine Vergrößerung von Intensitätsunterschieden nie von selbst (als primärer Prozeß) eintreten kann.

Wenn auch die Wärme manche Eigentümlichkeiten gegenüber den anderen Arten der Energie zeigt, so hängt doch der zweite Hauptsatz mit diesen Eigenschaften keineswegs zusammen, sondern nur mit unserer Art der Intensitätsmessung. Daß ein derart merkwürdiges Gesetz in der Thermodynamik aufgefunden wurde, hat darin seinen Grund, daß wir nur bei der thermischen Energie einen festen Nullpunkt der Intensität besitzen, der uns bei den anderen Arten der Energie fehlt. Daß wir auch von einem Wirkungsgrade eines thermodynamischen Prozesses sprechen können, ist dadurch ermöglicht, daß dieser feste Nullpunkt zugleich ein absoluter ist. Bei Untersuchungen in anderen Zweigen der Physik (man denke etwa an den freien Fall oder die elektrische Entladung) wird die eine der beiden in Betracht kommenden Intensitäten gewöhnlich null gesetzt und muß es, trotzdem sie sich ändert, auch während des ganzen Prozesses bleiben, da wir im allgemeinen keine dritte, während des Vorganges unverändert bleibende Intensität zum Vergleiche heranziehen. Es ist (mutatis mutandis) so, als würden wir in der Thermodynamik den Gebrauch eines genaueren Heberbarometers für nötig erachten, während uns in den übrigen Zweigen der Physik das einfachere Birnenbarometer genug gut erscheint.

Nur dieser Eigentümlichkeit unseres Messens verdankt der zweite Hauptsatz seine scheinbare Sonderstellung. Denken wir uns einen Planeten von nahezu überall gleicher Temperatur (indem er etwa aus gut leitendem Metall bestünde) und auf ihm Wesen, die die Temperatur eines Körpers als seine Differenz gegen die Temperatur des Planeten messen, so wie wir es bei dem Massen- und bei dem elektrischen Potential tun, so würde sich wahrscheinlich in den physikalischen Lehrbüchern eines derartigen Planeten ebenso wenig ein zweiter Hauptsatz im Abschnitte „Wärmelehre" finden, wie er sich bei uns in den Abschnitten „Mechanik" und „Elektrizitätslehre" findet.

VII. Die Eigentümlichkeiten des wirklichen Geschehens gegenüber dem theoretisch möglichen.

Die Möglichkeit, den bei dem primären Prozesse verbrauchten Ereignisvorrat völlig wiederzugewinnen, besteht nur in der Theorie. Es ist eine Tatsache der allgemeinen Erfahrung, daß diese obere Grenze der Ausnutzung in Wirklichkeit nie erreicht werden kann, daß bei dem primären Prozesse stets in größerem Maße Ereignisvorrat verschwinden muß, als er bei den sekundären zutage tritt. Es ist so, als wollten wir mittels einer (einfachen) Rolle ein Gewicht in die Höhe heben, indem wir ein zweites fallen lassen. In Wirklichkeit muß — im Gegensatz zur Theorie — das fallende Gewicht stets größer sein als das andere, das gehoben werden soll.

Bei jedem Stoße geht kinetische Energie verloren, da es keine absolut elastischen Körper, folglich auch keine völlige Kompensation des Prozesses geben kann. Dasselbe ist bei der Reibung der Fall, die die Verlangsamung jeder Bewegung und auch der der Himmelskörper zur Folge haben muß. Jeder elektrische Strom findet im Leiter einen Widerstand vor, der sich nie ganz beseitigen läßt. Im allgemeinen können wir also sagen: Bei jedem Komplexe von wirklichen Prozessen muß die Menge des bei den sekundären Vorgängen wieder gewonnenen Ereignisvorrats kleiner bleiben als die Menge des bei den primären Vorgängen verschwundenen. Dadurch erscheint es gerechtfertigt, daß die Ereignisse der Grundform als natürliche bezeichnet wurden.

VIII. Die Zunahme der Entropie und der Satz von der Erhaltung der Quantität.

Jeder Verminderung des Ereignisvorrats entspricht, wie wir aus der Erfahrung wissen, eine ebenso große Vermehrung der thermischen Energie in einem Systeme. Ziehen wir von der gesamten Energie, die im abgeschlossenen Systeme konstant bleibt, die thermische, die sich erst während des Prozesses als Ersatz für den verlorenen Ereignisvorrat bildet, ab, so muß für alle jetzt übrig bleibenden Energiemengen der verschiedenen Arten, also auch für die Wärme, die Summe der Quantitäten vor und nach dem Prozesse gleich sein. Während bei den übrigen Energiearten bei Intensitätsausgleichung die Menge der betreffenden

Energie abnimmt, muß bei einem rein thermischen Vorgange die gesamte Wärmemenge scheinbar konstant bleiben, da an Stelle des Verschwindenden Ersatz derselben Art tritt. Daß die nun vorhandene Wärme aber trotzdem gleichsam aus zwei Teilen besteht, äußert sich in der Zunahme der Entropie. In dieser Hinsicht stellt also die Wärme keine Ausnahme von einem allgemeineren Gesetze, sondern eher einen Spezialfall dieses Gesetzes dar.

Denn eine Vermehrung der Entropie findet nicht nur bei rein thermischen Vorgängen statt, sondern überall dort, wo Ereignisvorrat verloren geht. Denn bei jeder hiedurch bedingten Vermehrung der thermischen Energie tritt ein positives Produkt aus Quantität und positiver Intensität zu einem anderen, bei dem die Quantität ungeändert bleibt. Der Zuwachs an Entropie läßt sich also bestimmen, indem man den verlorenen Ereignisvorrat, in Wärmeeinheiten ausgedrückt, durch die betreffende Temperatur dividiert.

Anmerkung. Es möge noch hervorgehoben werden, daß die bei einer Intensitätsausgleichung geschaffene Wärme noch immer einen Ereignisvorrat darstellt, solange es in dem System Körper mit anderer Temperatur gibt. Wir können ja durch Reibung Wasser zum Verdampfen bringen und mit diesem Dampfe eine Maschine betreiben. Durch die Intensitätsausgleichung geht zunächst immer nur Ereignisvorrat einer bestimmten Art verloren.

IX. Das Ende des Geschehens.

Daß der verlorene Ereignisvorrat in Form von Wärme wiedererscheint, kommt für den Ablauf des Geschehens weiter nicht in Betracht. Aus der Tatsache, daß auch in Verbindung mit anderen, sekundären Prozessen jeder primäre Vorgang eine endliche Verminderung des vorhandenen Ereignisvorrates bedingt, folgt, daß unter der Voraussetzung eines kontinuierlichen Geschehen nach einer endlichen Zeit in dem System ein Zustand völliger Intensitätsgleichheit, völliger Spannungslosigkeit eintreten muß, in dem jedes Geschehen unmöglich ist — ein Zustand, den man gewöhnlich in Beziehung auf das Weltgebäude als den „Wärmetod" bezeichnet. (Die Behauptung, daß in diesem Zustande Energie nur in Form von Wärme vorhanden sei, ist nur dann zutreffend, wenn die Ausgleichsintensitäten der anderen Energien mit den willkürlichen Nullpunkten übereinstimmen.)

Eine Verwertung der in dem spannungslosen System enthaltenen Energie ist nur dann möglich, wenn das bis dahin abgeschlossene System geöffnet, und etwa mit einem anderen spannungslosen System, jedoch von anderen Ausgleichsintensitäten, verbunden wird. Umgekehrt können wir bei einem bestehenden Systeme, in dem noch Spannungen vorhanden sind, unmöglich annehmen, daß es seit jeher in völliger Abgeschlossenheit besteht, falls wir ein kontinuierliches Geschehen in ihm voraussetzen.

Persönlichkeit und Unsterblichkeit.

Von

Wilhelm Ostwald.

Als die große und unerwartete Auszeichnung an mich herantrat, zur Abhaltung der Ingersoll-Vorlesung[1] eingeladen zu werden,
hatte ich mich mit Gefühlen von ziemlich mannigfaltiger Beschaffenheit auseinanderzusetzen. Zunächst empfand ich natürlich
Stolz und Dankbarkeit, mit einer so verantwortlichen Aufgabe
betraut zu werden. Ferner empfand ich eine lebhafte Hochachtung
nicht nur für den Mann, von dem die Aufforderung ausgegangen

---

[1] Der hier veröffentlichte Aufsatz ist die deutsche Übersetzung eines Vor-
trages, zu dem ich während meiner Tätigkeit als „Austauschprofessor" im
Winter 1905/06 an der Harvard-Universität durch die Verwaltung der „Ingersoll
Lectureship" eingeladen wurde. Diese Vorlesung ist durch Miß Caroline
Haskell Ingersoll zur Erinnerung an ihren Vater George Goldthwait
Ingersoll gestiftet worden mit der Bestimmung, daß sie sich auf die Unsterblichkeit des Menschen beziehen, und daß die Wahl des Vortragenden nicht
durch sein religiöses Bekenntnis oder seinen Beruf beschränkt sein soll, sondern
ebensowohl auf Geistliche wie auf Laien fallen darf. Obwohl ich die maßgebende
Persönlichkeit auf die allgemeine Beschaffenheit meiner Ansichten hingewiesen
und ihr freigestellt hatte, die Aufforderung zurückzuziehen, wurde diese
dennoch aufrecht erhalten, unter dem Hinweis, daß die Wahrheit nur durch
eine möglichst allseitige Behandlung des Problems zutage treten könne.

Nach der statutenmäßig vorgeschriebenen Veröffentlichung des Vortrages
in englischer Sprache (Individuality and Immortality, Boston and New York,
Houghton, Mifflin & Co. 1906; die Verleger haben den vorliegenden deutschen
Abdruck freundlichst gestattet) entstand eine ziemlich lebhafte Erörterung in der
Tagespresse, die mir auch eine Anzahl persönlicher Zuschriften und sonstiger
Äußerungen brachte. Als bemerkenswertestes Moment unter diesen hebe ich den
Umstand hervor, daß mir von mehreren, in hohem Lebensalter stehenden Personen ihre sachliche Übereinstimmung mit meinen Ansichten in warmen Worten
ausgesprochen wurde. Da sich unter diesen Männern und Frauen einige befanden, die persönlich kennen gelernt zu haben zu den wertvollsten Bereicher-
ungen meines Lebens gehört, so glaube ich auch durch die Veröffentlichung
des Vortrages in deutscher Sprache nützen zu können.　　　　W. O.

war, sondern auch für die Institution, unter deren Auspizien die Vorlesung gehalten wird. Denn im allgemeinen wird der Naturforscher, dessen Aufgabe es ist, die Erfahrungstatsachen ohne vorgefaßte Ideen zu analysieren, seine Ergebnisse nicht im Einklange mit Anschauungen finden, die von Generationen zu Generationen überliefert worden sind und nicht nur durch ihr Alter, sondern auch durch den Einfluß verehrungswürdig erscheinen, den sie auf die Entwicklung der Menschheit ausgeübt haben. Es besteht eine gewisse Gefahr, nicht erst in der Möglichkeit derartiger Widersprüche, sondern bereits in der Tatsache, daß der Naturforscher seine scharfen und erbarmungslosen Werkzeuge auf Gegenstände anwendet, die nicht nur mit unseren innersten sachlichen Interessen zusammenhängen, sondern auch vielfach unserem Herzen teuer sind wegen ihrer Beziehung zu unseren tiefsten und ernstesten Gefühlen.

Die bloße Tatsache, daß solche Erwägungen einer naheliegenden Vorsicht die Aufforderung nicht verhindert haben, ist ein neuer Beweis dafür, wie tief der moderne Mensch davon überzeugt ist, daß die Wahrheit im letzten Ende nur Gutes tun kann. Gleichgiltig, wohin eine vorurteilsfreie Arbeit den Forscher führen mag: ist sein Werk das eines ehrlichen Mannes, so muß und wird es schließlich zum Wohle der Menschheit wirken. Unser Wissen ist Stückwerk; aber jeder von uns ist verpflichtet, den besten Gebrauch von den unvollkommenen Kenntnissen zu machen, die er sich erworben hat und muß sich nur stets gegenwärtig halten, daß seine Ergebnisse jederzeit durch neue Tatsachen oder Gedanken verändert und ersetzt werden können. So hat die Verwaltung der Ingersoll-Vorlesung, falls ich ihre Absichten richtig verstanden habe, es für angemessen gehalten, daß der Gegenstand von jedem möglichen Gesichtspunkte aus untersucht wird, indem sie überzeugt war, daß es keinen anderen Weg gibt, uns der ganzen Wahrheit näher und näher zu bringen.

Wenn ein moderner Chemiker oder Physiker um seine Meinung über die Unsterblichkeit gefragt wird, so wird seine erste Reaktion ein gewisses Erstaunen sein. Bei seiner Arbeit treten ihm Fragen nicht entgegen, die mit dieser irgendwie im Zusammenhange stehen, und daher wird seine Antwort im allgemeinen in zweierlei Sinne ausfallen. Entweder wird er sich der religiösen Eindrücke erinnern, die ihm von seiner Jugend her im Gedächtnis geblieben sind, und die er, je nachdem, lebendig erhalten oder fast vergessen hat, und dann wird er erklären, daß derartige Fragen überhaupt keinen Zusammenhang mit seiner Wissenschaft haben. Denn deren Objekte stammen aus der unbelebten Natur. In der Physik ist dies unmittelbar ersichtlich, aber auch in der Chemie ist es so. Denn wenn es auch dem Namen nach eine organische Chemie gibt, so wird er betonen, daß auch die Stoffe, die in seinem Sinne organische heißen, bestimmt tot sein müssen, bevor sie ein Gegenstand seiner Untersuchungen werden. Nur der unbeseelte Teil der Welt interessiert ihn wissenschaftlich und etwaige Ansichten, die er über die Unsterblichkeit der Seele hegen mag, sind seine persönliche Angelegenheit und haben mit seiner Wissenschaft nichts zu tun. Oder er wird den Fragenden noch kürzer von seinem Stoff- und Bewegungsstandpunkte aus mit dem Hinweise erledigen, daß die Seele eine Funktion der bewegten Atome ist. In dem Augenblicke, in welchem die besondere Art der Bewegung, welche man das Leben nennt, aufhört, wird der Wert dieser Funktion Null und von einer Unsterblichkeit kann überhaupt keine Rede sein.

Die bloße Tatsache, daß ich in diesem Augenblicke vor Ihnen stehe, im Begriff, die Ingersoll-Vorlesung zu halten, zeigt ihnen bereits, daß meiner Meinung nach mehr über diese Frage gesagt werden kann, als jene beiden Antworten umfassen. Allerdings beabsichtige ich nicht, im Sinne der ersten Antwort apologetisch darzulegen, daß allerdings die physikalischen Wissenschaften über die Unsterblichkeit nichts zu sagen wissen, anderseits aber auch keine der möglichen Perspektiven ausschließen, und daß es daher jedermann freigestellt bleibt, beliebige Anschauungen hierüber zu hegen oder Dinge zu glauben, die ihm durch Betrachtungen anderer Art nahegelegt sind. Daß ein solcher Standpunkt ein realisierbarer ist, wird durch die Tatsache bewiesen, daß selbst ein so großer Physiker wie Faraday ihn während seiner langen und unvergleichlich fruchtbaren wissenschaftlichen Laufbahn festgehalten hat.

Dagegen wird es sich als nötig erweisen, den anderen Standpunkt erheblich tiefer zu prüfen, als es durch jene charakteristische Antwort des wissenschaftlichen Materialismus getan ist. Er muß bis auf seine letzten Grundlagen untersucht werden. Denn seit mehr als zehn Jahren habe ich den Satz vertreten, daß die Annahme, Materie und Bewegung seien die letzten Grundbegriffe aller Erscheinungen, oder die Theorie des wissenschaftlichen Materialismus sich überlebt hat, und durch eine andere ersetzt werden muß, welcher der Name Energetik gegeben worden ist. Die

Frage nimmt somit für mich die Form an: was sagt uns die Energetik über die Unsterblichkeit?

Untersuchen wir zunächst, auf welcher Eigentümlichkeit der Unterschied zwischen dem Menschen und selbst den entwickeltsten unter den niederen Tieren besteht, so finden wir außerordentlich verschiedene Antworten auf diese Frage. Schließt man aber alle Betrachtungen aus, die nicht eine rein erfahrungsmäßige Grundlage haben, so ergibt sich, daß der Hauptgrund des Unterschiedes in der verschiedenen Entwicklung des Gedächtnisses beruht. Das Gedächtnis ist die unumgängliche Voraussetzung alles Lernens und die Kultur des Menschen erhebt sich deshalb so hoch über die aller Tiere, weil sein Gedächtnis so sehr viel besser ist, als ihres. Wenn Gefahren zu vermeiden oder Bedürfnisse zu befriedigen sind, so hilft das Gedächtnis dem Menschen in der Wahl der richtigen Handlung. Durch das Gedächtnis lernt er zwischen gut und übel zu unterscheiden. Mittelst des Gedächtnisses kann er nicht nur in die unveränderliche Vergangenheit zurückschauen, sondern er kann auch die Zukunft voraussehen und sie in einem gewissen Umfange zu seinen Gunsten gestalten. Denn wenn er sich erinnert, wie die Dinge verlaufen waren, so kann er den späteren Teil eines Ereignisses voraussehen, nachdem er den anfänglichen erkannt hat. Die Reihe aufeinanderfolgender Ereignisse, die er in einem gegebenen Augenblicke zu übersehen vermag, kann kurz oder lang sein und seine Prophetengabe daher entsprechend klein oder groß; in jedem Falle aber kann er sich als Prophet betätigen.

Gedächtnis im weitesten Sinne ist, wie E. Hering[1] es schon vor langer Zeit ausgesprochen hat, eine allgemeine Funktion der lebenden Materie und ist in allem organischen Leben anzutreffen. In diesem Sinne bedeutet Gedächtnis die allgemeine Tatsache, daß ein jeder Organismus durch irgend einen Vorgang in solchem Sinne verändert wird, daß die Wiederholung dieses Vorganges erleichtert ist, so daß er eher eintritt oder schneller verläuft, als wenn er vorher nicht stattgefunden hätte. Welches die Ursache dieser besonderen Eigentümlichkeit ist, wissen wir noch nicht, und es ist auch nicht ganz leicht, einen analogen Vorgang vom physikochemischen Standpunkte aus zu konstruieren. Indessen läßt sich kein allgemeiner Grund erkennen, warum dies nicht einmal befriedigend möglich sein sollte, und man darf durchaus

---

[1] Ostwalds Klassiker der exakten Wissenschaften, Nr. 148, Leipzig, W. Engelmann.

die Hoffnung hegen, daß die Wissenschaft eines Tages auch das besondere Mittel ausfindig machen wird, dessen sich die Natur für die Bildung des Gedächtnisses bedient. Wir brauchen diese Fragen indessen nicht weiter zu verfolgen, da sie mit der bevorstehenden Untersuchung nichts unmittelbar zu tun haben.

Die Aufklärung, welche wir durch eine solche Auffassung bezüglich einer Anzahl sehr allgemeiner und wichtiger Verhältnisse gewinnen, ist sehr bedeutungsvoll. Daß die Organismen Klassen und Arten bilden, erscheint bereits als eine Folge dieser Eigenschaft. Denn kein Tier und keine Pflanze würde weder für sich noch für ihre Nachkommen eine konstante Form und Funktion behalten, wenn nicht die Wiederholung eines einmal geschehenen Aktes vor jedem anderen Geschehen bevorzugt wäre. Es ist wie ein Pfad durch die Wildnis. Die bloße Tatsache, daß die Fußspuren eines früheren Wanderers sich erkennen lassen, genügt, den zweiten auf derselben Bahn zu erhalten, selbst wenn er möglicherweise einen bequemeren Weg finden könnte, falls er ihn unabhängig suchte. Der Dritte geht, wo seine Vorgänger gingen, und der Weg wird immer deutlicher sowie die Abweichung von ihm immer schwieriger, je häufiger er begangen wird. Wir können uns vorstellen, daß die Entstehung der Arten und die Erhaltung relativ konstanter Eigenschaften an ihnen in ähnlicher Weise erfolgt ist.

Ein sehr wichtiger Punkt in dieser allgemeinen Gedankenreihe ist die Übertragung der Gedächtnisbeschaffenheit von den Eltern auf ihre Abkömmlinge. Das große Rätsel der Vererbung, über welches Darwin so viel nachgedacht hat, ohne zu einem entsprechenden Ergebnis zu gelangen, wird durch den Begriff des Gedächtnisses seiner Lösung merklich näher gebracht. Die allgemeine Auffassung der Zeugung und Fortpflanzung lehrt uns, daß das Leben der Abkömmlinge nichts ist als die Fortsetzung des Lebens der Eltern. Bei einfachen Zellen findet die Fortpflanzung meist in der Gestalt einer Teilung statt; erst spaltet sich ·der Kern und bald teilt sich die ganze Zelle in zwei gleiche Zellen. In diesem Falle ist es unmöglich, zu sagen, welches die Mutter und welches die Tochter ist, denn beide bleiben während des ganzen Teilungsvorganges gleich und jede darf mit gleichem Recht der anderen gegenüber die eine oder die andere Stellung beanspruchen.

Ebensowenig darf man sagen, daß die elterliche Zelle ge-

storben ist, um zwei Kindern das Leben zu geben. Denn der
Übergang von dem Zustande der einzelnen Zelle zu dem zweier
Zellen ist ein völlig stetiger, und man kann keinen Augenblick
angeben, in welchem die alte Zelle aufhörte, zu leben. Kein Teil
des Organismus kann als ein Leichnam eines Wesens bezeichnet
werden, das zu existieren aufgehört hat. Es bleibt also nur übrig,
zu sagen, daß das Leben der ursprünglichen Zelle unter veränderten Umständen sich fortgesetzt hat, indem nun anstelle des
einen Individuums deren zwei existieren. Bleiben die Zellen
verbunden, wie dies in großen Organismen der Fall ist, die aus sehr
vielen Einzelzellen bestehen, so besteht nicht der geringste Zweifel
an Auffassung, daß dieser sein Leben fortgesetzt hat, wenn auch
zu irgend einer Zeit alle seine ursprünglichen Zellen sich geteilt
haben sollten und keine von ihnen als solche zurückgeblieben
sein mag. Der Fall ist kein wesentlich anderer dadurch geworden,
daß beide Zellen sich trennen, sei es unmittelbar nach der Teilung,
sei es später.

Auf solche Weise kann das Leben bestehen bleiben, selbst
wenn eine der Tochterzellen später durch irgend einen Umstand
getötet wird. Denn jede neue Zelle wird sich von neuem teilen
und je größer die Anzahl der individuellen Zellen geworden ist,
um so sicherer ist die Fortsetzung ihres gemeinsamen Lebens geworden. Der Tod hat hier viel von seiner Macht verloren; es
können viele Zellen untergehen, und dennoch bleibt der Organismus als solcher am Leben. Erst nachdem die allerletzte Tochter-
zelle vernichtet ist, darf der Tod als Sieger angesehen werden.

In der Folge dieser Gedanken sind wir bereits auf den Begriff
der Unsterblichkeit gekommen; denn ein berühmter Biologe hat
gerade die eben beschriebene Erscheinung Unsterblichkeit genannt.
Ich gedenke nicht, diesen Gesichtspunkt anzunehmen; denn wenn
auch die Möglichkeit eines vollständigen Todes durch Teilung
und Trennung, allgemein durch die Dissipation des Lebens sehr
erheblich vermindert wird, so wird sie doch nicht vollständig ausgeschlossen.

Wir können uns nämlich ganz wohl Ereignisse von so allgemein tödlicher Beschaffung denken, daß kein lebender Organismus ihrem Einflusse entgehen kann. Dann wird der geteilte
Organismus ebenso zugrunde gehen, wie der verbundene. Ob
ein derartiges Ereignis bereits einmal in der Geschichte der Erde
stattgefunden hat, ist unbekannt, ebenso wie es unbekannt ist, ob

alles Leben auf der Erde von einer einzigen ersten Zelle stammt, oder ob sich mehrere Reihen unabhängig an verschiedenen Orten und zu verschiedenen Zeiten entwickelt haben. Selbst wenn wir das Zweite annehmen, so ist es nicht notwendig, daß inzwischen einer dieser unabhängigen Gesamtorganismen seine irdische Laufbahn abgeschlossen hat, denn es ist gleichfalls möglich, daß alle in Gestalt ihrer Abkömmlinge am Leben geblieben sind. Doch wie dem auch sei; es ist nicht schwierig, sich eine allgemeine Katastrophe vorzustellen, welche alles Leben auf der Erde zerstört und alle Abkömmlinge jener ersten Zelle oder ersten Zellen vernichtet. Und das Bestehen dieser Möglichkeit hebt das Recht auf, diese Art der Existenz Unsterblichkeit zu nennen, denn dieser Begriff enthält nicht nur die Möglichkeit einer unbegrenzten Fortsetzung des Lebens, sondern auch die Unmöglichkeit seiner vollständigen Zerstörung.

Wenn wir auch in dieser Gedankenreihe dem Begriff der Unsterblichkeit begegnen, so finden wir doch keine eigentliche Unsterblichkeit hier. Und ich bin überzeugt, daß auch keiner von Ihnen sie hier gesucht hat, denn es ist nicht die materielle, sondern die spirituelle Unsterblichkeit, nach welcher Sie ausschauen. Wir kehren daher zu unserem Ausgangspunkte zurück, zum Begriff des Gedächtnisses in weitester Auffassung, wie er von H e r i n g festgestellt worden ist. Wir fanden, daß die allgemeine Tatsache des Gedächtnisses sowohl die Existenz der Arten wie die Vererbung erklärte. Ihre Bedeutung reicht aber noch erheblich weiter, denn sie erklärt auch die Funktionen des Geistes.

Aus dem chaotischen Strome der Erlebnisse, welche unser Leben bilden, heben sich solche Anteile, die sich in übereinstimmender Weise häufiger wiederholen, vermöge des allgemeinen Gedächtnisses hervor, einfach infolge ihrer Wiederholung. Sie verlaufen zunehmend leichter im Organismus und bilden auf solche Weise betonte Anteile im Strome der Erlebnisse. Hier finden wir die Ursache von Reflexhandlungen, Instinkthandlungen und ebenso die des bewußten Gedächtnisses. Der gesamte Inhalt unserer Erfahrungen bezieht sich ausschließlich auf derartige wiederholte Erlebnisse, denn nur w i e d e r h o l t e Erfahrungen sind Erfahrungen im eigentlichen Sinne des Wortes. Kenntnis erwerben wir nur durch Wiederholung und nur solche Reihen von Ereignissen, die sich in ähnlicher Weise wiederholen, können uns soweit bekannt werden, daß wir aus einem früheren Teil den späteren voraussagen können. Die Seele ist eine Sammlung solcher bekannter Reihen. Erfahren wir ein ganz neues Erlebnis, so sagen wir jedesmal, daß wir es nicht verstehen, und erst nach entsprechender Wiederholung kann es einen Teil unserer wirklichen Erfahrung bilden.

Derart erscheinen solche Teile unserer Gesamterfahrung, die sich oft in ähnlicher Gestalt wiederholen, als die wichtigsten Teile derselben, und sie sind in der Tat die einzigen, die zu kennen sich lohnt. Viele solche Wiederholungen ähnlicher Erfahrungen sind wir gewohnt durch die Annahme zu erklären, daß deren Ursachen beständig fortbestehen, und daß ihr Entstehen und Verschwinden in unserem Bewußtsein nur durch dessen verschiedene Richtung subjektiv bedingt wird. Ich betrachte den Blumentopf auf meiner Fensterbank. Dann wende ich mich zu meinem Buche und der Blumentopf verschwindet als mein Erlebnis. Doch brauche ich nur meine Augen zu wenden, und der Blumentopf ist wieder da. Was kann ich für eine bessere Annahme machen, als die, daß er inzwischen immer da gewesen ist, und es nur von mir abhängt, ob der Blumentopf einen Bestandteil meiner Erfahrung bildet oder nicht?

Auf solche Weise kommen wir zu der Ansicht von einer Existenz, welche länger dauert als unser Sinneseindruck. An sichtbaren unveränderlichen Gegenständen erscheint eine solche Annahme natürlich genug, wenn auch der willkürliche und subjektive Anteil in ihr seit den Zeiten Berkeleys erkannt worden ist. Aber ähnliche Ursachen veranlassen uns, den Begriff des Bestehenbleibens in viel abstrakteren Fällen zu bilden. Wenn der Chemiker Kohle zu einem unsichtbaren Gase, Kohlendioxyd, verbrannt hat, so behauptet er, daß die verbrannte Kohle nicht tatsächlich verschwunden, sondern nur durch ihre Verbindung mit dem Sauerstoff der Luft in eine andere Form übergeführt worden ist. In diesem Falle ist bereits eine solche Annahme recht weit hergeholt, da alle erkennbaren Eigenschaften der Kohle verschwunden sind, ausgenommen ihr Gewicht. Und dieses hat sich erhalten nur in dem Sinne, daß das entstandene Kohlendioxyd ebensoviel wiegt, wie die Summe der Kohle und des Sauerstoffes vor der Verbindung. Da es aber möglich ist, den Vorgang umzukehren und aus dem Kohlendioxyd genau soviel Kohle und Sauerstoff wieder herzustellen als vorher verschwunden waren, so erhalten wir eine kurze und verständliche Beschreibung der Tatsachen, wenn wir die

Elemente eines zusammengesetzten Stoffes als in gewissem irgend einer unerkennbaren Form versteckt, aber nicht vernichtet innerhalb der Verbindung fortbestehend ansehen. Dies ist der eigentliche Inhalt des Gesetzes von der Erhaltung der Elemente.

Noch weniger offenbar ist das Fortbestehen des allgemeinsten Wesens, daß wir in der physischen Welt kennen, der Energie. Mechanische Energie kann in elektrische übergeführt werden und nimmt dabei eine ganz neue Gestalt an, die mit der früheren nichts gemeinsam hat, als die Proportionalität der einerseits verschwundenen, anderseits entstandenen Menge. Ebenso kann elektrische Energie in Wärme, Licht, chemische Energie u. s. w. umgewandelt werden, wobei sie die verschiedenartigsten Formen annimmt. Beschließen wir aber eine solche Reihe von Umwandlungen, indem wir wieder mechanische Energie entstehen lassen, so erhalten wir genau die ursprüngliche Menge, vorausgesetzt, daß wir alle Verluste vermieden oder in Rechnung gesetzt haben. Wir fassen diese Erfahrungen zusammen, indem wir sagen: Energie kann nicht geschaffen oder zerstört werden; Energie ist daher ein ewiges Wesen.

Es gibt noch eine Anzahl anderer Dinge, welche mit der gleichen Eigenschaft der Unzerstörbarkeit ausgestattet sind. Eine von diesen ist die Masse. Wir kennen keinen Umstand, durch welchen wir die Masse eines gegebenen Dinges verändern könnten. Wir mögen es abkühlen oder erwärmen; wir mögen die heftigsten chemischen Vorgänge daran stattfinden lassen; wir mögen es in jeder anderen Eigenschaft verändern: seine Masse wird sich nicht ändern. Diese Tatsache wird gewöhnlich durch den Satz ausgesprochen, daß die „Materie" weder geschaffen noch zerstört werden kann. Da aber das Wort Materie keinen bestimmten Begriff bezeichnet und dazu mancherlei mystische Bestandteile bei genauerer Untersuchung offenbart, so tun wir besser, das Wort ganz zu meiden und unsere Betrachtungen auf genau definierte Größen einzuschränken. Sagen wir, daß Masse weder zerstört oder geschaffen werden kann, so ist damit alles gesagt, was über den Gegenstand bekannt ist.

So kennen wir bereits zwei Dinge oder Wesen, die wir ewig oder unsterblich zu nennen wissenschaftlich berechtigt zu sein scheinen. Man kennt in der Wissenschaft noch andere solche Dinge, doch würde ihre Untersuchung uns nicht mehr lehren, als wir von diesen erfahren können. Wir beschränken uns des-

halb auf sie. Was kann es nun bedeuten, wenn wir ein Ding
ewig nennen?

Für uns bedeutet es nur, daß wir kein Ereignis kennen, bei
welchem die vorhandene Masse oder Energie eines gegebenen
Gebildes geändert worden ist. Wir schließen aus dieser in
der Vergangenheit liegenden Erfahrung, daß auch künftig
kein Ereignis eintreten wird, bei welchem sich eine solche
Änderung vollziehen würde. Jedermann sieht alsbald, wie
schwankend der Grund ist, auf welchem die bestbekannte wissenschaftliche Ewigkeit beruht. Dieser Grund besteht in der philister-
haftesten aller Ideen, daß, weil bisher die Dinge auf eine gewisse
Weise gegangen sind, sie nie auf eine andere Weise gehen werden.
Und von welcher Seite wir die Angelegenheit auch untersuchen
mögen, wir kommen immer wieder auf diesen einen Punkt zurück.
Man mag sagen, daß alles in der Welt durch das Verhältnis von
Ursache und Wirkung bestimmt ist, daß große, ewige und eherne
Gesetze in gleicher Weise den Weg der Sonne wie die Schwingungen des kleinsten Atoms bestimmen.   Frage ich: woher weißt
du das? so erhalte ich die Antwort: dies ist der allgemeinste
Ausdruck unserer Erfahrungen, und ich bin wieder an demselben
Punkte.   Denn die Erfahrung kann uns nur sagen, wie die Dinge
früher geschehen sind; daß sie aber ebenso in aller Zukunft geschehen werden, ist eine bloße Annahme, die mehr oder weniger
wahrscheinlich sein mag, aber jedenfalls Gewißheit nicht enthält.

Dies Ergebnis wird grundsätzlich nicht durch den Umstand
geändert, daß gewisse Voraussagen sich als sehr genau entsprechend
den Tatsachen der späteren Erfahrung erwiesen haben.   Die Bewegungen der Himmelskörper sind mit einer Wahrscheinlichkeit
bekannt, die sich der Sicherheit in bemerkenswerter Weise annähert.
Wir können bespielsweise gegenwärtig Sonnenfinsternisse auf die
Sekunde vorausberechnen. Dies gilt aber nur für solche, die nicht
weit entfernt sind.   Alle solche Voraussagungen beruhen nämlich
auf der Kenntnis gewisser Konstanten und sind mit solchen Fehler-
möglichkeiten behaftet, wie sie die begrenzte Genauigkeit, mit welcher
die Konstanten bestimmt sind, mit sich bringt.   Als um die Mitte
des neunzehnten Jahrhunderts die Hansenschen Mondtafeln auf
Grund hundertjähriger vorangegangener Beobachtungen berechnet
worden waren,[1] glaubte man, daß auch die künftigen Sonnen-

---

[1] Für sachgemäße Nachricht über die hier obwaltenden Verhälnisse bin
ich Prof. H. Bruns zu Dank verpflichtet.

finsternisse mit derselben Genauigkeit vorausberechnet werden könnten, mit welcher diese Tafeln die vergangenen darstellten. Doch bereits nach zwanzig Jahren wurden die Unterschiede so groß, daß sie für die Vorausbestimmung der Finsternis rund eine Minute Unsicherheit bedingten. Dies würde für ein Jahrhundert fünf Minuten, für ein Jahrtausend fast eine Stunde ausmachen und man kann leicht die Zeit berechnen, innerhalb deren der mögliche Fehler auf einen Tag und ein ganzes Jahr ansteigt. Was wird das Ergebnis sein, wenn wir die Rechnung bis in die Ewigkeit ausdehnen wollten? Die Antwort ist einfach: ein unendlich großer wahrscheinlicher Fehler oder überhaupt keine Wahrscheinlichkeit mehr.

Unsere Überzeugung von der Ewigkeit der Masse ist von ganz derselben Beschaffenheit. Selbst wenn wir die Annahme machen, daß unsere bisherigen Erfahrungen über das Verhalten der Masse in aller Zukunft keine grundsätzlichen Änderungen erfahren werden, so dürfen wir doch nie vergessen, daß unsere Hilfsmittel, die Erhaltung der Masse bei irgend welchen Vorgängen nachzuweisen, von begrenzter Genauigkeit sind. Die Meßkunst der heutigen Wissenschaft ist so weit gelangt, daß Massen auf rund ein Milliontel ihres Wertes bestimmt werden können. Nehmen wir nun an, daß in hundert Jahren eine gegebene Masse sich um nicht mehr als diesen Betrag vermindert, so können wir leicht berechnen, innerhalb welcher Zeit unser Kilogramm vollständig verschwunden sein kann. Ergibt sich beispielsweise für jemanden, der irgend eine „Theorie der Materie" entwickelt hat, eine solche Annahme als notwendig, so würden wir nicht in der Lage sein, diese Theorie auf Grund des Gesetzes von der Unzerstörbarkeit der Masse zu widerlegen. Alles, was wir sagen könnten, wäre, daß eine etwaige Änderung der Massen in der Zeit nicht wohl größer sein kann, als der oben angegebene Betrag, und dies auch nur unter der Voraussetzung, daß alle Massen, die wir künftig kennen lernen werden, sich ganz ebenso verhalten werden, wie die uns bisher bekannt gewordenen.

Im Zusammenhange hiermit wollen wir eine andere Klasse permanenter Wesen betrachten, die chemischen Elemente. Das oben angedeutete Gesetz von der Erhaltung der Elemente besagt, daß kein Mittel bekannt ist, durch welches eine gegebene Menge eines Elementes geändert und insbesondere in andere Elemente verwandelt werden kann. Gehen wir beispielsweise von

einem Gramm Eisen aus und verwandeln es durch chemische
Mittel in eine beliebige Reihe anderer Verbindungen, so können
wir aus jeder dieser Verbindungen durch passende Mittel wieder
unser Gramm Eisen zurückgewinnen, nicht mehr und nicht
weniger und mit den früheren Eigenschaften. Eine hypothetische
„Erklärung" dieser Tatsache besteht darin, daß man annimmt, die
Elemente beständen aus unveränderlichen kleinsten Teilchen, den
Atomen, und daß alle chemische Verbindungen durch die Zu-
sammenlegung solcher Atome zustande kommen, welche durch
irgendwelche Kräfte, etwa Elektrizität oder Schwere, zusammengehalten werden. Da hierbei vorausgesetzt wird, daß die elementaren
Atome ihre Natur in allen diesen Zusammensetzungen beibehalten,
so erscheint es ganz klar, daß, wenn man die Elemente aus den
Verbindungen wieder herstellt, man sie auch in der früheren
Menge und mit der früheren Beschaffenheit erhalten muß. Aber
diese Betrachtung ist kein Beweis, denn die Atome haben nur
eine hypothetische Existenz und die Darstellung von dem Verhalten der Elemente, welche die Atomhypothese liefert, ist deshalb
auch nur eine hypothetische, während das Gesetz von der Erhaltung der Elemente ein experimentielles ist, und ein sehr genaues dazu.

Erst in den letzten Jahren hat unsere bis dahin unerschütter-
liche Überzeugung von der Ewigkeit der Elemente einen schweren
Schlag erfahren. Ich meine die Entdeckung von Sir William
Ramsay, daß das Element Radium sich in das Element Helium
und noch etwas anderes, was noch nicht genau bekannt ist, um-
wandeln kann. Vom Standpunkte der chemischen Weltanschauung
ist dies die wichtigste Entdeckung seit der des Sauerstoffes, als
unsere gegenwärtigen Ansichten über die Natur der chemischen
Vorgänge ihre Gestalt erhalten hatten. Denn sie besagt unzwei-
deutig, daß wenigstens gewisse Elemente sterblich sind. Die
Forschungen von Rutherford, Soddy und anderen haben eine
ganze Reihe ähnlicher Elemente zu unserer Kenntnis gebracht,
die verschiedene Lebensdauern besitzen. Einige von ihnen entstehen nur, um dieses irdische Jammertal nach wenigen Sekunden
wieder zu verlassen, für andere beträgt die Lebensdauer Minuten,
Stunden, Tage, Jahre und Jahrtausende. Von den anderen Eigenschaften dieser ephemeren Wesen wissen wir noch sehr wenig;
sie sind hauptsächlich durch ihre mittlere Lebensdauer gekennzeichnet, welche mittels ziemlich genauer Methoden gemessen

werden kann. Von diesen Tatsachen ist es kein weiter Schritt zu
dem Schlusse, daß die anderen Elemente, an denen wir bisher
keine Anzeichen von Sterblichkeit wahrgenommen haben, diese
Eigenschaft nur unter der außerordentlichen Langsamkeit ihres
Dahinscheidens verbergen. Dieser Fall zeigt sehr deutlich, wie
Dinge, die lange nur als Möglichkeiten angesehen werden mußten,
die weit außerhalb der Grenzen unserer Feststellungen liegen,
Wirklichkeiten werden können, nachdem unsere Beobachtungs-
mittel eine genügende Verfeinerung erfahren haben.

Die Energie nimmt eine etwas sicherere Stellung ein, denn
bisher hat sich noch keine Andeutung einer etwaigen Sterblichkeit
oder einer Ausnahme von dem Gesetze von der Erhaltung der
Energie gezeigt. Allerdings hat zeitweilig derselbe wunderbare
Stoff, das Radium, auch die Energie bezüglich ihrer Erhaltung
bedroht, und zwar nicht in solchem Sinne, daß Energie verschwindet,
sondern in solchem, daß sie aus nichts zu entstehen schien. Bringt
man ein Stückchen Radiumsalz in ein Kalorimeter, so beobachtet
man, daß es Wärme ausgibt, Tage, Monate und Jahre lang, ohne
Unterbrechung und mit konstanter Geschwindigkeit, die proportional
seiner Masse ist. Dies erschien noch unmöglicher als die dauernde
Vernichtung von Energie und das Rätsel blieb ungelöst bis zu
der bereits erwähnten Entdeckung Ramsays. Die Transmutation
des Radiums in Helium ist die Quelle der entstehenden Wärme.
Ebenso wie Dampf Wärme ausgibt, wenn er sich in flüssiges
Wasser verwandelt, so gibt Radium Wärme aus, indem es sich in
Helium verwandelt. So kann das Gesetz von der Erhaltung der
Energie aufrecht erhalten werden, und soviel ich von der Wissenschaft weiß, vermute ich, daß sie alle anderen Dinge im Weltall
überleben wird. Mehr als dies darf ich mir allerdings zu behaupten nicht gestatten.

Die Summe von allen diesen Betrachtungen ist: wo irgend
wir etwas über die Ewigkeit aussagen, ist diese Aussage auf
eine Extrapolation aus endlicher Zeit und mittels Beobachtungen
von begrenzter Genauigkeit begründet. Es ist ein allgemeines
Gesetz, daß derartige Extrapolationen um so unsicherer werden,
je weiter man sie führt. Für unendliche Zeit oder unendlichen
Raum überschreitet der wahrscheinliche Fehler alle Grenzen, und
das Gegenteil der Voraussage wird ebenso wahrscheinlich wie die
Aussage selbst.

In der Wissenschaft sind somit keinerlei Aussagen möglich,

welche sich auf unendliche Zeit und unendlichen Raum beziehen. Für endliche Zeiten sind Voraussagungen möglich, sie
sind aber mit einem gewissen Fehler behaftet, der von Fall zu
Fall verschieden ist, in jedem Falle aber unbegrenzt mit der Länge
der Zeit zunimmt, über welche die Voraussagung sich erstreckt.

Indessen wird die Kenntnis der Zukunft nicht allein auf dem
Wege der Wissenschaft gesucht. Es gibt außerdem religiöse
Glaubenserscheinungen, Offenbarungen und ähnliche Quellen
menschlicher Ansichten, und sie bringen in vielen Gemütern eine
stärkere Überzeugung von der Wahrheit ihrer Vorhersagungen
hervor, als die Wissenschaft erreichen kann. Aber der Inhalt dieser
Voraussagungen ist außerordentlich verschieden bei verschiedenen
Menschen, die sich auf verschiedene derartige Quellen ihrer Über-
zeugungen stützen. Die Begrenztheit dieser Ansichten liegt also
in der Anzahl der Menschen, die ihnen Glauben schenken, und
es wird allgemein angegeben, daß die Erfüllung mit solchen Über-
zeugungen nur durch eine bestimmte Art der inneren, persönlichen
Erfahrung bewirkt wird. Diese Lehren besitzen keine allgemeinen
Beweise, welche freiwillig angenommen werden, solange kein
Irrtum in ihnen nachgewiesen worden ist, wie dies bei den wissenschaftlichen Beweisen der Fall ist. Sie sind Wahrheiten nur für
den, der jenes innere Erlebnis erfahren hat und dem sie durch
Intuition sich offenbart haben.

Verlieren somit die wissenschaftlichen Beweise einiges an
Kraft dem einzelnen gegenüber, so gewinnen sie um so mehr
durch die Allgemeinheit ihrer Anerkennung. Von allen gemeinsamen Besitztümern der Menschheit ist die Wissenschaft bei weitem
das allgemeinste, das unabhängigste von allen Verschiedenheiten
der Rasse, des Alters und Geschlechtes. Und während religiöse
Glaubenslehren immer und immer die größten Verschiedenheiten
nach Inhalt und Intensität im Laufe der Geschichte aufweisen,
wächst die Wissenschaft in den verschiedenen Zeitaltern zwar
bald schneller, bald langsamer, aber immer in der gleichen
Richtung. Die Wissenschaft darf daher als der sicherste und
dauerhafteste geistige Schatz angesehen werden, den die Menschheit besitzt. Voraussagungen, die von der Wissenschaft garantiert
sind, werden als die zuverlässigsten von der intelligenten Majorität
der Menschheit angenommen.

Wir wenden uns nun zu einer anderen Seite der Ewigkeit
von Energie und Masse. Nehmen wir zwei verschiedene Massen

und vereinigen sie, so wird die resultierende Masse sich wie die Summe der beiden einzelnen verhalten. Dies ist ein einfacher und unmittelbarer Fall der Erhaltung der Masse, welcher zeigt, daß die physische Addition den Gesamtbetrag der Massen nicht ändert. Aber obwohl die beiden Massen ihre Quantität beibehalten haben, so haben sie doch ihre Individualität verloren. Betrug die eine Masse ein Kilogramm und die andere zwei, so wird die vereinigte Masse drei Kilogramm betragen. Die letztere kann wiederum in eine Masse von einem und eine von zwei Kilogrammen geteilt werden. Aber alle Mittel, durch welche wir Massen bestimmen können, versagen uns die Antwort auf die Frage, ob das neue Kilogramm identisch ist mit dem alten Ein-kilogrammstück, oder ob es teilweise oder ganz aus der Masse der zwei Kilogramme gebildet ist. Dies ist eine allgemeine Tatsache von großer Wichtigkeit, und sie werde daher noch durch ein anderes Beispiel belegt. Nehmen wir zwei Gläser mit Wasser und gießen dieses in ein gemeinsames Gefäß, so wird dies die Summe beider Wassermengen enthalten. Wir können nun aus dem Gefäß die beiden Gläser wieder mit Wasser füllen, aber auf Erden und im Himmel ist kein Mittel bekannt, um herauszufinden, ob das Wasser in den Gläsern dasselbe ist, welches sich vorher darin befunden hatte oder nicht. Ja, die Frage selbst nach dieser Identität hat keinen Sinn, denn es gibt kein Mittel, die einzelnen Teile des Wassers zu kennzeichnen und sie wieder zu erkennen.

Der eine oder andere könnte denken, daß, wenn wir nur die einzelnen Atome des Wassers beobachten könnten, wir sie auch identifizieren könnten. Auch diese Hoffnung muß ich zerstören. Denn die Atomhypothese geht von der Annahme aus, daß alle Atome des Wassers völlig gleich in Form und Gewicht sind und daß nur solche Eigenschaften an ihnen verschieden sein können, die auch an einem und demselben Atom verschieden sein können, wie z. B. die Richtung und Geschwindigkeit ihrer Bewegungen. Gleiches wird für jeden anderen reinen Stoff angenommen. So wird durch die Definition selbst die Identifizierung des einzelnen Atoms ausgeschlossen. Und schließlich sind die Atome nur hypothetische Dinge; wäre also eine Identifizierung grundsätzlich möglich, so müßte sie auch eine hypothetische bleiben und kann keine reale werden.

Die gleichen Betrachtungen gelten für die Energie. Bisher ist noch kein ernsthafter Versuch gemacht worden, die Energie atomistisch aufzufassen, offenbar, weil noch kein wissenschaftliches Bedürfnis eine solche Annahme veranlaßt hat. So erscheint die Identifizierung eines bestimmten Stückes Energie noch hoffnungsloser, als die eines bestimmten Stückes Masse. Kommt es mit einer anderen Menge der gleichen Energie in Berührung, so ist es ebenso vollkommen verloren, wie ein Tropfen im Ozean. Nur insofern behält es seine Existenz, als es seinen Anteil zu dem Gesamtbetrage der Energie liefert; aber umgekehrt ist auch kein Mittel bekannt, dies Zeichen seiner fortdauernden Existenz auszumerzen.

Dies Verhalten ist um so bemerkenswerter, als wir bezüglich der Identität einer gegebenen Menge Masse oder Energie nicht dem geringsten Zweifel Raum geben, so lange es isoliert gehalten wird. Unter diesen Umständen bewahrt es also seine Identität oder Individualität oder Persönlichkeit, wie man es nennen will. Es ist wirklich ein seltsames Ding, daß diese Eigenschaft alsbald verloren geht, sowie das Objekt mit einem anderen gleicher Art zusammengebracht wird. Und noch seltsamer ist die Tatsache, daß jedes derartige Objekt durch einen unwiderstehlichen Impuls dazu getrieben zu sein scheint, sich unter solche Umstände zu begeben, unter denen es seine Individualität verliert. Alle bekannten physischen Tatsachen führen zu dem Schlusse, daß die Diffusion oder gleichförmige Verbreitung der Energie die allgemeine Tendenz aller Geschehnisse ist. Noch ist kein Vorgang beobachtet worden, und wahrscheinlich wird niemals einer beobachtet werden, bei welchem die Konzentration der Energie größer wäre, als die gleichzeitige Dissipation. Teilweise Konzentrationen kommen oft genug vor, aber immer auf Kosten einer größeren Dissipation, so daß die Gesamtsumme immer eine Vermehrung der Dissipation ausmacht.

Während wir über die Giltigkeit dieses Gesetzes in der physischen Welt alle nur wünschbare Sicherheit haben, kann seine Anwendbarkeit auf menschliche Angelegenheiten vielleicht in Zweifel gezogen werden. Doch wird es, wie mir scheint, bei sachgemäßer Auffassung auch hier sich anwenden lassen. Die Schwierigkeit liegt zunächst darin, daß wir kein objektives und unzweideutiges Mittel haben, um Homogenität und Heterogenität in menschlichen Dingen zu messen, so daß wir ein gegebenes Gebilde nicht eingehend genug studieren können, um quantitative Schlußfolgerungen zu ziehen. Doch scheint der allgemeine Satz richtig zu sein, daß eine Zunahme der Kultur die Unterschiede zwischen der Beschaffenheit und dem Zustande der einzelnen Menschen zu vermindern bestrebt ist. Die Kultur gleicht nicht nur die allgemeine Lebensführung aus, sondern vermindert sogar die natürlichen Unterschiede des Geschlechtes und Alters. Von diesem Standpunkte aus muß ich Kulturbedingungen, welche die Anhäufung ungeheurer Reichtümer in den Händen einzelner Menschen gestatten, als unvollkommen entwickelt ansehen.

Die Eigentümlichkeit, die vorher als ein unwiderstehlicher Trieb zur Diffusion bezeichnet worden ist, läßt sich auch im Einzelmenschen nachweisen. Wenn Triebe irgendwelcher Art sich im bewußten Wesen geltend machen, werden sie von einem bestimmten Gefühl begleitet, welches wir Willen nennen; glücklich fühlen wir uns, wenn wir in der Lage sind, diesen Trieben oder diesem Willen entsprechend uns zu verhalten. Wenn wir uns aber die glücklichsten Augenblicke unseres Lebens vergegenwärtigen, so finden wir sie in jedem Falle begleitet von einem merkwürdigen Verschwinden der Persönlichkeit. In dem Glück der Liebe tritt uns diese Tatsache besonders eindringlich entgegen. Aber auch wenn wir uns ganz dem Genusse eines Kunstwerkes hingegeben haben, wenn wir beispielsweise eine Symphonie von Beethoven hören, fühlen wir uns von der Bürde der Persönlichkeit befreit und durch den Strom der Musik fortgetragen, wie ein Tropfen von der Woge. Das gleiche Gefühl ergreift uns bei den großen Eindrücken der Natur. Selbst wenn ich nur ruhig malend im Freien sitze, erlebe ich von Zeit zu Zeit einen glücklichen Augenblick, wo eine süße Empfindung der Vereinigung mit der mich umgebenden Natur oder der Auflösung in ihr mich erfüllt, welche durch ein vollständiges Vergessen meines armen Selbst gekennzeichnet ist. Dies führt zu der Ansicht, daß Individualität Begrenztheit und Unbehaglichkeit bedeutet oder doch wenigstens eng mit derartigen unerwünschten Gefühlen verbunden ist.

Betrachten wir anderseits die Lebewesen im großen, so finden wir, daß gesteigerte Individualität oft verbunden ist mit verminderter Lebensdauer. Wir haben bereits gesehen, daß wir verschiedene Grade der Individualität unterscheiden müssen. Das Leben irgend eines Organismus wird entweder durch Teilung oder durch den Tod begrenzt; im ersten Fall geht das eine Individuum in zwei über, im anderen Falle in keines. Beide Fälle sind als ein Untergang der Individualität zu bezeichnen, denn diese verschwindet durch die Teilung nicht weniger als durch die Vernichtung.

Anderseits können wir aber die Gesamtheit aller Abkömmlinge, die von einem Mutterorganismus herstammen, als ein Kollektivindividuum ansehen. Ein solches hat natürlich einen niederen Grad von Individualität, aber jedenfalls eine längere Dauer. In dieser Betrachtungsweise ordnen sich die Lebewesen in eine stetige Reihe mit den anorganischen Gebilden, wo wir ganz das gleiche reziproke Verhältnis zwischen Individualität und Dauer finden. Die wenigst individualisierten Dinge, wie Masse und Energie, haben die unbedingteste Dauer und umgekehrt. Das allerindividuellste Ding, von dem wir wissen, ist jedesmal der gegenwärtige Augenblick: er ist völlig einzig und wird nie wiederkehren, er ist ein absolutes Individuum. Wenn aber andere Augenblicke ihn verdrängt haben, so verliert er in unserem Bewußtsein allmählich seinen besonderen Charakter und gleicht sich den anderen Augenblicken an, um so mehr, je weiter er zeitlich zucktritt. Schließlich kann er von anderen Augenblicken nicht mehr unterschieden werden, er wird vergessen und stirbt wie ein Tier oder eine Pflanze.

Verschiedene Augenblicke haben in unserem Gedächtnisse sehr verschiedene Lebensdauer. Unter der Masse von unwichtigen und gleichgültigen Augenblicken, die fast ebenso schnell sterben wie sie geboren wurden, treten einzelne hervor, deren Einfluß wir über Tage, Monate, Jahre, ja über die ganze weitere Dauer unseres Lebens verspüren. Ihr Gedächtnis hört nicht auf, solange der Mensch lebt und auf solche Weise ist die ursprüngliche Kürze des Augenblickes überwunden und er ist dauernd geworden. Ewigkeit hat er freilich auch nicht gewonnen, da seine Wirkung mit des Menschen Tode zu enden pflegt.

Wenden wir uns nun zur Unsterblichkeit beim Menschen, so treffen wir alsbald auf den Satz: alle Menschen sind sterblich, als eine der trivialsten Erfahrungstatsachen unseres Lebens. Die Frage hat also zu lauten: gibt es am Menschen etwas, was dauerhafter ist, als sein Körper?

Hier ist nun zunächst zu betonen, daß die Persönlichkeit eines lebenden Menschen unvollkommen bestimmt und veränderlich ist. Im vorgeschrittenen Lebensalter sind wir nicht dieselben Menschen, die wir in unserer Jugend waren. Seele und Körper machen während des Lebens eine Reihe von Veränderungen durch,

die so tiefgreifend sind, daß der Mensch in verschiedenem Alter
so verschieden handelt, wie verschiedene Menschen es tun würden.
Was wir die Persönlichkeit eines Menschen nennen, besteht nur
in der Stetigkeit seiner Veränderungen und das einzige
sichere Mittel, einen Menschen zu identifizieren, beruht darauf, daß
man seine Existenz stetig durch die zwischenliegende Zeit nachweisen kann. Nun bedingt der Tod jedenfalls eine Unterbrechung
dieser Stetigkeit, und wenn der Mensch nach seinem Tode in
irgend einer Weise fortlebt, so kann es sich jedenfalls nur um
eine teilweise Fortsetzung seiner früheren Existenz handeln.

Ferner bedeutet ein Fortleben in irgend einer Form noch
nicht Unsterblichkeit. Damit ein Fortleben diesen Namen verdient,
muß der überlebende Teil seine Existenz während einer unbegrenzten Zeit fortführen. Alsdann sind formal zwei Fälle möglich; entweder ändert sich das überlebende während seiner späteren
Existenz ebenso, wie es sich während seines Zusammenhanges
mit dem Körper geändert hatte, oder es bleibt konstant. Da alle
Änderungen der Persönlichkeit während des gewöhnlichen Lebens
sich mit Änderungen in der körperlichen Beschaffenheit verbunden
gezeigt haben, wird gewöhnlich geschlossen, daß diese Änderungen
durch den veränderlichen Körper bedingt waren, und daß mit dessen
Fortfall auch die Veränderlichkeit aufhört. Einem unveränderlichen
Wesen könnte man auch eine unbeschränkte Dauer zugestehen;
dies setzt aber voraus, daß dieses Wesen unter Bedingungen
existiert, unter denen es keinerlei Änderungen oder Beeinflussungen
erfahren kann. Sollte dieses Wesen dagegen mit veränderlichen
Dingen, wie lebende Menschen, in Beziehung treten können, so
könnte es eo ipso nicht unverändert bleiben, denn Beziehung bedeutet gegenseitige Beeinflussung, d. h. Veränderung. Hiermit
schließen sich also ewige Existenz und menschliche Beziehungen
gegenseitig aus.

Sehr oft findet sich die Annahme, daß derart überlebende
Bestandteile des Menschen in einen transzendenten Zustand übergehen, in welchem die Begriffe von Zeit und Raum keine Geltung
mehr haben. In einem solchen Falle ist eine Beziehung zu der
zeitlich-räumlich bedingten lebenden Menschheit gleichfalls ausgeschlossen, da andere als zeitlich-räumliche Beziehungen uns un-
verständlich bleiben müßten.

Aus diesen Betrachtungen ergibt sich der folgende Schluß:
Entweder ist das, was vom Menschen nach dem Tode fortbesteht,

unsterblich im strikten Sinne dieses Wortes; dann könnten diese
Wesen mit den Menschen nicht verkehren und ihre Existenz
würde uns für immer unbekannt bleiben. Oder es besteht kein
besonderes Wesen nach unserem Tode fort, und dann ist ein
Verkehr nach dem Tode ebenso ausgeschlossen. Beide Fälle
sind praktisch identisch, da ihr Erfolg auf die lebenden
Menschen der gleiche ist; wir sind also auch außer Stande, zu
entscheiden, welcher von beiden tatsächlich stattfindet, ja ob beide
gleich oder verschieden sind.

Wir werden somit auf die andere Alternative gedrängt, die
zunächst weniger wahrscheinlich erschien, daß nämlich tatsächlich
etwas den einzelnen Menschen überlebt, was in Beziehung mit
anderen, lebenden Menschen bleibt, daher der Veränderung unterworfen ist und wahrscheinlich auch bezüglich der Existenzdauer
Grenzen aufweist. Gibt uns die Erfahrung hierüber Auskunft?

Jeder Mensch hinterläßt nach seinem Tode irgendwelche
Veränderungen, die er an den Dingen seiner Umgebung hervorgebracht hat. Er mag ein Haus gebaut oder ein Vermögen erworben, ein Buch geschrieben oder Kinder erzeugt haben. Selbst
das Kind, das bald nach seiner Geburt wieder stirbt, hinterläßt
einen Eindruck auf seine Mutter, durch welchen diese verändert
wird. Diese Überbleibsel sind durchaus persönlich oder individuell und hängen einerseits von der Beschaffenheit des Menschen
ab, der sie verursacht hat: ihre Wirkung und Dauer werden anderseits bestimmt durch die Menschen und Dinge, auf welche der
Einfluß erfolgt ist. Die Dauer dieser Einflüsse kann groß oder
klein sein, doch sind alle dazu verurteilt, schließlich bis zur Un-
merklichkeit auszuklingen.

Das Bestreben der Menschen, derartige Einflüsse zu hinterlassen, ist außerordentlich allgemein. Von den Kritzeleien, die
der Straßenjunge an die Wand malt, bis zu den Pyramiden,
welche seit Jahrtausenden ihre Botschaft sagen, finden wir Zeichen
des gleichen Wunsches: die Wirkung des persönlichen Lebens
über seinen zeitlichen und räumlichen Bestand hinaus
auszudehnen. Auch fühlen wir uns nicht befriedigt durch die
bloße Tatsache, daß derartige Erinnerungsmerkmale unserer Person
vorhanden sind, wir wünschen auch, daß andere sie sehen und
ihre Bedeutung verstehen. Der Bube kritzelt nicht Linien ohne
Bedeutung, sondern die Buchstaben seines Namens oder andere
Dinge, die ihn interessieren, und ebenso versäumte der Egyptische

König nicht, durch Schrift und Bild seine persönliche Beziehung zu dem Riesengebäude darzulegen, welches das Andenken seiner Existenz durch die Jahrtausende zu tragen bestimmt war.

Dieser allgemeine Wunsch nach der Fortpflanzung des persönlichen Einflusses ist eng verbunden mit dem Wunsche nach der Fortpflanzung des eigenen Fleisches und Blutes. Vom individuellen und egoistischen Standpunkte aus betrachtet scheint dies ein sinnloser Instinkt zu sein. Warum sollte ich wünschen, daß irgend jemand anderes die Güter dieser Welt genießen soll, welche zu sammeln ich mein ganzes Leben verbraucht habe? Tatsächlich bedeutet es aber auch für den hartgesottensten Egoisten einen wesentlichen Unterschied, ob dieser Jemand sein Sohn oder ein Fremder ist. Für den Fremden würde er nicht einen Finger rühren, seinem Sohne ist er die größten Opfer zu bringen bereit. Es gibt ja freilich einzelne Ausnahmen von dieser Regel, aber ein Mensch ohne elterlichen Instinkt wird zweifellos als ein Monstrum, ein ethischer Krüppel, angesehen. Auch liegt es in der Natur der Sache, daß solche Erscheinungen stets Ausnahmen bleiben müssen, da derartige Wesen entweder keine Nachkommenschaft haben oder sie untergehen lassen.

Erinnern wir uns, daß die Familie und das Volk gleichfalls Individuen sind, die allerdings von größerem Umfange und geringerer Bestimmtheit der Abgrenzung erscheinen, als der einzelne Mensch, die nichtsdestoweniger aber sehr bestimmte Zusammenhänge aufweisen, so sehen wir, daß der Instinkt der Selbsterhaltung hier wieder einmal am Werke ist. Die Wirkung dieses Instinktes sind verbunden und werden gesteigert durch jenen anderen Trieb zur Hinterlassung persönlicher Spuren, und durch die gemeinsame Wirkung dieser beiden Faktoren wird eine größere oder geringere Fortsetzung unserer Existenz über den leiblichen Tod hinaus bewirkt.

Diese Verlängerung ist keine Unsterblichkeit im strengen Sinne. Denn wenn auch derartige Wirkungen die leibliche Existenz überleben, so hören sie doch im Laufe der Zeit auf, sich zu betätigen und verschwinden asymptotisch, ebenso wie die isolierten physischen Existenzen, indem sie unter Verlust ihrer Individualität in die große Masse der Gesamtexistenz aufgehen, und dann nicht mehr erkannt und unterschieden werden können.

Dies zeigt sich alsbald in der Folge der Generationen. Damit eine Familie fortgesetzt wird, nimmt der Sohn ein Weib aus einer anderen Familie und sein Sohn tut das gleiche. Hierdurch wird die Dauer der Familie gesichert, aber auf Kosten ihrer Individualität. Durch diese notwendigen Verbindungen mit anderen Familien tritt eine Diffusion in die große Masse des Volkes und der Menschheit ein, und gerade dasselbe Mittel, welches die Existenz sichert, bewirkt die Diffusion.

Ebenso verhalten sich alle anderen Dinge, durch die der Einzelmensch seine Existenz über seinen Tod hinaus verlängert. Nehmen wir den besten Fall, in welchem wir unwillkürlich oft den Ausdruck „unsterblich" brauchen, den eines großen Dichters oder Forschers. Wir nennen Homer und Goethe, Aristoteles und Darwin unsterblich, weil ihr Werk dauernde Beschaffenheit besitzt und über Jahrhunderte und Jahrtausende bestanden hat und bestehen wird. Ihr persönlicher Einfluß erweist sich solchergestalt unabhängig von ihrer leiblichen Existenz. Selbst die Tatsache, daß sie durch ihren Tod verhindert worden sind, ähnliche Werke weiterhin hervorzubringen, ist nicht so wichtig, wie sie auf den ersten Blick erscheint. Kommt ein Mann zu seinen natürlichen Jahren, so wird er im allgemeinen alles vollbracht haben, was zu vollbringen er fähig war, und sein Tod ändert dann nichts Erhebliches an der Summe seines Tuns. Nur bei vorzeitigem Tode fühlen wir, daß ein wirklicher Verlust vorliegt, und nur in solchen Fällen empfinden wir den Tod als grausam und ungerecht.

Es ist eine merkwürdige Tatsache, daß die Physiologie bisher so wenig getan hat, um die allgemeinen Tatsachen des Alters und Todes zu erklären.[1] Aus allgemeinen Anschauungen ist überhaupt kein Grund zu erkennen, warum wir nicht unbegrenzte Zeit leben sollten. Denn alle verbrauchten Beträge von Stoffen und Energien könnten durch Aufnahme von Nahrung ersetzt werden, und es scheint noch keine vollständige Erklärung dafür gefunden zu sein, warum nicht der Organismus im Alter ebenso wie in der Jugend seine Nahrung in die Stoffe umzuwandeln vermag, durch welche die Fortsetzung des Lebens gesichert wird. Es macht den Eindruck, als ob entweder ein Vorrat eines notwenigen Faktors während des Lebens erschöpft wird, ohne ersetzt zu werden, oder daß irgend ein schädlicher Faktor durch die bloße Tatsache des Lebens gebildet wird, dessen sich der Organismus nicht entledigen kann. Derartige Umstände sind jedenfalls vorhanden und um sie

---

[1] Vergl. indessen das soeben erschienene Werk von E. Metschnikoff: Essais optimistes, Paris, A. Maloine 1907.

auszugleichen, muß von Zeit zu Zeit ein neues Wesen in die Existenz treten. Tod und Geburt sind daher als diejenigen Mittel anzusehen, durch welche die unbegrenzte Dauer des Lebens gesichert wird.

Die Wirkung derartiger Faktoren wird überaus anschaulich gemacht durch die wohlbekannten Versuche von Maupas über die Fortpflanzung der Protozoen. Werden diese unter günstigen Lebensbedingungen gehalten, so wachsen sie und teilen sich ungeschlechtlich während einer längeren Zeit in regelmäßiger Weise. Aber nach einer Anzahl asexueller Fortpflanzungen durch bloße Teilung verändern sie plötzlich ihr Verhalten. Sie paaren sich, bilden Sporen, die sich entwickeln, und nun erst können wieder Teilungen stattfinden. Auch hier scheint entweder etwas Notwendiges, was durch die geschlechtliche Fortpflanzung hervorgerufen wird, während der Teilungen langsam verbraucht zu werden, oder es sammelt sich ein Lebenshindernis, das durch die geschlechtliche Vermehrungsform beseitigt wird.

Von diesem Standpunkte aus gesehen, erscheint der Tod nicht als ein Übel, sondern als ein notwendiger Faktor für die Erhaltung der Rasse. Und wenn ich meine eigenen Empfindungen mit aller Aufrichtigkeit und wissenschaftlichen Objektivität untersuche, die ich für diese sehr persönliche Angelegenheit aufbringen kann, so kann ich kein Grauen mit dem Gedanken an meinen eigenen Tod verknüpft finden. Krankheit und Schmerzen sind natürlich ein Übel und unerwünscht, und außerdem gibt es noch mancherlei Dinge, die ich tun und erleben möchte, bevor ich sterbe. Dies würde aber für mich nur dann einen Verlust bedeuten, wenn ich später ein Bewußtsein davon hätte und es bedauerte, etwas versäumt zu haben. Solche Möglichkeiten scheinen ganz ausgeschlossen zu sein. Was meine Freunde und Angehörigen anlangt, so werden sie meinen Verlust um so weniger fühlen, je älter ich bei meinem Tode sein werde. · Nachdem ich das Maß meines Lebens erschöpft habe, wird mein körperliches Abscheiden eine ganz naturgemäße Erscheinung sein, und die damit auf beiden Seiten verbundenen Gefühle werden eher die einer Erlösung als einer Belastung sein.

Von den Erscheinungen des individuellen Lebens unabhängig bleiben die Taten des Menschen bestehen. Wie lange, hängt ganz und gar von dem Grade ab, in welchem sie den Bedürfnissen des Menschengeschlechtes entsprochen haben. Taten, die diesen Be-

dürfnissen zuwider waren, werden so schnell wie möglich aus-
gewischt werden, während nützliche Taten lebendig bleiben, solange
ihr Nutzen dauert. Die oben angeführten Beispiele zeigen, wie
außerordentlich lange der Einfluß eines großen und nützlichen
Menschen dauern kann, doch darf nicht übersehen werden, daß
gerade dieser Einfluß der Grund ist, weshalb die Individualität
des Einflusses langsam verschwindet. Das Werk wird mehr und
mehr ununterschiedener ein Teil von dem Gesamtbesitz des
Stammes, des Volkes, schließlich der Menschheit. In dieser Gestalt dauert es so lange, als der Gesamtorganismus dauert, in dessen
Besitz es übergegangen ist. Auch hier sehen wir also das allgemeine Gesetz der Diffusion sich betätigen und Individualität steht
zur Lebensdauer in dem Verhältnis reziproker Zahlen: die eine
wächst in dem Maße, wie die andere abnimmt.

Dies ist die einzige Art dauernden Lebens, welche ich
im Gesamtgebiete unserer Erfahrung entdecken kann. Hierin
unterscheidet sich der Mensch auf das bestimmteste von seinen
tierischen Lebensgenossen, denn in keiner der niedigeren Rassen
kann das einzelne Individuum in solchem Maße seinen Beitrag
nicht nur zur Erhaltung, sondern zur Entwicklungssteigerung
der Rasse liefern. Die Tiere scheinen im allgemeinen keine Idee
vom Tode zu haben. Ich erinnere mich einer Maus, die unbefangen
über den Leichnam ihrer eben getöteten Genossin hinwegkletterte,
um leichter zu ihrem Futter zu gelangen. Tiere leben aus der
Hand in den Mund, ohne eine andere Voraussicht, als eine rein
instinktive und unbewußte. Haustiere, die durch lange Generationen
seitens der Menschen beeinflußt worden sind, zeigen zuweilen
Spuren bewußter Voraussicht. Aber während ein Hund die
Peitsche seines Herrn scheut, deren Wirkungen er wiederholt erfahren hat und daher voraussehen kann, scheut er nicht seines
Herrn Gewehr, auch wenn dieses vor seinen Augen einen anderen
Hund getötet hatte. Das menschliche Grauen vor dem Tode ist
eine unmittelbare Folge unserer viel höher entwickelten Voraussicht, und es ist entstanden durch den Anblick des vorzeitigen
und gewaltsamen Todes, der früher unverhältnismäßig häufiger
war, als gegenwärtig. Unsere ganze Kultur entwickelt sich in
solchem Sinne, daß der frühe und unnatürliche Tod überall eingeschränkt wird. Wir kämpfen mit dem gleichen Eifer gegen
Krankheit und Elend, wie unsere Vorfahren gegen wilde Tiere
und gegen Mord gekämpft haben. So dürfen wir das noch viel-

fach vorhandene Grauen vor dem Tode als einen ererbten Instinkt ansehen, der sich in vorgeschichtlichen Zeiten entwickelt hatte, wo ein gewaltsamer und qualvoller Tod gewöhnlich, ja vielleicht die Regel war, und der sich in unsere Tage hinüber vererbt hat, wo seine Ursache bereits zu einem großen Teile verschwunden ist. Denn alle Instinkte entwickeln sich langsam und werden erst fest lange Zeit, nachdem die Ursachen eingesetzt haben, unter denen sie nützlich sind. Ebenso bestehen solche Instinkte noch lange Zeit, nachdem jene Ursachen aufgehört haben und nachdem ihre Notwendigkeit und ihre Nützlichkeit verschwunden ist, ja, nachdem sie bereits angefangen haben, schädlich zu werden. Wir können uns daher eine ferne Zukunft denken, in welcher das instinktive Grauen vor dem Tode vermöge der allmählichen Entwicklung der menschlichen Rasse ganz verschwunden oder nur bei zurückgebliebenen Exemplaren erhalten sein wird.

Es bleibt noch eine letzte und wichtigste Frage zu beantworten: was wird aus der Grundlage unserer Ethik, wenn wir die Idee eines künftigen persönlichen Lebens aufgeben, in welchem die Sünde bestraft und die Tugend belohnt wird?

Ich zögere nicht, zu antworten, daß ich nicht nur eine Ethik ohne diese Idee für möglich halte, sondern daß ich glaube, unsere ethischen Anschauungen werden sich ohne diese Idee zu einer höheren und freieren Stufe erheben. Wir wollen wieder die allgemeinen Tatsachen ins Auge fassen.

Zunächst kann kein Zweifel bestehen, daß die Natur von Grausamkeit ganz erfüllt ist. Durch das ganze Gebiet der Lebewesen, in nahezu jeder Klasse von Pflanzen und Tieren finden wir einige Spezies, welche auf Kosten ihrer Nebengeschöpfe leben. Ich meine parasitische Organismen aller Art, sei es, daß sie im Inneren ihrer Wirte leben, die sie elend machen oder töten, sei es, daß sie andere Lebewesen umbringen, um sich von ihnen zu nähren. Man denkt nicht daran, eine Katze zu bestrafen, wenn sie eine arme Maus stundenlang den Qualen des Todes aussetzt, ohne daß sie einen Nutzen davon hat, und wir finden es ganz natürlich, daß die Larven gewisser Wespen im Inneren von Raupen leben, die sie langsam von innen aus verzehren. Der Mensch ist das einzige Wesen auf der Welt, das sich bemüht, diese Wege der Natur zu ändern, und soviel als möglich Grausamkeit und Ungerechtigkeit gegen seine Nebenmenschen und Nebenkreaturen zu vermindern. Und aus dem Wunsche, daß dieser schwarze Fleck soweit als möglich von der Menschheit genommen wird, entstand auch die Vorstellung, daß außerhalb unseres leiblichen Lebens eine Gelegenheit bestehen müsse, um für erlittene Übel Ersatz und für getanes Unrecht Strafe austeilen zu können, wie dies unser Gerechtigkeitsgefühl fordert.

Aber Belohnung und Strafe nehmen ein ganz anderes Gesicht an, wenn wir die Menschheit als einen Gesamtorganismus betrachten. Dann erscheint das einzelne Individuum vergleichbar einer einzelnen Zelle in einem hochentwickelten Lebewesen. Beginnt eine solche Zelle auf ihren Nachbarn zerstörend einzuwirken, so bedeutet dies eine Bedrohung des ganzen Organismus, und wenn dieser lebenskräftig genug ist, so wird eine solche Zelle entweder aus dem Organismus ausgeschieden oder durch Einkapselung unschädlich gemacht werden. Umgekehrt werden nützliche Zellen genährt werden und Schutz finden.

Daß schädliche Wirkungen der erwähnten Art überwunden oder verhindert werden müssen, bedeutet aber bereits eine allgemeine Beeinträchtigung des Gesamtorganismus, da er die hierfür erforderliche Arbeit besser hätte verwenden können. Es wäre daher am zweckmäßigsten, die Entstehung solcher schädlicher Zellen ganz auszuschließen und ein Wesen, welches die hierzu erforderlichen Eigenschaften besitzt, befindet sich hierdurch in einem großen Vorteile.

Die Anwendung dieser Betrachtungen auf den Gesamtorganismus der Menschheit liegt zutage. Strafe ist in jedem Falle ein Verlust und das Bestreben der zunehmenden Kultur ist nicht dahin gerichtet, die Strafen wirksamer zu gestalten, sondern sie überflüssig zu machen. Je mehr jeder einzelne Mensch von dem Bewußtsein seiner Zugehörigkeit zum großen Gesamtorganismus der Menschheit erfüllt ist, um so weniger wird er Neigung haben, seine eigenen Zwecke und Ziele denen der Menschheit entgegenzusetzen. Zwischen der Pflicht gegenüber der Gesamtheit und dem Wunsche nach persönlichem Glücke vollzieht sich durch diese Entwicklung eine Versöhnung, und gleichzeitig gewinnen wir einen klaren und unzweideutigen Maßstab zur ethischen Beurteilung unserer Handlungen und derer unserer Nebenmenschen.

Die Sebstaufopferung ist zu allen Zeiten und von allen Religionen als der Höhepunkt ethischer Vollkommenheit betrachtet worden. Niemand aber, der tiefer in die Sache einzudringen versucht hat, konnte sich der Erwägung entziehen, daß die Selbstaufopferung eine bestimmte Bedeutung haben muß, daß von ihr irgend ein Erfolg erwartet werden muß, der auf andere Weise nicht erzielt werden kann. Denn sonst wäre eine Selbstaufopferung nicht ein Gewinn, sondern ein Verlust für die Menschheit. Nur wenn sie in irgend einem allgemein menschlichen Interesse stattfindet, betrachten wir sie als gerechtfertigt. Wir bewundern einen Mann, der sich in Feuer oder Wasser stürzt, um bedrohte Menschenleben zu retten, und wir sollten mit noch regeren Gefühlen dem hilfreichen Arzt an den Ort einer Epidemie folgen, da er die Gefahr genau kennt, die ihn erwartet. Aber wenn wir einen Mann sein Leben wagen sehen, um etwa sein Geld aus einem brennenden Hause zu retten, so achten wir ihn darum nicht eben höher.

Dies zeigt, wie wir immer die Interessen der Menschheit im Mittelpunkte unseres ethischen Bewußtseins antreffen. So ist es denn nur ein ärmlicher und unwirksamer Notbehelf, die Menschen dadurch zu ethischem Handeln zu treiben, daß man sie mit ewigen Höllenstrafen bedroht. Der wahre Weg ist vielmehr, ein lebendiges Bewußtsein von der ganz allgemeinen Beziehung zwischen dem einzelnen Individuum und der Gesamtheit zu entwickeln, derart, daß die entsprechenden Handlungen aufhören, nur als Pflicht empfunden zu werden. Sie sollen vielmehr eine Gewohnheit und zuletzt ein Trieb oder Instinkt werden, welcher alle unsere Handlungen freiwillig, ja unbewußt im Sinne der Menschheit und Menschlichkeit lenkt. Jeder geistige und ethische Fortschritt, den wir in unserer Selbsterziehung erringen, bedeutet in solchem Sinne einen Gewinn für die Menschheit, denn er kann auf unsere Kinder, Freunde und Schüler übertragen werden, und die Ausführung entsprechender Handlungen wird ihnen infolge des allgemeinen Gesetzes der Erinnerung leichter werden, als sie uns war. Neben und über der Tatsache der erblichen Belastung gibt es die Tatsache der vererbbaren Vervollkommnung, und jeder Schritt, den wir im Schweiße unseres Angesichts in solcher Richtung getan haben, bedeutet einen entsprechenden Gewinn für unsere Kinder und Kindeskinder. Ich muß bekennen, daß ich mir keine großartigere Form der Unsterblichkeit vorstellen kann, als diese.

Der Richtungsbegriff und seine Bedeutung für die Philosophie.

Von

Rudolf Goldscheid
in Wien.

Die vorliegende Abhandlung ist ein Versuch. Sie will nichts Abschließendes geben, um so mehr, da sie nur ein kleiner Ausschnitt aus einer größeren Arbeit über denselben Gegenstand ist. Worauf es mir vor allem ankam, das war die Aufmerksamkeit der Wissenschaft auf den zu Unrecht völlig vernachlässigten Begriff der Richtung zu lenken, zu zeigen, welche bedeutungsvollen Konsequenzen daraus erwachsen, wenn man die Richtung als ein universales Urphänomen, als einen nicht weiter auflösbaren Elementarbegriff erkennt. Man weiß dann, daß, wo immer man auf Richtung stößt, etwas vorliegt, was sich auf nichts anderes zurückführen läßt, als wieder auf Richtung. Diese Einsicht kann einerseits viel fruchtlose Mühe ersparen, anderseits aber auch zu mannigfacher fruchtbarer Arbeit veranlassen, indem sie sowohl auf die Grenzen der rein quantitativen Naturerklärung, wie auf den Umfang der Richtungsprobleme verweist und namentlich Licht wirft auf den so vielfach verwendeten Begriff der Tendenz.

Freilich soll hier auch gleich davor gewarnt werden, nun nach der langen Vernachlässigung — das Leistungsvermögen des Richtungsbegriffes etwa zu überschätzen. Es ist zweifellos: gerade wegen seines universalen Geltungsgebietes kann mit demselben der schlimmste Mißbrauch getrieben werden.. Von Wortkünstlern, die Nominaldefinitionen mit Realerklärungen verwechseln, wie von rückständigen Metaphysikern, die mit Begriffen jonglieren! Selbst in einen derartigen Fehler zu verfallen, habe ich auf das Entschiedenste zu vermeiden gesucht. Allerdings muß ich aber hervorheben: es war zugleich mein emsiges Bestreben, alle

irgend erdenkbaren Verwendungsmöglichkeiten des Richtungsbegriffes zum mindesten anzudeuten, und da wäre es ganz und
gar nicht ausgeschlossen, daß die eine oder andere sich doch
nicht halten ließe. Ich wollte aber gleichsam als advocatus diaboli
des Richtungsbegriffes fungieren; so glaubte ich am ehesten die
Unschuld im Gebrauch des Richtungsbegriffes zerstören, damit
aber zum Nachdenken über denselben intensiv anregen zu können.
Und so hoffe ich denn, daß, wie immer man sich auch zu den
einzelnen von mir vertretenen, absichtlich in apodiktischer Form
aufgestellten Hypothesen über die Bedeutung des Richtungsmomentes stellen mag, doch das Ganze den Eindruck hinterlassen
wird: Eine Klärung des Richtungsbegriffes ist ein bren-
nendes Desiderat der gesamten Forschung und muß
namentlich für die organischen Naturwissenschaften und
die Geisteswissenschaften wertvolle Ergebnisse liefern.

1.

Die mechanistische Weltanschauung, die alles Geschehen auf
Substanz und Bewegung zurückführen will, die von allem Qualitativen absieht, muß noch immer zwei Grundwesenheiten der
Bewegung unterscheiden, die Geschwindigkeit und die Richtung
der Bewegung. Die Geschwindigkeit ist das Verhältnis der Bewegung zu Raum und Zeit, die Richtung das Verhältnis der Bewegung zum Raume. Der Raum wird definiert als das Nebeneinander, die Zeit als das Nacheinander. Bei der Zeit ist obendrein
besonders ihre Einsinnigkeit zu betonen, d. h. die Nichtumkehrbarkeit der Reihenfolge ihrer Elemente. Diese Nichtumkehrbarkeit
kann auch als die Richtung der Zeit bezeichnet werden. Schon
dieses Faktum zwingt zur Aufwerfung einer äußerst wichtigen
Frage. Nämlich zu dieser: Ist das Phänomen der Richtung in
der Definition des Mathematikers vollends erschöpft, der sie als
die Gerade bezeichnet, die zwei Punkte im Raume verbindet?
Ist in dieser Definition, wie dies ja auch von anderer Seite bereits
bemerkt wurde, nicht Abstand und Richtung verwechselt? Jedenfalls ist soviel sicher: Eindeutig bestimmt ist die Richtung durch
die Gerade nicht.

Die Richtung zeigt die naheste Verwandtschaft mit dem Begriff
des Raumes, der Zeit und der Bewegung. Betrachtet man das Verhältnis von Raum und Richtung, so kann man sich kaum der Meinung
erwehren, daß die Richtung eigentlich schon im Raumbegriffe ent-

halten sein müsse, denn der Raum ist ja der Inbegriff aller Richtungen.
Betrachtet man das Verhältnis der Richtung zur Zeit, so scheint sie
beinahe mit dieser identisch. Denn was die Richtung zu einem
einzigartigen Phänomen macht, das ist ihre Nichtumkehrbarkeit.
Die Gerade, welche zwei Punkte im Raume verbindet, hat keine eindeutige Richtung; sie geht ebenso von *A* nach *B*, wie von *B* nach
A. Das Charakteristikum der Richtung ist ihre Eindeutigkeit, ihre
Einsinnigkeit, und wir wissen ja, daß dies auch das Grund-
kriterium der Zeit ist. Und ebenso scheint die Richtung mit der
Bewegung zusammenzufallen. Da alle Bewegung im Raume vor
sich geht, muß sie ja notwendig eine Richtung haben. Gäbe es
keine Bewegung, so würden nur Lagebeziehungen existieren, aber
von dem Begriff der Richtung hätten wir keine Ahnung. So
scheint es also, als ob der Begriff der Richtung geradezu mit der
Bewegung identisch wäre, und als ob es deshalb keine Berechtigung
hätte, in ihr einen Elementarbegriff, ein psychisches Urphänomen
zu erblicken, das sich in nichts anderes auflösen, auf nichts anderes
zurückführen läßt. Und doch ist der Begriff der Richtung und
namentlich der Begriff der Tendenz ebensowenig wie im Raum
und in der Zeit, bereits in der Bewegung implicite enthalten. Die
Richtung ist aber allerdings ein Prädikat, das sowohl dem Räumlichen, dem Zeitlichen, wie dem Bewegten zukommt und das deshalb in den Geisteswissenschaften ebenso unentbehrlich ist, wie
in den Naturwissenschaften.

　　Schon aus diesem Grunde erscheint mir die kritische und
systematische Einordnung des Richtungsbegriffes als eine dringende
Aufgabe der Wissenschaft. Es berührt nun geradezu sonderbar,
daß während alle sonstigen Grundbegriffe unseres Erkennens die
mannigfaltigste Erörterung gefunden haben, während über die
Raum- und die Zeitanschauung, während über den Kraft- und
den Energiebegriff, den Begriff der Größe, der Geschwindigkeit,
der Intensität eine ganze Literatur existiert, über den Begriff der
Richtung kaum die allerdürftigsten Untersuchungen vorliegen.
Dieser Mangel ist aus zahllosen Gründen äußerst bedauerlich.
Er bedeutet naturphilosophisch eine große Lücke, er stellt ein
erkenntnistheoretisches Manko dar und ist namentlich sprach-
kritisch als sehr erhebliches Defizit zu betrachten. Der Mangel
allgemein philosophischer Untersuchungen über den Richtungsbegriff macht sich am unangenehmsten in den Zwischenwissen-
schaften, welche Natur- und Geisteswissenschaften verbinden, in

der Psychologie und Biologie bemerkbar und hat auch in den Geisteswissenschaften selber sehr erhebliche Unklarheiten zur Folge. Jeder weiß, in wie großem Umfange dort überall der Begriff der Richtung Verwendung findet und es ist sicherlich nicht zuviel gesagt, wenn wir behaupten, daß es noch gar nicht recht zu Bewußtsein gekommen ist, ob man, wenn man in den Geisteswissenschaften den Begriff der Richtung gebraucht, Richtung in eigentlicher oder übertragener Bedeutung, Richtung im statischen oder dynamischen Sinne, anschauliche oder unanschauliche Richtung, d. h. Richtung im räumlichen oder zeitlichen Sinne meint. Es könnte ja auf den ersten Blick scheinen, als ob es selbstverständlich wäre, daß, wo man in den Geisteswissenschaften von Richtung spricht, bloß ein aus der räumlichen Sphäre auf das Geistige übergetragenes Bild vorliege. Bei genauerem Zusehen zeigt sich jedoch, daß wir hier keineswegs mit einem willkürlichen Bild operieren, sondern daß wir zwangsgemäß auch in den Geisteswissenschaften uns des Richtungsbegriffes bedienen und daß es darum mit dessen Metaphorismus doch nicht so einfach bestellt ist, daß hier also ein zwangsmäßiger Metaphorismus vorliegt. Und der zwangsmäßige Metaphorismus gäbe sicherlich ein äußerst interessantes Kapitel der Erkenntnistheorie ab. Insbesondere werden unsere weiteren Untersuchungen zeigen, daß, wenn man in der Psychologie, in der Biologie und den Geisteswissenschaften vom Richtungsbegriff absehen will, wenn man sich also statt dessen eines anderen Begriffes zu bedienen strebt, man einzig und allein auf den Qualitätsbegriff angewiesen ist; eine Tatsache, welche ein höchst schlagendes Licht auf die Verwandtschaft des Richtungs- und Qualitätsbegriffes wirft und wieder einmal offenbar macht, in wie hohem Maße der Qualitätsbegriff oft eigentlich bloß ein Verlegenheitsbegriff ist.

Bedenken wir auch, um eine Vorstellung von der Bedeutung des Richtungsbegriffes zu erhalten, wie schwer etwa der Begriff der Willensrichtung zu entbehren wäre, bedenken wir welche Rolle der Begriff der Entwicklungsrichtung spielt und daß wir das Ganze des historischen Geschehens geradezu genötigt sind, als Kampf um die Entwicklungsrichtung anzusehen! Dieser Hinweis eröffnet uns jedoch noch eine wesentlich weitere Perspektive hinsichtlich des Umfanges des Richtungsbegriffes. Die Willensrichtung ist ja die Wurzel unserer Zwecktätigkeit, all das was man

Zielstrebigkeit, Zweckstrebigkeit nennt, erweist sich bei genauerem Zusehen vielfach nur als Richtungsstrebigkeit und würde deshalb durch diesen Terminus oft weitaus exakter bezeichnet sein. Dieser Umstand läßt aber hoffen, daß es vermittelst des Richtungsbegriffes möglich sein wird, Kausalität und Finalität auf einen gemeinsamen Nenner zu bringen; alle Kausalität zugleich als Richtungskausalität zu erkennen, wodurch dem Kausalbegriff sein bisheriger, lediglich retrospektiver Charakter genommen würde und er vielmehr auch jenen prospektiven Charakter erhielte, der bis nun bloß den Teleologiebegriff auszeichnete. Wir dürfen also hoffen, vermittelst des exakt bearbeiteten Richtungsbegriffes alle jene metaphysischen Trübungen, welche bisher erfolgten, wenn es galt, das Teleologiemoment in den geschlossenen Kausalzusammenhang einzugliedern, künftig zu vermeiden und namentlich die exakte Naturbeschreibung davor zu bewahren, daß durch Einführung von metaphysischen Dominanten und Richtkräften heillose Verwirrung verursacht wird.

Der exakt bearbeitete Richtungsbegriff macht die Dominanten ebenso wie die Richtkräfte vollkommen entbehrlich. Indem er zeigt, daß die Richtung der Bewegung immanent ist, daß die Kraft nicht anders vorgestellt werden kann, wie als gerichtete Kraft, daß die Welt gleichsam ein System von Richtungselementen ist, beweist er aufs Deutlichste, daß das Organische sich nicht etwa dadurch vom Anorganischen unterscheidet, daß bloß bei dem ersteren eine bestimmt gerichtete Entwicklung vorliegt, sondern es wird offenbar, daß schon auf Grund des Kontinuitätsprinzipes, der Kausalität, der Energiegesetze alles Geschehen notwendig bestimmt gerichtetes Geschehen sein muß. Die Richtungsintensität ist kein Spezialfall des Organischen. Wir werden im weiteren Verlaufe unserer Ausführungen auf das Verhältnis von Richtung und Zweck, Richtungsintensität und Richtungsstrebigkeit, Richtungsstrebigkeit und Zielstrebigkeit, noch näher eingehen.

Augenblicklich wollen wir unseren allgemeinen Einleitungsworten noch einige grundlegende Bemerkungen anfügen. Die Bedeutung des Richtungsbegriffes für die Wissenschaft ist nicht nur auf Basis der mechanistischen Weltanschauung eine große. Sie bleibt die gleiche für das energetische Weltbild. Auch der Energetiker, der nicht zwischen Materie und Energie unterscheidet, sondern alle Materie in Energie aufzulösen strebt, und für den Veränderungen denkbar erscheinen, die nicht Bewegungen sind, auch er ist genötigt, verschieden gerichtete Energien anzunehmen. Ja man kann direkt sagen, für den Energetiker wächst der Begriff der Richtung noch zu höherer Bedeutung empor, will er nicht vom Qualitätsbegriff zu umfassenden Gebrauch machen. Ist, wie der Mechanist behauptet, alles Geschehen Bewegung oder ist, wie der Energetiker erklärt, alle Veränderung Energieumwandlung, dann ist man wohl berechtigt, zu sagen: die Richtung ist die Qualität der Bewegung, die Richtung ist die Qualität der Energie, wie die Intensität ihre Quantität ist. Denn was können denn die verschiedenen Arten der Bewegung, die verschiedenen Bewegungsformen, wie man sich auch ausdrückt, anderes sein als bestimmt zusammengesetzte Richtungen der Bewegung und was können die verschiedenen Energiearten anderes sein, als verschieden gerichtete, in verschiedener Richtung kombinierte Funktionen der energetischen Ureinheiten? Und sieht man dann genau zu und fragt sich, was ist denn eigentlich das, was man als Form, Anordnung, Gruppierung, Gestalt bezeichnet? Dann kann man nicht umhin, zuzugeben, daß die Form, die Anordnung, die Gruppierung, die Gestalt nichts anderes ist, als statisch erfaßtes Richtungsgeschehen, als gleichsam geronnene Richtungskomplexion, wie wir dies an gefrorenen Wasserfällen, an den Eiszapfen, die von den Häuserdächern herabhängen, deutlich sehen können. Wir werden auch darauf, wie auf den Begriff der komplexen Richtung überhaupt später noch zurückkommen.

Wie unbestreitbar die Tatsache ist, daß das Richtungsmoment ein psychisches Urphänomen ist, beweist auch die Geschichte des Kraftbegriffes. Die Kraft wird abgeleitet aus dem Widerstande; aber schon im Moment des Widerstandes ist der Begriff der Richtung enthalten. Ein weiterer Beweis der Wichtigkeit des Richtungsbegriffes für die gesamte Wissenschaft liegt in den Grundlehren der Energetik selbst. Die Robert Mayersche Theorie der Äquivalenz von Wärme und Arbeit ist eine Aussage über die Quantität der Bewegung. Der zweite Hauptsatz der Energetik, das Entropieprinzip, spricht sich aus über die Richtung der Bewegung. Denn indem hier gesagt wird, daß bei nicht kompensierten Intensitätsunterschieden die Energie von der höheren Intensität zur niederen übergeht, wird behauptet, die Energie ist in der Richtung der niedrigeren Intensität determiniert. Der Satz von der Erhaltung der Energie ist also die Lehre von der Quantität der Energie, das Entropieprinzip der Versuch einer Lehre von der Richtung der Energie. Diese klare Unterscheidung ist in erster Linie methodologisch von Wert. Sie deutet darauf hin, daß überall bei jeder allgemeinsten Aussage über das Geschehen zur rein quantitativen Bestimmung noch die Richtungsbestimmung hinzutreten muß, welche aber nur, auf ein bestimmtes Koordinatensystem bezogen, einen eindeutigen Sinn ergibt.

Angesichts alles dessen ist es auch ein interessantes Problem, warum der Richtungsbegriff in neuerer Zeit so vernachlässigt wurde, ja warum die berufensten Bearbeiter desselben, die Mathematiker und Physiker, dessen Erörterung geradezu ablehnen. Die tiefste Ursache für das Fehlen exakter erkenntnistheoretischer Untersuchungen über den Richtungsbegriff liegt wohl in der Abstraktheit der Naturformeln. Es macht das Wesen der allgemeingültigen Naturformeln aus, daß in denselben von den zufälligen Bedingungen des Einzelfalles abstrahiert wird. In den abstrakten Naturformeln kann man darum vielfach, vorerst wenigstens, von der Richtung absehen, sie in quantitative Relation auflösen, ohne daß die Gültigkeit derselben auch nur im Geringsten Abbruch leidet. Fundamental verschieden vom abstrakten Einzelfall ist jedoch der konkrete Einzelfall. In jedem konkreten Einzelfall spielt die Besonderheit der Richtung die denkbar größte Rolle, und da das Weltganze die bestimmt gruppierte Summe der konkreten, nicht der abstrakten Einzelfälle ist, so hat für die Erfassung des Naturgeschehens als Ganzen das Richtungsmoment die allergrößte Bedeutung. — Auch auf den Unterschied zwischen Richtung im statischen und dynamischen Sinne ist in diesem Zusammenhang zu verweisen. Spricht man von der Himmelsrichtung, dann hat man Richtung im statischen Sinne vor sich, spricht man von Entwicklungsrichtung, dann denkt man an Richtung im dynamischen Sinn. Es wären also alle Relationen zu unterscheiden in statische und dynamische Relationen. Und es wirft ein interessantes Licht auf diesen Unterschied, daß z. B. die griechische Sprache diese zwei Auffassungen der Richtung auch terminologisch unterscheidet, indem sie die Richtung als Lagebeziehung thesis, die Richtung im dynamischen Sinne als Lageveränderung aber phorā nennt. Also der Grieche bezeichnet Richtung im statischen Sinne einfach als Lage, Richtung im dynamischen Sinne als Bewegung. Nun fallen aber Richtung und Bewegung allerdings im gewissen Sinne vollkommen zusammen, wie etwa Raum und Zeit zusammenfallen, und man hat ja auch, ich verweise da nur auf Wundt, gesagt, daß die Bewegung eigentlich das Urphänomen ist, aus dem Raum und Zeit erst nachher abstrahiert wurden. Aber wenn auch Richtung und Bewegung eine Einheit bilden, so ist, genau genommen, die Richtung doch schließlich ein Attribut, wenn auch ein immanentes Attribut der Bewegung, und erfordert als solches eine gründliche separate Untersuchung.

Die Notwendigkeit dieser Untersuchung kann in der verschiedensten Weise bewiesen werden. Vor allem liefert eine Reihe von historischen Daten sehr bemerkenswerte Argumente für unsere Behauptung. Den interessantesten Beweis für die Tatsache, daß das Moment der Richtung von der philosophischen Forschung nicht immer so vernachlässigt wurde, wie in den letzten hundert Jahren bis in unsere Tage, bietet die lebhafte Kontroverse, die zwischen Descartes und Leibniz diesbezüglich geführt wurde. An zahlreichen Stellen seiner Schriften polemisiert Leibniz gegen Descartes, weil dieser die Behauptung von der Erhaltung der Bewegungsquantität aufgestellt hatte und daran die Äußerung knüpfte, Gott sei zwar außer Stande, auf die Quantität der Bewegung irgend einen Einfluß zu üben, aber er sei vollends Herr über die Richtung der Bewegung. Das bestritt Leibniz auf das Entschiedenste. Dem Descartesschen Satze von der Erhaltung der Bewegung stellte er nicht nur den Satz von der Erhaltung der Kraft gegenüber, sondern er erklärte auch in der nachdrücklichsten Weise die Annahme Descartes', Gott könne jederzeit nach Belieben auf die Richtung des Geschehens Einfluß nehmen, für unbedingt falsch. Überall, wo Leibniz nun von dem Gesetze der Erhaltung der Kraft spricht, setzt er demselben das Gesetz von der Erhaltung der Richtung an die Seite, welches er als ebenso wichtig, als ebenso grundlegend bezeichnet, wie das Gesetz von der Erhaltung der Kraft. Wie immer wir über den Satz von der Erhaltung der Richtung denken mögen, es muß uns als ein Symptom von höchster Bedeutung erscheinen, wenn ein Ingenium von der Größe eines Leibniz den Satz von der Erhaltung der Richtung als gleichwertig mit dem Satz von der Erhaltung der Kraft hinstellt und nicht müde wird, an zahllosen Stellen seiner Schriften diese beiden Sätze zusammen als die Grundgesetze alles Seins zu bezeichnen. Schon diese Tatsache allein müßte genügen, um es im höchsten Maße zu rechtfertigen, daß wir die Aufmerksamkeit der Wissenschaft erneut auf den Begriff der Richtung zu lenken suchen.

Aber nicht nur Leibniz hat sich mit dem Problem der Richtung beschäftigt, auch ein anderer großer Philosoph hat wiederholt an dies Problem gerührt. Es ist kein Geringerer als Kant. Nicht nur in den „Metaphysischen Anfangsgründen der Naturwissenschaft" finden wir eine philosophische Spekulation über das Richtungsproblem, sondern es existiert auch eine eigene Abhandlung über dasselbe aus dem Jahre 1768 unter dem Titel: „Von dem ersten Grund des Unterschiedes der Gegenden im Raume." Dieselbe ist hauptsächlich dadurch interessant, daß sie die Schwierigkeiten des Richtungsproblems, wenn auch nicht direkt von einem solchen gesprochen wird, klar zu Bewußtsein bringt. Sie behandelt es unter Bezugnahme auf die Notwendigkeit der Annahme eines absoluten Raumes, also in jenem Zusammenhang, in dem es ja seit je die Kernfrage gebildet hat.

Ich muß es mir versagen, in meinen heutigen Ausführungen auf die Bedeutung des Richtungsbegriffes für die Mathematik und Physik, auf die Rolle, die der Richtungsbegriff in diesen Disziplinen spielt und spielen kann, näher einzugehen. Eine Untersuchung hierüber muß ich Berufeneren überlassen. Namentlich muß ich es Berufeneren überlassen, zu entscheiden, ob in den exakten Wissenschaften durch erkenntnistheoretische Bearbeitung des Richtungsbegriffes voraussichtlich mehr Konfusion beseitigt oder verursacht werden dürfte. Ich habe es mir hier nur zur Aufgabe gesetzt, die allgemein philosophische Bedeutung des Richtungsbegriffes mit einigen Schlaglichtern zu beleuchten. Hierfür genügt es wohl, wenn ich zur Illustration seiner naturphilosophischen Bedeutung darauf verweise, wie unentbehrlich der Richtungsbegriff schon in den physikalischen Grundaxiomen ist und weiters daran erinnere, daß die größten Naturforscher sich genötigt sehen, dort, wo sie Aussagen über die allgemeinsten Voraussetzungen machen, auf das Moment der Richtung besonderen Wert zu legen, wie dies z. B. die Wirbelhypothese Kelvins zeigt, der zu beweisen sucht, daß nur dann in der Naturforschung Widerspruchlosigkeit herrsche, wenn man annehme, daß die Ureinheiten von Ewigkeit her in Wirbelbewegung schwingen. Eine Aussage über die Richtung des Geschehens ist auch die Behauptung, daß jede Kraft in einer unendlichen Geraden wirke, daß also die Richtung der Ureinheit aus sich selbst heraus für alle Ewigkeit fest determiniert ist, welche Annahme bekanntlich dem Trägheitsgesetze zugrunde liegt. Auch das Prinzip des kleinsten Zwanges, die Auffassung also, daß jede

Kraft in der Bahn des geringsten Widerstandes verläuft – und das ist vielleicht das allerwesentlichste Moment – ist eine Aussage über die Richtung der Bewegung. Ebenso das Entropieprinzip, worauf wir ja schon verwiesen.

Wie bedeutsam das Richtungsmoment für alle Wissenschaft ist, zeigt weiters mit besonderer Evidenz die Gegenüberstellung des dualistischen und des monistischen Kausalbegriffes. Der Kausalbegriff ist bekanntlich einer der ältesten Begriffe der exakten Wissenschaft. Er erhielt zu einer Zeit sein charakteristisches Gepräge, als man über das Verhältnis von Kraft und Stoff weitaus primitivere Anschauungen hatte, als in unseren Tagen. Dieser Umstand bestimmte auch seine bisherige Funktion. Die Weltanschauung des Dualismus, in der der Kausalbegriff seine intensivste Formung erhielt, glaubte noch an einen Anfang aller Bewegung, nahm noch an, daß das Ruhende gleichsam durch einen Stoß von außen in Bewegung geraten sei. Dieser Stoß von außen zittert im Kausalbegriff der Gegenwart noch immer nach. Nimmt man an, daß die Atome ursprünglich in Ruhe verharrt haben und dann erst durch einen Stoß in Bewegung gerieten, dann muß in Konsequenz dessen, theoretisch zumindestens, die Möglichkeit vorliegen, jedes bewegte Atom bis zu dem Moment der ursprünglichen Ruhe zurückzuverfolgen. Ganz anders liegen die Verhältnisse, wenn man sich das All als ein seit Urewigkeit her bewegtes denkt. Der Monismus, der Kraft und Stoff identifiziert, sei es nun, indem er Kraft und Stoff als die zwei Seiten eines und desselben ansieht, sei es, daß er die Materie in den Energiebegriff aufzulösen sucht, ist naturnotwendig mit einem Kausalbegriff ganz anderer Art verbunden, als mit jenem Kausalbegriff, der aus dem Dualismus hervorwächst. Der Monismus kann konsequenterweise nicht anders, er muß von einer anfanglosen Bewegung seinen Ausgang nehmen. Für ihn lautet die Grunderkenntnis: Im Anfang war die Bewegung, und zwar die bestimmt gerichtete Bewegung. Wenn aber die bestimmt gerichtete Bewegung der Anfang aller Dinge ist, dann hat jede winzigste Ureinheit von allem Anfang an Eigenbewegung, und zwar bestimmt gerichtete Eigenbewegung und alles Geschehen ist nur Kombination von bestimmt gerichteter Eigenbewegung. Die Ursächlichkeit eines Vorgangs erforschen, heißt dann die Ursachen des Richtungswechsels des Geschehens begreifen und damit ist gesagt: bei jedem Vorgang ist jeder Teil in seiner Bewegung nicht nur

5*

durch seine Umgebung, sondern auch durch sich selbst bestimmt. Die Kausalität wirkt somit bei dieser Auffassung nicht
nur von rückwärts, von außen her, sondern sie steckt von allem
Anfang an als bestimmte Intensitäts- und Richtungsgröße in den
Kräften selber und ist darum von rückwärts her nicht vollends
zu erklären.

Ist man also der Meinung, aller Anfang war die gerichtete Bewegung oder war die gerichtete Energie und begreift in diesem Sinne
das Weltganze als ein System von Richtungselementen, dann ist jede
Ureinheit von Urbeginn her im Besitz eines Quantums von Energie
bestimmter Richtung, der sich kausal nicht weiter ableiten läßt.
Ja, man könnte direkt sagen, auf die Ureinheit angewendet, stimmt
der Satz, daß Eigentum Diebstahl ist, nicht. Die Krafteinheit besitzt
freilich kein Eigentum, sie ist Eigentum, richtiger sie ist Eigentun. Und nebenbei bemerkt, haben diejenigen, welche den Satz
predigten, daß Eigentum Diebstahl sei, auch nur jenes Eigentum
als solchen gebrandmarkt, das nicht Eigentun seinen Ursprung
verdankt. Der Monismus begreift bekanntlich die Ureinheit als
Krafteinheit und muß daher gleichfalls behaupten, daß ein Geschehen kausal erklären, nichts anderes heißen kann, als die Wechselwirkung zwischen den Einheiten begreifen. Hat jede Ureinheit
sozusagen ihre angeborene Richtungsintensität, dann kann es nur
Aufgabe der kausalen Forschung sein, die Abänderung, welche
die ursprüngliche Richtungsintensität durch die Einwirkung der
anderen Richtungsintensitäten erfährt, exakt festzustellen, aber
sie darf nicht in den Irrtum verfallen, bei der Betrachtung der
Wirkung von *A* auf *B* zu vergessen, daß eigentlich eine gemeinsame Arbeit von *A* und *B* vorliegt. Und tatsächlich können
wir auch finden, daß alle modernen Erörterungen. des Kausalbegriffes die Kausalität als Wechselwirkung in diesem Sinne betrachten. Trotzdem finden wir aber in der Praxis vielfach eine
Anwendung des Kausalbegriffes, welcher dieser Einsicht nicht
entspricht, wo mit der Kausalität so operiert wird, als könnte ein
Vorgang, der in dem Zusammenwirken von *B* und *A* besteht,
allein von *B* aus vollkommen erklärt werden.

2.

Suchen wir nun auch ganz klar festzustellen, welche greifbaren
Vorteile der Wissenschaft durch die exakte Bearbeitung des Richtungsbegriffes erwachsen können. Da ist vor allem Eines hervorzuheben.

Für die mechanistische Weltanschauung, die alles Geschehen auf Bewegung, auf Attraktion und Repulsion, zurückführt, ist der Richtungsbegriff deshalb von der größten Bedeutung, weil die Richtung eines der zwei immanenten Attribute der Bewegung ist. Jede Bewegung hat eine bestimmte Geschwindigkeit resp. Intensität und eine bestimmte Richtung. Die Richtung unterscheidet sich dadurch fundamental von der Intensität, daß die letztere ohne weiteres durch die bloße Vergleichung quantitativ bestimmt werden kann, während die erstere nur mittels Aufstellung eines Koordinatensystems ermittelt zu werden vermag. Diese Besonderheit könnte als ihr gleichsam überquantitativer Charakter bezeichnet werden, welcher die Richtung dazu geeignet erscheinen läßt, die Brücke zwischen der quantitativen und qualitativen Naturbetrachtung wie zwischen Natur- und Geisteswissenschaft zu bilden. Bei erkenntnistheoretischer Bearbeitung des Richtungsbegriffes drängt sich nun freilich eine Erwägung immer wieder von neuem auf: Ist es nicht vielleicht doch überflüssig, umfassende Untersuchungen über das Richtungsmoment anzustellen, indem es doch eigentlich selbstverständlich ist, daß, da alle Bewegung im Raume verläuft, naturgemäß jede Bewegung auch eine Richtung haben muß. Bedenkt man jedoch, daß, genau genommen, die Bewegung eigentlich das Gegebene ist, so daß Raum und Zeit nur als Abstraktionen aus der gegebenen Bewegung erscheinen, dann gewinnt man doch den Eindruck, daß schließlich die Richtung das Ursprünglichere und namentlich das Konkretere ist, und daß der Raum nichts anderes ist, als die Summe aller vorstellbaren Richtungen. Wenn Ostwald darum sagt, der Raum ist richtungsfrei, so ist das sicherlich richtig. Indem der Raum die Summe aller Richtungen ist, ist er zugleich richtungsfrei; aber er hat keine Existenz außerhalb der Richtung, er ist bloß der abstrakte Sammelname für die Unendlichkeit der Richtungen. Auch Aristoteles meint, wir würden nach Raum nicht fragen ohne Bewegung. Und Mach sagt gelegentlich einmal: „In physiologischer Beziehung sind Zeit und Raum Systeme von Orientierungsempfindungen." In der Richtungsempfindung erblickt also Mach die Wurzel der Raum- und Zeitanschauung. Das läßt als brennendstes Problem die Frage erscheinen: Was liegt unseren Richtungsempfindungen zugrunde? Die Antwort der Physiologen hierauf findet sich in den hochbedeutsamen Untersuchungen über den statischen Sinn. Der Philosoph könnte, anknüpfend an unsere Darlegungen über das

Phänomen der Richtung, diese Frage etwa in folgender Weise
beantworten: Es ist eine Urtatsache, wo Bewegung ist, wo Energie
ist, da ist auch Richtung, das Sein ist also ein Gerichtetsein, es
kann darum nicht Wunder nehmen, wenn einer der primärsten
Faktoren unseres Seelenlebens die Richtungsempfindung ist.

So zeigt sich also, daß der Richtungsbegriff schon für die
Fundamentalfragen der Erkenntnistheorie von größter Bedeutung
ist. Eine der wichtigsten seiner Funktionen wäre aber doch wohl
die, daß er, sobald er einmal exakt bearbeitet ist, auf allen Gebieten
des Geschehens zu einer bestimmten Fragestellung nötigt. So
wird z. B. der Mechanist nicht anders können, als zugeben, daß
alle Bewegung, auch die verborgene, irgendwie gerichtet sein muß.
Wird aber auch jeder Energetiker geneigt sein, dies unbedingt
betreffs der Energie, und zwar sowohl für die kinetische wie
für die potentielle, zuzugestehen? Sowohl die positive wie die
negative Stellungnahme zu unserer Frage würde aber zu sehr bedeutungsvollen Konsequenzen führen. Namentlich hinsichtlich des
Tendenzbegriffes, der ein Gerichtetsein zum Ausdruck bringt, das
nicht notwendig zugleich Bewegung sein soll.

Noch interessanter als die Untersuchung über das Verhältnis
des Richtungsbegriffes zum Raumbegriff gestaltet sich die Gegenüberstellung des Richtungsbegriffes und des Zeitbegriffes. Die Zeit wird
als einsinnig bezeichnet und der Ausdruck einsinnig kann nichts
anderes besagen, als daß die Zeit eine nicht umkehrbare Richtung hat.
Oder sollte der Sinn, den der Geometer von der Richtung unterscheidet, tatsächlich etwas anderes bedeuten können als Richtung?
Sollte darin etwa das Anthropomorphe, Physiologische an der Richtung
enthalten sein? Ich glaube allerdings kaum an die Möglichkeit,
diesen Unterschied bis ins Letzte aufrecht zu erhalten. Wie steht
es nun mit der nichtumkehrbaren Richtung der Zeit? Spricht
man von der Richtung der Zeit, so haben wir, da die Zeit eine
unanschauliche Anschauung ist, Richtung im unanschaulichen
Sinne vor uns. Und wir betonten ja bereits früher, wie wichtig
es ist, zwischen anschaulicher und unanschaulicher Richtung zu
unterscheiden. Wenn nun aber die Zeit auch unanschauliche
Richtung ist, so bestreiten wir doch, daß hier der Begriff der
Richtung etwa lediglich im metaphorischen Sinne gebraucht wird.
Und zwar auf Grund folgender Erwägung: Denken wir uns die
Welt als Ganzes in der spezifischen Konstitution des gegenwärtigen
Augenblicks, so müßte sie sich auf Grund unserer heutigen natur-

wissenschaftlichen Auffassung für den Laplaceschen Geist in einer energetischen Formel zum Ausdruck bringen lassen, und ebenso die Welt als Ganzes in jedem beliebigen Zeitpunkt. Die Weltformel des gegenwärtigen Augenblicks unterscheidet sich also von der Weltformel des Universums in hundert Jahren nur durch die veränderte Gruppierung ihrer energetischen Elemente. Da die Energiesumme weder vermehrt noch vermindert werden kann, kann alle Veränderung, die sich vollzieht, nur eine Veränderung der Gruppierung sein und bei genauem Zusehen enthüllt sich die Veränderung der Gruppierung als energetischer Richtungswechsel. Mit anderen Worten, betrachten wir die starren Systeme der Weltformel des gegenwärtigen Augenblicks und der Weltformel, die die Welt nach hundert Jahren erfassen, statt statisch, dynamisch als die Entwicklung der ersteren zur letzteren, wie das Kontinuitäts und Kausalitätsprinzip es von uns fordern, so können wir nicht anders als in dem Gruppierungswechsel, als aktuellem Geschehen, einen Richtungswechsel erkennen. Es hat darum sicherlich keinen bloß metaphorischen Sinn, wenn man von der Richtung der Zeit spricht, wenn alle unsere Erkenntnis gipfeln will in der Erkenntnis der Entwicklungsrichtung, ja wenn aller unser lebendiger Kampf als Kampf um die Entwicklungsrichtung bezeichnet wird. Der Beweis hierfür liegt in der Übereinstimmung der Einsinnigkeit alles Geschehens und der Einsinnigkeit der Zeit. Die Einsinnigkeit des Geschehens bedeutet nichts anderes als das bestimmt gerichtete Sein des Geschehens. So zeigt sich also, daß der Begriff der Richtung, angewendet auf die Zeit, nicht nur kein lediglich metaphorischer, kein willkürlich bildlicher Begriff ist, sondern daß wir uns seiner bedienen, weil es mit seiner Hilfe gelingt, die Zeit in den Gesamtzusammenhang unseres Erkennens einzuordnen, und wir dies durch irgend einen anderen, angeblich nicht metaphorischen Begriff überhaupt nicht vermöchten. Es sei denn vielleicht mittels des Qualitätsbegriffes!

Wenden wir uns nunmehr dem Verhältnis des Richtungsbegriffes zum Qualitätsbegriff zu. Wir bemerkten bereits, daß die Richtung sich zum mindesten auf Grund der mechanistischen Weltanschauung, die alles Geschehen als Bewegung zu begreifen sucht, definieren läßt als eine Qualität, als ein Quale der Bewegung. Und man kann darum sicherlich ganz allgemein sagen: Die Qualität läßt sich schon deshalb nicht vollkommen in reine Quantität auflösen, weil sich die Richtung nicht voll-

kommen in Intensität auflösen läßt. Die Richtung ist
also ein überquantitatives Moment. Aber sie hat eine
besondere Eigenart: sie ist das Überquantitative, das
Nichtmehrquantitative, das doch meßbar ist, und darin
liegt ihre tiefste Bedeutung. Die Richtung erweist sich somit
als ein mathematisch erfaßbares Phänomen und bezeichnen wir
deshalb die Richtung als eine Qualität der Bewegung, so haben
wir hier eine Qualität vor uns, welche mathematisch bestimmbar
ist. Wo es darum gelingt, den Qualitätsbegriff durch den Richtungsbegriff zu substituieren, da ist ein großer Fortschritt erreicht, da
ist das Phänomen, welches es zu beschreiben gilt, der mathematischen
Formulierbarkeit angenähert. Erkennen wir also die Richtung als
eine Qualität der Bewegung, so ist für uns das gewonnen, daß
wir nicht mehr einen Begriff, der der Beschreibung in der Sprache
des Innenseins entspricht, für die Beschreibung der Sprache des
Außenseins zu verwenden brauchen, oder, anders ausgedrückt,
wir haben es dann nicht mehr nötig, uns für die energetischen
Vorgänge eines seelischen Fremdwortes zu bedienen, das verwertet
auf Zwecke, für die es nicht geprägt wurde, nur allzuleicht zu
unexakten, ja irrigen Auffassungen verleitet. Es wird jeweils von
dem Zustand unserer Erkenntnisse abhängen, ob wir in einem
gegebenen Fall von der Richtung oder von der Qualität eines
energetischen Phänomens sprechen. Dort, wo uns allein die Innen-
seite vertraut ist, ohne daß wir über die Außenseite auch nur im
Gröbsten umrissene Vorstellungen haben, werden wir uns des
Qualitätsbegriffes bedienen. Dort aber, wo die Außenseite bereits
in festeren Linien uns bekannt ist, da werden wir versuchen, mittels
des Richtungsbegriffes der Probleme Herr zu werden. — Wie groß
die Verwandtschaft des Qualitäts- und des Richtungsbegriffes ist,
zeigt schon der flüchtigste Blick auf alle jene Phänomene, wo wir
uns in der Wissenschaft, namentlich in den Geisteswissenschaften
und in der Psychologie, sowie Biologie des Richtungsbegriffes bedienen. Sprechen wir z. B. von der Geistesrichtung oder der
Willensrichtung und suchen wir hier den Begriff der Richtung durch
einen anderen zu substitutieren, so fällt uns dies äußerst schwer.
Wir könnten höchstens von einer Willenstendenz sprechen. Da
wir aber unter Wille bereits eine Strebigkeit verstehen, so kann
der Zusatz Tendenz, der ja auch wiederum nur die Strebigkeit
zum Ausdruck bringt, bloß dann nicht als tautologisch erscheinen,
wenn man unter Willenstendenz die bestimmte Richtung des Willens

versteht. Willenstendenz heißt also entweder Strebenstreben oder bestimmt gerichtetes Streben. Man ersieht hieraus, wie außerordentlich schwer es ist, dort, wo man von Willensrichtung spricht, den Begriff der Richtung durch einen anderen zu ersetzen. Man könnte höchstens sagen, im Ausdruck Willenstendenz sei mit Tendenz nicht die Richtung, sondern die besondere Art der Aktivität bezeichnet. Was ist aber mit diesem Ausweg gewonnen? Er zeigt uns nur das eine: die von uns betonte Verwandtschaft des Qualitäts- und Richtungsbegriffes. Der Richtungsbegriff kann in den Geisteswissenschaften lediglich durch den Qualitätsbegriff ersetzt werden, eine andere Substitution liegt außerhalb des Möglichen. Kann aber der Begriff der Richtung nur durch den Qualitätsbegriff ersetzt werden und läßt sich obendrein beobachten, daß der Qualitätsbegriff den Richtungsbegriff vielfach nur in sehr nebuloser Weise zu ersetzen imstande ist, dann ist offenbar, daß der Richtungsbegriff seinerseits geeignet sein muß, zum mindesten in einer Reihe von Fällen, den Qualitätsbegriff zu substituieren, ein Ergebnis, welches für die Wissenschaft zweifellos von Belang ist.

3.

Das weitaus Wichtigste am Richtungsbegriff ist jedoch das, was er für die Erkenntnis des Zweckmomentes zu leisten vermag und damit also seine Bedeutung für die Geisteswissenschaften. Ist die Natur als Ganzes ein System von Richtungselementen, so daß jedes einzelne Ding als Konglomerat von Richtungselementen erscheint und richtungslose lebendige Kraft — wenn auch nur im relationistischen Sinn — schon im Anorganischen etwas Unvorstellbares ist, dann kann es uns nicht verwundern, daß es auch im Organischen richtungslose lebendige Kraft nicht geben kann. Daraus folgt aber, daß es ganz verkehrt war, zu glauben, die Einheit zwischen Organischem und Anorganischem lasse sich nur in der Weise herstellen, daß man eine Allbeseelung annimmt und auch dem Anorganischen und den allerniedrigsten Organismen Zielbestrebigkeit zuspricht. Es ist vielmehr weitaus entsprechender, anknüpfend an den Richtungsbegriff, von der Selbstverständlichkeit der Einheit des Anorganischen und Organischen auszugehen. Vermittelst des Richtungsbegriffes sind wir nämlich imstande, dem Begriff der Zielstrebigkeit den Begriff der Richtungsstrebigkeit an die Seite zu setzen. Welch Gewinn darin liegt, darüber kann kein Zweifel bestehen, denn der Richtungsbegriff und namentlich der Begriff der Richtungsstrebigkeit und Richtungsintensität hebt den bisherigen unvermittelten Gegensatz zwischen Kausalität und Teleologie auf. Die Zielstrebigkeit setzt Bewußtsein voraus: wollte man darum bisher das Weltganze als ein System von Zielstrebigkeiten betrachten, dann mußte man auch den kleinsten Einheiten Bewußtsein zuschreiben und tatsächlich wurde ja auch von Zellseelen und Ähnlichem gesprochen. Ganz anders liegt es mit der Richtungsstrebigkeit resp. Richtungsintensität. Das abgeschossene Projektil, der losgeschnellte Pfeil, sie besitzen Richtungsintensität, aber keine Zielstrebigkeit. Die organischen Gebilde unterscheiden sich nun von den anorganischen nicht etwa dadurch, daß die einen Richtungsintensität besitzen, während diese den anderen nicht zukommt, sondern Richtungsintensität ist eine Grundwesenheit aller wirkenden Kräfte, und die Organismen unterscheiden sich von den anorganischen Stoffen vor allen dadurch, daß die Richtungsintensität der ersteren teils eine kompliziertere und bestimmt kombinierte, teils eine bewußte ist. Ja, daß alle Zielstrebigkeit, genau genommen, Richtungsstrebigkeit ist, das sehen wir sogar beim vollendetsten Kulturmenschen. Verlangt man von ihm, er möge seine letzten Ziele angeben, so ist auch er nur imstande, über die Richtung seines Willens Auskunft zu geben, nicht jedoch über das Endziel überhaupt. Und ebenso die Menschheit.

Auf Grund des Richtungsbegriffes wird uns somit die Natur des Zweckes erheblich klarer. Der Zweck läßt sich definieren als die reflektierte Richtungsstrebigkeit. Haben wir nun die Richtungsintensität als eine Grundwesenheit der Energie erkannt, dann wissen wir auch, daß die gerichtete Bewegung, resp. die bestimmt gerichtete Energie, mithin das Gerichtetsein als solches überhaupt, das gemeinsame Apriori der Natur- und Geisteswissenschaften ist. Ich verweise hier auf Trendelenburg, der auch die Bewegung als das dem Physischen wie Psychischen gemeinsam zugrunde Liegende ansah. Nach unseren Darlegungen käme die Richtung als weiteres Gemeinsamkeitsmoment hinzu. Und es ist namentlich interessant zu beobachten, wie die Psychologie, je weniger sie des Begriffes der Bewegung sich bedient, desto mehr mit dem Begriff der Richtung und dem ihm verwandten der Tendenz operiert. Weil nun die gerichtete Bewegung das allem zugrunde liegende Apriori ist, kann es nicht Wunder nehmen, daß auch im Menschen Richtungsstrebigkeiten wirksam sind, die offensichtlich apriorischen Charakter tragen, d. h. die trotz aller aufgewandten Forschungsarbeit nicht restlos aposteriorisch sich erklären lassen.

Bei allem Messen kommt es in erster Linie immer darauf an, die einzelnen Faktoren, die gegeneinander abgemessen werden sollen, gleichsam auf einen gemeinsamen Nenner zu bringen. Im ähnlichen Sinne ist auch alles Einheitsstreben der Wissenschaft die eifrige Bemühung, alle bunte Mannigfaltigkeit auf einen gemeinsamen Nenner zu vereinigen. Wenn man sucht, die Qualitäten in Quantitäten aufzulösen, ist das gleiche Motiv bestimmend. Der reine Quantitätsbegriff hat nun bisher versagt, wo es galt, eine volle Erfassung der bunten Lebendigkeit des Seins zu bewerkstelligen. Man hat bei Anwendung des Quantitätsbegriffes gleichsam die Empfindung: der Quantitätsbegriff tötet. Und auch, wenn man zwecks Erfassung des Dynamischen statt mit Quantitäten mit Intensitäten operiert, fühlt man sich unbefriedigt. Denn die Insuffizienz des reinen Intensitätsbegriffes wird nur allzubald offenbar. Diese Erscheinung läßt sich lediglich begreifen auf Grund des Umstandes, daß wir uns bloß gerichtete Bewegung vorstellen können, auf Grund der Tatsache, daß die Richtung eine unablösbare Grundwesenheit der Kraft ist. Daraus folgt, daß der Richtungsbegriff zum Quantitätsbegriff hinzukommen muß, wenn der Quantitäts- resp. der Intensitätsbegriff ausreichen soll, die Lebendigkeit der Erscheinungen wissenschaftlich zu erfassen. Die anorganische Naturwissenschaft operiert nun schon seit langem mit dem Richtungsbegriff, wenn sie auch denselben noch nicht erkenntnistheoretisch exakt herausgearbeitet hat. In der Biologie, Physiologie, Psychologie, Soziologie hingegen, in alledem also, was wir Menschennaturwissenschaft nennen könnten, spukt der Richtungsbegriff nur metaphysisch herum und stiftet statt Ordnung die verhängnisvollste Verwirrung. In den organischen Naturwissenschaften und namentlich in den Geisteswissenschaften wirkt nämlich oft statt des Richtungsbegriffes der Zweck resp. der Zielbegriff, und dieser Umstand hat zur Folge, daß hier die ungeheuerlichsten Widersprüche in unabsehbarer Kluft sich auftun.

Das letzte Jahrhundert hat die reichste Klärung und glänzendste Entfaltung des Kausalbegriffes gebracht, die teleologische Weltanschauung, die vorher beinahe alleinherrschend war, wurde durch die kausale immer mehr verdrängt. Aber die Teleologie hat sich doch fort und fort zu behaupten vermocht und in unseren Tagen zeigt sich mit immer größerer Deutlichkeit, daß ein weiterer rapider Fortschritt der Wissenschaft, namentlich der organischen Disziplinen und der Geisteswissenschaften, nicht möglich ist, wenn nicht auch dem berechtigten Kern des Teleologiebegriffes zur Geltung verholfen wird. Und man kann darum sehr wohl sagen: die nächsten Jahrzehnte werden der Klärung und Entfaltung des Zweckbegriffes gewidmet sein müssen. Wir werden nun zeigen können, daß es der Richtungsbegriff ist, der die Brücke zwischen der quantitativen und qualitativen Naturbetrachtung bildet, daß es das Gerichtetsein ist, was den Ursachen- und Zweckbegriff versöhnt, was Kausalität und Finalität auf den gesuchten gemeinsamen Nenner bringt. Für uns ist die geschlossene Kausalkette geschlossene Richtungskette und die Kausalforschung bedeutet für uns darum zugleich Erforschung der Kausalität der Richtung. Wir sagen nicht wie die Hylozoisten, daß alles beseelt ist, daß jedem winzigsten Urteilchen Beseelung zukommt, sondern wir behaupten, daß alles Sein ein System von Richtungsintensitäten ist. Für uns sind die Organismen Systeme von Richtungselementen, ebenso wie alles Anorganische Zusammensetzung von Richtungseinheiten darstellt. Handelt es sich somit darum, das Verhältnis des Organischen und Anorganischen zu bestimmen, so haben wir einfach mit den gegebenen Richtungsintensitäten zu rechnen.

Versuchen wir unsere Auffassung durch ein ganz grobes, willkürlich gewähltes Beispiel zu illustrieren. Denken wir uns ein Gebäude, an dem ein Blitzableiter angebracht ist. Im Moment, wo die Spannung in der über dem Gebäude lagernden Atmosphäre durch einen Blitz gelöst wird, zieht der Blitzableiter den elektrischen Funken an sich und leitet ihn zur Erde ab. Es wäre nun eine plump anthropomorphe Anschauung, dem Blitzableiter irgend eine Art Zielstrebigkeit zuzuschreiben, als ob ihm der Zweck bewußt vorschwebte, den elektrischen Funken zur Erde abzuleiten. Nichtsdestoweniger ist es eine Tatsache, daß er den Blitz von seiner natürlichen Richtung ablenkt. Würden wir dieser Tatsache dadurch gerecht zu werden suchen, daß wir sagen: dem Blitzableiter kommt eine bestimmte Richtungsstrebigkeit zu, so würden wir uns gleichfalls eines unberechtigten Anthropomorphismus schuldig machen. Vollkommen zutreffend ist das gegebene Verhältnis lediglich dann erfaßt, wenn man hier nicht nur nicht von äußerer und innerer Richtungsstrebigkeit spricht, sondern einfach ein inneres und äußeres Gerichtetsein annimmt und dementsprechend sagt: Die Richtung des Geschehens ist die Resultierende im jeweiligen Kräfteparallelogramm der Richtungsintensitäten. Und ganz anolog verhält es sich, wenn Organisches in Betracht kommt. Die Umwelt ist genau so ein System bestimmt gerichteter Energien wie der tierische oder menschliche Organismus. Und der Blitzableiter in unserem Beispiel ist genau so ein bestimmt Gerichtetes, wie irgend ein lebendes Gebilde bestimmt gerichtet ist. Das bestimmt gerichtete Sein des Blitzableiters besteht darin, daß er auf verschiedene äußere Reize typisch reagiert. Und genau dasselbe beobachten wir auch bei den Organismen, nur daß hier eine weitaus größere Reaktionsmannigfaltigkeit vorliegt und daß die Einheiten in größerer Abhängigkeit voneinander sich befinden. Aber in einer Beziehung gleichen sich Blitzableiter, ja jedes chemische Element und der lebendige Organismus resp. das einfachste Protoplasmaklümpchen vollkommen. Sie sind nämlich durchweg Systeme von latenten Richtungsintensitäten, Systeme von Funktionsmöglichkeiten, bei denen es von den jeweiligen äußeren Reizen abhängt, welche von ihnen zu Funktionswirklichkeiten werden. — Spricht man von kausaler Determination des Organischen oder des menschlichen Willens, so ist damit die jeweilige Gruppierung in einem bestimmten System von Richtungselementen zum Ausdruck gebracht. Der Wille ist die jeweilige Resultierende eines zu einem besonderen System verbundenen Komplexes von Richtungselementen und es ist bei dieser Auffassung selbstverständlich, daß der Wille zugleich von den Richtungselementen, die die Umgebung des Organismus darstellen und von den Richtungselementen, die den Organismus selber zusammensetzen, bestimmt sein muß. Als Persönlichkeit erscheint uns z. B. jenes Individuum, dessen innere Richtungsintensität verhältnismäßig stark im Vergleich zu den äußeren Richtungsintensitäten ist. Wer in der verschiedensten Umgebung den verschiedensten Einflüssen ausgesetzt, der Gleiche bleibt, der wird von uns mit Recht als ein Wesen von höherer Eigenkraft betrachtet; sein Wille ist vermöge der starken angeborenen Richtungsintensitäten verhältnismäßig frei gegenüber dem Willen desjenigen, der überall zum Spielball seines Milieu wird. Wir sehen also: Indem wir die Kausalität als das Verhältnis der jeweiligen Richtungsintensitäten auffassen, werden wir sowohl den von rückwärts her drängenden, wie den nach vorwärts strebenden Kräften gerecht. Und es ist der Begriff der Richtung, welcher uns diese Auffassung ermöglicht. Wir sagten vorhin, Kausalforschung ist Richtungsforschung. Es wird sich uns nun zeigen, welche Konsequenzen aus dieser Einsicht für das Willensproblem und damit für die Geisteswissenschaften überhaupt naturgemäß erwachsen.[1] Haben wir im gesamten Sein ein Spiel von bestimmt gerichteten Energien vor uns, und zeigt es sich, daß sich das Anorganische und das Organische nur dadurch voneinander unterscheiden, daß das Anorganische verhältnismäßig nicht allzu komplizierte Richtungsintensität ohne Bewußtsein ist, während das höher entwickelte Organische äußerst komplizierte und ganz bestimmt kombinierte Richtungsintensität mit Bewußtsein ist, so verengt sich dadurch die Kluft zwischen Anorganischem und Organischem ganz wesentlich. Freilich verschwinden hierdurch keineswegs die tiefsten Rätsel des Seins. Aber es kann ebensowenig als wunderbar erscheinen, daß bei einer bestimmten Kombination der Richtungselemente Gefühl resp. Bewußtsein auftritt, wie es von uns nicht als Wunder aufgefaßt wird, daß bei einer anderen bestimmten Gruppierung der Richtungselemente ein Glühen oder ein Leuchten zustandekommt.

Am allerwenigsten wird aber bei der Auffassung der Dinge, zu der uns der Richtungsbegriff hinführt, daß Bewußtsein zu einer belanglosen Begleiterscheinung der physiologischen Prozesse degradiert. Ganz im Gegenteil wird vielmehr erst hierdurch die ungeheure Bedeutung des Bewußtseins für das Geschehen vollends offenbar. Bewußtsein ist nach unserer Auffassung Richtungsbewußtsein. Es ist also nicht etwa bloß etwas rein Kontemplatives, die äußeren Erscheinungen passiv Wiederspiegelndes, sondern ein aktiv sich Betätigendes, es ist das Bewußtwerden des Kampfes der äußeren und der inneren Richtungsintensitäten. Das Bewußtsein zeigt uns, solcherart dynamisch aufgefaßt, jeden Augenblick die Resultierende der uns konstituierenden Richtungselemente klar oder unklar an. Zu einer je höheren Vervollkommnung nun unser Bewußtsein sich emporhebt, desto mehr wachsen wir aus dem Mikrokosmos, der wir selber sind, heraus zu dem Makrokosmos der gesamten, bestimmt gerichteten Energien. Je mehr also sich unser Bewußtsein weitet, desto deutlicher werden wir uns nicht nur der eigenen Richtung bewußt, sondern wir gelangen auch zur Erkenntnis der Voraus-

---

[1] Vergl. hierzu auch: R. Goldscheid, Zur Ethik des Gesamtwillens. Eine sozialphilosophische Untersuchung. Bd. I. Leipzig, O. R. Reisland 1902; sowie desselben: Grundlinien zu einer Kritik der Willenskraft. Willenstheoretische Betrachtung des biologischen, ökonomischen und sozialen Evolutionismus. Wien, W. Braumüller 1905.

setzungen, unter denen allein unsere Grundrichtung gegen die Umgebung sich durchzusetzen vermag. Suchen wir nach dem obersten Zweck des Menschendaseins, so fragen wir damit, welche Richtungsstrebigkeit müßte in den Einzelnen sich entwickeln, damit die Menschheit als Ganzes in jener Richtung sich bewegen kann, nach der ihr Richtungsbewußtsein, wenn ich so sagen darf, halb unbewußt hindrängt. Weil somit die Zweckerkenntnis letzten Endes Richtungserkenntnis ist, ist eine Beweisbarkeit der Richtigkeit des letzten Zweckes, den wir uns setzen, unmöglich. Das Gerichtetsein ist ein Urphänomen, es ist vor aller Kausalität da, es ist das, was uns zur kausalen Forschung drängt und kann darum durch die Kausalität nicht vollends legitimiert werden. Die Richtung kann nur entdeckt und in ihrer Evidenz aufgezeigt werden, aber sie ist unbeweisbar wie jede Elementartatsache. Auf Grund des Richtungsbegriffes wird auch klar, weshalb es müßig ist, darüber zu grübeln, ob unsere letzten Zwecke uns von Anbeginn her gesetzt sind, oder frei von uns gesetzt werden. Dem kausalen Denken ist es bekanntlich noch nicht gelungen, eine letzte Ursache zu finden, und ebensowenig gelang es der Finalität, unseren letzten Zweck zu erkennen. Der Richtungsbegriff liefert uns den Schlüssel zur Lösung dieser wunderbaren Erscheinung. Weil alles Sein Richtungsintensität ist, und weil die Energie bloß als gerichtete Energie existiert, kann es keine letzte Ursache und keinen letzten Zweck geben; die Richtung hat keinen Anfang und kein Ende. Schon die Annahme der Unendlichkeit, die unser endliches Erkenntnisvermögen nicht voll zu erfassen vermag, zwingt uns vom Endzweck und vom Endziel völlig zu abstrahieren. Müssen wir aber vom Endzweck und Endziel abstrahieren, dann gelangen wir zwangsgemäß zum Richtungsbegriff, der uns lehrt, daß alle unsere Zwecke nur Stationen auf der Bahn unseres Gerichtetseins sind und daß wir es darum letztlich nur mit Richtung zu tun haben. Indem wir uns also entschließen, auf die Erkenntnis des Endzweckes zu verzichten, und uns mit der Erkenntnis unserer Grundrichtung begnügen, stellen wir uns allerdings eine geringere Aufgabe als die, die uns vorher vorschwebte, aber dafür eine lösbare und das ist sicherlich eine für die Entwicklung der Wissenschaft sehr bedeutungsvolle Reduktion.

Und auch noch ein anderes ist durch unsere Auseinander-

setzungen über das Verhältnis des Zweckbegriffes zum Richtungs-
begriffe gewonnen. Unsere Auffassung bringt zum Ausdruck, was von
innen gesehen als Zweck resp. Ziel erscheint, das ist von außen
erfaßt Richtung. Damit vertreten wir den Standpunkt: wir ver-
meinen nicht den Zweckbegriff vermittelst des Richtungsbegriffes
vollends aus der Welt schaffen zu können, sondern wir wollen
vermittelst des Richtungsbegriffes den Zweckbegriff vor allem für die
mechanistische Naturerklärung entbehrlich machen. Jeder Kausalfaktor ist gerichtete Energie und dasselbe ist auch der Fall hinsichtlich jedes Finalfaktors. Der Finalfaktor hat demnach keine
andere Richtung als der Kausalfaktor. Der zeitliche Widerspruch
hinsichtlich der Kausal- und Finalfaktoren ist auf Grund des
Richtungsbegriffes aufgehoben. Der Zweck als psychologisches
Phänomen ist freilich nicht gleichbedeutend mit dem Zweck als
energetischem Phänomen, aber der Richtungsbegriff gestattet mit
dem Zweck als energetischem Phänomen zu operieren, den Zweck
so zu behandeln, wie die anderen energetischen Phänomene, und zwar
ist dies auf Grund des Richtungsbegriffes darum zulässig, weil der
Richtungsbegriff Erfassung des Weltbildes sub specie der Richtung
ist, weil der Richtungsbegriff die Kausalität zugleich als Richtungskausalität kenntlich macht. Indem es nun auf keinen Widerspruch
stoßen kann, wenn man den Begriff der Zweckursache durch den
Begriff der Richtungskausalität substituiert, haben wir die Haupt-
schwierigkeit im Teleologieproblem beseitigt, wobei freilich hervorzuheben ist: wir haben nur die Schwierigkeiten beseitigt, welche
der naturwissenschaftlichen Behandlung des Teleologieproblems
entgegenstanden, nicht die metaphysischen Schwierigkeiten, auf
welch letztere es uns ja aber auch gar nicht ankam.

So bietet der Richtungsbegriff also den einen großen Vorteil,
daß er das stets gesuchte Bindeglied zwischen Kausalität und
Teleologie darstellt. Er ermöglicht es, die äußere Welt in ihrer
ganzen Mannigfaltigkeit und Lebendigkeit darzustellen, ohne daß
man genötigt wäre, hierbei zu irgend einem seelischen Fremdwort
seine Zuflucht zu nehmen. Er rettet den berechtigten Kern der
teleologischen Weltanschauung, ohne daß darunter die Einheit der
naturwissenschaftlichen Weltbetrachtung leidet, ohne daß dadurch
der geschlossene Kausalzusammenhang durchbrochen wird. Der
Richtungsbegriff zeigt, daß das Weltbild der Naturwissenschaft
nicht auf rein quantitative Messung ausgeht, sondern auf Erfassung des Weltgeschehens in Quantität und Richtung. Der in

dem Richtungsbegriff vervollständigte Quantitätsbegriff verliert seine Totenstarre, er wird mit einem Male lebendig und nichts charakterisiert vielleicht die Bedeutung des Richtungsbegriffes mehr, als der Hinweis auf die ungeheuere Lebendigkeit, die ihm innewohnt, auf seine Fähigkeit, allem Leben einzuhauchen, womit er in Berührung kommt.

Alle diese Darlegungen lassen es vielleicht nicht als übertrieben erscheinen, wenn man es als im Bereich der Möglichkeit liegend ansieht, daß der Richtungsbegriff zu dem Zweckbegriff in ein ähnliches Verhältnis treten wird, wie der Energiebegriff zum Kraftbegriff. Der Energiebegriff machte den Kraftbegriff quantitativ meßbar, indem er von dessen seelisch qualitativen Eigenschaften abstrahierte. In ähnlicher Weise würde der Richtungsbegriff den Zweckbegriff umzugestalten vermögen. In welchem Umfange freilich der Richtungsbegriff imstande sein wird, den Zweckbegriff zu verdrängen, darüber kann allein die Weiterentwicklung der Wissenschaft uns belehren. Aber äußerst wahrscheinlich erscheint uns das Eine: Ebenso wie wir mit dem Energiebegriff sehr fruchtbar zu arbeiten imstande waren, wenn auch der Kraftbegriff letzten Endes als etwas Unbekanntes verharrte, so werden wir auch mit dem Richtungsbegriff in den Geisteswissenschaften wertvolle Arbeit leisten können, wenn gleich der Zweckbegriff neben ihm endlich und schließlich doch als ungelöste Rätselfrage zurückbleibt. — Nur weil man bisher im strikten Gegensatze zu der erforderten Einheit der monistischen Naturauffassung annahm, die Richtung sei ein sekundäres, nicht ein primäres Moment der Energie, die Richtung sei etwas, was nur aus der Lagebeziehung sich ergebe, nicht aber zugleich den Krafteinheiten immanent sei, nur also weil die monistische Naturauffassung bisher sich gegen ihr eigenes Prinzip versündigte, und mit Anschauungen operierte, die der dualistischen Weltanschauung zugrunde liegen, ist das Ereignis zutage getreten, daß die teleologische Weltanschauung gerade durch den Sieg des Monismus ihr Haupt wieder mächtig erheben kann gegen die kausale Weltanschauung. Die Vernachlässigung des Richtungsbegriffes ist die Todsünde der mechanistischen Naturbetrachtung, ist die Verleugnung seiner eigenen Grundprinzipien seitens des Monismus. Indem er den Richtungsbegriff einer exakten Untersuchung und Bearbeitung unterzieht, beraubt er die teleologische Weltanschauung alten Stiles ihres

einzig berechtigten Kernes und drängt sie damit definitiv in die
Metaphysik zurück.

4.

Sehen wir nun, zu welchen weiteren Konsequenzen unsere
Anschauung führt: Betrachtet man das Weltgeschehen rein mechanistisch oder rein energetisch, so ist es kontinuierlicher Wechsel
in der Gruppierung der Grundelemente. An der Gesamtquantität
ändert sich nichts. Eine Veränderung in der Gruppierung kann
aber nicht anders zustande kommen als durch bestimmt gerichtete
Bewegung der Grundelemente. Genau genommen, haben wir also
ein Interesse vorzüglich an der Geschwindigkeit und an der
Richtung des Geschehens. Nennt man nun die Entwicklung dort
zielstrebig, wo schließlich eine bestimmte Gruppierung, die vor-
ausgesehen werden kann, erreicht wird, so ist klar, daß man hier
ein Durchgangsstadium des Geschehens Ziel nennt. Oder man
müßte ganz unzuverlässigerweise einfach das Ende mit dem
Ziel identifizieren. In Wirklichkeit durchläuft das Geschehen in
jedem einzelnen Zeitdifferential ein Ziel. Das Ziel ist, mechanistisch
oder energetisch gesprochen, nichts anderes, als die jeweilige Konstitutionsformel des Weltganzen in einem bestimmten Zeitdifferential.
Die Zeit ist inhaltlich eine kontinuierliche Reihe von er-
reichten Zielen. Das Ziel ist gleichsam ein Differential des Geschehens, was ersichtlich macht, daß die Richtungskomplexion etwas
weit Umfassenderes ist, als der Zielbegriff. Von einem Ziel oder einem
Zweck kann dort gesprochen werden, wo man in der Erreichung
einer bestimmten Konstitutionsformel des Weltganzen den innersten
Sinn alles Geschehens erblickt. Wir können dann diese bestimmte
Formel als unser Ziel bezeichnen, müssen uns aber wohl dessen
bewußt sein, daß in jedem Augenblick ein Ziel durchlaufen wird
resp. daß jeder spätere Augenblick im Verhältnis zum früheren
als ein Ziel sich charakterisiert. Bezeichnet man deshalb die Natur
überhaupt als zielstrebig, dann muß man einsehen, daß fortwährend
Ziele erreicht werden. Will man dies jedoch nicht zugeben, dann
muß man sich damit begnügen, zu sagen, jedes Urelement durchläuft eine bestimmte Bahn, jede Bewegung hat ihre bestimmte
Kurve und darum ist in der Welt während jedes Zeitdifferentials
eine bestimmte Gruppierung der Grundelemente anzutreffen. Bei
dieser Auffassung erscheint uns die Natur zwar nicht als zielstrebig,
aber als bestimmt gerichtetes Sein oder, besser gesagt, als bestimmt

gerichtetes Geschehen. Der Zielbegriff erweist sich bei dieser Anschauung der Dinge also als der Versuch einer statischen Erfassung des Dynamischen, als besondere Bezeichnung für die Konstitutionsformel des Weltganzen in einem bestimmten Zeitdifferential.

Nun müssen wir aber unterscheiden: das Ziel als die Formel, welcher das Weltganze sich immer mehr annähert und das Ziel begriffen als menschliche Zielvorstellung. Diese Unterscheidung wird uns zwingen, uns darüber auszusprechen, was der Richtungsbegriff für die Lösung der Grundfrage des gesamten Teleologieproblems zu leisten vermag, nämlich für die Frage, wie vermag die Zweckvorstellung in den geschlossenen Kausalzusammenhang einzugreifen? Diese Erörterung soll den Schluß unserer Abhandlung bilden, den Schluß und den Gipfel. Denn wie mir scheinen will, liegt die tiefste Bedeutung des Richtungsbegriffes in dem, was er für die Geisteswissenschaften zu leisten imstande ist. Und wir werden in den jetzt folgenden Erörterungen zeigen können, wie der Richtungsbegriff durch die Beziehungen, die ihn sowohl mit dem Richtigen, wie dem Wert verbinden, berufen ist, namentlich auf dem Gebiet der Ideenlehre eine große Rolle zu spielen.

Eine Erörterung dessen, was der Richtungsbegriff zur Klärung des Zweckmäßigkeitsproblems, in der Gestalt, in der es etwa den Darwinismus beschäftigt, beitragen könnte, müssen wir uns im Rahmen unseres heutigen Aufsatzes versagen. Wir werden bei anderer Gelegenheit — in einem voraussichtlich schon Ende dieses Jahres erscheinenden Buch über die Voraussetzungen der Höherentwicklung — ausführlich darauf eingehen. Nur so viel sei schon hier bemerkt: da wir ebenso wie Breuer und andere von der Anschauung ausgehen, daß in den meisten Fällen, wo von Zweckmäßigkeit gesprochen wird, weitaus richtiger der Ausdruck Erhaltungsgemäßheit gebraucht würde, ist für uns der Zusammenhang zwischen Zweckmäßigkeit und Richtung naturgemäß gegeben. Genau genommen, nennen wir nirgends etwas anderes objektiv zweckmäßig, als dasjenige, was mit der in der Menschheit am intensivsten wirksamen Grundrichtung am meisten harmoniert, als subjektiv zweckmäßig hingegen bezeichnen wir das der bestimmten Grundrichtung eines bestimmten Einzelwesens Entsprechendste; es ist also unser Interesse an einem bestimmten Zusammenhalt, das uns zum Begriff Zweckmäßigkeit verleitet. Brechen wir darum ebenso radikal mit der organo-

6*

resp. biozentrischen Weltanschauung, wie wir die gaeo-
zentrische und anthropozentrische aufgegeben haben, d. h. nehmen
wir nicht an, daß alles, was sich erhält, sich auch erhalten soll,
dann wird uns das Erhaltungsgemäße und die Steigerung der
Erhaltungsgemäßheit, d. i. die größere Übereinstimmung der Funktion der einzelnen Teile mit der Grundrichtung des irgendwie zu
einer Einheit verbundenen Ganzen, nicht mehr so wunderbar
erscheinen. — Mit diesen wenigen Worten kann natürlich nur in
den dürftigsten Umrissen angedeutet werden, was uns vorschwebt.
Es sollte aber auch nur darauf hingewiesen werden, in welcher
Weise der Richtungsbegriff in bezug auf die aufgeworfene Frage
methodologisch, gleichsam als heuristisches Prinzip verwendet
werden könnte. Und vielleicht reichen diese aphoristischen Bemerkungen doch schließlich aus, um zum mindesten den Zusammenhang zwischen Richtungsbegriff und Entwicklungsproblem
einigermaßen zu markieren und namentlich, um zu zeigen, warum
wir uns sowohl über die Höherentwicklung wie über die Richtung nur auf Grund eines bestimmten Koordinatensystems orientieren können. Es scheint mir nämlich als eines der wichtigsten
Ergebnisse unserer Bearbeitung des Richtungsbegriffes, daß offenbar wird: Was in den exakten Naturwissenschaften die
Richtungsbestimmung ist, das ist in den Geisteswissenschaften die Wertung. Daher die Rolle, die das Wertmoment
in der Wissenschaft überhaupt spielt, daher die aus dem un-
geklärten Richtungsbegriff erwachsende Verwirrung, welche mit
dem Wertmoment bisher so vielfach in die Wissenschaft hineingetragen wurde.

In diesem Zusammenhang will ich auch gleich bemerken,
daß ich auf dem Wege werttheoretischer Untersuchungen auf den
Richtungsbegriff stieß. Und es wird vielleicht am besten zur
Charakteristik des Richtungsbegriffes dienen, wenn ich bei diesem
Umstand mit einigen Worten verweile. Ich untersuchte den Ursprung des Wertes, um Stellung zur objektiven und zur subjektiven
Begründung der Wertlehre nehmen zu können. Deutlich kamen
mir hier die Schwierigkeiten zu Bewußtsein, sowohl wenn man
den Wert auf die Arbeit, wie wenn man ihn auf das Begehren
zurückführt. Je mehr ich mich in das Wertproblem vertiefte,
desto klarer wurde mir nun, daß das Werten, kurz gesagt, der
psychische Ausdruck unseres Gerichtetseins ist. Wir halten etwas
für wert, weil es Verkörperung von Arbeit ist und wir schätzen

die Arbeit, weil wir Arbeit benötigen, um uns erhalten und in einer bestimmten Weise entfalten zu können. Fragt man aber weiter, warum wir uns erhalten und in dieser bestimmten Weise entfalten wollen, so können wir nur auf ein so geartetes Gerichtetsein verweisen. Eine weitere Auflösung, eine weitere Zurückverfolgung, liegt außerhalb der Möglichkeit. So führt also die Reduktion des Wertbegriffes schließlich auf den Richtungsbegriff. Und man kann darum sagen, das Werten ist das Messen resp. Schätzen in bezug auf die Richtung, und zwar nicht nur in bezug auf die Einzelrichtung in ihrem Verhältnis zu den Richtungselementen der engeren Umgebung, sondern in bezug auf das Verhältnis der Einzelrichtung in ihrer Bedeutung für die Erreichung der beabsichtigten Konstitutionsformel des Ganzen. Indem ich einen Einzelvorgang werte, prüfe ich, ob er geeignet ist, die Annäherung an die gewünschte Konstitutionsformel zu begünstigen, untersuche ich, ob er so geartet ist, in der kürzesten Zeit das gewünschte Ergebnis herbeizuführen. Die Verwandtschaft des Wertmomentes und des Richtungsmomentes geht übrigens auch daraus hervor, daß man, wie bereits bemerkt, ähnlich wie zur Bestimmung der Richtung auch zur Bestimmung des Wertes eines Koordinatensystems nicht entbehren kann.

Ein weiterer interessanter Ausblick, den die erkenntnistheoretische Untersuchung des Richtungsbegriffes gewährt, ist der bemerkenswerte Zusammenhang zwischen dem Begriff der Richtung und dem Begriff des Richtigen. Es könnte als eine sprachliche Zufälligkeit erscheinen, daß im Begriff des Richtigen der Begriff der Richtung nachklingt. Aber uns will bedünken, daß hier keine Zufälligkeit, sondern ein tiefgründiger Kausalnexus vorliegt. Schon Leibniz hat die Wahrheit mit der Zweckmäßigkeit in Verbindung gebracht, indem er hervorhob, daß die Ptolemäische Weltanschauung ebenso der Wahrheit entspricht wie die Kopernikanische, und daß sich die Kopernikanische nur durch ihre größere Zweckmäßigkeit auszeichnet. In neuester Zeit wird nun von verschiedenen Seiten versucht, die Wahrheit auf die Zweckmäßigkeit zurückzuführen, d. h. man ist der Ansicht, daß uns das als wahr erscheint, was sich als zweckmäßig bewährt hat, was uns dazu verhilft, uns in der Naturbeherrschung zu vervollkommnen. Sehen wir darum ab von allen jenen Wahrheiten, die sozusagen auf formaler Evidenz beruhen und unterscheiden wir überhaupt zwischen dem Wahren und dem Richtigen in der Weise, daß wir das wahr nennen, was mit Evidenz ausgestattet ist, und das als richtig erachten, was sich widerspruchsfrei in ein geordnetes System einreihen läßt, dann können wir nicht daran zweifeln, daß uns als richtig dasjenige erscheint, was geeignet ist, unsere Annäherung an jene Konstitutionsformel des Weltganzen, die wir anstreben, zu befördern und daß uns das als unrichtig erscheint, was diese Annäherung hemmt. Als richtig bezeichnen wir also das einer gewissen komplexen Grundrichtung Entsprechende; als unrichtig das einer gewissen komplexen Grundrichtung Widersprechende. Aus diesen Ausführungen ist zu entnehmen, wie eng der Begriff des Richtigen mit der Richtung zusammenhängt. Und in gleicher Weise sehen wir die innige Berührung zwischen dem Wert und dem Richtigen, die beide die gleiche Verwandtschaft mit dem Richtungsgemäßen offenbaren. Angesichts dieser Verwandtschaft ist ohne weiteres die Bedeutung des Richtungsbegriffes für die gesamte Ideenlehre einleuchtend und der flüchtigste sprachkritische Überblick zeigt ja auch, daß nirgends der Begriff der Richtung häufiger gebraucht wird und eine größere Rolle spielt, als in den organischen Naturwissenschaften und namentlich in den Geisteswissenschaften.

5.

Wir wollen nunmehr zu dem letzten Punkt unserer Abhandlung übergehen. Wir behaupteten: Der Richtungsbegriff bringt die Kausalität und die Finalität auf einen gemeinsamen Nenner. Wir haben uns deshalb jetzt darüber auszusprechen, wie wir uns denken, daß die Zweckvorstellung in dem geschlossenen Kausalzusammenhang einzugreifen vermag. Es gibt zwei Betrachtungsweisen des Geschehens. Wir können fragen, welcher Konstitutionsformel strebt das Weltganze resp. namentlich derjenige Teil des Weltganzen, der uns für unsere Zwecke besonders interessiert, zu, und wir können anderseits fragen, welcher Konstitutionsformel soll das Weltganze resp. der uns interessierende Teil desselben zustreben? Die Zulässigkeit dieser Doppelfrage ist nun aber eben eines der tiefsten Grundprobleme der Philosophie. Wie kann man angesichts der Tatsache, daß alles, was geschieht, geschehen muß, darnach fragen, ob etwas resp. was geschehen soll. Dieses Problem muß, obwohl es über den Rahmen der vorliegenden Abhandlung naturgemäß weit hinauswächst, doch wenigstens in Kürze noch erörtert werden, weil es das interessanteste aller Richtungsprobleme zum Ausdruck

bringt, nämlich die Frage nach der Entwicklungsrichtung.
Wir haben bereits darauf hingewiesen, daß, wo von Entwicklungsrichtung gesprochen wird, der Begriff der Richtung keineswegs
bloß metaphorischen Sinn hat. Die Entwicklungsrichtung, das ist
die Entwicklung der Konstitutionsformel des Weltganzen im gegenwärtigen Augenblick zur Konstitutionsformel des Weltganzen in
einem künftigen Zeitdifferential, und diese Entwicklung kann angesichts der Konstanz der Quantität nur ein Gruppierungswechsel
sein; jeder Gruppierungswechsel ist aber, dynamisch aufgefaßt,
Richtungswechsel. Wie steht es nun mit der Entwicklungsrichtung?
Geschieht, was geschehen muß, und ist es darum unsinnig zu
fragen, was geschehen soll, oder hat das, was geschehen soll,
einen Einfluß auf das, was geschehen muß? Diese Frage ist
bei unserer Auffassung der Dinge nicht mehr schwer zu entscheiden.

Vergegenwärtigen wir uns doch nur: Was ist der Inhalt, der
tiefste Sinn unseres gesamten Forschens? Wir trachten zu erkennen, welche Konstitutionsformeln das Geschehen von Zeitdifferential zu Zeitdifferential durchlaufen muß, und wir fragen,
welche Konstitutionsformel das Weltganze im spätesten Zeitpunkt,
den wir uns denken können, annehmen wird. Diese Erkenntnis
suchen wir in der Weise zu gewinnen, daß wir die einzelnen Gebilde in die kleinsten Einheiten aufzulösen trachten und nun das
Verhältnis der Bewegungsformeln der kleinsten Einheiten in ihrem
Zusammenwirken feststellen. Wäre es nun energetisch möglich, daß
irgend ein Geschöpf, Münchhausen gleich, sich an seinem eigenen
Zopf aus dem Wasser ziehen könnte, so würden wir hoffen dürfen,
mit vollkommener Gewißheit das Gesamtgesetz alles Geschehens
bis in die kleinsten Details dereinst erforschen zu können. Da
wir aber wissen, daß niemand sich an seinem Zopf aus dem Wasser
ziehen kann, resp. da wir wissen, daß so genau wir auch die Bewegungsformeln aller Kräfteeinheiten in ihrem geschlossenen
Kausalzusammenhang berechnen mögen, doch diejenigen Kräfteeinheiten, welche die Betrachtung selbst ausführen, stets
aus dem Kalkül wegbleiben, so ist es für uns ein Gebot
gerade streng kausalen Denkens, in bezug auf das Einzelne nicht
von Entwicklungsgesetzen, sondern nur von relativen Entwicklungs-
konstanten und hinsichtlich des gesamten Systems nur von Entwicklungsmöglichkeiten zu sprechen. Die Tatsache, daß jede
Lageveränderung eines Sandkornes, ja des winzigsten Uratoms

gerade auf Grund des Kontinuitätsprinzipes die Konstitutionsformel
des Weltganzen verändern muß, zwingt uns die Verpflichtung auf,
wo wir von geschichtlicher oder kosmischer Notwendigkeit sprechen,
zweierlei haarscharf zu unterscheiden. Nämlich zu berücksichtigen,
daß es wohl nur eine Entwicklungsnotwendigkeit geben kann,
daß aber die erkenntnistheoretische Besinnung uns veranlassen
muß, einzusehen, daß die Welt der Notwendigkeit uns entschieden
nicht als etwas anderes erscheinen kann, denn als eine Welt der
Möglichkeiten.   Indem wir selbst als Betrachter notwendig im
Betrachteten fehlen, reißen wir naturgemäß immer eine Lücke im
Weltganzen auf, die wir auszufüllen absolut nicht imstande sind,
resp. die wir nur ausfüllen können auf Grund von Analogieschlüssen,
denen keine Gewißheit zukommt.   Die Lückenhaftigkeit unseres
Erkennens ist natürlich bei dem gegenwärtigen Stand unserer Erkenntnis, auch abgesehen von der Lücke, die wir selbst verursachen,
eine sehr große.   Um so mehr ziemt es sich für uns, statt einem
fruchtlosen Suchen der einen historischen Notwendigkeit nachzugehen, statt also das eine Entwicklungsgesetz des Weltganzen
erforschen zu wollen, an der Feststellung der zahlreichen Entwicklungsmöglichkeiten zu arbeiten, um durch die Abwägung der
vorhandenen Entwicklungsmöglichkeiten zu einem Schluß über
die Entwicklungsmöglichkeiten höchster Wahrscheinlichkeit zu gelangen.[1]

Es ist die Folge der Kontinuität alles Geschehens, daß im
selben Maße als das unendlich Große das unendlich Kleine
determiniert, auch umgekehrt das unendlich Kleine das unendlich
Große zu determinieren vermag.   Die ungeheure Gewalt dessen,
was die Wissenschaft Auslösungsursache nennt, ist nichts als der
lebendige Ausdruck des Einflusses des unendlich Kleinen auf das
unendlich Große, der in der Mehrzahl der Fälle nur zu unsichtbarer, nicht zu sichtbarer Wirkung gelangt. Das Wissen und
Können des Menschen ist gleich einem Sandkorn im Unendlichen;
aber die richtige Lagerung eines Sandkornes im Unendlichen reicht
aus, um im Unendlichen alles von unterst zu oberst zu kehren.
Vertieft sich darum unsere Einsicht in das Verhältnis der Systeme
bestimmt gerichteter Energien, die die menschlichen Organismen

---

[1] Über historische Gesetze vergl.: R. Goldscheid, Grundlinien zu einer
Kritik der Willenskraft. Wien 1905. Kapitel X: „Die erkenntnistheoretische
Notwendigkeit der Naturgesetze und die willenstheoretische Notwendigkeit der
sogenannten historischen und Wirtschaftsgesetze."

konstituieren, wie in jenes System bestimmt gerichteter Energien, welches das Naturganze darstellt, so braucht uns vor unserer Ohnmacht nicht bange zu sein. So gering unsere Kraft im Vergleich zu den Elementarkräften ist, wir spielen die Rolle von Auslösungsfaktoren, und wenn wir nur zu immer ausgebreiteterer Erkenntnis über die Gewalt und Fülle der Auslösungsursachen gelangen, dann können wir unsere Stellung in der Natur ganz ungeheuerlich verbessern. Das Problem des Fortschrittes ist das Problem der Energierichtung. Auf dieser Tatsache baut sich die Bedeutung umfassender Richtungserkenntnis unübersehbar auf.

Wo immer der menschliche Geist die Fähigkeit besitzt, als Auslösungsfaktor wirksam zu sein, da ist es deshalb weitaus exakter, aus dem, was geschehen soll, auf das zu schließen, was geschehen wird, statt dies umgekehrt aus dem, was geschehen ist, entnehmen zu wollen. Trotzdem wird freilich immer wieder behauptet, es könne unmöglich die Aufgabe der Wissenschaft sein, zu erforschen, was geschehen soll, das Sollen könne ja doch nicht auf das Sein einwirken. Das Amüsanteste bei dieser Behauptung ist wohl der Umstand, daß diejenigen, welche sie vertreten, gar nicht bemerken, wie sie, indem sie sagen, die Wissenschaft hat diese und diese Aufgabe, bereits jenes Sollen postulieren, von dem sie nachher erklären, es könne nicht die Aufgabe der Wissenschaft bilden, sich mit demselben zu beschäftigen. Sie sagen, die Wissenschaft soll etwas, und wenn man fragt, was die Wissenschaft soll, dann antworten sie: die Wissenschaft soll — sich nicht um das Sollen kümmern. Mit alledem ist wohl sonnenklar bewiesen, daß, sobald man sich als berechtigt erachtet, für die Wissenschaft eine ideale Norm aufzustellen, man zur Aufstellung idealer Normen überhaupt berechtigt ist. Handelt es sich deshalb darum, die künftige Entwicklungsrichtung zu ermitteln, dann kann für mich nicht nur das Soll maßgebend sein, welches die Umstände in den Individuen, die meine Umgebung bilden, erzeugen, sondern ich habe mich auch zu orientieren über das Soll, welches in dem Kausalnexus, der ich selber bin, zustande kommt. Ich habe mich also auch zu orientieren an dem Soll, welches mir in meiner tiefsten Erkenntnis zu Bewußtsein kommt. Orientiere ich mich nun weiter an den gegebenen Tatsachen, so sehe ich, daß das Wollen und Sollen der einzelnen Menschen ein sehr variables Moment darstellt, und daß es namentlich der

Beeinflussung durch andere Menschen außerordentlich zugänglich ist. Fühle ich deshalb in mir ein Sollen nach Ausdruck ringend, das sich von dem Sollen, welches in meinen Mitmenschen ist, wesentlich unterscheidet, und fühle ich weiteres mit Klarheit und Intensität, daß das in mir wirksame Wollen und Sollen an meinen individuellen Energien einen starken Rückhalt hat, dann ginge ich nach einer ganz verkehrten Methode vor, wenn ich aus den äußeren Umständen allein berechnen wollte, welchen Gang die Entwicklung nehmen wird, sondern wende die allein richtige Methode an, indem ich mich an den in mir lebendigen Wollen und Sollen orientiere und nun, sobald ich auch darüber im Klaren bin, daß das Sollen, welches in mir wirkt, übereinstimmt mit einer der gegebenen Entwicklungsmöglichkeiten, auf die Realisation dieser gegebenen Entwicklungsmöglichkeit mit allen in mir aufgehäuften Kräften hinzuarbeiten suche. Das heißt mit anderen Worten: Ich kann unter Umständen über die Entwicklungsrichtung zu weitaus richtigeren Urteilen gelangen, wenn ich mich an meinem lebendigen Wollen und Sollen orientiere, statt lediglich an den Tendenzen, welche in der Vergangenheit wirksam waren oder in Anderen gegenwärtig wirksam sind.

Man kann deshalb sagen: das Besondere, was jeweils geschehen muß, geschieht, soweit es sich um menschheitliches Geschehen handelt, in dieser besonderen Weise vielfach nur, weil irgend jemand fordert, daß dieses Besondere geschehen soll. Das Sollen wirkt auf das Geschehen ein, weil es eine bestimmte Richtungsstrebigkeit bestimmter Intensität ist, also eine Richtungsintensität neben anderen Richtungsintensitäten darstellt. Das Sollen und das Müssen befinden sich deshalb nicht in einem Gegensatz. Das Sollen ist vielmehr eingebettet im Müssen, es ist ein Kausalfaktor im zwangsläufigen Geschehen. Jener Laplacesche Geist, der aus der Konstitutionsformel des Weltganzen im gegenwärtigen Augenblick alles künftige Geschehen berechnet, würde, da er notwendig die Fähigkeit besitzen müßte, die physischen Daten ins Geistige übersetzen zu können, auch anzugeben imstande sein, daß auf *A B* folgte, weil in einem bestimmten Zeitpunkt in irgend einem Individuum oder in irgend einer Gruppe ein bestimmtes Ideal sich konstituierte. Die Richtung des Geschehens hängt also nicht nur von den äußeren Faktoren ab, sondern von der Richtungstransformation, welche die äußeren Reize in den einzelnen Individuen erfahren, und wenn darum in einem besonders glücklich veranlagten Individuum eine Richtungstransformation zustande kommt, welche bewirkt, daß eine größere Harmonie zwischen der menschlichen Grundrichtung und der Richtungsdynamik der Kräfte überhaupt eintritt, so ist dies für die Entwicklung sub specie hominis von der größten Bedeutung. Mit all dem soll zum Ausdruck gebracht sein, daß derjenige, der ein Ideal der Entwicklung aufstellt, keineswegs im Widerspruch zu der Erkenntnis handelt, daß nur das geschieht, was geschehen muß. Ganz im Gegenteil. Hat er die Entwicklungstendenzen richtig erkannt, dann ist er als Finalfaktor eben jener Kausalfaktor, welcher notwendig war, damit das, was geschehen muß, auch wirklich geschieht. Jedes menschliche Individuum, das etwas vom Laplaceschen Geist in sich trägt, wirkt teleologisch im besten Sinne des Wortes, es nähert uns jener Konstitutionsformel des Weltganzen, nach der die Grundrichtung unseres Wesens hindrängt.

Es ist nur ein Problem der Methodologie, ob man in dem einen Fall fragt, was geschehen soll und in dem anderen, was geschehen muß. Soll irgend eine Unternehmung ins Werk gesetzt werden, oder soll irgend ein Fest veranstaltet werden, dann wäre es eine sehr unzweckmäßige Methode, statt darnach zu fragen, was geschehen soll, erforschen zu wollen, was geschehen muß. Und umgekehrt würde der Astronom sehr unsinnig vorgehen, welcher statt zu berechnen, welche Bahn die Gestirne nehmen müssen, darüber grübeln wollte, welchen Weg sie nehmen sollen. Handelt es sich deshalb darum, die Entwicklungsrichtung zu ermitteln, so kann es einzig und allein die Aufgabe der Wissenschaft sein, festzustellen, welches Sollen in dem Menschen sich wird entwickeln müssen. Dieses Sollen wird dann notwendig die Richtung der Entwicklung bestimmen. Diesen Sinn hat auch die materialistische Geschichtsauffassung bei richtiger Interpretation. Bringt sie aber in extremer Fassung etwa zum Ausdruck, daß wir Menschen nicht vermögen, die Richtung der Entwicklung, sondern höchstens das Tempo derselben zu bestimmen, so behauptet sie etwas Unsinniges. Wir Menschen können nicht nur, sondern wir müssen die Richtung der Entwicklung bestimmen, weil wir selbst Richtungsintensitäten neben anderen Richtungsintensitäten sind. Aus diesem Grund können wir entweder sowohl die Richtung wie das Tempo der Entwicklung bestimmen oder wir können weder das Eine noch das Andere. Geschwindigkeits- und Richtungsänderung unterstehen demselben Grundgesetz.

Eine detailliertere Ausführung dieser Gedanken würde hier zu weit führen. Ich möchte nur noch soviel sagen: Weil Sollen und Müssen keinen Gegensatz bilden, weil im menschlichen Geschehen das, was geschieht, vielfach nur geschehen muß, weil jemand fordert, daß es geschehen soll, ist es berechtigt, trotz der geschlossenen Naturkausalität ein Entwicklungsideal aufzustellen, und es ist in vielen Fällen der kürzeste Weg, die zweckmäßigste Methode die zukünftige Entwicklung zu erschließen, wenn man sich nicht einseitig an dem äußeren Sein, sondern zugleich an dem eigenen Wollen und Sollen orientiert, wenn man aus dem exakten Ideal—nicht etwa aus einem phantastischen Ideal—erschließt, was kommen wird, statt rein aposteriorisch aus den bisherigen Erfolgen das künftige Geschehen entnehmen zu wollen. Aus diesem Grunde kann im menschlichen Geschehen ein teleologisch gerichteter Laplacescher Geist ebenso wertvolle Dienste leisten, wie ein rein kausal gerichteter Laplacescher Geist. Mit anderen Worten: wer mögliche Zwecke entdeckt, leistet ebenso Großes wie der Erforscher der Ursächlichkeit. Die Stellung von uns Menschen in der Natur ist so beschaffen, daß wir als Richtung bestimmende Auslösungsfaktoren fungieren. Wir sind gleichsam die Weichensteller im Unendlichen....

Neue Bücher.

Das Erkenntnisproblem in der Philosophie und Wissenschaft der neueren Zeit von Ernst Cassirer. Erster Band, XV u. 608 S. B. Cassirer, Berlin 1906. Preis M. 15.—

Vor längerer Zeit (I, 500) war über ein Werk desselben Verfassers zu berichten, in welchem ein interessantes Problem in sachgemäßer Auffassung mit einer Darstellungsweise verbunden war, welche an die Zeiten der seligen Naturphilosophie vom Anfange des neunzehnten Jahrhunderts erinnerte. Das vorliegende Buch, wieder der Aufgabe nach höchst glücklich gedacht, läßt einen zweifellosen Fortschritt in der Darstellungsweise erkennen. Nicht daß diese sich von jenen das Verständnis erschwerenden und die Klarheit arg beeinträchtigenden Formen bereits ganz befreit zeigte; aber ein großer Fortschritt im Sinne der Einfachheit und Unmittelbarkeit läßt sich doch erkennen, und so wird die Vermutung hervorgerufen, daß jene Stilfehler nicht in dem eigenen Denken des Verfassers, sondern in dem Einfluß eines Lehrers oder Vorbildes ihren Ursprung haben, und daß sie mit der zunehmenden Verselbstständigung unseres Philosophen sich mehr und mehr verlieren werden.

Der Gegenstand des Buches, das Erkenntnisproblem, bezieht sich auf die uralte Frage von Innenwelt und Außenwelt, vom Erlebnis und dessen gedanklicher Bewältigung. Der Verfasser stellt sich zunächst die Aufgabe, die geschichtliche Entwicklung dieses Problems zu erforschen und darzustellen, und macht höchst sachgemäß hierzu nicht nur von den Philosophen im engeren Sinne einen ausgedehnten Gebrauch, sondern ganz vorwiegend von den Naturforschern mit erheblichen Leistungen, den Naturphilosophen im höheren und weiteren Sinne. Der vorliegende erste Band geht nach einer Einleitung über die griechische Philosophie von Nicolaus von Cusa aus und bringt die Darstellung bis zum Ausgange der Philosophie des Descartes. Die drei Bücher, in welche der Band geteilt ist, haben zum Titel: die Renaissance des Erkenntnisproblems; die Entdeckung des Naturbegriffs; die Grundlagen des Idealismus. Die geschichtliche Darstellung soll bis Kant geführt werden.

Über den Wert des Buches als geschichtliche Studie hat der Berichterstatter kein Recht zu urteilen; doch darf er wohl den Eindruck aussprechen, daß es sich hier um eine sorgfältige und solide Arbeit handelt. Über die Darstellungsweise ist Einiges bereits gesagt worden; Redewendungen, nach denen abstrakte Begriffe wie fühlende und handelnde Wesen eingeführt werden, finden sich leider noch zahlreich und bewirken ein sachlich meist nicht nötiges Mißtrauen in die Klarheit des Gedankens, der auf solche Weise zum Ausdrucke gebracht wird. Wie schon bei früherer Gelegenheit aus Anlaß sogenannter künstlerischer Darstellung

bei geschichtlichen Arbeiten gesagt wurde, muß hier wiederholt werden:
in der Wissenschaft gibt es keine andere Schönheit als Klarheit der
Gedanken und angemessene Ordnung ihrer Entwicklung. Was darüber
hinausgeht, sind Papierblumen, die einem populären Geschmack gefallen
mögen, für erste Arbeit aber nicht passen. Sie verletzen nicht nur ein
entwickelteres Stilgefühl, sondern müssen jedenfalls wieder entfernt
werden, wenn an der Stelle etwas Vernünftiges gemacht werden soll.

W. O.

Der Ablauf des Lebens. Grundlegung zur exakten Biologie von Wilhelm Fließ. VIII u. 584 S. Leipzig und Wien, Franz Deuticke 1906.
Preis 18.—

Der Verfasser hat bemerkt, daß die weiblichen Menses, die bekanntlich in ziemlich regelmäßigen, aber doch vielfach gestörten Intervallen von vier Wochen einzutreten pflegen, sich exakt darstellen lassen,
wenn man außer dem achtundzwanzigtägigen Intervall noch ein solches
von dreiundzwanzig Tagen zu Hilfe nimmt. Durch eine Reihe von
Schlüssen, die auf zahlenmäßige Beziehungen zwischen den zeitlichen Ter-
minen von sehr verschiedenartigen organischen Begebnissen gestützt sind,
kommt der Verfasser schließlich zu der Auffassung, daß jeder Organismus aus zwei Anteilen, einem typisch männlichen und einem weiblichen,
in wechselndem Verhältnis zusammengesetzt ist. Dem männlichen Anteil kommt das Intervall von dreiundzwanzig Tagen zu, während das
achtundzwanzigtägige, dem häufigsten Mensesintervall entsprechend, den
weiblichen Anteil kennzeichnet. Diese Intervalle werden als Lebensdauern der betreffenden Bestandteile der Organismen aufgefaßt, derart,
daß nach dem Ablaufe einer solchen Periode der Organismus zur
Zeit des Beginns der Neubildung dieser Bestandteile besonders zu
plötzlichen Veränderungen, wie Tod, Geburt, Krankheit und dergl.,
disponiert ist. Stellt man daher für einen Organismus solche kritische
Tage zusammen, so müssen ihre Abstände sich durch jene beiden Intervalle ausdrücken lassen. Der Verfasser weist an einem ungemein großen
und verschiedenartigen Material in seiner Art nach, daß diese Forderung
zutrifft und hält daher seine Grundanschauung (die er erst am Schlusse
seiner Darlegungen entwickelt) für experimentell-induktiv bewiesen.

Um diesen Leitgedanken lagern sich außerdem noch zahlreiche
andere Bemerkungen und Darlegungen, die mit dem Grundgedanken
in engem Zusammenhange stehen, aber ungewöhnlich weit führen. So
wird die Frage der Zweigeschlechtigkeit eingehend erörtert, mit dem
Ergebnis, daß diese eine ganz allgemeine biologische Erscheinung
ist. Die sogenannte ungeschlechtliche Fortpfanzung ist, wie dies
ja schon früher ausgesprochen wurde, als die räumliche Ausbreitung
eines einzigen Individuums aufzufassen, wie denn oft derselbe
Organismus in verschiedenen Perioden seines Lebens bald räumlich
einheitlich, bald getrennt erscheint. Die dieser Ansicht entgegenstehende
Kopulation anscheinend gleicher, nicht geschlechtlich unterschiedener
Organismen bei den niedersten Lebewesen faßt er gleichfalls als geschlechtliche Vermehrung auf, nur könne man noch nicht die Ange-

hörigen beider Geschlechter voneinander nach Form und sonstiger Beschaffenheit unterscheiden. Man muß gestehen, daß sich entscheidendes hiergegen schwerlich einwenden läßt.

Sehr merkwürdig sind die Erörterungen über das Verhältnis männlicher und weiblicher Elemente beim Menschen. Solche Individuen, in denen beide Anteile zu verhältnismäßig gleichem Betrage gemischt sind, und die daher ins „Zwischenreich" gehören, sind meist Linkser, d. h. die linke Seite ist bei ihnen stärker ausgebildet und wird beim Gebrauch mehr bevorzugt, als die rechte. Gleichzeitig zeigen sich an solchen Individuen besondere Begabungen, namentlich künstlerische. Daher finden sich unter den Künstlern und Künstlerinnen nicht nur auffallend viele Linkser, sondern die männlichen Künstler sind vorwiegend von weibischer, die weiblichen von männischer Beschaffenheit und Charakteranlage. Die Ursache dieser Beziehung wird darin gesucht, daß beim normal, d. h. einseitig männlich oder weiblich entwickelten Individuum die rechte Seite stark bevorzugt ist. Beim Manne ist also die rechte Seite die männliche, die linke die weibliche, beim Weibe umgekehrt. Tritt der entgegengesetzte Geschlechtscharakter mehr in den Vordergrund, so tut es auch die entgegengesetzte Körperseite.

Dies sind nur einige Andeutungen von dem ungewöhnlich reichen und interessanten Inhalt dieses Werkes. Die Frage, wieweit diese originalen und kühnen Gedankenreihen sich im Kampfe um das Dasein bewähren werden, möchte der Berichterstatter um so weniger selbst zu beantworten versuchen, als er sich bezüglich des medizinisch-biologischen Materials als Laien bekennen muß. Deshalb seien kritische Bemerkungen nur auf einen Punkt beschränkt, der allerdings ein Hauptpunkt ist, auf den rechnerischen Nachweis des alles durchsetzenden Einflusses jener beiden Fundamentzahlen von 28 und 23 Tagen. Hier scheint der Verfasser die von ihm vorgenommenen rechnerischen Operationen nicht immer hinreichend sachlich motiviert zu haben. Die Summe beider Zahlen ist 51, eine durch drei teilbare Zahl. Dieses Drittel von 17 Tagen spielt nun gleichfalls eine sehr große Rolle bei den ausgeführten Rechnungen, ohne daß man doch einsieht, welche physiologische Bedeutung es haben kann. Ebensowenig möchte man die Berechtigung zugeben, den 28 tägigen Termin zu hälften und zu vierteln. Letzteres wäre vom Standpunkte der biologischen Deutung, die oben angegeben wurde, nur unter der Voraussetzung einigermaßen zulässig, daß der ganze Verlauf einer solchen zeitlichen Lebenseinheit zeitlich gleichwertig ist, so daß eine zeitliche Halbierung auch einem zeitweiligen physiologischen Rhythmus entspricht. Für die Drittelung jener Summe kann der Berichterstatter aber auch eine hypothetische Deutung nicht erkennen.

S. 417 finden sich Deutungen statistischer Zahlen über das Sexualverhältnis der Totgeborenen, die gleichfalls durch jene beiden Fundamentalzahlen ausgedrückt werden. Dabei hat für dies gleiche Phänomen die Statistik verschiedene Zahlen ergeben, je nachdem sie auf Preußen beschränkt war oder auf Deutschland ausgedehnt wurde; ebenso wird sich ein Einfluß der benutzten Jahre nicht verkennen lassen. Jede

dieser verschiedenen Zahlen wird nun auf eine besondere Kombination
der Fundamentzahlen zurückgeführt, obwohl es sich hier um ganz willkürliche Verschiedenheiten handelt, und die benutzten Zahlen je nach
Wahl des Materials völlig stetig von einem Grenzwerte zum anderen
verschoben werden können. Hier hat der Verfasser offenbar zu viel
bewiesen, und es ist nicht in Abrede zu stellen, daß der gleiche Einwand auch an anderen Stellen erhoben werden darf.

Aber selbst wenn ein erheblicher Anteil der aufgestellten rechnerischen Beziehungen sich als nicht so exakt erweisen sollte, wie der
Verfasser sie ansieht, so bleibt unter allen Umständen soviel Wertvolles
und Neues übrig, daß man sicher sein kann, daß die Wissenschaft eine
erhebliche Anregung und Förderung aus den vorgetragenen Gedanken
schöpfen kann und wird. Es wird diesem Werke gehen, wie allen,
von denen neue Wege ausgegangen sind: es wird zunächst vielfachen
Widerspruch erfahren. Aber dem Berichterstatter sagt sein wissenschaftlicher Instinkt, daß der Strom der Zeit vielleicht einiges davon fortführen
wird, daß aber das meiste als wertvolles Erz zurückbleiben und in
mannigfaltiger neuer Gestaltung verwertet werden wird.

Auf der vorletzten Seite findet sich folgende Bemerkung „in
eigener Sache", über welche näheres in einem späteren Referat nachzu-
sehen ist:

„Die beiden untrennbaren Hauptgedanken dieses Buches: die zwie-
fache Periodizität aller Lebensvorgänge und die dauernde Doppel-
geschlechtigkeit aller Lebewesen, sind — und zwar jeder besonders —
von zwei jugendlichen Wiener Doktoren ebenfalls entdeckt und schleunigst
veröffentlicht worden. Der inzwischen verstorbene Otto Weininger
hat die dauernde Bisexualität, Hermann Swoboda das periodische
Geschehen für sich reklamiert. Beide Autoren waren miteinander
aufs innigste befreundet und hatten Zutritt zu ein und derselben Quelle,
dem Professor Sigmund Freud in Wien. Mit Freud stand ich jahre-
lang in freundschaftlichem Verkehr. Ihm habe ich alle meine wissenschaftlichen Gedanken und Keime rückhaltlos anvertraut. Daß wirklich
über ihn meine Ideen zu Weininger und Swoboda gelangt seien,
hat er mir auf eindringendes Befragen selbst zugestanden. Freilich
erst, nachdem beide Publikationen längst erfolgt waren."   W. O.

Über Grenz- und Ultrafunktionen.

Victor Goldschmidt

1. Grenz- und Ultratöne.
Unhörbare Töne in Natur und Musik.

Es erscheint als ein Widerspruch, von unhörbaren Tönen zu reden, und doch ist es nötig, mit diesem Begriff zu operieren. Mehr als 52000 Schwingungen in der Sekunde werden, soweit die Beobachtung reicht, von keinem Menschen als Töne im üblichen Sinne wahrgenommen (gehört). Weniger feine Ohren hören noch etwa 30000 Schwingungen pro Sekunde als Ton,[1] bei anderen liegt die obere Grenze des Hörens noch tiefer. Innerhalb dieses Spielraums der oberen Grenzen gibt es Schwingungsarten, die dem einen hörbar sind, dem anderen nicht. Wir wollen auch diese Schwingungsarten Töne nennen, obwohl sie vielen keine sind, ja wir wollen dem Begriff Ton noch einen weiteren Spielraum nach oben geben. Es könnten besonders feinhörige Menschen gefunden werden, bei denen die Grenze höher liegt. Von gewissen Tieren, besonders Insekten, wird angenommen, daß sie höhere Töne hervorbringen und hören als sie der Mensch hört.

Wir wollen Töne dieses oberen Grenzgebietes obere Grenztöne und ultrahohe Töne nennen.

Grenztöne seien solche, die, ihrer Höhe wegen manchen hörbar sind, anderen nicht.

Ultratöne seien solche, die an die obere Grenze anschließend, niemand mehr hörbar sind.[2]

---

[1] Obere Grenze des Hörens nach Savart 24000 Schwing. pro Sek.

Despretz	36864	„	„	„
Preyer W.	24000	„	„	„
Appunn	40960	„	„	„
Meyer St.	52000	„	„	„ mit Galton-Pfeife.

Obere Grenze der menschl. Stimme 2560 Schwing. pro Sek.

[2] Edelmann maß mit der Galtonpfeife 180000 Schwing. pro Sek. Der Ton war nicht hörbar.

Töne gemischter Höhe. Die hervorgebrachten und wahrgenommenen Töne sind der Höhe nach nie einartig, sondern
stets gemischt. Tiefere von höheren begleitet, höhere von
tieferen. Die einfachsten Töne sind die der Stimmgabeln, aber
selbst bei diesen sind dem Hauptton höhere und tiefere Töne
beigemischt. So führen die höchsten Töne, die wir hören, noch
höhere (ultrahohe) mit sich, die wir nicht hören, die aber trotzdem auf uns wirken.

Besonders viele Grenztöne und ultrahohe Töne enthält das
Zirpen der Grillen und anderer Insekten. Aber auch wir
bringen solche Töne hervor, z. B. im Zischen beim Ausströmen
gepreßten Dampfes, beim Anstreichen immer höherer Töne auf
den höchsten Saiten der Violine, beim Klirren und Kratzen von
Gläsern u. a.

In dem Wettgesang von Heimchen und Kessel in dem allerliebsten Anfang von Dickens 'Cricket on the hearth' klingen
hoch und unhörbar die ultrahohen Töne mit und geben dem
Wettgesang seine zarte eigentümliche Färbung.

Gehen wir an einem heißen Sommertag über eine Wiese,
auf der die Sonne brütet und die Grillen und Heuhüpfer mit
Millionen anderer Insekten musizieren, so klingt das so zart und
so durchdringend zugleich und man hat das Gefühl, als ob über
dem, was man hört, es noch weiter und weiter, zarter und zarter,
durchdringender und durchdringender hinaufklänge bis in unendliche Höhe. Dabei ist eine eigentümliche Wirkung auf unser
Ohr und Gemüt, die manchen entzückt, anderen quälend ist, eine
starke physiologische und psychologische Wirkung. Dies dürfte
die Wirkung der ultrahohen Töne sein.

Die arabischen Frauen in Algier, Tunis und Egypten
bringen zum Ausdruck der Freude und des Beifalls da, wo sie
in Mengen versammelt sind, so bei Festen und feierlichen Aufzügen, einen eigentümlich trillernd zirpenden Laut zwischen den
Zähnen hervor; zart und durchdringend zugleich, der dem Geigen
der Insekten auf der Wiese ähnlich ist. Seine Eigenart und Wirkung dürfte in dem Reichtum an hohen Grenz- und Ultratönen
zu suchen sein.

Ob wohl auch die Eigenart der Dental- und Zischlaute der Sprache (s, z, f)
auf ihren starken Gehalt an ultrahohen Tönen zurückzuführen ist, die der Gutturallaute (k, ch, r) auf ultratiefe Töne?

Physiologische Wirkung ultrahoher Töne. Eine physiologische

Wirkung ultrahoher Töne ist nachgewiesen, wenn auch vielleicht noch nicht genügend eingehend studiert. Sie werden besonders in der Gegend der Drüsen unter dem Ohr und, wenn stark, unangenehm empfunden.

Folgende hübsche Geschichte erzählte mir Herr Appunn, Musiker in Hanau. Sein Vater, ein bedeutender und anerkannter Akustiker, hatte Pfeifchen gemacht, die die ultrahohen Töne hervorbrachten und die er durch Drücken auf eine Gummiblase anblies. Er hatte ihre Schwingungszahl gemessen und studierte nun ihre Wirkung auf den unbefangenen Mitmenschen. Zu diesem Zweck blies er sie in Gegenwart anderer an, ohne daß diese es wußten, indem er mit der Hand die Gummiblase der Pfeifchen drückte, die er in der Tasche hatte. So saß er oft abends im Wirtshaus neben den arglosen Gästen mit den Händen in den Rocktaschen und blies unhörbar auf seinen Flötchen. Allmählich wurden die Gäste unruhig, faßten mit den Händen nach dem Genick, hinter und unter die Ohren und machten sonstige Zeichen des Unbehagens. Dabei hörten sie keinen Ton. Der listige Urheber dieser Behandlung hatte seine heimliche Freude an dem Erfolg.

Mit der physiologischen Wirkung der ultrahohen Töne ist eine *musikalische Wirkung* verbunden, die gewissen Instrumenten besonders eigentümlich ist. Die höchsten Lagen der Violinen, die Glasharmonika, hohe Pfeifen, silberhelle Glöckchen und klirrende Schellen dürften solche Töne reichlich führen und ihnen einen Teil ihrer Eigenart verdanken.

Das Steigen der Töne bis zur höchsten hörbaren Höhe und darüber hinaus hat eine eigenartige in der Musik, besonders bei den Modernen, gern verwendete Wirkung. Es ist darin etwas Sublimes, ein Zerfließen und Verschwimmen durch das Halbbewußte stetig steigend bis ins Unbewußte, wie wir uns vom Irdischen in Sinn und Gefühl zum Überirdischen erheben.

Auch *schrille Töne*, die das Ohr verletzen und musikalisch die heftigsten, wenn auch nicht die schönsten Wirkungen haben, dürften ihre Eigenart den reichlich beigemischten ultrahohen Tönen verdanken.

So erscheint uns schrill und verletzend bei Schiller der Erynnien Gesang:

> Er schallt des Hörers Mark zerstörend
> Und duldet nicht der Leyer Klang.

Die sanften Mittellagen der Leyer erlöschen vor der schneidenden Gewalt dieser in den höchsten Lagen schreienden Gesänge und dabei gibt diesen furchtbaren Klängen das Verschwimmen hinauf ins Ungemessene etwas Überirdisches und erhebt sie hoch über das Gemeine. Es sind ja doch bei aller ihrer Furchtbarkeit göttliche Weiber.

Je höher der Ton ist, desto mehr ultrahohe Töne dürften ihm beigemischt sein. Streicht man die Violine in den höchsten Tönen heftig an, so sagen viele, daß es dem Ohr weh tut. Dies Wehtun dürfte die Wirkung der ultrahohen Töne sein.

Es wäre eine interessante Aufgabe, die musikalischen Instrumente in ihren hohen Lagen auf ihren Gehalt an ultrahohen Tönen zu untersuchen. Sie dürften der Violine ihre Eigenart geben gegenüber Bratsche und Cello, dem hohen Sopran gegenüber den anderen Singstimmen. Der Kontrabaß anderseits bringt die ultratiefen Töne herein, von denen weiter unten die Rede ist.

Es wird sich zeigen, welche Instrumente besonders viele und starke ultrahohe Töne führen. Es wäre dann ferner zu prüfen, welche Anwendung diese Instrumente in der Musik in Komposition und Orchestrierung gefunden haben. Dabei dürfte sich herausstellen, daß in vielen Fällen die Wirkung auf Sinne und Gemüt nicht dem zu danken ist, was man als Ton hört, sondern den begleitenden Ultratönen, die man als Töne nicht wahrnimmt.

Träger der ultrahohen Töne dürften besonders die Violinen sein, aber auch die Pfeifen und die Cinellen und die hohen Blechtrompeten, desgleichen die höchsten Saiten der Harfen. Sie alle dürften ihre eigentümliche Wirkung einem reichlichen Beisatz an ultrahohen Tönen verdanken.

Dagegen sind die Instrumente der Mittellage, z. B. Cello und Waldhorn, von den Stimmen Alt und Bariton wohl deshalb so wohltuend und mild einschmeichelnd, weil sie arm sind an Ultratönen.

Es wird eine Aufgabe sein, die Rolle der ultrahohen Töne in den Musikstücken zu studieren, in denen die großen Meister der Komposition wie der Instrumentation die Instrumente ausgewählt haben; die Instrumente in dem Sinn auszubilden, daß die ultrahohen Töne verstärkt werden, da wo ihre Mitwirkung erwünscht ist, daß sie geschwächt oder beseitigt werden, da wo ihre Anwesenheit unangenehm empfunden wird. Man wird bei Instrumentierung und Spiel die Ultratöne allmählich ansteigend oder überraschend einführen und sie erlöschen lassen, um den Mittellagen wieder ihre milde Ruhe zu geben.

Ob wohl manche Dämpfer (Sordinen, Pedale . .) vorzugsweise die Ultratöne abfangen?

Solche Untersuchung und Einflußnahme dürfte nicht ohne Wirkung auf die Theorie und Praxis der musikalischen Instrumente sein.

Untere Grenztöne und ultratiefe Töne.

Weniger als ca. 20 Schwingungen in der Sekunde nennen wir nicht mehr Töne.[1] Wir empfinden sie als Einzelstöße, als ein Brummen, Klappern oder Knattern. Und doch haben diese Schwingungsarten auf unser Ohr, den Körper und das Gemüt eine Wirkung, die sich der Wirkung derjenigen langsamsten Schwingungen anschließt, die wir noch Töne nennen.

Auch hier ist die Grenze nicht scharf. Was für den einen noch als Ton erscheint, ist für den anderen kein Ton mehr.

Wir wollen die Töne dieses Grenzgebietes untere Grenztöne und ultratiefe Töne nennen. Begriff und Wort sind analog gebildet dem der ultrahohen Töne, der ultraroten und ultravioletten Farben.

Die physiologische Wirkung dieser Töne ist eigenartig. Man fühlt sie, außer im Ohr als Erschütterungen in den Nerven des Rückens, der Arme und Beine, des ganzen Körpers.

> Wenn ringsum das Gebäude widerhallt
> Fühlt man so recht des Basses Grundgewalt.

Die Wirkung starker Töne der unteren Grenze und ultratiefer Töne ist mächtiger als die der Mitteltöne und wetteifert an Stärke mit den oberen Grenztönen und ultrahohen Tönen. Schwache ultratiefe Töne dürften dem beigemischt sein, was man Brummen, Knurren, Rauschen nennt.

In der *Militärmusik*, die nicht so sehr das Ohr erfreuen, als den Organismus der marschierenden Soldaten anregend beleben soll, herrschen als äußerste Reizmittel die Trommel und die Pfeife, die Träger der ultratiefen der ultrahohen Töne, der unteren und oberen Grenztöne.

---

[1] Untere Grenze des Hörens nach:

Sauveur	12½ Schwing. pro Sek.	
Chladni und Biot	16	„
Savart	7—8(?)	„ } von Helmholtz bezweifelt
Helmholtz (Saiten)	34—37	„
„ (Stimmgabeln)	28	
Preyer	24	
„ (Pfeifen)	15	„
Edelmann	11	„

Untere Grenze der menschlichen Stimme 42 Schwing. pro Sek.

In der deutschen Militärmusik lösen Trommel und Pfeife gemeinsam die Gesamtmusik ab. Sie setzen ein, sobald diese aufhört. Sie sind als das herausgegriffene Wirkungsvollste, Vertreter des Ganzen. (Wir kommen auf diesen Punkt zurück.)

Den tiefsten Tönen sind (verschieden nach der Art der Erzeugung) mehr und mehr ultratiefe Töne beigemischt. Mit dieser Beimischung verstärkt sich die eigenartige physiologische und psychologische Wirkung der tiefen Töne. Besonders stark mit ultratiefen Tönen durchsetzt dürften Pauke und große Trommel sein, ferner der Kontrabaß (Brummbaß) und die längsten Pfeifen der Orgel. Diese dürften das Erschütternde und zugleich wohltuende des tiefen Basses sein, ebenso wie die ultrahohen Begleiter den höchsten Klängen ihre Eigenart geben im zarten Verschwimmen zu unerreichbarer Höhe, wie im grellen, nervenzerreißenden Aufschrei.

Ein Orchester ist leer, es fehlt ihm die starke körperliche Erschütterung durch die ultratiefen Töne, wenn die Bässe fehlen oder zu schwach sind. Die Militärmusik bedarf zu ihrer Wirkung durchaus der großen Trommel. Sie hat dabei zu sein und müßte sie auf einem besonderen Wagen mitgeführt werden.

Bei der Trommel und Pauke mischt sich die Wirkung der ultratiefen Töne mit der Wirkung der rhythmischen Einzelschläge. Deren Zahl pro Sekunde steigert sich im raschen Wirbel, bis sie die Schwingungszahl der ultratiefen Töne erreicht, beide Arten in einander übergehen und gemeinsam wirken. Dies mag die Ursache sein, warum der Wirbel eine Kunstform ist, die gerade der Trommel und Pauke zukommt.

Ähnlich wie bei Pauke und Trommel ist es bei manchen anderen primitiven Instrumenten, die bei rohen Völkern wichtig, bei uns zum Rang von Kinderspielzeug herabgesunken sind, so die Rassel, Klapper, Ratsche, der Brummtopf und die Schnurre. Auch das Trampeln mit den Füßen und das Klatschen mit den Händen dürfte hierher zu rechnen sein.

Zusammenfassung. Wir beobachten bei den Tönen beider Grenzgebiete eine zweifache Wirkungsweise.

1. Eine ähnliche Wirkung wie bei den Mitteltönen, aber abgeschwächt ins Unbewußte verschwimmend. Dies besonders bei schwachen Grenz- und Ultratönen.

2. Eine heftige physische und psychische Wirkung, stärker als die der Mitteltöne. An der oberen Grenze die Kopfnerven in der Nähe des Ohres aufregend, an der unteren

Grenze den ganzen Körper erschütternd. (Dies besonders bei starken Grenz- und Ultratönen.)

Von hervorragender Wichtigkeit sind uns die Wirkungen der zweiten Art, weil sie besonders mächtig und den Grenz- und Ultratönen spezifisch eigentümlich sind. An sie wollen wir vorzugsweise denken, wenn wir von der Wirkung der Grenz- und Ultratöne reden.

Wie sollen wir diese Erscheinung verstehen? Wir wollen eine *Erklärung* versuchen.

Das Ohr ist vorzugsweise für die Mitteltöne eingerichtet. Unsere Musik liefert hauptsächlich diese; die Noten unserer Kompositionen zeigen nur die eigentlichen Töne und unsere Instrumente sind für sie gemacht. Nur nebenbei und ungesucht erscheinen die Grenz- und Ultratöne.[1]

Es ist daher bei der Musik das Hörorgan wesentlich in seinem Mittelstück (wohl besser gesagt: in seinem mittleren Wirkungsgebiet) in Anspruch genommen. Die beiden Grenzgebiete sind in Ruhe und ihre Inanspruchnahme etwas Abnormales, das als solches anregend und aufregend wirkt.

Ferner nimmt das Organ vermöge seiner Einrichtung die Grenztöne nicht so willig auf; es setzt ihnen einen Widerstand entgegen, den diese erst überwinden müssen, um das Organ zur Reaktion zu zwingen. Es müssen daher die ultrahohen und ultratiefen Töne stark sein, um zu wirken. Dann aber wirken sie auch gewaltig, man kann sagen gewaltsam und, wenn zu stark, verletzend. Besonders tun die oberen Grenztöne, wenn zu stark, dem Ohr weh.[2]

Betrachten wir nun nochmals den Fall der deutschen Militärmusik, wo Trommel und Pfeife mit dem vollen Orchester abwechseln. Wir haben da einmal den heftigen Angriff in beiden Grenzgebieten, dann wieder die volle, wohltuende Behandlung des Mittelgebiets. Ist dies gesättigt, so wirkt wieder anregend

---

[1] Es ist sogar eine Aufgabe der Musik, reine Töne hervorzubringen, d. h. solche, die möglichst frei sind von anderen Schwingungen, wie sie die Geräusche enthalten. Geräusche sind unharmonische Tongemische, die zugleich Schwingungen aller Art über die Grenzen des Hörbaren hinaus mit sich führen. Manche Geräusche dürften vorzugsweise Grenzschwingungen enthalten, so das Zischen und Zirpen einerseits, das Rollen und Brummen anderseits.

[2] Zur Verknüpfung der physischen und psychischen Wirkung nehmen wir an: Was stark auf das Organ wirkt, wirkt stark auf die Psyche, was dem Organ gut oder schlecht tut, tut dem Gemüt wohl oder weh.

der Angriff an den Grenzen, um nach Ermüdung durch diesen Angriff von der harmonischen Behandlung im Mittelfeld durch das volle Orchester wohltuend abgelöst zu werden.

So haben wir im Wechsel der Betätigung und Ruhe von Mittelfeld und Grenzgebiet die Genüsse der Anregung und Erholung abwechselnd und doch beide ununterbrochen.

Dem entspricht die Wirkung auf die Soldaten und das Publikum. Trommeln und Pfeifen reizen und regen die Glieder zum Marsch an, aber sie tun (besonders in der Nähe) dem Ohr weh und sind beim Publikum nicht so beliebt als die harmonische Musik der Mitteltöne, denen Grenz- und Ultratöne nur spärlich beigemischt sind.

Grenz- und Mittelinstrumente. Wir können bei den musikalischen Instrumenten solche der Grenzlage und solche der Mittellage unterscheiden; solche, die vorzugsweise Grenztöne hervorbringen und solche, die vorzugsweise Mitteltöne hervorbringen. Wir kennen sogar Grenzinstrumente und Mittelinstrumente. Grenzinstrumente sind vorzugsweise Pfeife und Trommel.

Es bleibt zu untersuchen, ob nicht allgemein die Grenzinstrumente die primitivsten, ethnographisch ältesten sind, ob sie nicht bei den Urvölkern allein herrschen, während es der menschlichen Stimme überlassen blieb, die Mittellagen zu bringen. Später hat sich das geändert. Mit der Ausbildung der Musik, besonders der harmonischen, haben die Mittelinstrumente sich reich entwickelt und die Bedeutung der Grenzinstrumente ist zurückgetreten. Sie treten wieder hervor beim Rückfall ins Primitive, Rohe.

2. Grenzfarben und Ultrafarben.
Unsichtbare Farben in Natur und Kunst.

Schwingungen in den Grenzen von etwa 400—800 Billionen pro Sekunde nimmt unser Auge als Licht resp. als Farbe wahr. Das Gebiet umfaßt ungefähr eine Oktave. Doch sind die Grenzen nicht scharf und für verschiedene Personen verschieden.[1] So er-

---

[1] Schwingungszahl pro Sekunde:

369 Billionen. Längste ausnahmsweise sichtbare Lichtwelle n. Helmholtz.

437	„	rot	} normale Grenzen,
728	„	violett	
909	„	kürzeste sichtbare Lichtwelle nach Soret,
1429	„	„ „ „ „ Mascart,

vergl. Müller-Pouillets, Lehrb. d. Phys. (Lummer). 9. Aufl. 2 (1) 340.

scheint verschiedenen Beobachtern ein auf eine weiße Wand geworfenes Spektrum verschieden lang.

Ultrarot. Das strittige Gebiet nach unten und noch ein Stück darüber hinaus nennen wir Ultrarot. Es zeigt noch gewisse physikalische und physiologische Wirkungen, die dem übrigen Licht eigentümlich sind. Noch weiter abwärts erlischt unser Interesse an derartigen Schwingungen; ihre Eigenschaften sind nicht weiter verfolgt. Die Grenze des Interesses und des Studiums, somit die Grenze des Ultrarot, ist nicht scharf.

Ultraviolett. Ebenso ist es an der oberen Grenze. Das strittige Gebiet und noch ein Stück hinaus über die äußerste Wahrnehmung von Licht und Farbe nennen wir Ultraviolett. Schwingungen dieses Gebiets haben noch gewisse physikalische und physiologische Eigenschaften, die dem übrigen Licht eigentümlich sind. Noch weiter aufwärts erlischt unser Interesse an derartigen Schwingungen, ihre Eigenschaften sind nicht weiter verfolgt. Die Grenze des Interesses und des Studiums, somit die Grenze des Ultraviolett ist nicht scharf.

Wir sprechen von ultraviolettem und ultrarotem Licht, von ultravioletten und ultraroten Strahlen, obwohl unserem Auge diese Strahlen weder hell noch farbig erscheinen. Wir wollen die Lichter und Strahlen beider Ultragebiete als *Ultralicht, Ultrafarben, Ultrastrahlen* zusammenfassen. Auch wollen wir von *Grenzfarben* und *Grenzlichtern* reden innerhalb des strittigen Gebietes, das für den einen noch hell und farbig ist, für den anderen nicht mehr, in dem sich also für die Gesamtheit der Menschen Farben und Ultrafarben mischen.

Eine *physiologische Wirkung* beider Arten von Ultrastrahlen ist nachgewiesen. Zunächst für das Auge, dann auch für andere Organe und Lebensprozesse, bei denen das Licht mitwirkt. Bei Menschen, Tieren und Pflanzen; auch bei den niedersten Organismen. Ja in mancher Beziehung ist das ultraviolette Licht, in anderer wohl auch das ultrarote, wirkungsvoller als das sichtbare Licht.

Es ist möglich und zu untersuchen, falls dies nicht schon geschehen, ob nicht für manche Tiere, die für unsere Begriffe im Dunkeln sehen, Ultrastrahlen die Gegenstände wahrnehmbar machen. Ebenso, wie wir annehmen, daß manche Tiere die Ultratöne, besonders die ultrahohen, hören. Anderseits gibt es Personen mit sonst guten Augen, die in der Dämmerung nicht sehen. Ob wohl bei ihnen das Organ gerade für die Grenzstrahlen schwach ist? Es wäre zu prüfen, ob solchen Personen das Spektrum an einem Ende oder an beiden kürzer erscheint als solchen mit normalen Augen.

Das Sonnenlicht enthält ultrarote wie ultraviolette Strahlen; ebenso sind unseren künstlichen Lichtern Ultrastrahlen beider Art in größerer oder geringerer Menge beigemischt. Je nach der Mischung ist die physiologische Wirkung verschieden. Das übliche Fensterglas absorbiert die ultravioletten Strahlen. Es ist deshalb nicht gleichgültig, ob Pflanzen oder Tiere im Glashaus sitzen oder von der Sonne direkt belichtet werden.

Durch geeignete Mittel (Prismen, Farbenfilter) kann man ein Licht in seine Strahlengattungen auflösen, die einzelnen Schwingungsarten isolieren und getrennt zur Wirkung bringen und so deren physiologische Wirkung studieren. Durch Änderungen in der Zusammensetzung des Glases ist man imstande, dessen Durchlässigkeit für die verschiedenen Strahlenarten auch für die Ultrastrahlen nach Wunsch einzurichten. Hat man nun die Anwendung gewisser Strahlen · für nützlich befunden, so kann die Industrie die nötigen Lichter und Apparate ausbilden.

Malerische Wirkung der Ultrastrahlen. Ziehen wir die Analogie zwischen Tönen und Farben, zwischen Musik und Malerei, so ist es a priori wahrscheinlich, daß die Ultrastrahlen beider Grenzen in der Malerei wie beim Genuß der Farben in der Natur eine analoge Rolle spielen, wie die Ultratöne beider Grenzen in der Musik.

Grenzfarbe auf der violetten Seite ist ein *bläuliches Grau* (aschfarben, Neutraltinte), auf der roten Seite ein *bräunliches Dunkel*. Durch Blaugrau einerseits, durch Purpurbraun anderseits laufen die Farben ins Dunkel hinein. Der Eindruck beider ist ähnlich. In dem unbestimmten, alten Begriff Purpur laufen beide zusammen, beide Enden in der „purpurnen Finsternis." Die Grenzfarben Grau und Braun sind alte Begriffsfarben für die alle Sprachen Worte haben. Sie spielen die Rolle der Endknoten in der harmonischen Entwicklung der Farben. In der Schrift des Verfassers „Über Harmonie und Complikation"[1] (S. 101) wurde dies nachzuweisen versucht. Diese Grenzfarben, wir wollen der Kürze wegen sagen *grau* (für grenzviolett) und *braun* (für grenzrot) dürften vorzugsweise die Träger der Ultrastrahlen sein.

Die Maler unterscheiden *warme* und *kalte Töne*. Warme sind die der roten Seite, kalte die der violetten Seite. Braun ist die warme Grenzfarbe, grau die kalte. Dies stimmt mit der Erfahrung,

---

[1] Berlin 1901 bei Springer.

daß die ultraroten Strahlen eine starke Wärmewirkung haben, die ultravioletten nicht, dagegen eine starke chemische (z. B. photographische) Wirkung. Wir können also mit den Malern von kalten und warmen Grenzfarben, Ultrafarben, reden.

Grenzfarben in der Natur spielen eine große Rolle. Wir haben sie überall beim Übergang von den Farben zum Dunkel. Besonders die blaugraue Grenzfarbe. So im Grau der Schatten, der Wolken, der Abenddämmerung; im Duft des Nebels und der Luft, die den fernen Bergen ihren Anstrich gibt, im Dunkel des Nachthimmels und des Meeres; die warme Grenzfarbe im Abendrot und im verlöschenden Feuer.

Prüfen wir genau, so finden wir, daß in der Natur von allen Farben G r a u und B r a u n die verbreitetsten sind. Sie sind deshalb auch die Versteckfarben für Tiere und Menschen.

Da wo die Farben verblassen und vergehen, bleiben zuletzt die Grenzfarben. Geht die Sonne unter, so erlöschen zuerst die Mittelfarben nach ihrer Rangordnung: erst Blau und Grün, dann Rot und Gelb. Zuletzt bleiben die Grenzfarben Braun und Grau. „Bei Nacht sind alle Katzen grau." Die verblassenden alten Bilder und Möbel werden grau und braun. Die verdürrenden und vermodernden Blüten und Stoffe ebenso. Erde, Staub und Asche.

Da wo in der Kleidung die Mittelfarben gemieden werden, bleiben neben dem tiefen Schwarz noch die Grenzfarben Grau und Braun. So in unserer heutigen Männertracht, in den Trauerkleidern, in den Trachten der asketischen Orden, 'der Kapuziner und grauen Schwestern.

Es ist zu prüfen, ob die total Farbenblinden nicht noch die Grenzfarben Grau und Braun gegen Hell und Dunkel unterscheiden.

Die Grenzfarben sind im Genuß der Natur und in der Anwendung der Farben vielleicht ebenso wichtig als die Mittelfarben gelb, rot grün und blau.

Die *Malerei* gibt auswählend die Farbengenüsse wieder, die die Natur bietet. Da haben wir Meister, die vorzugsweise mit den Mittelfarben wirken, so die Meister des 15. Jahrhunderts und die Buchmaler der vorhergehenden Zeit, die farbenfreudigen Maler von Indien, Persien, China und Japan. Daneben Maler mit den Grenzfarben Grau und Braun.

D u f t, L u f t und S c h a t t e n dürften in der Malerei die wesentlichen Träger der Ultrafarben und Grenzfarben sein, wenn sie auch den anderen Farben beigemischt sind.

Das *höchste* in der Malerei glaubt man da geleistet, wo mit
den Mittelfarben auch die Grenzfarben verwendet sind, so wie die
Natur sie bringt. Wo Duft, Luft und Schatten die leuchtenden
Mittelfarben begleiten. Man macht es der indischen und chinesischen Malerei zum Vorwurf, daß erstere fehlen oder nicht genügend vertreten sind.

Eine *Erklärung der Wirkung* der Grenz- und Ultrafarben
physiologisch und psychologisch, auf Auge und Gemüt, dürfte
ähnlich ausfallen, wie die oben (S. 103) für die Grenz- und Ultratöne versuchte.

Das Auge resp. das farbaufnehmende Organ (Zäpfchen und
Stäbchen der Retina) ist eingerichtet zur Aufnahme von Licht (weiß)
und von Farben. Von Licht da, wo es als Ganzes funktioniert,
von Farben da, wo es durch harmonische Knotenbildung ge-
gliedert ist.[1] Bei den Farben unterscheiden wir ein Mittelgebiet
mit den starken Farben, unter denen Gelb als Dominante (p = 1)
herrscht, flankiert von Feuerrot (p = ½) und Grün (p = 2), weiter
absteigend von Rubinrot (p = ⅓) und Blau (p = 3). Daneben die
beiden Grenzgebiete Violettgrau und Purpurbraun.

Ist im Mittelgebiet Ermüdung eingetreten, während die
Grenzgebiete in Ruhe waren, so wirkt die Ausspannung des Mittel-
gebiets und die Anregung des Grenzgebiets durch die Grenzstrahlen
im Wechsel wohltuend. Ebenso umgekehrt.

Hierin dürfte der künstlerische Genuß im Wechsel von Licht
und Schatten im farbigen Bild beruhen, im Wechsel der leuchtenden Mittelfarben mit dem Blaugrau und Braun der Grenzstrahlen.
Es sind ja künstlerisch die Schatten nicht schwarz, sondern blaugrau
oder braun. Wir haben hier ein Alternieren von Anregung und
Erholung zwischen Mittelfeld und Grenzgebiet. Hierdurch haben
wir für das ganze Organ und seine Teile und somit für die Psyche
beim Aufnehmen eines Farbenbildes (in Natur und Malerei) die
Genüsse der Anregung und Erholung abwechselnd und doch beide
ununterbrochen.

Eine volle Ruhe für das ganze Auge und seine Teile tritt bei
den farbigen Bildern der Natur und Malerei niemals ein. Daher

---

[1] Vergl. Goldschmidt, Über Harmonie und Complikation 1901.
S. 84 flg.

[2] Es ist von Interesse, daß im Sprachgebrauch die Worte violett und braun
sich vertauschen. Dies soll an anderer Stelle näher beleuchtet werden.

haben wir nach einer Zeit des Genusses dieser das Bedürfnis der Ruhe. Wir wollen nichts mehr sehen.[1]

Anders ist es bei der Schwarz-Weiß-Kunst (Kupferstich, Holzschnitt, Lithographie, Kreidezeichnung...). Hier haben wir die Inanspruchnahme des Lichtorgans als Ganzes (Weiß) im Wechsel mit voller Ruhe (Schwarz). Dabei tut die Ruhe des tiefen Schwarz dem Auge so wohl, wie keine Farbe eines farbigen Bildes und ein starker Genuß ist das leuchtende Weiß, das die tiefe Ruhe belebend ablöst.

Der Genuß der farbigen Bilder ist reicher und mannigfaltiger, aber die Wirkung der Schwarz-Weiß-Kunst ist gewaltiger. Das hat wohl mancher erfahren bei der Enttäuschung, die er verspürte, wenn er nach Kenntnis eines guten Stiches (Schabkunst, Radierung...) eines Gemäldes vor das farbige Orginal trat. Er hatte sich mehr erwartet. Die Kontrastwirkung des Farbigen ist nicht so mächtig. Dagegen haben die Farben in sich einen harmonischen Zauber, bewirkt durch die höhere Mannigfaltigkeit, zugleich mehr Gemeinsames mit der direkt geschauten lebendigen Natur. Der künstlerisch

---

[1] In der Schrift „Über Harmonie und Complikation" des Verfassers wurde zu zeigen gesucht, daß jedes Zäpfchen der Retina auf alle Farben reagiert; daß es, als Ganzes bewegt, weiß aufnimmt, von einer Farbe angeregt, auf diese anspricht, indem es sich durch harmonische Knotenbildung gliedert. Fällt nun ein Bild mit Farben und Schatten auf die Retina, so legt es sich über viele Zäpfchen, die es nach Art der Mosaik unter sich teilen. Ein Teil der Zäpfchen wird von Farben getroffen und ruht für die Schatten, der Rest wird von den Grenzstrahlen getroffen und ruht für die Mittelfarben. Eine Bewegung des Auges, eine Änderung des Standpunktes verschiebt das Bild auf der Retina und vertauscht damit die Aufgaben der einzelnen Zäpfchen, so daß solche, die vorher Mittelfarben hatten, jetzt Schatten bekommen und umgekehrt.

Die Farbaufnahme ist eine Betätigung. Der Wechsel in der Aufnahme ist eine Betätigung höherer Ordnung. Bei längeren Intervallen ist dieser Wechsel angenehm, bei kurzen Intervallen ermüdend. Daraus ergeben sich zwei Folgen:

1. Man genießt ein Gemälde oder einen Naturanblick am besten und ruhigsten, indem man den Standpunkt streng festhält und einige Zeit regungslos darauf hinschaut. Dies tut der genießende Beobachter, ja er fixiert die Lage, indem er sich anlehnt und durch einen Operngucker oder die hohle Hand hinschaut.

2. Es wirken breite, gleichmäßig gefärbte Flächen, wechselnd mit breiten Schattenlagen wohltuend ruhig. Denn eine kleine Verschiebung des Auges beläßt einer großen Zahl benachbarter Zäpfchen die gleiche Betätigung. Ein in kleiner Fläche vielfarbiges Bild (bunt, scheckig) wirkt unruhig, da jede kleine Gruppe von Zäpfchen eine andere Aufgabe hat, die das Gehirn zusammenfassen soll und da mit der kleinsten Bewegung die Aufgabe vieler Zäpfchen, womöglich aller, wechselt.

Genießende entscheidet sich doch schließlich meist für den Genuß der farbigen Werke als den höheren.

Eine volle Summierung beider Wirkungen ist nicht möglich. Eine annähernde Addition beider finden wir da, wo der Glanz der harmonischen Farben, kulminierend in leuchtendem Gelb heraustritt, aus einem tiefen breiten Dunkel, das fast die wohltuende Ruhe des Schwarz erreicht. Die Wärme und Wahrheit des farbigen Lebens neben der tiefdunklen grenzfarbigen Nacht der Schatten und des Hintergrundes.

Grenz- und Ultrastrahlen in den Mittelfarben. Den violettgrauen Farben dürften vorzugsweise Grenz- und Ultrastrahlen beigemischt sein, so die oberen Grenzstrahlen der Regen- und Wetterwolken, dem Abend- und Nachthimmel, dem dunklen Meer, dem grauen Staub und dem Dufte der Ferne; ebenso die unteren Grenzstrahlen dem tiefen Purpur und Braun. Aber auch den anderen Farben in Natur und Kunst sind Strahlen beider Grenzen beigemischt und beeinflussen deren Wirkung auf Sinne und Gemüt. Man kann ihre Menge im Spektrum messen, ihren Einfluß studieren.

Es eröffnet sich ein weites Feld der Untersuchung, das viel mehr Fragen als Antworten enthält, das über den Genuß, die künstlerische Wirkung der Farben d. h. ihren Einfluß auf Auge und Gemüt reiche und eigenartige Aufschlüsse verspricht. Auch über das Wesen der Farbstoffe; ob sie nur Filter und Reflektoren sind, oder zugleich Transformatoren, die aus den Mittelfarben Grenz- und Ultrafarben erzeugen und umgekehrt.

Grenz- und Ultrawärme.

Grenz- und Ultratemperatur.

Jedes unserer Organe funktioniert nur bei einer bestimmten Temperatur. Die Grenzen dieser Temperatur sind nicht weit. Steigt die Temperatur im Körper über 37,5° C., so funktionieren die inneren Organe nicht mehr normal; wir nennen das Fieber. Steigt sie über 42,8° C., so hört das Leben auf. Analog ist es nach unten.

Ebenso ist es mit den äußeren Organen; doch sind hier die Grenzen etwas andere. Die Hände und Füße, Nasen und Ohren dürfen kälter und wärmer werden als die inneren Organe, ohne außer Funktion zu treten. Noch weiter sind die Grenzen für

Haare und Nägel, doch werden auch diese zerstört, wenn die Temperatur eine gewisse Grenze überschreitet.

So hat jedes Organ seine ihm angemessene Wärme und Temperatur. Die ihnen zugeführten Wärmeschwingungen müssen nach Schwingungszahl, Intensität und Menge derart sein, daß das Organ dieselben in die ihm eigentümlichen Schwingungen umformen, davon genügend aufnehmen und sich des Überschusses entledigen kann.

Die Begriffe Wärme und Temperatur sind im Sprachgebrauch nicht streng geschieden.

Wärmeschwingungen an der Grenze des Verwendbaren können wir Grenz- und Ultrawärmen nennen; solche innerhalb der Grenzen mittlere Wärmen. Wir können am unteren Ende von Grenz- und Ultrakälte reden, am oberen Ende von Grenz- und Ultrahitze. Der Sprachgebrauch nennt die obere Grenzwärme: heiß, brennend, glühend .., die untere Grenzwärme: kühl, kalt, frostig, eisig... Alles ohne scharfe, aber nicht sehr weite Grenzen.

Die Namen haben für die verschiedenen Organe verschiedenen Spielraum. Vorzugsweise beziehen sie sich auf die Tastorgane (Hände und Füße), aber auch auf den Mund (bei Speisen), auf den Körper als Ganzes (Zimmertemperatur, Sonnenwärme und Winterkälte), auf die inneren Organe (bei Beurteilung von Krankheiten).

Die mittlere Temperatur, die dem Organ entspricht, nennen wir: lau, gemäßigt... Wir sprechen von ihr weniger als von den Grenztemperaturen, weil ihre Wirkung nicht auffallend ist.

Diese Tatsache ist interessant und wichtig für die Begriffs- und Wortbildung. Die Extreme, das Ungewöhnliche führen hier zu Begriffen und Worten: Heiß und Kalt. Gemäßigt ist ein später, schwacher Begriff (obwohl er das Hauptgebiet umfaßt). Er sagt aus, daß es weder heiß noch kalt ist, d. h. ohne die eigenartigen physiologischen und psychologischen Wirkungen an beiden Grenzen des Erträglichen.

Grenz- und Ultrabewegungen.

Wir können von Ultrabewegungen reden bei solchen Organen unseres Körpers, zu deren Funktion es gehört, rhythmische oder doch regelmäßige Bewegungen auszuführen, so bei Herz und Lungen, aber auch bei Händen und Füßen. Jedes dieser Organe hat sein natürliches Maß von Bewegung an Zahl und Intensität der Schwingungen. Bei Herz und Lungen schwanken Zahl und Intensität der Bewegungen wenig, bei Händen und Füßen sind die Bewegungen weniger regelmäßig, doch sind auch sie nach Zahl und Intensität (Elongation) in gewisse Grenzen gebannt, die den gesunden Funktionen dieser Organe und ihren Beziehungen zum Gesamtkörper entsprechen.

Ultrabewegungen nennen wir beschleunigte oder verzögerte, abgeschwächte oder verstärkte Tätigkeit dieser Organe. Eine solche hat ganz bestimmte physiologische Wirkung sowohl auf das betreffende Organ, als auch auf seine Nachbarn sowie auf den Gesamtkörper.

Solche Ultrabewegungen treten oft unbeabsichtigt ein, sie können aber auch absichtlich bewirkt werden. Wir können die Tätigkeit des Herzens und der Lunge über das Normalmaß vermehren und unter dasselbe vermindern. In der Nacht ruhen Hände und Füße, wir können sie aber auch bei Tag zu ungewohnt kleiner oder großer Tätigkeit zwingen, mit oder ohne die Absicht, aber stets mit dem Erfolg, gewisse physiologische Wirkungen zu erzielen.

Vikariierende Bewegungen. Oft kann die Bewegung eines Organs in seiner physiologischen Wirkung auf andere Organe die Arbeit eines anderen übernehmen. Wenn die rechte Hand dem Mund keine Nahrung zuführt, kann es die linke tun. Wenn die Füße versagen oder zur Ruhe gezwungen sind, können die Arme die Aufgabe übernehmen, den Körper vorwärts zu bewegen oder durch ihr gymnastisches Spiel dem Körper die nötige Gesamtbewegung zu geben.

So können *Ultrabewegungen vikariierend* an Stelle der normalen Bewegungen treten. Ebenso können zeitweise besonders heftige Bewegungen der Arme, Hände, Beine und Füße als physiologischer Ersatz eintreten für eine längere mittlere Betätigung derselben.

Eine fieberhafte Betätigung des Herzens erfordert zum Ausgleich Ruhe der Organe, die die Herztätigkeit verstärken.

Grenz- und Ultraintensitäten. Jedes Organ hat seine Mittel- und Grenzbewegungen. Jeder dieser Bewegungen ist ein Spielraum der Intensität zugewiesen. Ist die Intensität zu klein, so ist die Wirkung ungenügend, ist sie zu groß, so ist die Wirkung nicht mehr wohltuend (d. h. dem Wesen des Organs entsprechend), sondern unangenehm, quälend und schließlich zerstörend.

Beispiel. Zu schwaches (z. B. gelbes) Licht wird nicht wahrgenommen. Wächst die Intensität, so wird das Licht zunächst schwach, dann stärker empfunden bis zu einem Maximum des Wohlbehagens. Steigert sich die Intensität immer weiter, so wird es unangenehm, tut den Augen weh und zerstört endlich das Sehorgan.

Analog ist es mit den Tönen. Ein Ton (z. B. a) wird, wenn zu schwach, nicht wahrgenommen. Wächst seine Intensität, so wird er zunächst leise gehört und es besteht der Wunsch nach Verstärkung. Allmählich wird der Höhepunkt des Wohlbehagens erreicht da, wo die Intensität der Einrichtung des Ohrs (und seinen momentanen Verhältnissen) am besten angepaßt ist. Ein noch stärkerer (gleichhoher) Ton wird unangenehm empfunden und von einer gewissen Grenze der Intensität aufwärts wirkt derselbe Ton zerstörend auf das Organ.

So hat jedes Organ auch in bezug auf Intensität sein oberes und unteres Grenzgebiet und wir können für jedes von beiderseitigen Grenz- und Ultraintensitäten sprechen.

Gemeinsames in der physiologischen Wirkung der Grenz- und Ultrabewegungen.

Jedes Organ reagiert auf die ihm eigentümlichen Bewegungen in zweifacher Weise:

1. so, daß es *funktioniert*, d. h. die ihm zukommende Arbeit leistet,
2. so, daß es sich *regeneriert*, d. h. für Ersatz des Verbrauchten sorgt.

Letzteres geschieht in folgender Weise: Indem das Auge sieht, d. h. Lichtschwingungen ausführt, das Ohr hört, d. h. Tonschwingungen ausführt, befördert es zugleich die Tätigkeit der ihm zugehörigen Nerven und Gefäße, steigert die Zirkulation und sorgt so für den Ersatz des Verbrauchten. Ebenso machen es die anderen Organe.

Es dürfte nun allgemein *Aufgabe der Grenz- und Ultrabewegungen* sein, für beide Arbeiten vikariierend einzutreten. Sie übernehmen die Arbeit des Mittelgebietes, wo dieses versagt, wo es der Schonung oder Ablösung bedarf.

Beispiele. Bei der Militärmusik übernehmen, wie oben ausgeführt, Trommeln und Pfeifen ablösend die Aufgabe der Mitteltöne. Das von Farben müde oder entzündete Auge wendet sich dem Grau der Schatten zu. Eine blaugraue Brille, auch wohl eine rauchbraune fängt die Mittelstrahlen ab und überläßt den Grenzstrahlen eine vorzugsweise Betätigung.

Es bleibt zu untersuchen, ob nicht die Grenzwirkungen vorzugsweise für die Ersatzarbeit zu sorgen haben. Ob nicht z. B. bei der Regenerierung des Sehpurpurs im Auge die Grenz-strahlen hauptsächlich tätig sind.[1]

Analogon. Bei den Kriegstruppen sorgen die begleitenden Kolonnen für Munition und Ausrüstung, Verpflegung und Ersatz. Im Notfall treten auch sie kämpfend ein. Vortrab und Nachhut besorgen Hilfsarbeiten; die eigentliche Kriegsarbeit fällt dem Mittelstück, dem Gros, zu.

Daß gerade die Grenz- und Ultrabewegungen Vertretung und Hilfsarbeit übernehmen können, liegt daran, daß sie den Mittel-bewegungen am ähnlichsten und örtlich mit ihnen verknüpft sind.

Grenz- und Ultrabewegungen in der Therapie.

Jede physiologische Wirkung kann Gegenstand der Anwendung in der Therapie sein. Ist es nun in der Tat, wie oben zu zeigen versucht wurde, allgemein Aufgabe der Grenz- und Ultrabeweg-ungen jedes Organs für die beiden Hauptarbeiten desselben vikariierend einzutreten, nämlich für Funktionieren und Regenerieren, so ist damit für jede Art von Grenzwirkungen eine bestimmte An-wendung vorgezeichnet. Sie übernehmen die Arbeit des Mittel-gebiets, wo dieses versagt oder der Schonung und Ablösung bedarf und umgekehrt.

Jedem Organ kommt danach seine therapeutische Behandlung durch die Grenzbewegungen zu. Dabei kommen sowohl die Grenzarten als auch die Grenzintensitäten, ja auch die räum-lichen Grenzgebiete in Frage.

Manche physiologische Arbeiten werden von den Grenz-bewegungen selbständig oder vorzugsweise ausgeführt und können ihnen allein überlassen werden. Welche dies sind, bedarf des speziellen Studiums. Auch im Fernhalten von Grenzbewegungen kann eine therapeutische Behandlung bestehen.

In der Regel werden die Grenzbewegungen nicht isoliert an-gewendet, sondern mit den mittleren gemischt, besonders mit den benachbarten, doch dürften besondere Wirkungen durch isolierte Anwendung zu erzielen sein.

Seit alter Zeit verwendet man *Grenzwärmen* zu Heilzwecken.

---

[1] Wäre dies der Fall, so folgte daraus, daß die ermüdeten Augen sich im Halbdunkel dieser Strahlen besser ausruhen (erholen) als im absoluten Dunkel; daß der Schlaf erquickender unter freiem Himmel als hinter Glasfenstern.

Man gibt kalte und heiße Bäder, Eisbeutel auf den Kopf und heiße Umschläge auf den Magen. Man anästhesiert lokal durch Kälte.

Heilgymnastik und *Massage* wenden ungewöhnlich heftige Bewegung einzelner Glieder und Muskeln an. Durch Elektrizität werden die Nerven übermäßig erschüttert. Ruhiges Liegen, das ist ungewöhnlich schwache Bewegung, ist vielleicht das älteste Heilmittel. Dazu kommen steife Verbände, die einzelne Organe zu ungewohnter Ruhe zwingen.

Ultrafarben und Grenzfarben an beiden Enden des Spektrums führen sich in die Therapie ein. Ebenso übermäßig starke und schwache Lichter; elektrische Lichtbäder und Sonnenbäder. Dunkelheit ist ein altes Mittel nicht nur für kranke Augen, sondern auch für den ruhebedürftigen Körper. Natürlich kommen vorzugsweise für das Auge die Grenzstrahlen und Ultrastrahlen in Frage.

Ultrafarben beider Grenzen haben wir im Sonnenlicht. Verschieden an Menge im hellen Sonnenschein, in der Dämmerung und im Nachthimmel. Auch die künstlichen Lichtquellen, die man heute so genau studiert und so mannigfach vermehrt, geben ultraviolette und ultrarote Strahlen den anderen beigemischt. Es liegt in unserer Macht, durch gewisse Filter und Reflektoren das Verhältnis der Lichtarten zu ändern, sie durch Prismen zu teilen und durch Linsen und Hohlspiegel lokal zu verdichten. Wir können ihr Verhältnis messend bestimmen und ihre relative Menge bei der Fabrikation künstlicher Lichtquellen beeinflussen.

Eine besondere Rolle bei den Lichtern spielt das Glas für Fenster und Brillen. Unser gewöhnliches Glas läßt die ultravioletten Strahlen nicht durch. Eine Folge ist, daß wir alle, die im Zimmer mit Glasfenstern leben, dieser Strahlen beraubt sind. Der Einfluß dürfte ein starker sein und wahrscheinlich ein ungünstiger. Es ist möglich, daß hierin eine der Ursachen liegt, warum die Zimmerbewohner blaß und matt sind, im Gegensatz zu denen, die in freier Luft leben. Speziell den Augen dürfte diese Beleuchtung auf die Dauer ungünstig sein.

Stellt sich das heraus, so wäre ein Mittel: Hereinlassen des Lichtes durch offene Fenster. Beseitigung der Fensterscheiben, wo Wind und Wetter es gestatten oder Ersatz des Glases durch Scheiben, die auch die ultravioletten Strahlen einlassen. Ein solches Glas ist geschmolzener Quarz, den die Industrie schon

heute herstellt, wenn auch nicht für Fensterscheiben. Sollte sich
aber seine Eigenschaft als Förderer der Gesundheit und Schützer
der Augen als so wichtig herausstellen, daß man den Ersatz der
Glasscheiben durch Quarzgläser anstrebte, selbst wenn die Scheiben
teuer sind, so ließen sich diese Scheiben beschaffen. Dies be-
deutete eine Umwälzung in einem wichtigen Zweig der Industrie.
Quarzgläser haben noch andere Vorzüge. Sie sind schwer zer-
brechlich, hart — für die meisten Anwendungen dem Glas über-
legen.

Es wäre dann zu prüfen, welche Zusätze dem Quarz die
leichtere Schmelzbarkeit geben, ohne der Schmelze die Fähigkeit
zu nehmen, die Ultrastrahlen durchzulassen.

Ein anderer Weg wäre der, die Zusammensetzung der Gläser
für Fenster und Brillen so abzuändern, daß sie die verschiedenen
Strahlen des Sonnenlichts, die mittleren wie die Grenzstrahlen,
möglichst gleichmäßig durchlassen. Es wäre zu prüfen, ob Gläser
von gewünschter Durchlässigkeit, wie man solche für wissenschaftliche Zwecke bereits hergestellt hat, sich zur Einführung für Brillen
und Fenster eignen.

Quarzbrillen. Sind in der Tat die ultravioletten Strahlen dem Auge
nützlich resp. ihr Fehlen schädlich, so ist den Brillen aus Bergkristall oder ge-
schmolzenem Quarz auch aus diesem Grund der Vorzug vor den gläsernen zu
geben. Quarzbrillen sind jetzt schon deshalb beliebt und verbreitet, weil sie
härter sind und dadurch nicht so leicht zerkratzt und matt werden.

In China gelten Brillen von bräunlichem Rauchquarz als wohltuend für
die Augen. Sie werden dort von alters her verwendet und den gläsernen vor-
gezogen. Ob wohl hierbei die durchgelassenen ultravioletten Strahlen eine Rolle
spielen? Dies wäre um so wichtiger für ein Volk, wie die Chinesen, dessen
Leben sich nicht hinter gläsernen Fensterscheiben abspielt.

Wenn in der Tat der Abend- und Nachthimmel noch
Ultrastrahlen reichlich ausgibt, so wäre es gut, auch seinem Schein
freien Eingang in die Zimmer zu geben, abends und nachts
spazieren zu gehen und in warmen Nächten im Freien zu sein.

Es wäre ferner zu prüfen, welche künstlichen Lichter
Ultraviolettstrahlen aussenden. Diese wären freileuchtend zu
montieren, d. h. ohne solche Mäntel, die die ultravioletten Strahlen
absorbieren.

Entsprechende Untersuchungen wären für die ultraroten
Strahlen und die roten Grenzstrahlen zu machen.

Es ist auch denkbar, daß gewisse künstliche Lichter zu viel
Ultrastrahlen aussenden und daß es hygienisch nützlich ist, sie

hierin durch Farbenfilter zu schwächen. Bei ultraintensivem Licht schützt man schon das Auge durch farbige Gläser.

Bei **kranken und entzündeten Augen** dürfte die Anwendung der Ultrastrahlen in folgendem Sinne therapeutisch wirksam sein. Sollen die Augen gegen Licht geschützt und trotzdem belebend angeregt werden, so dürften die Ultrastrahlen beider Grenzen die geeigneten Erreger sein. Sie bewegen die lichtempfindlichen Teile in einer anderen als der gewohnten, aber doch in ähnlicher Weise, so daß für die gewohnten Verrichtungen ein Ausruhen stattfindet, zugleich erregen sie die Nachbar- und Hilfsorgane, die die Regeneration besorgen.

Grenz- und Ultratöne in der Therapie. Es ist wahrscheinlich (vielleicht bereits untersucht), daß es Taube und Schwerhörige gibt, die für Grenztöne empfindlich sind, so besonders für die oberen Grenztöne, ja es ist denkbar, daß gewisse Formen der Schwerhörigkeit von einer weiter hinaufreichenden Empfänglichkeit für Ultratöne begleitet ist. Es ist ferner denkbar, daß diese Fähigkeit bei tauben (taubstummen) Kindern durch Übung gefördert werden kann; ja daß durch die Einwirkung der ultrahohen Töne die Grenzen der Empfänglichkeit nach abwärts sich erweitern.

Es ist ferner wahrscheinlich, daß die physiologische Wirkung der Ultratöne (besonders der ultrahohen) zur therapeutischen Behandlung des Ohres ausgenutzt werden kann. Es ist zu erwarten, daß diese Töne (wie eine lokale Massage) dem speziellen Organteil sowie den benachbarten Teilen eine belebende Anregung geben; daß sie damit die Zirkulation und Regeneration befördern, ohne die gleichzeitige Anstrengung durch die hörbaren Töne. So ist es denkbar, daß eine Behandlung durch unhörbare (ultrahohe) Töne auf den Patienten ohne dessen Wissen angewendet wird, selbst im Schlaf und ohne ihn und seine Nachbarn zu wecken.

Ausdehnung des Begriffes. Grenz- und Ultrafunktionen höherer Organisationen.

Der Begriff der Grenz- und Ultrafunktionen beschränkt sich nicht auf die einzelnen Organe unseres Körpers. Er erstreckt sich zunächst auf unsere Person als Ganzes, dann auf die . erweiterte Person, auf Haus und Hof, auf die Familie (in unserem wie im römischen Sinn), auf Besitz und Geschäft, auf die großen und

kleinen kommerziellen, wirtschaftlichen und politischen Organisationen, auf Vaterstadt und Vaterland, auf Völker und Menschheit.

Auch die *Begriffe* haben ihren Kern und ihre Grenzen, mit
denen sie unscharf nach außen verlaufen. Von Grenzfunktionen
der Begriffe reden wir nicht, da wir den Begriffen keine Funktionen
zuschreiben.

Dagegen haben wir Grenzgebilde und Grenzfunktionen zunächst bei den Organen der anderen Lebewesen, den Tieren
und Pflanzen, ferner bei diesen Wesen, den *Organismen*, als Ganzes.
Ebenso bei den unorganischen Gebilden, den *Kristallen*, der Erde,
der Sonne und den anderen Weltkörpern. An die Grenzfunktionen
schließen sich die Ultrafunktionen.

Beispiel. Bei den *Kristallen* sind die Grenzpartikel ebenso geartet, wie
die inneren Partikel. Aber ihre Funktionen sind andere.[1] Sie sind tätig beim
Wachsen und Lösen des Kristalls, sie geben dem Kristall seine Gestalt und
führen den Kampf mit den angreifenden Lösungsmitteln. Sie ziehen Teile aus
der Mutterlauge heran und legen sie an, indem sie selbst von ihrem Amt als
Grenzteilchen zurücktreten. Die Funktionen der Grenzteilchen betrachten wir
als Grenzfunktionen des Kristalls. Während des Wachsens und Lösens des Kristalls
sitzen die Randteilchen locker. Ein solches Teilchen gehört in diesem Moment
zum Kristall, im nächsten nicht mehr, im folgenden vielleicht wieder.
So haben wir an der Oberfläche ein Spiel des Kommens nnd Gehens, der Zugehörigkeit und Entfremdung. Die Grenzteilchen werden schwankend in ihrer
Zugehörigkeit und aus den Grenzfunktionen werden Ultrafunktionen,
die sich ohne feste Grenze anreihen.

Wir betrachten es als selbstverständlich (notwendig), daß
jedes dieser Gebilde, jedes Organ, jeder Organismus, jede Organisation, sowie jeder Begriff, sein (mittleres) Hauptgebiet (seinen
Kern) und seine Grenzen hat; daß die Grenzgebiete und Grenzfunktionen eigenartig sind. Hierzu treten Ultragebiete und Ultrafunktionen, d. h. solche, die, über die Grenzen hinausgehend, durch
Verknüpfung und Mitwirkung dazu gehören.

Es ist nun *erkenntnistheoretisch* wichtig, darüber klar zu werden,
daß diese notwendigen (selbstverständlichen) Eigenschaften das
Abbild der Einrichtung unserer Sinnesorgane sind, als deren zu-
sammenfassendes Gegenbild der Geist sich gestaltet hat. Sie sind
deshalb notwendig (selbstverständlich), weil sie Eigenschaften
unserer Organe sind.

Die Analogie zwischen den Grenz- und Ultrafunktionen unserer

---

[1] Vergl. Goldschmidt. Zeitschr. Kryst. 1897. *29.* 39. (Über Verknüpfung
der Kristallpartikel.)

Organe und der weiteren Organisationen läßt sich im Einzelnen verfolgen. Ein Beispiel möge dies andeuten.

Beispiel. Ein **Staat** funktioniert als Ganzes wie ein lebender Organismus. Die Grenzgebiete bilden einen Teil des Staates und teilen im wesentlichen dessen Eigenschaften. Aber es sind in ihnen Ausnahmezustände. Gespannte militärische und kommerzielle Verhältnisse, Hafenstädte, Zollämter und Festungen. Dabei sprachliche und verwandtschaftliche Beziehungen der beiderseitigen Grenzbewohner, auch Ultragebiete und Ultrafunktionen hat ein Staat.

Unter **abnormalen** Verhältnissen des Staates, bei militärischem, sozialem oder wirtschaftlichem Krieg, treten die Grenzgebiete in vorzugsweise lebhafte Aktion. In ihnen spielen sich in solchen Zeiten besonders wichtige Verrichtungen des Staates ab, bis nach hergestelltem Gleichgewicht die Grenzwirkungen auf ihr normales Maß zurückgehen.

Die Analogie ist nicht eine äußerliche, zufällige, noch weniger ist sie willkürlich hineingedeutet.

Schluß. Es ist von Interesse, im Bild der Organisationen die Einrichtung des menschlichen Geistes zu studieren. Die Verknüpfung ist die folgende:

Unser Geist hat seine Eigenschaften von den Organen des Körpers erhalten (Auge, Ohr . . .), indem er deren Funktionieren zusammenfassend widerspiegelt. Deshalb sind die Eigenschaften der Organe seine Eigenschaften. Nach seinen Eigenschaften hat der Geist die Organisationen geformt. Daher finden wir in den Organisationen die Eigenschaften unserer Organe wieder, die der Geist angenommen und schaffend wie begriffsbildend in die Welt hinausgetragen hat.

Gott schuf den Menschen nach seinem Ebenbild, wie in der Bibel steht. So schafft der Mensch die Organisationen und Begriffe nach seinem Ebenbild, d. h. nach der Einrichtung seiner Sinne. Wie der Gläubige Gott in seinen Werken betrachtet, so studieren wir unsern Geist in seinen Schöpfungen.

Wir studieren die Eigenschaften des Geistes in denen der Organe einerseits (physiologisch), d. h. in seinen Quellen, andererseits in den Organisationen, d. h. in seinen Schöpfungen. Eigenschaften, die den Organen und den Organisationen gemeinsam sind, sind Eigenschaften ihres Verknüpfers, des Geistes. Eine Gruppe solcher Eigenschaften sind die Grenz- und Ultrafunktionen.

Eine Einrichtung, ein Gesetz, das allen Organen zukommt, findet sich in allen entsprechenden Gebilden des Geistes wieder. Es wird dadurch zum wichtigen Naturgesetz. Als ein solches dürfte das Gesetz der Grenz- und Ultrafunktionen anzusehen sein.

Wir haben hier einen Weg, die Eigenschaften des Geistes durch das Studium der Natur zu finden. Das ist aber die Aufgabe der Naturphilosophie.

Schlußbemerkung. Wie jede Wissenschaft hat die Naturphilosophie zwei Teile: Induktion und Deduktion.

Induktive Naturphilosophie ist Ableitung der Eigenschaften des Geistes aus den Erscheinungen der Natur.

Deduktive Naturphilosophie ist Ableitung der Erscheinungen der Natur aus den Eigenschaften des Geistes.

Verknüpfer (Copula) sind die Naturgesetze, indem sie zugleich Eigenschaften (Gesetze) der Natur und des Geistes sind.[1]

Wir können den Satz auch so fassen:

Induktive Naturphilosophie ist Ableitung der Eigenschaften des Geistes aus den Naturgesetzen.

Deduktive Naturphilosophie ist Ableitung der Naturgesetze aus den Eigenschaften des Geistes.

Diese letztere Fassung ist richtig, solange wir die Naturgesetze noch nicht als Eigenschaften des Geistes ansehen. Tun wir das, so sagt der Satz nichts aus.

Verknüpfer (Copula) zwischen den Eigenschaften (Gesetzen) der Natur und denen des Geistes sind die Sinne und Sinnesorgane.

---

[1] Vergl. Harmonie und Complikation 1901. S. 1 und 136.

Zum Ablauf des Lebens.

Von

Wilhelm Fliess.

Drei Semester sind vergangen, seit der Verfasser sein Buch „Der Ablauf des Lebens" erscheinen ließ. Er hat sein Werk, die Frucht neunjähriger Arbeit, auch „Grundlegung zur exakten Biologie" benannt, und damit hat es diese Bewandtnis:

Daß in ihm gezeigt werden solle, wie die lebendigen Vorgänge wesentlich und zuerst nicht durch äußere variable Ursachen bedingt würden, sondern wie sie das bestimmte Gesetz ihres Ablaufs in sich trügen, ein großes allgemeines Gesetz, für jede Lebensäußerung gültig, ein Gesetz, das nicht nur im Individuum waltet, sondern die Generationen miteinander verknüpft und die Stunde der Geburt mit der gleichen Sicherheit kündet wie die des Todes.

Für diesen Nachweis war die Auffindung einer exakten Meßmethode die erste Bedingung. Die aber war in der Entdeckung gegeben, daß die Lebensvorgänge weit entfernt sind, einen gleichmäßigen Verlauf zu haben, sondern daß sie in Perioden von 28 und 23 genauen Tagen fluten und ebben. Mit dieser Wahrnehmung kam die Nötigung, alle natürlichen Zeitabschnitte, d. h. diejenigen Zeiten, welche von je einer ruckweisen Änderung im Lebensablauf bis zur nächsten analogen Änderung verfließen, mit den 28 und 23 Tagen exakt zu messen. Das Ergebnis der Messung mußte als Funktion von 28 und 23 Tagen ausdrückbar sein. Diese Funktion war die denkbar einfachste, die Summe oder Differenz von 28 und 23 Tagen. Der natürliche Zeitabschnitt t, z. B. das Spatium von einer Entbindung der Mutter bis zur nächsten war also

$$t = m_1\, 28 \pm m_2\, 23$$

Nun weiß jeder Schüler, daß man so eine beliebige Zahl t darstellen kann. Erst wenn man nachzuweisen vermag, daß die

Koeffizienten m_1 und m_2 nicht willkürliche Werte seien, sondern in einer durchsichtigen Beziehung zueinander stehen, daß also ein Gesetz der Koeffizienten existiere, nur dann hat jene Formel eine wissenschaftliche Berechtigung. Dieser fundamentalen Frage hat der Verfasser einen eigenen Abschnitt von 73 Seiten (Seite 342 bis Seite 415) gewidmet, auf den wir noch zurückkommen.

Wollte man also die spezifische Bedeutung der 28 und 23 Tage für die Lebensvorgänge bestreiten, so müßte man die Ordnung der Koeffizienten m_1 und m_2 angreifen, müßte zeigen, daß der Wert von m_1 und m_2 willkürlich schwankt. Hier und nur hier kann eine Kritik einsetzen.

Nun aber muß ich konstatieren, daß alle Kritiker der medizinischen Fachpresse und derjenige der Deutschen Literaturzeitung die große Unwahrscheinlichkeit verwirklicht haben, bis zu diesem Punkt überhaupt nicht vorzudringen. Ohne an die allein entscheidende Rolle der Koeffizienten auch nur zu denken, haben sie vielmehr aus eigenem die neue Bemerkung gemacht, daß jede Zahl aus einer Summe oder Differenz von 28 und 23 herzustellen sei: ergo hätte ich mich durch die Unkenntnis dieses Umstandes in einem Irrgarten bewegt. Was ich mit 28 und 23 geschaffen habe, ließe sich durch irgendwelche andere Zahlen ebenso gut machen. Amen.

Man wird gewiß später einmal über den Grad an Elementarbildung bei diesen „Kritikern" des zwanzigsten Jahrhunderts staunen. Hier dürfen wir über sie zur Tagesordnung übergehen und vielmehr fragen, worin denn die gesetzmäßige Ordnung der Koeffizienten tatsächlich bestehe, und welches die besondere Art der Beziehung von m_1 und m_2 nun eigentlich sei. Und damit komme ich zum wirklichen Kern der Sache und zugleich zu der erfreulichen und fruchtbaren Kritik, die der Herausgeber dieser Annalen geübt hat und der ich die Anregung zu meiner Erörterung verdanke.

Ausgegangen bin ich von der Betrachtung der Menstruationsintervalle. Da zeigte sich gleich beim ersten Beispiel (S. 13), daß die Summe der 10 Intervalle $J_1 + J_2 + \ldots \ldots J_{10} = 10 \cdot 28$, die Summe von 5 Intervallen je $5 \cdot 28$ Tage betrug. Wenn ich aber — und das ist die einzige Annahme, die allen späteren Erörterungen zugrunde liegt — die Periode von 28 Lebenstagen als b i o l o g i s c h g l e i c h w e r t i g der von 23 Tagen setze, und demgemäß ebenso 28 wie 23 Tage als eine Einheit in die Messung einführe, so erweist sich nicht nur die Summe von 10 Intervallen 10 Einheiten, die von 5 Intervallen 5 Einheiten gleich, sondern auch die Summe zweier Intervalle z. B.

$$J_1 + J_8 = 28 + 23$$

war gleich zweien Einheiten. Ebenso war mit dieser Maßgabe die Summe dreier Intervalle dreien, ein Intervall $(J_6 = 28)$ einer Einheit gleich.

Aber nur dieses eine Intervall J_6 hatte genau 28 Tage, die übrigen J_1, J_2, J_3 u. s. w. schwankten zwischen 25 und 31 Tagen. So augenscheinlich also die Summe bewies, daß jene Schwankungen nicht willkürliche sein konnten, so wenig war doch eine Deutung der einzelnen Intervallwerte gegeben.

Hierfür mußte ich vielmehr eine Konstruktion ausführen, in welcher folgende Werte als Bausteine benutzt wurden:

Die Summe $28 + 23 = 51 = \Sigma$
Die Differenz $28 - 23 = 5 = \Delta$

Und die ganztagigen Teile

$$\frac{28}{2}, \quad \frac{28}{4} \text{ und } \frac{28 + 23}{3} = 17 = \frac{\Sigma}{3}$$

Mit diesen Werkstücken ließ sich eine Analogie in der Baukonstruktion der Einzelspatien offenbar machen, die nicht nur jede Willkür ausschloß, sondern die vorbildlich war auch für solche Spatien, welche die Mensesintervalle an Größe bedeutend überragten.

Heißt etwa ein Mensesspatium (Beispiel 6, Seite 27):

$$23 - \frac{28}{2} + 2\Delta = 19$$

so lauten die beiden Schwangerschaftsdauern bei derselben Frau:

$$23 \cdot 28 - \frac{28^2}{2} + 2\Delta^2 = 302$$

Es bestehen hier beide Ausdrücke aus den gleichen Gliedern. Nur ist im zweiten jedes einzelne Glied in die zweite Dimension erhoben. Und wie wenig der Zufall mitspielt, zeigt die fernere Tatsache, daß bei der gleichen Frau, deren beide Schwangerschaftsdauern

$$302 = 23 \cdot 28 - \frac{28^2}{2} + 2\Delta^2 \text{ Tage}$$

betrugen, der Abstand vom Ende der ersten Schwangerschaft bis zum Beginn der nächsten war (Seite 33):

$$1086 = 23 \cdot 28 + \frac{28^2}{2} + 2\,\Delta^2$$

also genau um 28^2 Tage mehr.

Und auch bei den höheren Lebensaltern ist der Bau ein völlig analoger, nur daß es sich dort nicht um die zweite, sondern um die dritte Dimension handelt.

Entspricht es aber auch der Natur, daß die Bausteine nicht nur von ganzen 23- und 28tägigen Perioden geliefert werden können, sondern auch von den Teilen

$$\frac{28}{2}, \quad \frac{28}{4}, \quad \frac{28+23}{3}$$

und endlich von der Differenz $28 - 23 = \Delta$?

Hier setzen Ostwalds Bedenken ein. Und wir wollen versuchen, ihnen mit dem Hinweis zu begegnen, daß allerdings in der Natur selber diese Teilung direkt zu beobachten ist. Man betrachte das Beispiel Seite 544.

Das Nasenbluten erschien:

> 2. Januar 97 kurz nach 7 Uhr früh.
> 16. „ 97 „ „ 7 „ „
> 30. „ 97 „ „ 7 „ „
> 13. Februar 97 „ „ 7 „ „
> 27. „ 97 „ „ 7 „ „

Diese Spatien sind genau $14 = \frac{28}{2}$ Tage in der Natur selbst. Und der rechnerischen Teilung entspricht auch der physiologische Rhythmus. Das Befinden der Frau war ein gleichmäßiges in der Zwischenzeit. Nach genau 14 Tagen kam mit der Pünktlichkeit der Stunde die plötzliche Änderung.

Die kritische Bedeutung dieser festen Stunde läßt sich auch daraus aufzeigen, daß dieselbe Patientin am 5. September 1896 kurz nach 7 Uhr früh eine Ohnmacht erlitt; und da die beiden Termine

> Ohnmacht 5. September 96
> Nasenbluten 13. Februar 97

um gerade $161 = 7 \cdot 23 = \frac{28 \cdot 23}{4}$ ganze Tage auseinander liegen, so sieht man ferner, daß die Berechtigung $28 \cdot 23$ zu vierteln nicht erfunden, sondern aus der Naturbeobachtung entnommen ist.

Dasselbe läßt sich auch für höhere Dimensionen dartun. Man erinnere sich der Darlegungen auf Seiten 43 und 226, 227, 228.

Dort wird vom Zusammenhang der Generationen gehandelt und gezeigt, wie um den Todestag der Großmutter sich die Geburten der Enkel und Urenkel gruppieren.

Die Geburt eines Enkels liegt $28^2 + 28 \cdot 23$ Tage vor jenem Todestage, die eines anderen Enkels um ebensoviel nachher.

Ein Urenkel wird um

$$7 \left(28^2 + 28 \cdot 23 - 23^2\right) \text{ Tage}$$

später geboren, und ein anderer Urenkel sieht um noch weitere

$$7 \cdot 23^2 = \frac{28 \cdot 23^2}{4} \text{ Tage}$$

später das Licht; oder was dasselbe ist, er wird um

$$7 \left(28^2 + 28 \cdot 23\right) \text{ Tage}$$

nach dem Tode der Urgroßmutter geboren.

Hier spricht die Natur direkt. Sie selber hat die Teilung $\frac{28}{4} = 7$ gemacht, dann in $28 \,(28 + 23)$ die Summe $28 + 23$ eingeführt, und wir haben keine künstlich konstruierten Glieder einer rechnerischen Kette!

Ebenso lehrreich sind andere Beispiele.

Meine Kinder sind alt am Tage der ersten Schritte (Seite 85, Beispiel 23):

$$\text{I} = \frac{28^2}{2} + 23 \,\Delta$$
$$\text{II} = \tfrac{1}{4}\, 28^2 - 23 \,\Delta$$
$$\text{III} = \tfrac{1}{4}\, 28^2$$

In III ist der Wert $\tfrac{1}{4}\, 28^2$ direkt gegeben, in I und II sind $\frac{28^2}{2}$ und $\tfrac{1}{4}\, 28^2$ mit $\pm\, 23 \,\Delta$ verbunden.

Auf Seite 49 (Beispiel 10) heißen die Geburtsabstände:

$$\text{I} = \tfrac{1}{4}\, 28^2 - 2 \cdot 23 \,\Delta$$
$$\text{II} = \frac{28^2}{2} + 2 \cdot 23 \,\Delta$$

Auch hier treten die Halben und Viertel in analoger Verbindung auf.

Und wer möchte die rechnerische Teilung für unzulässig halten, wenn er (auf Seite 88) die zeitlichen Differenzen zwischen der ersten intrauterinen Kindsbewegung und dem selbständigen Laufen bei drei Geschwistern dargestellt findet als

$$D_1 = 12 \cdot 23 + 14 \cdot 28 = \frac{28^2}{2} + \frac{28 \cdot 23}{4} + 23\,\Delta$$

$$D_2 = 44 \cdot 23 + 7 \cdot 28 = 23^2 + \tfrac{3}{4}\,28 \cdot 23 + \frac{28^2}{4}$$

$$D_3 = 7 \cdot 23 + 21 \cdot 28 = \tfrac{3}{4}\,28^2 + \frac{28 \cdot 23}{4}$$

In D_2 ist $44 + 7 = 51 = 28 + 23$

„ D_3 „ $7 + 21 = 28$

Demgemäß beträgt

$$D_2 + D_3 = 23^2 + 28^2 + 28 \cdot 23 = \Sigma^2 - 28 \cdot 23\,{}^1)$$
$$\text{und } D_1 + D_2 = 2 \cdot 28 \cdot 23 + \tfrac{3}{4}\,28^2$$

In diesen Summen liegt nicht nur ein Dokument für den Zusammenhang der Generationen, sondern auch für das wirkliche Vorkommen der Teilprodukte.

Und will man die tiefere Aufklärung heranziehen, die nicht nur den Tag, sondern auch das Jahr als Maß für den Ablauf lebendiger Vorgänge berücksichtigt, so vergleiche man (auf Seiten 333 und 334) das Laufspatium (L_1) meiner ersten beiden Kinder mit dem (λ_1) der Kinder meines Schwagers (gleiches mütterliches Blut)

$$L_1 = 28^2 + 2\,\text{Jahre}$$
$$\lambda_1 = \frac{28^2}{4} + 1\,\text{Jahr}$$

Oder um ein Pflanzenbeispiel zu wählen (Seite 267): Die Knospenabstände ($K_1, K_2, K_3 \ldots$) der Clivia in Tagen:

$$K_1 = 365$$
$$K_2 = 2 \cdot 365 - 23^2$$
$$K_3 = 23^2$$
$$K_4 = \frac{28 \cdot 23}{2}$$

Daß hier das Teilprodukt $\dfrac{28 \cdot 23}{2}$ unmittelbar von der Natur gegeben ist, wird man nicht bestreiten können.

${}^1)$ Wozu man Seite 79 letzte Zeile vergleichen möge.
$$Zw_1 - Sch_1 = 23^2 + 28^2 + 28 \cdot 23 = \Sigma^2 - 28 \cdot 23$$

Vielleicht soll ich, um die Berechtigung der Teilung auch für die dritte Dimension zu beleuchten, noch auf Seite 138 verweisen, wo die Summen symmetrischer Schlaganfallsalter dargestellt werden; als

$$V + X = 23^8 + \tfrac{1}{4} 28^8$$
$$VI + IXa = 23^8 + \tfrac{1}{4} 28^8$$
$$VII + IX = 23 \cdot 28^2 + \tfrac{1}{4} 23 \cdot 28^2$$

Nach allen diesen Belegen, die ich beliebig vermehren könnte, ist die Tatsache nicht mehr zweifelhaft, daß die Natur 28 halbiert und vierteilt.

Summiert sie aber auch $28 + 23 = 51 = \Sigma$ und teilt sie wirklich $\dfrac{\Sigma}{3} = 17$ und $\tfrac{1}{4}\Sigma = 34$?

Daß sie summiert, haben wir schon bei den Werten $28\,\Sigma =$ $28(28 + 23)$ und $\dfrac{28^2}{4}\Sigma = \dfrac{28^2}{4}(28 + 23)$ gesehen (vergl. die oben zitierten Beispiele von Seite 226 ff.) In derselben Familie lautet der Geburtsabstand zweier Enkel (Seite 58)

$$23\,\Sigma = 23\,(28 + 23)$$

Im 13. Beispiel (Seite 52) ist die Summe zweier Geburtsabstände ebenfalls $23\,\Sigma$.

Und die Summe der Lebenszeiten in der Familie Humboldt (S. 173) von Mutter und Kindern hat die verblüffend kurze Form

$$\Sigma^8 + 23^8 + \Delta^8$$

Aber das Σ befremdet nicht so sehr, wie seine Teile

$$\tfrac{1}{4}\Sigma = 17 \text{ und } \tfrac{2}{4}\Sigma = 34$$

Hier ist wieder auf die Natur zu verweisen.

Im 4. Beispiel (Seite 24) sind Migränedaten gegeben. Da lauten die Intervalle

$$J_9 = 17$$
$$J_{10} = 9$$
$$J_{11} = 6$$
$$J_{12} = 17$$

Hier kommen nicht nur 17 Tage zweimal direkt als Intervall vor, sondern da

$$J_{11} + J_{12} = 23$$

so wird offenbar, daß 23 Tage im Lebensrhythmus wirklich in

die beiden natürlichen, gleich verlaufenden und durch die gleichen Ereignisse begrenzten Teile von

$$17 \text{ und } 23 - 17 \text{ Tagen}$$

zerfallen können. Ebenso wie in demselben Beispiel

$$J_6 = 37$$
$$J_7 = 9$$

zeigen, daß die Natur $46 = 2 \cdot 23$ in zwei Teile zerlegt, die sich symmetrisch als

$$37 = 23 + \frac{28}{2}$$
$$9 = 23 - \frac{28}{2}$$

darstellen lassen.

Aber nicht nur für die erste Dimension läßt sich das Vorkommen von $\frac{1}{2}\Sigma = 17$ direkt zeigen, auch für die zweite und dritte Dimension.

Es geben nämlich nicht selten die Summen zweier Geburtsabstände ganze Vielfache von $28 \cdot 23$, so

Beispiel 14 (Seite 54)
$$IV + V = 2 \cdot 28 \cdot 23$$

Beispiel 12 (Seite 51)
$$I + II = 3 \cdot 28 \cdot 23$$

Beispiel 18 (Seite 66)
$$I + III = 3 \cdot 28 \cdot 23$$

Beispiel 15 (Seite 57)
$$I + II = 4 \cdot 28 \cdot 23$$

Untersucht man aber, wie die Natur (im Beispiel 12) die $3 \cdot 28 \cdot 23$ teilt, so erhält man

$$I = 17 \cdot 28$$
$$II = 52 \cdot 28$$

d. h.
$$I = 17 \cdot 28$$
$$II = 34 \cdot 28 + 23^2 - \Delta^2$$

Also $\underline{17} \cdot 28$ ist direkt und ohne weiteres in der Natur selbst gegeben. Und $34 \cdot 28$ ist nur durch den Zusatz $23^2 - \Delta^2$ beschwert. Beachtet man aber, daß (im Beispiel 18, Seite 66) der Wert

$$23^2 + \Delta^2$$

direkt als Geburtsabstand vorkommt, und (im Beispiel 14, Seite 55) die Summe zweier Geburtsabstände

$$28^2 + \underbrace{23^2 - \Delta^2}$$

heißt, so wird man den Zusatz $23^2 - \Delta^2$ im obigen Wert $34 \cdot 28 + 23^2 - \Delta^2$ ebenfalls nicht als willkürlich konstruiert betrachten dürfen.

Aber dieses Beispiel 14 (Seite 55) zeigt noch ein weiteres, wenn wir die Summe je zweier Geburtsabstände miteinander vergleichen. Es sind dort

$$I + II + 17 \cdot 28 = IV + V$$

Das erste Paar übertrifft also das zweite genau um $17 \cdot 28$ Tage!

Man nehme noch das 13. Beispiel (Seite 53). Hier heißen die drei Geburtsabstände:

$$I = -17 \cdot 23 + \frac{28 \cdot 23}{2} + 23^2$$

$$III = +17 \cdot 23 + \frac{28 \cdot 23}{2}$$

$$II = +17 \cdot 28 + \frac{28 \cdot 23}{2} + \underbrace{23^2 - \Delta^2}$$

Ganz abgesehen davon, daß auch hier das Glied $23^2 - \Delta^2$ wieder eine typische Rolle spielt, so wird man den natürlichen Platz von $17 \cdot 23$ umso weniger verkennen, als dieses Glied nur mit umgekehrtem Vorzeichen in I und III erscheint [woher ja $I + III = 23^2 + 28 \cdot 23 = 23\Sigma$], und ferner in II das biologisch gleiche Glied $17 \cdot 28$ an der analogen Stelle steht.

Und daß die Form von

$$III = 17 \cdot 23 + 14 \cdot 23$$

typisch ist, zeigt sich am Abstand I des 17. Beispiels. Dort lautet

$$I = 17 \cdot 23 + 14 \cdot 28$$

Und wer noch zweifeln sollte, daß $17 \cdot 28$ aus der Natur entnommen ist, der sehe sich die Laufalter dreier Geschwister (Seite 86, Beispiel 23) an:

a) $10 \cdot 23 + 7 \cdot 28$
b) $10 \cdot 28 + 7 \cdot 28 \qquad = 17 \cdot 28$
c) $10 \cdot 28 + 7 \cdot 28 + 23 = 17 \cdot 28 + 23$

Hier kommt $17 \cdot 28$ einmal direkt vor, das zweite Mal ist $10 \cdot 28$ durch $10 \cdot 23$ ersetzt, und das dritte Mal ist $1 \cdot 23$ zu $17 \cdot 28$ hinzugefügt.

Oder das Lauf- und Sterbealter eines Knaben (Seite 83):

Laufalter: $28^2 - 17 \cdot 28 + 28\,\Delta$

Sterbealter: $28^2 - 17 \cdot 23 + 23\,\Delta$

Oder die Krankheitsalter zweier Brüder, von denen der jüngere einen Tag später als der ältere am Scharlach erkrankt (Seite 100, Beispiel 32):

Albert: $17 \cdot 23 + 3 \cdot 28^2 - 23\,\Delta$

Otto: $17 \cdot 23 + 3 \cdot 23^2 - 28\,\Delta$

Oder die Lebensalter dreier jung verstorbener Geschwister (Seite 188, Beispiel 44):

Luise:[1] $\left.\begin{array}{c} 17\,(28+23) \\ -28^2 \end{array}\right\} + \Delta^2$

Wilhelm: $\left.\begin{array}{c} 34 \cdot 28 \\ -28^2 \end{array}\right\} - \Delta^2 + 28 \cdot 23 + \Sigma^2$

Gustav: $\left.\begin{array}{c} 34 \cdot 28 \\ -28 \cdot 23 \end{array}\right\} - \Delta^2 + 17 \cdot 23$

Oder die höheren, in der dritten Dimension[2] ausgedrückten Lebensalter zweier anderer Geschwister (Seite 158, Beispiel 43), die sich nur um $28^3 - 23^3$ unterscheiden:

Charlotte: $34 \cdot 28 \cdot 23 + 2\Sigma\Delta^2$

Wilhelm IV.: $34 \cdot 28 \cdot 23 + 2\Sigma\Delta^2 + \boxed{\begin{array}{c} 23^3 \\ -28^3 \end{array}}$

Ich müßte mein Buch ausschreiben, wenn ich die analogen

---

[1] Wie typisch solche Werte für die gesamte lebendige Natur sind, zeigt der Umstand, daß der biologisch gleiche Wert

$$338 = 17\,(28+23) - 23^2$$

überaus oft vorkommt. Z. B.:

Seite 254 zweimal als Geburtsabstand bei Pferdehalbschwestern,
Seite 257 ebenfalls als Geburtsabstand beim Pferd,
Seite 256 als Blütenabstand bei der Herlitze.

Und $17\,(28+23)$ selbst ist von mir auch als Geburtsabstand beim Menschen notiert.

[2] Inwiefern lange Lebensalter um eine Dimension höher stehen als kurze, mag uns das Beispiel auf Seite 188 veranschaulichen, in dem ein Alter von 21 Monaten mit einem von 44 Jahren verglichen wird.

I.: $\begin{array}{c} 23^2 + 28^2 \\ -23 \cdot 28 \end{array}$ II.: $\begin{array}{c} 23^3 + 28^3 \\ -23 \cdot 28^2 \end{array}$

Beispiele häufen wollte: genug, die Teilung $\frac{28+23}{3}=17$ ist

ebenso aus der Natur entnommen, wie diejenige von $\frac{28}{2}$ und $\frac{28}{4}$.

Wenn es wahr ist, was „der Ablauf des Lebens" zu zeigen unternimmt, daß alle Lebensäußerungen durch ein Zusammenwirken männlichen und weiblichen Stoffes entstehen, so müssen wir von vornherein erwarten, daß nicht nur die gesonderte Lebenszeit eines männlichen Aggregats von 23 Tageseinheiten und die eines weiblichen Aggregats von 28 Tageseinheiten, sondern auch diejenige eines doppelgeschlechtigen Aggregats von 28 + 23 Tageseinheiten in die Erscheinung treten werde. In diesem aber sind die männlichen und weiblichen Einheiten zu einem neuen Verband vereinigt (vergl. Seite 41), aus dem man, so lange er besteht, die einzelnen männlichen und weiblichen Verbände so wenig isolieren kann, als man es vermag, aus dem Schwefeleisen die Eisenteile mit dem Magneten herauszuziehen.

Wird aber dieser neue Verband ganztägig geteilt, so ist diese Teilung nicht fähig, in 28 und 23 ihn zu zerlegen, sondern, wie die Natur das zeigt, nur in die homolog gebauten Drittel $\frac{28+23}{3}$ mit 17 Lebenstagen.

Die lebendige Natur ist also in ihrer rechnerischen Beschreibung aus denselben Teilen zusammengesetzt, wie bei der unbefangenen Betrachtung: aus männlichen und weiblichen Elementen und dem Ergebnis der Aufeinanderwirkung beider.

Dieses Ergebnis ist aber nicht nur ein additives $28+23=\Sigma$, sondern es können die 23 elementarsten männlichen Tageseinheiten mit entgegengesetzt gleichen Kräften so auf die 28 weiblichen Einheiten wirken, daß nur die Differenz von fünf Einheiten mit ebenso vielen Lebenstagen für den Ablauf sichtbar werden. Diese Differenz $28-23=\Delta$ habe ich mit dem Namen der „Bindung" belegt.

Daß auch diese Bindung nicht construiert, sondern aus der Naturbeobachtung selbst entnommen ist, lehren wiederum die Beispiele. Man sehe sich die Mensesspatien des 2. Beispiels Seite 21 an:

Dort ist

$$J_8 + \Delta = J_1 \qquad \qquad J_2 + \Delta = J_4$$
$$J_6 + \Delta = J_8 \qquad \qquad J_{10} + \Delta = J_6$$

Es unterscheiden sich die gegebenen Spatien nur um Δ.

Oder die Migräne-Beobachtung (Beispiel 4, Seite 24):

$$J_1 = 37 \qquad\qquad J_5 = 5$$
$$J_2 = 5 \qquad\qquad J_6 = 37$$
$$J_3 = 5 \qquad\qquad J_7 = 9$$
$$J_4 = 9 \qquad\qquad J_8 = 5 \text{ u. s. w.}$$

Hier kommt in J_2, J_3, J_5, J_8 der Wert Δ direkt als Spatium vor. Will man wissen, was das bedeutet, so vergegenwärtige man sich aus diesem letzten Beispiel die Beziehungen:

$$J_1 = 37 \qquad = 23 + \frac{28}{2}$$

$$J_1 + J_2 = 37 + \Delta = 28 + \frac{28}{2}$$

Ferner

$$J_4 = 9 \qquad = 23 - \frac{28}{2}$$

$$J_4 + J_3 = 9 + \Delta = 28 - \frac{28}{2}$$

Bei J_5 und J_6 und weiter bei J_7 und J_8 wiederholen sich dieselben Verhältnisse.

Rechnerisch heißt die Hinzufügung von Δ nichts weiter als: es ist für 23 die Zahl 28 eingetreten, ein männlicher Verband ist durch einen weiblichen ersetzt (siehe auch Seite 76 und 356)

$$23 + \Delta = 28$$
$$28 - \Delta = 23$$

Wo deshalb Δ auftritt, die „Bindung" zwischen weiblicher und männlicher Einheit, da wird der b i o l o g i s c h e W e r t nicht geändert. Denn eine männliche Einheit soll ja der weiblichen gleichwertig sein.

Additiv ergeben $\quad 28 + 23 = \Sigma = 2$ Einheiten
Subtraktiv ergeben $28 - 23 = \Delta = 0$ Einheiten.

In der zweiten Dimension sind — wie wir aus unseren Beispielen schon wissen —

$28\,\Delta$ und $23\,\Delta$ die Bindungen.

a) $28\,\Delta = 28^2 - 28 \cdot 23$
b) $23\,\Delta = 23 \cdot 28 - 23^2$

Der erstere Fall (a) bedeutet:

An Stelle von $28 \cdot 23$ ist $28 \cdot 28$ getreten,

und der zweite Fall (b):

An Stelle von $23 \cdot 23$ ist $23 \cdot 28$ getreten.

Es sind also in (a) an die Stelle von 28 männlichen Verbänden 28 weibliche gesetzt und in (b) an die Stelle von 23 männlichen 23 weibliche.

Und durch Addition von

$$28 \,\Delta + 23 \,\Delta = \Sigma \Delta = \boxed{\begin{array}{l} 28^3 \\ -23^3 \end{array}}$$

bezw. Subtraktion

$$28 \,\Delta - 23 \,\Delta = \Delta^3 = \boxed{\begin{array}{l} 28^3 \quad + \quad 23^3 \\ -28 \cdot 23 - 23 \cdot 28 \end{array}}$$

ergeben sich analoge Substitutionen (vergl. Seiten 75 und 76 bezw. Seiten 356 und 533—539). Das alles zeigt die Natur direkt.

Um nur ein Exempel aus sehr vielen zu geben, so sind (Seite 65, Beispiel 18) die Geburtsspatien

$$IV + \Delta^3 = V$$

Und für die höhere dritte Dimension mögen das gleiche dokumentieren:

Die Summe von Schlaganfallsaltern (z. B. Seite 106, Beispiel 33)

$$I + III = II + IV + 2 \cdot 23 \,\Delta^3$$

oder (Seite 130, Beispiel 34):

$$\text{Letztes } (\dagger) + IV = \text{Erstes} + V + 23 \,\Delta^3$$

oder (Seite 141) die Summe je dreier aufeinanderfolgender Alter, ebenfalls aus Beispiel 34:

$$II + III + IV + \Sigma \Delta^3 = XII + XIII + XIV$$

Dabei lauteten die $I + III$ (von Seite 106) selbst:

$$I + III = \Sigma \cdot \frac{28 \cdot 23}{2} + 2 \cdot 28 \cdot 23^3$$

Die Summe der beiden Alter von Seite 130:

$$I + V = 3 \cdot 28 \cdot 23^3 + \Delta^3$$

Und die Summe der drei Alter von S. 141:

$$23^3 + \Sigma \cdot 28 \cdot 23 + \tfrac{1}{2} \Sigma \, 28 \cdot 23$$

Es zeigen hier die $\dfrac{28 \cdot 23}{2}$ und $\tfrac{1}{2}\Sigma \cdot 28 \cdot 23$ d. h. $34 \cdot 28 \cdot 23$ wiederum die typische Teilung $\dfrac{28}{2}$ und $34 = 2 \cdot 17$ in einfacher Form. Denn was in diesen Summen sonst übrig bleibt, sind ganze Einheiten:

$$2 \cdot 28 \cdot 23^3, \quad 3 \cdot 28 \cdot 23^3 + \Delta^3, \quad 23^3 + 28 \cdot 23^3 + 23 \cdot 28^3$$

Und daß die Kürze des zweiten Wertes nicht künstlich durch Δ^3 hergestellt ist, beweist die andere Summe von zwei analogen Altern (auf Seite 149, Beispiel 39), die den biologisch gleichen Wert $3 \cdot 23 \cdot 28^2$ direkt und ohne Zusatz ergeben.

Es ist eben Δ^3 im Wesen nichts anderes als die analogen Δ^2 und Δ^1, welche alle nur das Produkt der Einwirkung äquivalenter Mengen männlichen und weiblichen Stoffes aufeinander darstellen. Wahrscheinlich kommt es bei allen Lebensvorgängen zu einem solchen Produkt. Nur verschwindet seine zeitliche Spur dann, wenn die Form der Bindung durch $n \cdot 28 \cdot 23 - n \cdot 23 \cdot 28$ auszudrücken ist (vergl. Seite 45).

Wo aber sind in allen den Beispielen die fremden Koeffizienten des Ausdrucks

$$t = m_1\, 28 \pm m_2\, 23$$

geblieben? Sie haben sich verflüchtigt. Und warum? Weil in ihnen nichts als Funktionen von 28 und 23 selbst gegeben sind. In den fremden Koeffizienten m_1 und m_2 waren diese Funktionen nur verschleiert. Nach ihrer Auflösung enthalten die Resultate lediglich 28, 23, Σ, Δ und deren ganztägige Teile. Die Form dieser Resultate aber ist höchst einfach und stets von gleicher Homologie. Dieselbe Homologie des Baues wiederholt sich in allen Dimensionen. Schließlich sind die Zeitwerte sämtlicher Ausdrücke nach einheitlichem Maße meßbar, und das Ergebnis der Messung hat die große Einfachheit der Natur.

Und nun noch ein Letztes.

Wenn wirklich bei allen Lebensvorgängen äquivalente Mengen lebendigen Stoffes, männlichen und weiblichen, in die Erscheinung treten, so muß diese Äquivalenz auch bei den Fundamentaltatsachen der Geburts-, Krankheits- und Sterbestatistik sichtbar sein. Mit anderen Worten: wenn konstant 105 bis 106 Knaben auf 100 Mädchen lebend geboren werden, und wenn gleichzeitig bei demselben Menschenmaterial 128 bis 129 tote Knaben auf 100 tote Mädchen zur Welt kommen, so muß in der arithmetischen Verschiedenheit von 105:100 und von 128:100 eine Äquivalenz, eine biologische Gleichheit ausgedrückt sein. In der Tat ist

$$\frac{128}{100} = \frac{28 - \Delta}{23 - \Delta}$$

d. h. es werden wirklich die biologisch gleiche Zahl Knaben und Mädchen totgeboren.

Es ist aber ferner rund (vergl. Seite 416 u. ff.)

$$\frac{105}{100} : \frac{128}{100} = \frac{23}{28}$$

$$\text{oder } \frac{105}{100} = \frac{128 \cdot 23}{100 \cdot 28}$$

d. h. das Sexualverhältnis der Lebendgeburten $\frac{105}{100}$ steht eine biologische Dimension höher als das der Totgeburten $\frac{128}{100}$ oder richtiger, wie die genaue Diskussion der hier nur runden Zahlen lehrt (vergl. Seite 421), das Sexualverhältnis in der Gesamtzahl der Geburten (lebend und tot) steht eine biologische Dimension höher als das der Totgeburten allein.

Dieser Schluß — das beachte man wohl — ist von der Statistik über die tatsächliche Häufigkeit der Totgeburten unabhängig. Er ist allein abgeleitet aus den Zahlen über das Sexualverhältnis der Totgeburten und das Sexualverhältnis der Lebendgeburten. Diese Zahlen aber gehören der Zeit und dem Raume nach zusammen, sie sind beide aus demselben ungeheuren Menschenmaterial gezogen und schwanken nur in geringem Ausmaß [vergl. Seite 420: in Preußen durch 13 Jahre $128{,}_{614} : 105{,}_{4646}$].

Weil das Sexualverhältnis aller Geburten eine biologische Dimension höher steht als das der Totgeburten allein, so soll man erwarten — sagt der Schluß! — daß auch die Gesamtzahl aller Geburten um eine biologische Dimension höher sich erweist, als die Gesamtzahl der Totgeburten. Aus dem Sexualverhältnis von Lebend- und Totgeburten wird also der Schluß auf die Häufigkeit der Totgeburten gemacht.

Nun ergibt die von diesem Schluß völlig unabhängige Untersuchung über die tatsächliche Häufigkeit der Totgeburten (vergl. Seite 418) das eine Mal (13 Jahre — Preußen):

$$\frac{\text{Totgeburten}}{\text{Geburten überhaupt}} = \frac{1 + 1}{28 + 23}$$

das andere Mal (35 Jahre — Preußen)

$$\frac{\text{Totgeburten}}{\text{Geburten überhaupt}} = \frac{2 + 1}{2 \cdot 28 + 23}$$

das dritte Mal (10 Jahre — deutsches Reich)

$$\frac{\text{Totgeburten}}{\text{Geburten überhaupt}} = \frac{1}{28}$$

Im ersten Fall wird also von je 28 Geborenen einer tot-
und von je 23 Geborenen ebenfalls einer totgeboren.

Im zweiten kommen auf je $2 \cdot 28$ Geborene 2 Totgeburten
und auf je $1 \cdot 23$ Geburten 1 Totgeburt.

Das dritte Mal entfällt auf je $1 \cdot 28$ Geburten 1 Totgeburt.

Nach diesen Zahlen, die so verarbeitet wurden, wie andere
Statistiker sie eben gegeben haben, ohne sie auszusuchen, ist demnach wirklich die Anzahl der Geburten um eine biologische
Dimension höher, als die der Totgeburten. Die Erfahrung bestätigt einfach, was der frühere und von dieser Erfahrung unabhängige Schluß gefordert hat.

Das wäre alles sehr schön und gut, sagt hierauf der kritische
Einwand, wenn die Häufigkeit der Totgeburten eine konstante
Zahl wäre. Das ist sie aber nicht. Sie hat für die drei ver-
schiedenen Statistiken die drei verschiedenen Werte:

$$3,926\% \quad \text{oder} \quad 2:50,94 \quad \text{d. i.} \quad \frac{1+1}{28+23}$$

$$3,796\% \quad \text{oder} \quad 3:78,96 \quad \text{d. i.} \quad \frac{2+1}{2 \cdot 28 + 23}$$

$$3,62\% \quad \text{oder} \quad 1:27,62 \quad \text{d. i.} \quad \frac{1}{28}$$

Diesen Verschiedenheiten hafte eine Willkür an, weil das
Material in den ersten beiden Fällen aus Preußen, im dritten aus
Deutschland stamme und dazu noch aus verschiedenen Zeiten.
Auch sei nicht einzusehen, warum man nicht sollte die benutzten
Zahlen je nach Wahl des Materials völlig stetig von einem Grenzwert zum anderen verschieben können. Man kann die logische
Berechtigung dieses Einwandes nicht in Zweifel ziehen. Auch
muß man zugeben, daß, wenn man zu kleine Zeiten betrachtet,
oder ein sehr unhomogenes Menschenmaterial (Völkergrenzen),
oder Zeiten, in denen eine große biologische Änderung eintritt,
daß dann die Genauigkeit des biologischen Dimensionsverhältnisses leiden werde. Sie ist ja tatsächlich auch im letzten Fall
$1:27,62$ eine viel geringere, als in den beiden anderen. Aber
dürfen wir darum die Augen vor den Tatsachen verschließen, die
im Gewirre dieser scheinbar willkürlichen Verschiedenheiten eine
ganz neuartige Konstanz lehren? Denn das ist ja eben das
Wunderbare, das, was die große Gesetzmäßigkeit anzeigt: bei genügend umfangreichen Zählungen stellt sich immer ein Mittelwert

mit derselben biologischen Bedeutung heraus, gerade der Bedeutung, die durch einen anderen, unabhängigen Schluß gefordert wird. Immer und allemal ist die Zahl der Totgeburten gerade um eine Dimension niedriger, als die Gesamtzahl der Geburten.

Es muß also im Volkskörper eine innere Ordnung geben, die gleichsam darüber wacht, daß immer, wo wir auch die genügend umfangreiche Zählung anfangen, die biologisch gleichen Verhältnisse erscheinen. Daß wir den Mechanismus dieser inneren Ordnung zur Zeit noch nicht klar durchschauen, ist kein Grund ihn zu leugnen, wo die Tatsache des biologisch immer gleichen und höchst einfachen Dimensionsverhältnisses seine Existenz bezeugt.

Und wer etwa glauben sollte, der Zufall habe mir in diesem einen Fall für meine Deutung günstige Statistiken in die Hände gespielt, den verweise ich auf alle übrigen Untersuchungen des XV. Abschnittes (Seite 415—437) und ferner auf die Krankheitsstatistik (Seite 490—497). Alle Zahlen, aus den verschiedensten Ländern und Zeiten, zeigen das gleiche Ergebnis, daß durch die einfachen biologischen Proportionen durchsichtige Ordnung in die verwirrende Mannigfaltigkeit der Lebensstatistik kommt.

Von den gleichgeschlechtlichen Zwillingen gibt es zwei Kategorien: 2 Knaben und 2 Mädchen. Ungleich geschlechtlich nur eine: Knabe und Mädchen. Die bloße Logik (mathematische Wahrscheinlichkeit) fordert daraufhin zwei Drittel aller Zwillinge gleichen, ein Drittel ungleichen Geschlechtes. Die Tatsachen aber entsprechen hier der bloßen logischen Forderung ebenso wenig, wie in der Frage der stetigen Verschiebung. Denn es werden in Wirklichkeit (vergl. Seite 431) 62,6 % gleichen, 37,4 % ungleichen Geschlechtes geboren. Erst die Biologie versöhnt die Tatsachen mit den vernünftigen Voraussetzungen. Sie lehrt die Proportion 62,6 : 37,4 deuten als:

$$\frac{2 \text{ Knaben} + 2 \text{ Mädchen}}{\text{Knabe} + \text{Mädchen}} = \frac{2 \cdot 23}{28}$$

Es enthält also wirklich die eine Kategorie doppelt soviel biologische Einheiten, als die andere.

Und wie hier, so ist es überall. Die biologische Deutung erfüllt stets die Forderung der Vernunft, gleichgültig ob Tier oder Pflanze in Frage steht.

Das vorhin diskutierte menschliche Sexualverhältnis $128 : 100 = \frac{28 - \Delta}{23 - \Delta}$, das den vernünftigen biologischen Wert $1 : 1$ hat, findet sich, nur mit umgekehrter Benennung, z. B. bei der Lichtnelke Melandrium album

$$W : M = 128 : 100 = \frac{28 - \Delta}{23 - \Delta}$$

Seine Reduktion mit $\frac{23}{28}$ kommt nicht nur beim Menschen vor, sondern auch beim Bingelkraut:

$$M : W = 105 : 100$$

Und die Reduktion mit dem reziproken Wert $\frac{28}{23}$ ist das Sexualverhältnis des Hanfes (vergl. Seite 428—430).

Immer die gleichen oder analogen Verhältnisse in allem, was lebt. Und das sollte künstlicher Bau sein und nicht das Walten der Natur, ihres wahren Geistes ein Hauch?

Über die
energetischen Grundlagen des Gesetzes von Weber-Fechner und der Dynamik des Gedächtnisses.

Von

A. Schukarew.

Die vorliegende Abhandlung stellt einen Versuch dar, die energetischen Grundlagen des bekannten psychologischen Gesetzes von Weber und Fechner darzulegen.

Obgleich der Verfasser sich keineswegs als einen Spezialisten in der Psychologie ansehen darf, so hofft er doch, daß der Inhalt dieses Aufsatzes, welcher nur eine Übertragung der physikalischen Anschauungsmethoden auf die psychischen Erscheinungen darstellt und zur Begründung der Gesetze der Dynamik des Gedächtnisses führt, seinen Einfall in das fremde Gebiet gewissermaßen rechtfertigen könne.

Es ist schon längst dargelegt worden, daß der physikalische Begriff der Energie auch auf die psychischen Erscheinungen angewendet werden kann.

Aber die verschiedenen Autoren geben diesem Begriffe einen verschiedenen Inhalt, und es fehlen bis jetzt, meines Wissens, Versuche zu seiner numerischen Anwendung in diesem Gebiete fast vollkommen.

Wir müssen daher mit der genauen Bestimmung des hier verwandten Begriffes der Energie anfangen.

Ich stimme nicht mit den Ansichten überein, die von Robert Mayers Vorstellungen ausgehen und unter der Energie etwas Substantielles, das eine transzendente Realität hat und über das Gebiet des Subjektiven und Objektiven herrscht, verstehen wollen. Man kann diesem Begriffe einen einfacheren Inhalt geben, wenn man unter der Energie das Universalmaß aller Welterscheinungen versteht. Wirklich können wir, auf alle Messungen der exakten Wissenschaft gestützt, für das allgemeinste Erfahrungsgesetz dasjenige ansehen, welches besagt, daß alle Naturerscheinungen direkt oder indirekt ineinander übergehen können, und daß die quantitative Seite dieser Übergänge vom Wege unabhängig und bezüglich ihrer Größe vollkommen konstant ist. Wir können daher nach unserer Willkür eine von diesen Erscheinungen, nämlich die mechanische Arbeit, für das Maß der anderen nehmen und das Resultat solcher Messung die Arbeitsfähigkeit oder Energie der gegebenen Erscheinung nennen.

Diese Vorstellung von der Energie, welche neuerdings Prof. Stumpf verteidigt, ist für ihre Erweiterung in dem Gebiete der Chemie und Physik (Einführung von neuen Energiearten), ja auch für ihre Übertragung in andere Wissenschaftszweige besonders bequem.

In der Tat, setzen wir voraus, daß die betreffende Erscheinungsart keine Ausnahme von den anderen darstellt, so müssen wir daraus schließen, daß sie auch dem allgemeinen Beziehungsgesetze folgt und darum durch die Arbeit gemessen werden kann. Das Gesagte bezieht sich auf die psychischen Erscheinungen und wir können daher von „psychischer Energie" reden, ohne damit irgend eine Behauptung betreffs der mechanischen Natur dieser Prozesse zu machen. Wir wollen dazu noch die Bezeichnungen: „das psychische System", „die psychische Komponente" oder „die Komponente des Bewußtseins" gebrauchen. Unter dem ersten verstehen wir ein solches System, welches mit Bewußtsein begabt ist, und dadurch von den anderen Systemen der gleichen chemischen Zusammensetzung und von gleichen physikalischen Eigenschaften unterschieden werden kann. Mathematisch ausgedrückt, wollen wir also das Bewußtsein als eine unabhängige Veränderliche des Systems ansehen. Das Maß oder die Menge dieser Veränderlichen (z) ist der äußere Reiz, welcher in das Bewußtsein eintritt. Die verschiedenen Reizarten sind die Komponenten des Bewußtseins.

Nach der in der Physik und Chemie geübten Methode wollen wir die partiellen Änderungen der Energie des psychischen Systems (E) nach den Mengen der einzelnen Reizarten

$$\frac{\partial E}{\partial z_1} = Z_1 \quad \frac{\partial E}{\partial z_2} = Z_2 \quad \frac{\partial E}{\partial z_3} = Z_3 \text{ u. s. w. . . . (1)}$$

die Potentiale des Bewußtseins nennen.

Differenziert man beliebige Paare von diesen Gleichungen übers Kreuz, so bekommt man

$$\frac{\partial^2 E}{\partial z_1 \, dz_2} = \frac{\partial Z_1}{\partial z_2} = \frac{\partial Z_2}{\partial z_1}$$

$$\frac{\partial Z_1}{\partial z_3} = \frac{\partial Z_3}{\partial z_1} \quad \text{u. s. w.} \quad \ldots \ldots \quad (2)$$

Setzen wir

$$r_1 = \frac{z_1}{z_1 + z_2}; \ldots \quad r_1 = \frac{z_1}{\Sigma z}; \quad r_2 = \frac{z_2}{\Sigma z} \quad \text{u. s. w.,}$$

so sind

$$\frac{dr_1}{dz_2} = \frac{z_1}{(\Sigma z)^2} = \frac{r_1}{\Sigma z}; \quad \frac{dr_2}{dz_1} = \frac{z_2}{(\Sigma z)^2} = \frac{r_2}{\Sigma z} \quad \text{u. s. w.}$$

Da aber

$$\frac{\partial Z_1}{\partial r_1} \frac{dr_1}{dz_2} = \frac{\partial Z_2}{\partial r_2} \frac{dr_2}{dz_1},$$

so haben wir

$$r_1 \frac{\partial Z_1}{\partial r_1} = r_2 \frac{\partial Z_2}{\partial r_2} \quad \text{u. s. w.} \quad \ldots \ldots \quad (3)$$

Wir können danach allgemein

$$r_1 \frac{\partial Z_1}{\partial r_1} = K \text{ (konst.)}$$

setzen und bekommen nach Integration

$$Z_1 = K \lg r_1 + \text{konst.} = K \lg B r_1 \quad \ldots \ldots \quad (4)$$

Wenn z_1 klein gegen andere Bestandteile ist, so können wir Σz als Konstante betrachten und $r_1 = z_1 k_1$ ansehen.

Nach Einsetzen von $z_1 k_1$ an Stelle von r_1 in die Gleichung (4) bekommen wir

$$Z_1 = K_1 \lg B z_1 \quad \ldots \ldots \ldots \quad (5)$$

Die Gleichung (5) lautet, daß die Energie (Arbeit) der Einführung der Einheit des Reizes dem Logarithmus der eingeführten Menge dieses Reizes direkt proportional ist.

Wir können leicht in diesem Ausdrucke eine gewisse Ähnlichkeit mit dem Gesetze von Weber und Fechner erkennen, aber wir müssen erst dieses Gesetz selbst genauer fassen. Man bezeichnet als solches gewöhnlich die Behauptung, daß die „Intensität der Empfindung" dem Logarithmus des Reizes direkt proportional ist, oder (was der Beobachtungsmethode besser entspricht), daß der Unterschied der Empfindung zweier gleichzeitig oder sukzessiv eingeführter Reizungen der Differenz der Logarithmen dieser Mengen proportional ist, oder (noch genauer): zwei Empfindungen werden nur dann unterschieden (ihr Unterschied wird dabei gleich Eins gesetzt), wenn die Differenz der Logarithmen der betreffenden Reize eine gewisse konstante Größe aufweist.

Es bezieht sich also das Gesetz von Weber und Fechner auf den Vergleichsakt von zwei eingeführten Reizen, es gibt das Prinzip ihrer qualitativen Unterscheidung an. Aber bei jeder Vergleichung, welche die qualitative Verschiedenheit von zu vergleichenden Objekten angeben soll, müssen die letzteren in gleichen Mengen zum Vergleich kommen. Wir behaupten den qualitativen Unterschied nur bezogen auf die Einheit des Objektes. Daher bezieht sich auch die „Intensität der Empfindung" nicht auf die ganze Masse des eingeführten Reizes, sondern auf seine mittlere Einheit; es ist der von jeder Einheit der gegebenen Reizungen.

Wir müssen daher eine kleine Korrektur in das Gesetz von Weber-Fechner einführen und es folgendermaßen formulieren: Die „Intensität der Empfindungen" von jeder Einheit der zwei sukzessiv oder gleichzeitig eingeführten Reizungen ist dem Logarithmus dieser Menge direkt proportional. Es ist leicht zu sehen, daß in dieser Form dieses Gesetz mit unserem Ausdrucke für das Potential des Bewußtseins vollkommen übereinstimmt, wenn wir die „Intensität der Empfindung" mit dem Potential des Bewußtseins identifizieren oder ihm proportional setzen.

Um dies deutlich zu machen, kehren wir zum Gebiete der Physik und Chemie zurück und betrachten näher den allgemeinen Charakter der Potentiale. Sie gehören alle zu den Intensitätsgrößen, d. h. solchen Größen, deren Unterschiede örtliche oder zeitliche Energieumwandlungen bedingen und daher das Geschehen der Erscheinungen verursachen (Bewegung, Ströme u. s. w.). Diese Größen bestimmen auch den „Zustand" der physikalischen Systeme und ihre Unterschiede sind dasjenige, was auf unseren Instrumenten als Unterschiede dieser „Zustände" gezeigt wird (vergegenwärtigen wir uns z. B. die Messung des elektrischen Potentials). Alles dies zeigt die näheren Beziehungen des Potentials des Bewußtseins (als eines einzelnen Falles von Potentialen) mit der Intensität der Empfindung.

Um endlich die letzte Verschiedenheit beider Größen zu be-

seitigen, können wir folgende Modelle des Prozesses des Bewußtseins konstruieren. Eine gewisse Menge des gegebenen Reizes
geht ins zentrale Nervensystem. Sie nimmt hier gewissen Platz
ein und verursacht in den Nervenzellen oder in ihren Verbindungen gewisse Änderungen, welche wir allgemein als eine besondere Spannung verzeichnen können. Diese Spannung ist an
allen Stellen, an welchen der Reiz aufgenommen wird, gleichartig
und hängt bezüglich ihrer Größe von der eingeführten Reizmenge
ab. Man führe nun in das Bewußtsein noch eine Menge von
derselben Reizart ein. Diese nimmt ebenfalls einen gewissen Platz
ein, welcher allgemein mit dem Platze des ersten Reizes nicht
identisch sein wird. Sie verursacht auch eine gewisse Spannung,
welche ebenso von ihrer Menge abhängig ist. Alles das kann
geschehen, ohne daß ein Vergleichsakt beider Reize im Bewußtsein vor sich gehen muß.

Nehmen wir nun an, daß das letztere eintritt. Wir können
dies in unserem Modelle dadurch beschreiben, daß zwischen den
Plätzen, welche unsere Reize in dem Nervenapparat besitzen,
sich eine Verbindung einstellte, und die Verschiedenheit der
Spannungen, welche, wie ersichtlich, die Vorräte der Energie darstellen und unseren „Potentialen" der Reize entsprechen, eine Art
von „Vergleichsstrom" verursacht; wenn dieser Strom eine gewisse Größe $= 1$ erreicht, so sagen wir, daß die Reize „verschieden" sind, oder daß dieselben eine verschiedene „Intensität
der Empfindung" haben. Die Größe des Stromes ist der Differenz der Spannungen oder Potentiale $Z_1 - Z_{10}$ proportional und
wir können die Gleichung (5)

$$Z_1 - Z_{10} = J - J_0 = 1 = K(\lg z_1 - \lg z_{10}) \quad \ldots \quad (6)$$

schreiben, wo z_1 und z_{10} die beim Vergleich nebeneinander (oder
nacheinander) folgenden Reizmengen, Z_1 und Z_{10} ihre Potentiale
J und J_0, die „Intensitäten der Empfindung", darstellen. Wir bekommen also wieder das Gesetz von Weber und Fechner.

So interessant auch diese Konstruktion an sich sein kann, so
hätte ihr Verfasser wahrscheinlich doch keinen Versuch gemacht,
sie zu veröffentlichen, wenn sie nicht zu gewissen praktischen
Folgerungen führte, d.h. etwas Neues zur Bearbeitung experimenteller
Angaben der Psychologie beitragen würde. Die oben gegebene
Theorie stellt nämlich eine allgemeine Analogie zwischen rein psy-

chischen und rein physikalischen, oder noch besser, chemischen Erscheinungen dar. Wie für die erstere die Funktion „Z-Potential",
oder die Arbeit der Einführung der Einheit des Reizes in das
psychische System existiert, so existiert auch für jeden chemischen
Bestandteil die μ-Funktion, welche analoge Bedeutung, analoge
Gestalt hat und deren Ableitung ganz analog der oben gegebenen
Ableitung der Z-Funktion gestaltet werden kann. Man kann daher
erwarten, daß diese Analogie noch weiter fortgeführt werden kann
und daß man in den beiden Gebieten noch weiteren Kongruenzen
begegnen wird.

Die Funktion μ spielt die erschöpfende Rolle in der Theorie
des chemischen Gleichgewichts, welches allgemein durch die
Gleichung

$$\frac{C^n C_1^{n_1} \cdots}{C_k^{n_k} C_l^{n_l} \cdots} = K \quad \ldots \ldots \ldots \quad (7)$$

ausgedrückt werden kann, wo $CC_1 \cdots$ die Konzentrationen der
direkten und $C_k C_l \cdots$ die der entgegengesetzten Reaktion, n, n_1,
$n_k \cdots$ allgemein ganze Zahlen sind und K eine Konstante ist.
Von dieser Gleichung kann man, wenn auch nicht direkt, zur
allgemeinen Gleichung der chemischen Dynamik übergehen:[1]

$$-\frac{dC}{dC} = KC^n C_1^{n_1} \cdots = W, \quad \ldots \ldots \quad (8)$$

wo $-\dfrac{dC}{dt}$ (die Geschwindigkeit des chemischen Prozesses) die
elementare Verminderung der Konzentration eines der reagierenden Stoffes pro Zeitelement bedeutet.

Im Falle nur eines reagierenden Stoffes, wobei $n = 1$ ist
(n bedeutet die Zahl der Moleküle, welche zur Reaktion notwendig sind), muß sein:

$$-\frac{dC}{dt} = KC \cdot \quad \ldots \ldots \ldots \quad (9)$$

---

[1] Dieser Übergang kann so vollzogen werden: Die Gleichung (7) gibt

$$KC^n C_1^{n_1} \cdots = K_1 C_k^{n_k} C_l^{n_l} \cdots$$

Anderseits, da das chemische Gleichgewicht seiner Natur nach stationär ist,
müssen die Geschwindigkeiten beider entgegengesetzter Reaktionen einander
gleich sein

$$W = W_1$$

Woraus

$$W = f(KC^n C_1^{n_1} \cdots)$$

und im einfachsten Falle

$$W = KC^n C_1^{n_1} \cdots$$

Man kann nun fragen, ob in dem Gebiete der psychischen Erscheinungen einige Prozesse existieren, deren zeitlicher Verlauf analog ausgedrückt werden kann?

Solche Prozesse sind die Gedächtniserscheinungen. Wir können die Geschwindigkeitprozesse des Behaltens ebenso durch die Gleichung (9) darstellen:

$$-\frac{dC}{dt} = KC, \quad \ldots \ldots \ldots \quad (9)$$

wo C — die Konzentration des im Gedächtnis noch aufzunehmenden Materials (d. h. die Menge des Unbehaltenen bezogen auf die Gesamtmenge des Aufzunehmenden) ist.

Nach der Integration gibt die Gleichung (9)

$$\frac{\lg C_0 - \lg C}{t - t_0} = K \cdot \quad \ldots \ldots \ldots \quad (10)$$

Die Messungen von Reuther[1] gestatten die Prüfung der Gleichung (10) auszuführen. Einige Worte müssen dabei über seine Arbeitsmethode gesagt werden. Es wurden Reihen gewöhnlich von acht Ziffern als einfachstes Gedächtnismaterial verwendet. Diese Reihen wurden für bestimmte Zeit (Expositionszeit) einige Male, gewöhnlich dreimal, dem Beobachter mittels besonderer Apparate exponiert. Dann würde nach der Zwischenzeit 5' dieselbe Reihe (ohne Erwähnung der Identität) auf 1,0" zum Vergleich eingestellt und die Zahl der als alt erkannten Ziffern notiert.

Zwölf solche Versuche geben eine Serie, welche also 96 Ziffern umfaßt. Die Summe der als alt erkannten Ziffern (n) in allen zwölf Versuchen dient als mittleres Maß des Behaltens. Die Menge des Unbehaltenen findet man leicht gleich $96 - n$. Die Beziehungen $n/96$ und $\frac{96 - n}{96}$ sind die Konzentrationen des Behaltenen und des Unbehaltenen, wie für die ganze Serie, so auch für jeden einzigen Versuch. Streng genommen stellt der letzte ebenso keinen einzigen Versuch dar, sondern Serien von drei Darbietungen, aber es ist evident, daß man diese für einen dreimal verlängerten Versuch halten kann, und die Expositionszeit mal 3 als wahre Beobachtungszeit nehmen kann. Die C_0 ist in allen Versuchen $= 96/96 = 1$, ihr Logarithmus $= 0$ (ich nehme überall Briggsche statt Napersche Logarithmen) und $t_0 = 0$. Die folgenden Tabellen geben die Resultate dieser Prüfung:

---

[1] Psychologische Studien 1905, Heft 1, S. 43.

Tabelle I.

Expos. Zeit t	Menge des Behaltenen	Konc. des Unbehalt. C	−lgC	K. 3	Konstanten:
					R.L. Reihenlänge 8
					D. Darbietungen 3
0,25"	11/96	85/96	0,053	0,21	Zw.Z. Zwischenzeit 5'
0,34"	13/96	83/96	0,063	0,18	V.Z. Vergleichszeit 1,0"
0,75"	30/96	66/96	0,163	0,21	
1,00"	31/96	65/96	0,170	0,17	
1,50"	43/96	53/96	0,258	0,17	

Tabelle II.

Expos. Zeit t	Menge des Behaltenen	Konc. des Unbehalt. C	−lgC	K. 3	Konstanten:
					R.L. Reihenlänge 8
					D. Darbietungen 3
0,25"	32/96	64/96	0,176	0,70	Zw.Z. Zwischenzeit 5'
0,34"	50/96	46/96	0,319	0,94	V.Z. Vergleichszeit 1,0"
0,50"	76/96	20/96	0,681	1,36	
0,625"	77/96	19/96	0,703	1,12	
1,00"	85/96	11/96	0,941	0,94	
1,50"	92/96	4/96	1,380	0,92	

Die folgende Tabelle stellt die Prüfung der Gleichung (10) dar für eine Serie von 12 Versuchen, von denen jeder nur in einer verlängerten Darbietung bestand.

Tabelle III.

Expos. Zeit t	Menge des Behaltenen	Konc. des Unbehalt. C	−lgC	K	Konstanten:
					R.L. Reihenlänge 8
					D. Darbietungen 1
32,22"	27/96	69/96	0,143	0,0045	V.Z. Vergleichszeit 1,0"
48,33"	43/96	53/96	0,258	0,0054	
96,67"	59/96	37/96	0,414	0,0043	
145,00"	73/96	23/96	0,621	0,0043	
193,34"	83/96	13/96	0,868	0,0045	
290,01"	90/96	6/96	1,204	0,0041	

Die Betrachtung dieser Tabellen zeigt, daß die Beobachtungen von Reuther so gut durch die Gleichung (10) ausgedrückt werden, wie man es wünschen kann. Die unvermeidlichen Schwankungen der Konstante sind allgemein unregelmäßig und fallen auf die Versuche mit den kürzesten Expositionszeiten. Man muß dazu in Betracht ziehen, daß die Beobachtungsmethode von Reuther die Rechtfertigung der Gleichung (10) nicht vollkommen begünstigt. In der Tat ist der Prozeß des Behaltens, wie es aus seinen Beobachtungen folgt, nicht streng unumkehrbar und ist immer von dem parallel verlaufenden Prozeß des Vergessens begleitet. Obgleich die Geschwindigkeit dieses letzten Prozesses viel kleiner ist, so hängt sie doch ebenfalls von der Konzentration des Behaltenen ab, und kann keineswegs für konstant in gewissen Zeitintervallen gehalten werden. Daher wäre es wünschenswert, die „Zwischenzeit" möglichst kurz zu wählen.

Der Vergessensprozeß ist dem Behaltungsprozeß entgegengesetzt. Wir können daher erwarten, daß die Gleichung (10) auch für diesen anwendbar ist.

Die Beobachtungen von Reuther könnten dazu Material geben, aber ist bei seinen Versuchen über den Vergessensprozeß die Expositionszeit $= 0,625'' \times 2$ (2 Darbietungen) leider zu kurz gewählt, und man kann denken, daß nicht alles Dargebotene bei ihnen beibehalten worden war.

Wir erhalten also folgendes Gesetz oder die Grundgleichung der Dynamik des Gedächtnisses:

Die Geschwindigkeit des Prozesses des Behaltens ist in jedem Augenblicke der Menge des noch Unbehaltenen direkt proportional.

Wir können daher die Analogie zwischen den Prozessen des Bewußtseins und den chemischen Umwandlungen für gerechtfertigt halten. Sie öffnet uns ein weites Feld gedächtniskinetischer Studien und stellt in erster Linie die Frage über die Abhängigkeit der Konstante K von den verschiedenen anderen Bedingungen als Problem.

Aber die weitere Ausarbeitung dieser Analogie beschränkt sich nicht allein auf Anwendungen der Gleichung (10); wir können von ihr fordern, daß sie uns neue Wege sowie den Gang der noch ununtersuchten Erscheinungen voraussehen läßt.

Wir wollen hier einige solcher Hinweise geben.

1. Die oben angeführte Gleichung (9) erschöpft keineswegs alle Fälle der chemischen Dynamik. Sie bezieht sich nur auf die Fälle, in denen nur ein Stoff eine Umwandlung erleidet und in welchen die Umwandlung mit eines einzigen Moleküles stattfindet (klassisches Beispiel: Zuckerinversion).

Für die Fälle, in welchen bei der Reaktion zwei Stoffe teilnehmen, gibt es eine andere dynamische Gleichung:

$$-\frac{dC}{dt}=K_2CC_1 \quad \ldots \ldots \ldots \quad (11)$$

wo C_1 die Konzentration des zweiten reagierenden Stoffes ist. Da aber $dC:dC_1 = $ konst. $= K_1$ ist (gemäß dem Gesetze der chemischen Äquivalente), so ist

$$C - C_0 = K_1 (C_1 - C_{10}).$$

Wählt man C_0 und C_{10} (die Anfangskonzentrationen) so, daß $\frac{C_0}{C_{10}} = K_1$ ist, so bekommt man

$$C = K_1 C_1$$

und die Gleichung (11) verwandelt sich in

$$-\frac{dC}{dt} = K_2 K_1 C^2 = KC^2, \quad \ldots \ldots \quad (12)$$

woraus nach Integration

$$\frac{1}{C} - \frac{1}{C_0} = K(t - t_0)$$

oder

$$\left(\frac{1}{C} - \frac{1}{C_0}\right) : (t - t_0) = K \cdot \quad \ldots \ldots \quad (13)$$

Es wäre interessant, einen ähnlichen Fall in der Dynamik des Bewußtseins zu finden. Ein Beispiel wäre der Prozeß des gleichzeitigen Behaltens von nicht weniger als zwei Merkmalen der Objekte der gegebenen Reihe, z. B. allgemeines Aussehen und Farbe. Es wäre dieser Prozeß eine Art des primitiven Urteils und die Gleichung (12) sollte die Geschwindigkeit des Denkens ergeben.

2. Wir können denken, daß der Prozeß des Vergessens wahrscheinlich nach demselben formalen Gesetze verläuft, wie der Prozeß des Behaltens. Diese Prozesse sind aber entgegengesetzt und können in derselben Zeit in demselben Bewußtsein Platz haben. Sie unterscheiden sich aber durch das Zeichen und den Wert ihrer Geschwindigkeitskonstante.

Die Chemie kennt analoge Fälle, in denen zwei entgegengesetzte Reaktionen in demselben Medium gleichzeitig stattfinden; sie unterscheiden sich ebenfalls voneinander durch das Zeichen und die Geschwindigkeitskonstante. Im Falle solcher kombinierter Prozesse verlaufen die beiden Reaktionen nicht zu Ende; aber da die Geschwindigkeit der direkten Reaktion wegen der Konzentrationsverminderung der reagierenden Stoffe sich vermindert und die der entgegengesetzten wächst, so stellt sich schließlich Gleichgewicht ein, wenn die beiden Geschwindigkeiten gleich geworden sind. Es fragt sich, ob eine solche Erscheinung auch in dem Gebiete des Gedächtnisses beobachtet werden kann.

3. Kehren wir wieder zur Funktion Z zurück. Nach einem in der Thermodynamik sehr bekannten Verfahren, auf das wir hier nicht eingehen wollen, bekommen wir leicht die Beziehung

$$\frac{\partial S}{\partial Z} = \frac{\partial Z}{\partial T} \text{ oder, da } \partial S = \frac{\Delta Q}{T}$$

$$\Delta Q = T \Delta z \frac{dZ}{dT}. \quad \ldots \ldots \quad (14)$$

Diese Gleichung ist der Gleichung von Clapeyron vollkommen analog und gibt die Größe $\Delta Q = L$ pro Einheit der Δz, welche als „latente Bewußtseinswärme" oder besser thermisches Äquivalent des Bewußtseins bezeichnet werden kann.

Kann man die Größe $\frac{\partial Z}{dT}$ experimentell verfolgen?

Wie ändert sie sich mit der Temperatur, und wenn sie mit dieser abnimmt, wie hoch liegt die kritische Temperatur des Bewußtseins, bei welcher

$$\frac{\partial Z}{\partial T} = 0?$$

Ist sie für verschiedenes Bewußtsein verschieden?

4. Endlich können wir für μ (chemisches Potential) nicht nur die Abhängigkeit von m_1, der Masse der betreffenden Bestandteile, sondern auch von der Masse der anderen Bestandteile, z. B. m_2 feststellen. Gewöhnlich ändert sich diese Funktion proportional der m_2, wenn m_2 gegen m_1 klein ist. Ob wir etwas ähnliches für $\frac{\partial Z}{\partial z_2}$ behaupten können? Ob, wie $\partial \mu$ mit ∂m_2, so auch ∂Z_1 mit ∂z_2 sich vermindert, und welchem Gesetz folgt dann diese Verminderung?

Moskau, Universität, Physikalisches Institut.

Absolute und relative Bewegung.

Von

Dr. Wilhelm M. Frankl.

Wenn irgendwo Bewegung konstatierbar ist, so ist zunächst nur eine Änderung von (räumlichen) Beziehungen von Körpern konstatierbar. Eine Änderung in Beziehungen schließt aber eine Veränderung[1] im Bezogenen in sich. Daß die hier geforderte Veränderung im Bezogenen im Falle konstatierbarer (d. i. phänomenaler) Bewegung nichts anderes ist als absolute Bewegung, soll das folgende zeigen. Eine solche ist auch ausreichend zur Erklärung relativer Bewegung, mag eine solche nun auch anderweitige Begleittatsachen oder die absolute Bewegung eventuell besondere Ursachen haben.

Ein existierendes Körperminimum befindet sich in einem Zeitminimum entweder in absoluter Ruhe oder in absoluter Bewegung.[2]

D. h. ein existierendes Körperminimum befindet sich entweder in jedem Zeitpunkte jenes Zeitminimums an demselben Orte oder nicht.

Ich sagte „existierendes", denn für ein nicht existierendes gilt die Alternative nicht.

Ich sage „Körperminimum", um die Komplikation von teilweiser Bewegung und teilweiser Ruhe auszuschließen.

Ich sage „Zeitminimum" und nicht Zeitpunkt, weil die Charakterisierung nach Bewegung und Ruhe nur im Zeitverlaufe[3] möglich ist.

Ich sage Zeitminimum" und nicht Zeitstrecke, um die Komplikation von Bewegung in einem Teile der Zeitstrecke und Ruhe in einem andern Teile derselben auszuschließen. Durch diese Rechtfertigungen dürfte auch der Sinn der verwendeten Ausdrücke klar geworden sein. —

Wenn ein Körper seine räumlichen Beziehungen zu einem oder mehreren anderen Körpern ändert, sagt man, die in Betracht kommenden Körper befinden sich im Hinblick aufeinander in relativer Bewegung.

Ein existierendes Körperminimum befindet sich in einem Zeitminimum im Hinblick auf ein beliebiges andere existierende Körperminimum (wenn es ein solches gibt), entweder in relativer Ruhe oder in relativer Bewegung.

Zwei Massenpunkte befinden sich in relativer Ruhe zueinander, wenn ihre Entfernung sich nicht ändert.

Daraus ergibt sich: Relative Ruhe ist ebensowohl mit absoluter Ruhe als mit absoluter Bewegung vereinbar, d. h. Konstanz der Entfernung ist ebensowohl mit Konstanz wie mit Variation der Endpunkte (Termini) vereinbar.

Wenn die beiden Massenpunkte in relativer Ruhe zueinander sich befinden, dann können

1. beide in absoluter Ruhe sein,
2. einer in absoluter Ruhe, der andere in absoluter Bewegung (Als Endpunkte eines Kugelhalbmessers),
3. beide in absoluter Bewegung (Als Endpunkte eines Kugeldurchmessers) oder einer zu sich selbst parallel fortschreitenden Geraden oder bei einer Kombination aus den genannten Verhältnissen.

Zwischen den beiden Massenpunkten besteht unter der Voraussetzung relativer Bewegung hinsichtlich absoluter Ruhe und Bewegung das Verhältnis der Indifferenz.[4]

Relative Bewegung kann zwar mit absoluter Ruhe teilweise verbunden sein, erfordert aber mit Notwendigkeit mindestens teilweise absolute Bewegung,[5] d. h. Variation der Entfernung ist zwar mit Konstanz des einen Terminus aber nicht mit Konstanz beider vereinbar.

Wenn die beiden Massenpunkte in relativer Bewegung zueinander sich befinden, dann können

1. beide in absoluter Bewegung sein,
2. einer in absoluter Bewegung, der andere in absoluter Ruhe.

Unter Voraussetzung relativer Bewegung besteht zwischen den beiden Massenpunkten hinsichtlich absoluter Bewegung und Ruhe das Verhältnis der Subkontrarietät.[4]

Absolute Bewegung eines *A* ist zugleich entweder relative Bewegung oder relative Ruhe oder keines von beiden.

Sie ist zugleich relative Bewegung oder relative Ruhe, wenn

es außer *A* noch einen Körper *B* gibt, sie ist keines von beiden, wenn es einen solchen Körper *B* nicht gibt.

Absolute Ruhe eines *A* ist zugleich relative Bewegung oder Ruhe oder keines von beiden unter analogen Bedingungen.

Absolute Bewegung ist als solche nicht feststellbar.

Nur relative Bewegung ist feststellbar und bei derselben ist feststellbar, daß sie ohne absolute nicht erfolgen kann.

Man kann also das Vorhandensein absoluter Bewegung aus dem Vorhandensein relativer Bewegung erkennen (cognoscere) aber nicht von der Bewegung eines Körperminimums erkennen, daß sie absolute Bewegung sei (agnoscere).

Da es ein heuristisches Prinzip der Wissenschaft ist, das (bis auf Widerruf) zu negieren, wofür ein Grund, es zu affirmieren nicht vorliegt, so kann man (bis auf Widerruf) alle absolute Bewegung leugnen, die nicht zugleich relative Bewegung ist — keineswegs aber kann man die absolute Bewegung als solche mit Recht leugnen.

Der Grund zu einem solchen Widerruf kann niemals empirisch sein, da nur relative Bewegung primär konstatierbar ist; ein Grund, rein absolute Bewegung nicht zu leugnen, kann nur anempirischer Natur sein und er liegt ev. darin, daß für absolute Ruhe ähnliches gilt wie für absolute Bewegung — absolute Ruhe aber und absolute Bewegung sich hinsichtlich Körper kontradiktorisch verhalten.

Relative Bewegung eines *A* kann ebensowohl absolute Ruhe wie absolute Bewegung desselben sein.

Relative Ruhe eines *A* kann ebensowohl absolute Ruhe wie absolute Bewegung desselben sein.

Auf ein einziges System von Körpern bezogen, verhalten sich absolute und relative Bewegung und Ruhe entsprechend den Tatsachen des logischen Quadrats:

Rel. Bew.   Kontrarietät   Absol. R.

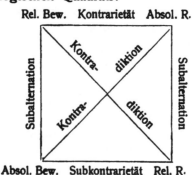

Absol. Bew.   Subkontrarietät   Rel. R.

Wie im Falle der Bewegung, so ist überall — abgesehen vom eigenen Psychischen — die Erkenntnis des Relativen das Mittel zur Erkenntnis des Absoluten, die Erkenntnis des sich zu einem anderen (ev. zum Subjekt) irgendwie Verhaltenden das Mittel zur Erkenntnis des an sich Seienden; bestehe nun diese Erkenntnis ev. in nichts anderem als in der Erkenntnis des an sich so Seienden, daß es in dieser oder jener Relation zu dem oder jenem Gegenstande steht oder zum Subjekte steht, d. h. ev. ihm so erscheint.[6]

Anmerkungen:

[1] Über Änderung und Veränderung vergl. Mally „Zur Gegenstandstheorie des Messens" in Meinong „Untersuchungen zur Gegenstandstheorie und Psychologie" S. 197.

[2] „Absolute Bewegung" in Höflers Sinne. Wie wenn er Psychologie, p. 363 sagt:

„Wenn *A* und *B* in bezug aufeinander in Bewegung sind, so können nicht *A* und *B* zugleich in absoluter Ruhe sein."

Damit ist unentschieden gelassen, ob diese „absolute" Bewegung in Höflers Sinne nicht in einem noch tieferen Sinne etwa relativ wäre, sofern etwa die Raumpunkte voneinander nicht absolut, sondern nur relativ voneinander unterschieden wären.

[3] Das hindert nicht, daß — worauf das Zenonische Pfeilargument anspielt — das Bewegte auch im Zeitpunkte gegenüber dem Nichtbewegten charakterisiert sei.

[4] Vergl. meine demnächst im „Archiv für systematische Philosophie" erscheinende Abhandlung „Gegenstandstheoretische Beiträge zur Lehre vom sogenannten logischen Quadrat." Ersetzt man im Falle der relativen Ruhe die fiktiven Massenpunkte durch wirkliche Körper, so entfällt die zweite Möglichkeit und wir erhalten Koinzidenz der Bewegungen.

[5] Vergl. meinen in den „Annalen der Naturphilosophie" 5. Bd., p. 447, erschienenen Aufsatz „Zur Kausalitätslehre", wo es heißt: „9. Beharrung läßt sich auf Veränderung, aber nicht Veränderung auf Beharrung zurückführen."

[6] Die Körper befinden sich absolut in solchen Bewegungszuständen, daß daraus die tatsächlichen relativen Bewegungen resultieren. Die Aufgabe, aus den relativen Bewegungen die absoluten zu konstruieren, ist an sich eine unbestimmte Aufgabe.

Der exakte Artbegriff,
seine Ableitung und Anwendung.

Von

Karl Hofmann.

Einleitung.

Die Theorien über die Abstammung der Organismen scheinen
heute ein wahres Chaos zu bilden. Die verschiedenartigsten
Meinungen bekämpfen sich schon seit längerer Zeit, ohne daß es
einer von ihnen gelungen wäre, durch Argumente den Vorrang
zu gewinnen. Dieser Zustand ist die natürliche Folge der Unklarheit, die heute noch über die Grundbegriffe der Botanik und
Zoologie besteht. Das zeigt ein Blick auf die Geschichte des
Artbegriffes.

Die zur Zeit Linnées herrschende Theorie, die auch heute
noch den Artbeschreibungen der meisten systematischen Lehrbücher zugrunde liegt, läßt sich etwa folgendermaßen aussprechen:
Eine Art ist charakterisiert durch einen bestimmten Komplex von
Eigenschaften oder Merkmalen. Von ihr verschiedene Arten sind
charakterisiert durch andere Merkmale oder Eigenschaften. Diese
Definition ist offenbar sehr wenig scharf. Sollte sie eine wirkliche
exakte Definition sein, so müßte sie eigentlich eine Angabe darüber enthalten, wie groß die Verschiedenheit zwischen den Merkmalen zweier Individuen zum mindesten sein muß, wenn die
beiden Individuen nicht mehr zu der gleichen Art gerechnet
werden sollen. Dieser begriffliche Mangel bildete aber zunächst
kein Hindernis in der Anwendung, da die Mehrzahl der sogenannten „guten" Arten Linnées so deutliche Unterschiede aufweist, daß die Möglichkeit einer Verwechslung ausgeschlossen ist.
Erst die Untersuchungen, die angestellt wurden, um die Deszendenztheorie zu beweisen, oder zu widerlegen, zeigten das mangel-

hafte dieser Definition. Da man die Mängel des Linnéeschen Artbegriffes im Kampf um die Entwicklungslehre gefunden hatte, die Entwicklungslehre aber dahin drängte mehr den Zusammenhang der Erscheinungen als ihre Unterschiede zu betonen, so fand man auch jetzt keine scharfe Definition der Arten, vielmehr verfiel man auf die extreme Idee, die Realität der Arten überhaupt zu leugnen. Die heute vorhandenen Unterschiede zeigten nach dieser Lehrmeinung nur Lücken an, die durch das Wegfallen der Zwischenglieder zwischen den Arten entstanden seien. Wären sämtliche Individuen, die je gelebt haben, der Beobachtung zugänglich, so würde man in dieser Menge keinerlei Arten mehr unterscheiden können. Die heute noch überall zu beobachtende Variation wäre, unterstützt von der natürlichen Zuchtwahl, völlig imstande, alle bisher beobachteten Formen hervorzubringen. Diese Theorie erscheint zwar klar und einfach, schneidet aber im Grunde jede Möglichkeit ab, die Ursachen der Artentwicklung zu verstehen. Man kann sie nämlich nur halten, wenn man sich vorstellt, daß jede Art nach jeder beliebigen Richtung hin unbegrenzt weit variieren kann. In diesem Falle aber ist es unmöglich, sich irgendwelche Gesetzmäßigkeiten vorzustellen, welche die Variation beherrschten. Erkenntnis der Gesetzmäßigkeit aber ist der Schlüssel zum Verständnis jeder Entwicklung. Die eben dargestellte extreme Form der Entwicklungslehre verzichtet demgemäß auch völlig darauf, Gesetze der Entwicklung aufzufinden, ja die Behauptung der Existenz solcher Gesetze ist oft genug als Mystik bezeichnet worden. Mir scheint in dieser Stellungnahme ein Verzicht auf jegliches Verständnis der Entwicklung zu liegen. Es ist aber klar, daß diese Theorie durch Tatsachen kaum zu widerlegen ist und daß alle Tatsachen, die für die Deszendenztheorie sprechen, in ihrem Sinne verwendet werden können. So behielt denn diese Theorie jahrzehntelang die Herrschaft in der europäischen Wissenschaft und erst die von Quetelet und Galton begründete Theorie der Variationsstatistik zeigte das Verfehlte dieser Betrachtungsweise.

Quetelet stützte sich bei seinen Untersuchungen hauptsächlich auf das sogenannte Fehlerverteilungsgesetz, das Gauß mathematisch dargestellt hat und dessen Sinn man wohl am einfachsten folgendermaßen wiedergeben kann:

Bei dem Versuch, eine Größe zu messen, erhalten verschiedene Beobachter häufig verschiedene Werte. Wird die Messung oft

genug wiederholt, so wiederholen sich eine Anzahl dieser Werte
derart, daß man einen Wert a-mal, einen andern b-mal, einen dritten
c-mal erhält u. s. w. Die Annahme eines Fehlerverteilungsgesetzes
bedeutet, daß zwischen der Zahl der Messungen, die einen bestimmten Wert ergeben und der Größe dieses Wertes eine gesetzmäßige Beziehung besteht. Diese Beziehung hat Gauß folgendermaßen ausgedrückt:

Ordnet man die erhaltenen Werte nach ihrer Größe in eine
Reihe, so verhält sich die Anzahl, in der jeder Wert auftritt, zu
der Anzahl, in der der unmittelbar benachbarte Wert auftritt, wie
die Größe eines Binomial-Koeffizienten zur Größe des nächstfolgenden. Hat man z. B. bei 64 Messungen für die gleiche
Größe sieben verschiedene Werte erhalten, so würde der kleinste
Wert 1 mal, der nächsthöhere 6 mal vorkommen, der dritte er-
schiene 15 mal, der vierte 20 mal, der fünfte 15 mal, der sechste
6 mal und der siebente wieder nur 1 mal. Nennt man den Wert,
der am häufigsten vorkommt, den wahren Wert der Größe, so
sind die anderen Werte sämtlich fehlerhaft; und das Gesetz besagt, daß unter sehr vielen Messungen der gleichen Größe ein
Fehler um so seltener vorkommt, je größer er ist.

Die Anwendbarkeit dieses Gesetzes auf die Tatsachen der
Variation ergibt sich daraus, daß bei verschiedenen Individuen
die gleiche Eigenschaft zwar verschieden groß sein kann, daß es
aber für jede Art einen Mittelwert gibt, von dem Abweichungen
um so seltener sind, je größer sie sind. Quetelet nahm nun
an, daß dieses Verhältnis durch das Gaußsche Fehlerverteilungsgesetz mit genügender Genauigkeit ausgedrückt wird, und daß
man also dieses Gesetz zur Untersuchung der Arttypen benutzen
kann. Für diese Untersuchungen ist eine graphische Darstellung
des Fehlerverteilungsgesetzes sehr wichtig geworden, die, soviel
ich weiß, Quetelet als erster benutzt hat. Stellt man die Größe
der untersuchten Eigenschaft durch die Länge von Linien dar,
die man auf einer Geraden von dem gleichen Punkte aus abträgt
und stellt man die Anzahl der Individuen, die einen bestimmten
Wert einer Eigenschaft zeigen, durch die Länge einer Senkrechten dar,
die man am Endpunkt derjenigen Linie errichtet, die den betreffenden Wert der Eigenschaft darstellt, so bilden die Endpunkte der
Senkrechten eine Kurve, die von einem Gipfel aus nach beiden
Seiten gleichmäßig abfällt. Gehören die untersuchten Individuen
alle der gleichen Art an, so kann die Kurve nur einen Gipfel

haben, sind unter ihnen aber zwei oder noch mehr verschiedene Arten, so muß die Kurve zwei oder mehr Gipfel zeigen. Es ist also möglich, durch Untersuchung einer großen Zahl von Individuen selbst einander sehr nahestehende Arten zu unterscheiden.

Diese Theorie ist durch zahlreiche Untersuchungen immer wieder bestätigt worden. Benutzt man sie zur Beschreibung der Entwicklung, so ergibt sich etwa folgendes Bild. Zu einer bestimmten Zeit sei eine Art gegeben, deren sämtliche Individuen sich um einen Variationsmittelpunkt gruppieren. Die Entwicklungslehre nimmt an, daß es Prozesse gibt, die den Variationsmittelpunkt dieser Art irgendwie verändern können. Es ist klar, daß diese Prozesse von jenen verschieden sein müssen, welche die Unterschiede zwischen den Individuen einer Art hervorbringen. Diese Theorie rettet also die Realität der Arten, aber auch sie läßt den Artbegriff völlig im Dunkeln, wie man leicht aus folgendem ersehen kann: es kommt vor, daß die Kurven von zwei Arten für die gleiche Eigenschaft sich soweit decken, daß man nur an der Zweigipfeligkeit erkennen kann, daß hier zwei verschiedene Arten vorliegen. In diesem Falle würden eine ganze Anzahl von Individuen, die in Wirklichkeit zu zwei verschiedenen Arten gehören, den gleichen Wert einer Eigenschaft aufweisen und die Theorie gibt uns keine Aufklärung darüber, ob es Individuen gibt, die in allen ihren Eigenschaften derart zweideutig sind.

Ehe ich weitergehe, möchte ich noch darauf hinweisen, daß die durch Quetelets Kurven definierten Arten keineswegs mit den Linnéeschen Arten zusammenfallen. Vielmehr umfaßt eine Linnéesche Art fast stets mehrere Queteletsche Arten, die letzteren sind schon zur Zeit Linnées beobachtet worden; damals nannte man sie kleine Arten, Varietäten oder Rassen. Diese Ausdrücke haben sich in der gleichen Bedeutung bis heute erhalten. Die Definitionen Quetelets sind also Definitionen der Rasse.

Einen der größten Fortschritte zur Klärung dieser Begriffe stellt jene Definition dar, die Heincke in seinem Werk über die Heringsrassen gegeben hat. Heincke geht aus von dem Begriff des Rassentypus. Der Rassentypus wird repräsentiert durch ein Individuum, dessen sämtliche Eigenschaften die Größe von Queteletschen Mittelwerten haben. Heincke denkt sich nun, daß man bei irgend einem Individuum die Größe irgend einer Eigenschaft mit der Größe der gleichen Eigenschaft beim Rassentypus vergleicht, die Differenz dieser beiden Größen bildet und ins Quadrat erhebt. Die so erhaltene Größe nennt er das Quadrat der Abweichung vom Rassentypus. Seine Definition einer Rasse ist in folgenden Sätzen erhalten:

1. für alle Individuen einer Rasse ist die Summe der Quadrate der Abweichungen vom Rassentypus dieselbe und zugleich ein Minimum,

2. die Bestimmung irgend eines gegebenen Individuums, d. h. die Zuweisung desselben zu seiner Rasse, geschieht, wenn das Individuum einer der bekannten, also genügend beschriebenen Rassen angehört, durch Bestimmung der Summe der Quadrate der Abweichungen seiner Eigenschaften von den Mitteln aller in Betracht kommenden Rassen. Das Individuum gehört zu derjenigen Rasse, für die die Summe der Quadrate der Abweichungen oder sein mittleres Fehlerquadrat am kleinsten ist. Kann das Individuum zu einer noch unbekannten Rasse gehören, so zeigt das Minimum nur an, daß es mit dieser bekannten Rasse am nächsten verwandt ist. Die Wahrscheinlichkeit, daß das Individuum zu einer noch unbekannten Rasse gehört, ist um so geringer, je weniger sich sein mittleres Fehlerquadrat in Beziehung auf die nächstverwandte Rasse von dem Mittel aller Fehlerquadrate der wirklich dieser Rasse angehörenden Individuen unterscheidet.

Die Vorzüge dieser Heinckeschen Definition sind augenfällig. Zunächst einmal wird es völlig klar, daß ein Individuum, welches den Rassentypus repräsentiert, in der Realität gar nicht vorkommen kann. Alle Individuen der gleichen Art zeigen ja die gleiche Gesamtabweichung vom Rassentypus. · Ferner kann man ein Individuum mit Hilfe dieser Definition ziemlich sicher seiner Rasse zuweisen. Und schließlich gestattet sie eine einfache mathematische Darstellung.

Nenne ich die Größen der Eigenschaften des Rassentypus a, b, c . . . , die irgend eines Individuums x_1, y_1, z_1 . . . , die irgend eines andern Individuums x_2, y_2, z_2 . . . , so ist nach der Heinckeschen Definition

$$(x_1 - a)^2 + (y_1 - b)^2 + (z_1 - c)^2 + \ldots = (x_2 - a)^2 + (y_2 - b)^2 + (z_2 - c)^2 + \ldots = k$$

wo k irgend eine Konstante ist.

Diese Formel gestattet eine verhältnismäßig einfache Veranschaulichung. Würde ich die Zahl der benutzten Eigenschaften auf 3 reduzieren, so erhielte ich die analytische Formel für eine Kugel. Benutze ich n Eigenschaften, so erhalte ich die Formel eines Gebildes, das man sich nur im n-dimensionalen Raum als möglich denken kann. Dieses Gebilde würde für den n-dimensionalen Raum dasselbe sein, was für den 3-dimensionalen die Kugel ist. Ich will es zur Vereinfachung des Ausdrucks eine n-dimensionale Kugel nennen. Die Heinckesche Definition läßt sich also folgendermaßen ausdrücken:

Benutzt man die Größen der Eigenschaften eines Individuums als Koordinaten in einem n-achsigen Koordinatensystem, so kann man jedes Individuum als Punkt darstellen. Alle diejenigen Punkte, welche Individuen der gleichen Rasse darstellen, liegen auf einer n-dimensionalen Kugel, deren Mittelpunkt den Rassetypus darstellt.

Diese Definition will ich durch den zusammenfassenden Satz ausdrücken: Die Individuen einer Rasse sind äquidistante Deformationen eines bestimmten Grundtypus.

So viele Vorzüge die Heinckesche Definition auch hat, sie gibt uns doch noch keinen scharfen Artbegriff. Die einzelne Art kann man erst beschreiben, wenn man eine sehr große Zahl von Individuen untersucht hat und die Zuweisung eines einzelnen Individuums zu seiner Art kann nie mit absoluter Sicherheit geschehen. Gerade die Heinckesche Definition ist aber auch sehr geeignet, die Vorteile zu demonstrieren, welche für die Deszendenztheorie ein Artbegriff haben würde, in dem diese beiden Mängel vermieden wären.

Die Individuen einer Art können dargestellt werden als Punkte auf einer n-dimensionalen Kugel. Daraus folgt, daß ein allmählicher Übergang von einer Art zu einer andern völlig undenkbar ist. Vielmehr kann er nur dadurch zustande kommen, daß ein Individuum Nachkommen produziert, die einer anderen Art angehören als es selber. Ein solches Vorkommnis hat de Vries durch Untersuchungen an der Oenothera Lamarckiana nachgewiesen und hat ihm im Gegensatz zu der gewöhnlichen Variation den Namen Mutation gegeben. Über die Ursachen der Mutation ist man sich heute völlig im Unklaren. Es ist aber offenbar, daß es ein bedeutender Schritt zur Lösung dieses Problems wäre, zu erforschen, ob und wie sich die mutierenden

Individuen einer Art von den nicht mutierenden unterscheiden. Für den Weg, welchen man einzuschlagen hätte, um etwas derartiges zu finden, gibt die Heinckesche Definition einen Fingerzeig.

Ein mutierendes Individuum ist ein solches, dessen Nachkommen einer anderen Art angehören, als es selbst. Da die Nachkommen aus Zellen des elterlichen Organismus hervorgehen, so hat man möglicherweise ein mutierendes Individuum anzusehen als mehreren Arten zugleich angehörig. Stellt man die Arten als n-dimensionale Kugeln dar, so müssen solche Individuen als Punkte auf der Schnittlinie der Kugeln dargestellt werden. Wäre es möglich, die Artkugeln exakt zu konstruieren, so könnte man, wenn die Eigenschaften einer Art und ihrer Deszendenten bekannt wären, die Eigenschaften der mutierenden Individuen berechnen.

Auch für die Behandlung anderer deszendenz-theoretischer Fragen wäre eine solche exakte Darstellung der Arten äußerst vorteilhaft. Zwei Arten, die im Abstammungsverhältnis zueinander stehen, werden durch Kugeln dargestellt, die einander schneiden. Entspringen aus einer Art mehrere neue Arten, so muß die Kugel der Stammart die Kugeln sämtlicher Deszendenten schneiden. Lebt in einer Gruppe von Arten die Stammart noch neben den Deszendenten fort, so kann man sie nach dieser Methode verhältnismäßig einfach bestimmen. Man braucht nur die Artkugeln sämtlicher Arten zu konstruieren, dann stellte diejenige Kugel die Stammart dar, die alle übrigen Kugeln schnitte. Solche Betrachtungen geben die Aussicht auf eine exakte Konstruktion des ganzen Stammbaums einer Tier- oder Pflanzengruppe.

Ich will in einer Folge von Arten, die voneinander abstammen, die älteste Art die erste Generation nennen. Die unmittelbar von ihr abstammenden Arten sollen die zweite Generation heißen, die von diesen abstammenden Arten die dritte u. s. w. Ich glaube, daß die Mittelpunkte von Artkugeln der $n + 1$ ten Generation sich in derselben Weise um die Mittelpunkte der Artkugeln der n ten Generation gruppieren, wie die Individuen verschiedener Arten um die Variations-Mittelpunkte. Wäre das richtig, so müßte man den Mittelpunkt der Stammart einer ganzen Gruppe mit einer analogen Konstruktion finden können wie den Mittelpunkt einer Art.

Eine völlig scharfe Definition der Art müßte uns in den Stand setzen, sofort zu erkennen, ob zwei gegebene Individuen zur gleichen oder zu verschiedenen Arten gehören. Übersetze ich das in die Sprache meiner bisherigen Darstellung, so erhalte ich den Satz, daß ein einzelnes Individuum hinreichende Konstruktionsmittel liefern müßte, um Radius und Mittelpunkt seiner Artkugel zu konstruieren. Wir haben eben gesehen, daß dieselbe Konstruktionsmethode wahrscheinlich dazu benutzt werden könnte, den Mittelpunkt der Stammart einer Gruppe zu finden, wenn der Mittelpunkt irgend einer Artkugel der Gruppe gegeben ist. Mit anderen Worten, eine scharfe Definition der Art würde uns wahrscheinlich in den Stand setzen, den ganzen Stammbaum der Art mathematisch zu konstruieren.

Die Aufstellung einer derartigen Definition und die Untersuchung der Konsequenzen, die sich aus ihr ziehen lassen, ist das Ziel der nachfolgenden Arbeit.

Kapitel I.

Ich glaube, es ist nicht unwichtig, daran zu erinnern, daß die Definitionen Quetelets, Galtons und Heinckes nicht hervorgegangen sind aus der Untersuchung von Tieren und Pflanzen, sondern aus deduktiv-theoretischen Betrachtungen. Ihr Ausgangspunkt ist die Wahrscheinlichkeitsrechnung und rein mathematische Methoden ergeben die Hilfsmittel für ihre weitere Ausbildung. Diese Definitionen sind dabei der größte Fortschritt, den man bei der Untersuchung des Artbegriffes bisher gemacht hat. Das weist uns darauf hin, daß auf diesem Gebiete nicht neue Tatsachen, sondern neue Deduktionen das Wichtigste sind.

Um mein Programm noch einmal zu wiederholen, ich wünsche eine Definition der Art zu finden, die es ermöglicht, wenn nur zwei Individuen exakt untersucht worden sind, festzustellen, ob sie zur gleichen Art gehören oder nicht. Betrachte ich diese Aufgabe genauer, so zeigt sich mir eine bedeutende Schwierigkeit. Alle Organismen machen im Laufe ihres Lebens eine Entwicklung durch, d. h. sie zeigen zu verschiedenen Zeiten verschiedene Eigenschaften. Daher können zwei Individuen der gleichen Art einander unähnlicher sein, als zwei Individuen, die ganz verschiedenen Arten angehören. In der bisherigen Praxis der Wissenschaft hat man sich dadurch geholfen, daß man die Entwicklung eines Organismus in eine Anzahl von Stufen zerlegte. Diese Stufen suchte man bei allen Organismen nachzuweisen und beschränkte sich auf die Vergleichung von Individuen, die der gleichen Stufe angehören.

Aber bei der Einteilung in Stufen treten natürlich die gleichen Schwierigkeiten auf wie bei der Einteilung der Individuen in Arten. Das Artproblem müßte eigentlich schon gelöst sein, wenn eine völlig einwandsfreie Einteilung der Entwicklung des einzelnen Organismus in Stufen erreichbar sein sollte. Es erscheint mir als einziger Ausweg, zunächst alle Formen, die ein Organismus im Laufe seiner Entwicklung durchläuft, zu einer einzigen Gruppe zusammenzufassen. Die Ergebnisse der Embryologie deuten darauf hin, daß eine solche Gruppe nicht nur viele Individuen, sondern auch viele Arten umfassen würde. Denkt man sich bei jedem Organismus alle Formen, die er durchläuft, in eine Gruppe zusammengefaßt, so hätte man zugleich die Gesamtheit der Organismen in eine Anzahl von Gruppen geteilt. Dann müßte man das Problem der Klassifikation dieser Gruppen erledigen und und könnte schließlich die dabei gefundenen Grundsätze für die Aufteilung der Gruppen in kleinere benutzen.

Ehe ich an die Lösung des Problems herangehe, möchte ich seine Fassung ein wenig umändern. Jeder Organismus besteht aus Zellen, jede Entwicklungsstufe eines Organismus bedeutet einfach eine bestimmte Gruppe von Zellen, daher ist es gleichgültig, ob wir die sämtlichen Entwicklungsstufen eines Organismus oder die Gesamtheit seiner Zellen zu einer Gruppe zusammenfassen. Ich kann also meine Aufgabe dahin formulieren:

1. alle Zellen, die ein Organismus im Laufe seiner Entwicklung hervorbringt, zu einer Gruppe zusammenzufassen,

2. diese Gruppe so scharf zu charakterisieren, daß die Untersuchung einer Zelle genügt, um zu erkennen, ob sie dazu gehört oder nicht.

Zur Erledigung des ersten Teils meiner Aufgabe bediene ich mich des folgenden Satzes, der als Klassifikationsprinzip von großer Wichtigkeit ist:

Kann man bei jedem von $n + 1$ Gebilden die gleichen n Eigenschaften auffinden und variieren diese Eigenschaften dabei in der Größe, so kann man, wenn die Größen der n Eigenschaften bei allen $n + 1$ Gebilden gegeben sind, stets ein Gebilde konstruieren, von dem, in bezug auf die n Eigenschaften, alle gegebenen Gebilde äquidistante Deformationen sind.

Der Beweis für diesen Satz ist einfach.

Durch 3 Punkte in der Ebene kann man stets einen Kreis legen, durch 4 Punkte im Raum stets eine Kugel. Analytisch läßt sich leicht zeigen, daß das gleiche Verhältnis auch für alle Gebilde gilt, die mehr als 3 Dimensionen haben. Durch 5 Punkte im 4-dimensionalen Raum kann man stets eine 4-dimensionale Kugel legen und man kann allgemein aussprechen, daß sich durch $n+1$ Punkte im n-dimensionalen Raum stets eine n-dimensionale Kugel legen läßt. Stellt man also $n+1$ Gebilde als Punkte in einem n-achsigen Koordinatensystem dar, so kann man durch die $n+1$ Punkte stets eine n-dimensionale Kugel legen. Der Mittelpunkt dieser Kugel repräsentiert dann jenes Gebilde, von dem alle untersuchten Gebilde äquidistante Deformationen sind.

Aus diesem Satz folgt: Unter Berücksichtigung der genügenden Zahl von Eigenschaften kann man alle Zellen, die ein Organismus im Laufe seiner Existenz produziert, als äquidistante Deformationen der gleichen Grundform darstellen. Es fragt sich aber, ob es möglich ist, in jeder Zelle die genügende Zahl von Eigenschaften zu finden

Als Eigenschaften eines Gegenstandes kann man betrachten:
1. alle diejenigen Eigenschaften, die er in irgend einem Zeitpunkte besitzt,
2. die Eigenschaften, die er in einer Reihe aufeinander folgender Zeitpunkte besitzt,
3. die Eigenschaften der Kurve, die man erhält, wenn man die Eigenschaften im gleichen Zeitpunkt als Koordinaten in einem n-achsigen Koordinatensystem benutzt.

Die Eigenschaften, die ein Gebilde in einem gegebenen Zeitpunkte besitzt, muß man sich vorstellen als im Raume geordnet. Die Beschaffenheit dieser Ordnung nennt man die geometrischen Eigenschaften des Gebildes. Die Summe der geometrischen Eigenschaften eines Körpers nennt man auch wohl seine Struktur und wir wissen, daß unsere Erkenntnis von der Struktur der Körper begrenzt ist durch die Beschaffenheit unserer Beobachtungsinstrumente. Wir können also an jeder Zelle nur eine begrenzte Zahl geometrischer Eigenschaften feststellen, die man mit Sicherheit auch bei anderen Zellen finden kann. Hätte man irgend ein Recht, anzunehmen, daß diejenigen Teile, deren Struktur sich nicht erkennen läßt, homogen seien, so könnte man sich ja weitere geometrische Eigenschaften konstruieren, indem man auf der Oberfläche dieser Teile in regelmäßigen Abständen voneinander Punkte festlegte. Da aber jene Annahme über den Aufbau des Körpers völlig willkürlich ist, so bliebe völlig im Unklaren, welche Be-

ziehung die so gefundenen Punkte zur wirklichen Struktur des
Körpers haben. Eine jede Zelle hat also in einem gegebenen
Zeitpunkt nur eine begrenzte Zahl von geometrischen Eigenschaften, und es bleibt ungewiß, ob die Zahl dieser Eigenschaften
für die Lösung unserer Aufgabe ausreichend ist. Dasselbe gilt
auch für die Zahl der Eigenschaften in aufeinanderfolgenden Zeit-
punkten, denn in einem gegebenen Zeitabschnitt kann man nur
eine endliche Zahl unterscheidbarer Stadien eines Prozesses beobachten. Es bleibt also nichts übrig als die dritte Möglichkeit.
Man muß die Eigenschaften in einem gegebenen Zeitpunkt als
Koordinaten in einem n-achsigen Koordinatensystem benutzen,
muß die Zustände des Gebildes in aufeinanderfolgenden Zeit-
punkten als Punkte in diesem Koordinatensystem darstellen
und die Eigenschaften der Kurve untersuchen, die durch diese
Punkte geht.

Auch von dieser Kurve sind zunächst nur isolierte Punkte
gegeben. Je genauer ich aber das Gesetz der Kurve kenne, mit
um so größerer Sicherheit kann ich die nicht gegebenen Teile
der Kurve ergänzen. Denke ich mir, das Gesetz der Kurve wäre
genau bekannt, so würde ich durch die gegebenen Punkte eine
zusammenhängende Linie legen können, die in allen Stücken der
gesuchten Kurve entspricht. Diese kann ich betrachten als eine
geometrische Darstellung des Lebensprozesses der Zelle und bei
ihr kann ich nun jene willkürliche Interpolation von Punkten vornehmen, die bei den Struktureigenschaften unstatthaft waren. Ein
Prozeß hat ja keine verborgene Struktur, auf die man Rücksicht
nehmen müßte. Jede Zelle ist charakterisiert durch eine bestimmte
Kurve. Um meine Anfgabe zu lösen, muß ich eine Anzahl
von Punkten auffinden, die auf allen diesen Kurven gleiche geometrische Bedeutung haben oder, um den dafür üblichen technischen Ausdruck zu gebrauchen, die homolog sind. Um dieses
Ziel zu erreichen, brauche ich den Begriff der »ausgezeichneten
Punkte«.

Was man sich unter einem „ausgezeichneten Punkt" vorstellt,
läßt sich etwa folgendermaßen beschreiben. Ich denke mir durch
die Punkte einer Kurve der Reihe nach eine Tangente gelegt.
„Ausgezeichnete" Punkte sind alle diejenigen, in denen die Tangente entweder zu dem Koordinatensystem oder aber zu der Kurve
oder zu beiden eine ausgezeichnete Lage inne hat. Zum Koordinatensystem hat die Tangente eine ausgezeichnete Lage, wenn sie

mit der einen Koordinatenachse einen Winkel von 0° oder von 90° bildet. Zur Kurve hat sie eine ausgezeichnete Lage, wenn sie zur Sekante wird oder mit irgend einer Achse der Kurve einen Winkel von 0° oder 90° bildet.

Lage und Art der ausgezeichneten Punkte bestimmt hauptsächlich das Aussehen einer Kurve. Deshalb müssen zwei Kurven, die ähnlich erscheinen sollen, vor allem ausgezeichnete Punkte von gleicher Art und analoger Lage besitzen. Übereinstimmung der gegenseitigen Entfernung der ausgezeichneten Punkte ist nicht erforderlich.

Alle Veränderungen in der Entwicklung eines Organismus geschehen stetig und unmerklich. Nehme ich an, die Lebensprozesse zweier Zellen, die in der Entwicklung unmittelbar aufeinander folgen, seien durch Kurven dargestellt, so wäre es sicher leicht, die homologen ausgezeichneten Punkte dieser Kurven festzustellen. Nichts hindert mich, diese Vergleichung auf alle Zellen auszudehnen, die der Organismus im Laufe seiner Existenz produziert. Es ist freilich denkbar, daß der Lebensprozeß der Zellen im Laufe der Entwicklung sich derart ändert, daß gewisse ausgezeichnete Punkte aus der Kurve verschwinden und an anderer Stelle dafür andere entstehen. Auch läßt es sich denken, daß ausgezeichnete Punkte im Laufe der Entwicklung ihre Beschaffenheit ändern. Es muß aber eine Anzahl von ausgezeichneten Punkten geben, bei denen beides nicht eintritt, sonst würde ja schließlich zwischen dem Lebensprozeß einer Eizelle und dem einer Zelle des ausgebildeten Individuums gar keine Vergleichbarkeit mehr bestehen.

Ich habe schon gezeigt, daß man zwischen die homologen Punkte beliebig viele andere in regelmäßigen Abständen einschalten kann. Damit ist erwiesen, daß die Aufgabe wirklich lösbar ist, alle Zellen, die der Organismus produziert, als äquidistante Deformationen der gleichen Grundform darzustellen.

Somit kann ich jetzt an den zweiten Teil meiner Aufgabe herangehen, die Gruppe, welche die Gesamtheit der von einem Organismus produzierten Zellen enthält, derart zu charakterisieren, daß die Untersuchung einer Zelle genügt, um zu entscheiden, ob sie dazu gehört oder nicht.

Diese Aufgabe kann ich zweckmäßig in zwei zerlegen.
1. Die Grundform exakt zu definieren, von der alle Zellen, die ein Organismus produziert, äquidistante Deformationen sind.

2. Zu zeigen, wie man durch Untersuchung einer Zelle die Grundform bestimmen kann.

Die erste dieser beiden Aufgaben wird erledigt, wenn ich beweise, daß die Grundform, von der alle Zellen eines Organismus äquidistante Deformationen sind, daß diese Grundform die Symmetrieeigenschaften eines Kristalls hat.

Sohncke hat nachgewiesen, daß regelmäßige Punktsysteme alle Symmetrieeigenschaften der Kristalle zeigen und daß man sie dementsprechend gerade so wie die Kristalle klassifizieren kann. Unter einem regelmäßigen Punktsystem versteht Sohncke ein System von Punkten, in dem die Anordnung aller Punkte um irgend einen beliebig ausgewählten Punkt genau dieselbe ist, wie um irgend einen anderen ausgewählten Punkt. Ein derartiges Punktsystem muß man also erhalten durch lückenlose Zusammensetzung von lauter kongruenten Polyedern.

Nun kann man alle Zellen, die ein Organismus produziert, als äquidistante Deformation der gleichen Grundform darstellen. Denke ich mir einen vielzelligen Organismus derart umgeformt, daß jede Zelle in die Grundform umgewandelt wird, so erhalte ich ein Gebilde, das aus lauter kongruenten Teilstücken besteht. Ich habe zwar die Zellen nur physiologisch charakterisiert, aber es ist klar, daß zwei Zellen, die physiologisch genau miteinander übereinstimmen, auch die gleiche Form besitzen müssen. Ich kann mir also jeden Organismus in ein Gebilde umgeformt denken, das aus lauter kongruenten Polyedern zusammengesetzt ist. Ein solches Gebilde ist ein regelmäßiges Punktsystem, wenn die Polyeder sich lückenlos aneinanderschließen. Im folgenden will ich beweisen, daß man die Umformung stets derart ausführen kann, daß dies erreicht wird.

Alle in der Natur vorkommenden Gebilde kann man einteilen in homogene und inhomogene Gebilde. Homogene Gebilde sind solche, innerhalb deren die Eigenschaften höchstens nach verschiedenen Richtungen verschieden sind. Beispiele sind ein Wassertropfen oder ein Kristall. Inhomogene Gebilde sind solche, innerhalb deren verschiedene Teile verschiedenartige Eigenschaften aufweisen. Ein Beispiel dafür wäre ein Stück Granit. Eine der charakteristischen Eigenschaften der Organismen besteht darin, daß sie inhomogene Gebilde sind, deren Teile im allgemeinen wieder inhomogen sind. Diese Beschaffenheit der Organismen kann man ihre Organisiertheit nennen. Bis an die Grenzen des durch das Mikroskop sichtbaren, hat man die Organismen organisiert gefunden. Es fragt sich aber, ob man eine solche Organisiertheit bis ins Unendliche annehmen kann. Darauf ist wohl nur zu sagen, daß etwas derartiges völlig unvorstellbar ist. Nimmt man an, daß das Unvorstellbare nicht ins Bereich der Wissenschaft gehört, so muß man auch eine unendliche Organisiertheit der Organismen leugnen. Man kann sich also jeden Organismus denken, als bestehend aus endlich vielen homologen Teilstücken. Alle diese Teilstücke lassen sich darstellen als äquidistante Deformationen der gleichen Grundform. Ich habe vorhin angenommen, alle Teilstücke würden in die Grundform verwandelt, und habe nach der Bedingung gefragt, die erfüllt sein muß, damit die Produkte dieser Umwandlung sich lückenlos aneinanderschließen. Die erste der hier zu erfüllenden Bedingungen ist offenbar die, daß die gegebenen Teilstücke des Organismus selber lückenlos zusammenhängen. Diese Bedingung kann man erfüllen dadurch, daß man alles zum Organismus rechnet, was sich innerhalb jener Begrenzung befindet, die durch die äußere Form gegeben ist. Dann bleibt nur noch zu zeigen, daß man die Umwandlung so ausführen kann, daß nicht etwa durch die Umwandlung selbst Lücken entstehen. Dies erreiche ich folgendermaßen: Als umzuformende Gebilde betrachte ich nicht ein homogenes Teilstück, sondern zwei mit gemeinsamer Grenzfläche. Je zwei solcher Teilstücke nenne ich „ein Teilpaar". Unter den sämtlichen möglichen Teilpaaren kann man auf sehr vielerlei Arten je zwei so auswählen, daß sie ein Teilstück gemeinsam haben. Deformiere ich die Teilpaare in die Grundform, so verwandeln sich alle Teilpaare in kongruente Polyeder oder vielmehr, da jedes Teilstück schon ein Polyeder ist, in kongruente Polyederpaare. Teilpaare mit gemeinsamem Teilstück werden dabei zu Polyederpaaren mit gemeinsamem Polyeder, d. h. haben drei Teilstücke eine derartige Lage, daß je zwei von ihnen eine gemeinsame Grenzfläche haben, so bleiben diese gemeisamen Grenzflächen auch bei der Deformation zur Grundform erhalten. Das gewährleistet aber den lückenlosen Zusammenhang der Polyeder in dem entstehenden Gebilde. Man kann also jeden Organismus mathematisch in ein regelmäßiges Punktsystem umformen.

Dieses reguläre Punktsystem will ich die kristalline Grundform des Organismus nennen. Da die kristalline Grundform des Organismus identisch ist mit der Grundform, von der alle Zellen,

die der Organismus produziert, äquidistante Deformationen sind,
so ist wohl das Problem einer exakten Definition dieser Grundform erledigt.

Es bleibt noch die Aufgabe übrig: durch Untersuchung einer
Zelle die kristalline Grundform des Organismus zu bestimmen.

Für die Erledigung dieser Aufgabe werde ich den Satz benutzen:

Besteht ein Gebilde aus verschiedenartigen räumlichen Teilen,
so zeigt es um so genauer die Symmetrieeigenschaften eines Kristalles, je kleiner die Teile im Verhältnis zur Größe des Gesamtgebildes sind.

Beweis: In jedem Raumteile des untersuchten Gebildes kann
ich einen Punkt derart annehmen, daß alle so angenommenen
Punkte Punkte eines regulären Punktsystems sind. Nun ist ein
reguläres Punktsystem auch dadurch charakterisiert, daß alle Ebenen,
die durch je drei Punkte des Systems gelegt werden können, zueinander in ganz bestimmten geometrischen Verhältnissen stehen.
Greife ich aus dem untersuchten Gebilde alle die Teile heraus,
in denen die angenommenen Punkte alle in einer dieser Ebenen
liegen, so wird der Abstand der Mittelpunkte der Teile von der
Ebene um so geringer sein, je kleiner die Teile sind. Untersuche
ich mit den gewöhnlichen Beobachtungmitteln eine Fläche, deren
Punkte nicht alle in der gleichen Ebene liegen, so werde ich den
Unterschied der Fläche von einer Ebene um so weniger erkennen
können, je kleiner der Abstand der nicht in der Ebene liegenden
Punkte von der Ebene im Verhältnis zur Größe der Gesamt-
fläche ist.

Je kleiner also die Teile des untersuchten Gebildes im Verhältnis zur Gesamtgröße des Gebildes sind, um so weniger wird
man eine Fläche durch die Mittelpunkte aller Teile, deren angenommene Punkte in der gleichen Ebene liegen, von dieser Ebene
unterscheiden können.

Damit ist der obige Satz bewiesen und aus ihm folgt sofort,
daß der Organismus die Symmetrieeigenschaften eines Kristalls
haben muß. Die homogenen Teilstücke eines Organismus sind
ja so klein, daß sie bisher der Beobachtung gänzlich unzugänglich
sind. Der Fehler in der Annahme, der Organismus habe die
Symmetrieeigenschaften eines Kristalls, wird also sicher kleiner
sein, als daß wir ihn irgendwie nachweisen könnten.

Nach dieser Deduktion müßten doch aber die Organismen

Kristalleigenschaften zeigen; und dagegen scheint zu sprechen, daß sie eine wichtige Eigenschaft der Kristalle nicht besitzen, nämlich die: durch Ebenen begrenzt zu sein und sich nach Ebenen spalten zu lassen. Darauf ist zu sagen, daß die Begrenzung durch Ebenen gar nicht für Kristalle wesentlich ist. Jeder Mineraloge weiß, daß es genug Kristallarten gibt, die regelmäßig von krummen Flächen begrenzt sind; das bekannteste Beispiel dafür ist wohl der Diamant. Wichtiger erscheint der zweite Einwand, denn alle Kristalle lassen sich in der Tat nach bestimmten Ebenen spalten. Ich glaube aber, daß man das Recht hat, den Begriff der Kristalle so zu erweitern, daß man sagt, Kristalle sind alle Gebilde, welche diejenigen Symmetrieverhältnisse aufweisen, die durch die bekannten Kristallgesetze gefordert werden. Nach dieser Definition aber kann man die Organismen als Kristalle auffassen. Die Spaltbarkeit nach gewissen Ebenen ist ja nur eine der Arten, in denen sich die Symmetrieeigenschaften der Kristalle äußern. Man kann sich diese Symmetrieeigenschaften auch sehr gut auf andere Weise veranschaulichen, wie ich im folgenden zeigen will. Denkt man sich im Innern eines Kristalls eine Wärmequelle von möglichst geringer Ausdehnung, so wird sich die Wärme in dem Kristall im allgemeinen nach verschiedenen Richtungen verschieden schnell fortpflanzen; man kann die Symmetrieeigenschaften des Kristalls vollkommen an den Eigenschaften der Fläche studieren, auf der alle die Punkte liegen, welche die gleiche Temperatur haben. Aus dieser Überlegung geht hervor, daß auch krummflächige Gebilde die gleichen Symmetrieeigenschaften haben können wie die Kristalle.

Es bleibt also dabei, daß ein Organismus die gleichen Symmetrieeigenschaften hat wie ein Kristall. Damit verwandelt sich aber das Problem, eine Methode für die Konstruktion der kristallinen Grundform zu finden, in das andere, festzustellen, wie sich die Symmetrieeigenschaften des Organismus zu den Symmetrieeigenschaften seiner kristallinen Grundform verhalten.

Dafür ist nun der Satz von Wichtigkeit, daß ein Organismus die Symmetrieeigenschaften von mehreren verschiedenen Kristallen besitzen kann. Der Satz ergibt sich folgendermaßen:

Mehrere reguläre Punktsysteme können eine Anzahl von Punkten gemeinsam haben. Ist also eine endliche Zahl von Punkten aus einem regulären Punktsystem gegeben, so können diese Punkte gleichzeitig Teilpunkte von noch mehreren anderen regulären Punktsystemen sein. Nun bilden, wie ich gezeigt habe, die Mittelpunkte der homogenen Teilstücke des Organismus eine endliche Zahl von Punkten aus einem regulären Punktsystem. Es ist also möglich, daß die Mittelpunkte der homogenen Teilstücke eines Organismus Punkte aus mehr als einem regulären Punktsystem sind. In diesem Falle müßten die im Organismus vorkommenden Flächen die Symmetrieeigenschaften von mehreren verschiedenen Kristallen besitzen, d. h. sie müßten einen Verlauf haben, der sich unter der Annahme verschiedener Systeme von Symmetrieeigenschaften gleich gut erklären ließe.

Anderseits läßt sich leicht zeigen, daß ein Organismus mehrere verschiedene kristalline Grundformen haben muß.

Diejenige Grundform, die ich bisher allein kristalline Grundform genannt habe, entsteht, wenn man sämtliche homogene Teilstücke des Organismus auf diejenige Grundform reduziert, von der sie alle äquidistante Deformationen sind.

Nun kann ich mir die homogenen Teilstücke eines Organismus ebenso gut in Arten, Gattungen, Familien u. s. w. geteilt denken, wie die Organismen selber. Ich habe oben den Satz abgeleitet: Kann man bei jedem von $n+1$ Gebilden die gleichen n Eigenschaften auffinden, und variieren diese Eigenschaften dabei in der Größe, so kann man, wenn die Größen der n Eigenschaften bei allen $n+1$ Gebilden gegeben sind, stets ein Gebilde konstruieren, von dem, in bezug auf die n Eigenschaften, alle gegebenen Gebilde äquidistante Deformationen sind. Ich kann also alle zur gleichen Art von homogenen Teilstücken gehörenden Teilstücke des Organismus als äquidistante Deformationen der gleichen Grundform darstellen. Führe ich das bei allen Arten homogener Teilstücke des gleichen Organismus durch, so erhalte ich eine Grundform des Organismus. Ebenso kann ich alle zur gleichen Gattung von homogenen Teilstücken gehörenden Teilstücke des Organismus als äquidistante Deformationen der gleichen Grundform darstellen. Führe ich das bei allen Gattungen homogener Teilstücke des gleichen Organismus durch, so erhalte ich eine zweite Grundform des Organismus u. s. w. Daß alle diese Grundformen die Symmetrieeigenschaften von Kristallen haben, folgt aus denselben Gründen, wie der Satz, daß der Organismus die Symmetrieeigenschaften eines Kristalles hat.

Einerseits kann also ein Organismus die Symmetrieeigenschaften von mehreren verschiedenen Kristallen besitzen, anderseits hat er mehrere verschiedene kristalline Grundformen. Die Aufgabe, festzustellen, wie sich die Symmetrieeigenschaften eines Organismus zu den Symmetrieeigenschaften seiner kristallinen Grundform verhalten, muß also die Form annehmen, festzustellen, wie sich die verschiedenen Systeme von Symmetrieeigenschaften eines Organismus zu den Symmetrieeigenschaften der verschiedenen kristallinen Grundformen verhalten.

Ehe ich dieses Problem endgiltig erledige, will ich es noch einmal umformen, und zwar auf Grund der nachfolgenden Betrachtungen über Kristalle. Jeder Kristall hat eine Normalform, die bei den gewöhnlichen Kristallen dadurch definiert ist, daß alle ihre Begrenzungsflächen vom Mittelpunkt des Kristalls gleich großen Abstand haben. Hat ein Kristall nicht die Normalform, so kann man sich ihn dadurch in die Normalform verwandelt denken, daß man die Begrenzungsflächen parallel mit sich selbst verschoben denkt. Dadurch wird natürlich an den Symmetrieverhältnissen des Kristalls nichts geändert. Dieser Begriff der Normalform läßt sich auch auf gekrümmte Flächen anwenden, welche die Symmetrieeigenschaften eines Kristalls haben. Eine solche Fläche muß man in Abschnitte teilen können, die untereinander analoge Symmetrieverhältnisse aufweisen, wie die Begrenzungsflächen eines Kristalls. Diese Abschnitte will ich Symmetrieteile der Fläche nennen. Hat eine Fläche die Symmetrieeigenschaften eines Kristalls, so ist ihre Normalform eine Fläche, die die gleichen Symmetrieeigenschaften hat und deren sämtliche Symmetrieteile vom Mittelpunkt gleich weit entfernt sind. Hat ein Organismus die Symmetrieeigenschaften von mehreren verschiedenen Kristallen, so muß man für ihn auch mehrere verschiedene Normalformen auffinden können.

Die Frage, wie sich die verschiedenen Systeme von Symmetrieeigenschaften eines Organismus zu den Symmetrieeigenschaften der verschiedenen kristallinen Grundformen verhalten, kann man also ersetzen durch die Frage: Wie verhalten sich die Normalformen des Organismus zu seinen kristallinen Grundformen? Und darauf ist die einfache Antwort: Die Normalformen des Organismus sind mit den kristallinen Grundformen identisch. Das ergibt sich aus folgenden Überlegungen.

Eine Normalform entsteht, wenn die Symmetrieteile des Organismus solange parallel mit sich selbst verschoben werden, bis alle vom Symmetriezentrum gleich weit entfernt sind. Daraus folgt, daß die Möglichkeit, verschiedene Normalformen aus dem gleichen Organismus herzustellen, nur darauf beruht, daß man die Symmetrieteile verschieden umfangreich wählen kann.

In einem Kristall sind die gleichartigen Eigenschaften symmetrisch verteilt. Hat ein Organismus die Symmetrieeigenschaften eines Kristalls, so müssen in ihm die gleichartigen Bestandteile symmetrisch verteilt sein.

Hat ein Organismus verschiedene Arten von Bestandteilen, so kann man sagen, er ist aus mehreren Systemen von Körpern zusammengesetzt, deren jedes symmetrisch ist. Die Verschiedenheit der Normalformen muß nun darauf beruhen, daß in einem Falle die Systeme gleichzeitig aber unabhängig voneinander in die Normalform übergeführt werden, während im anderen Falle Gruppen von Systemen als ein System behandelt werden, dessen Normalform erreicht werden soll. In genau derselben Weise unterscheiden sich die kristallinen Grundformen nach dem systematischen Umfang der auf die Grundform zurückgeführten Gruppen. Da endlich eine Art identisch ist mit einem der eben beschriebenen Systeme, so müssen Normalformen und kristalline Grundformen identisch sein.

Man kann die verschiedenen kristallinen Grundformen des Organismus in eine Reihe ordnen nach dem Umfang der systematischen Gruppe homogener Teilstücke, die in jeder von ihnen auf die Grundform reduziert ist. Ich will deshalb diese verschiedenen kristallinen Grundformen als Grundformen von verschiedener systematischer Wertigkeit bezeichnen; diejenige, in der die kleinste Gruppe homogener Teilstücke auf ihre Grundform reduziert ist, hat die niedrigste systematische Wertigkeit.

Danach kann man sich nun einen sehr einfachen Begriff von der Einteilung der Organismen machen. Alle diejenigen Formen sind Formen des gleichen Individuums, die in sämtlichen kristallinen Grundformen übereinstimmen. Alle diejenigen gehören zur gleichen Art, die in allen kristallinen Grundformen, außer in derjenigen von geringster systematischer Wertigkeit, übereinstimmen. Alle diejenigen gehören zur gleichen, nächst höheren systematischen Gruppe, die in allen kristallinen Grundformen übereinstimmen, außer in den beiden von niedrigster systematischer Wertigkeit u. s. w.

Damit wäre ein völlig scharfer Artbegriff erreicht, aus dem sich auch, wie ich weiter unten zeigen werde, eine einfache

Methode zur Artbestimmung ableiten läßt. Diese Methode ergibt sich als mathematische Folgerung aus dem Artbegriff; es erscheint mir aber aus Gründen des gedanklichen Zusammenhangs richtiger, zunächst die nicht mathematischen Folgerungen darzustellen.

Kapitel II.

Im vorigen Kapitel habe ich eine scharfe Formulierung des Artbegriffes gegeben. In den beiden nächsten Kapiteln will ich eine Anzahl von Folgerungen ziehen, die die Beziehungen beleuchten sollen, in denen dieser Artbegriff zu den bisherigen Ergebnissen der Forschung steht, und zwar will ich dabei zunächst diejenigen Teile der biologischen Wissenschaft berücksichtigen, die bisher noch nicht mathematisch behandelt sind.

Abschnitt I.

Ich habe oben ausgeführt, daß die zur gleichen systematischen Gruppe gehörigen homogenen Teilstücke im Organismus nach den kristallinen Symmetriegesetzen verteilt sein müssen. In derselben Weise, wie die homogenen Teilstücke, kann ich natürlich auch die Zellen in Arten, Gattungen, Familien u. s. w. einteilen. Und von den Gliedern dieser systematischen Gruppen gilt natürlich genau dasselbe, wie von den homogenen Teilstücken, die zu gleichen systematischen Gruppen gehören. Um demnach die Kristallform eines Organismus zu finden, braucht man nur die Verteilung der gleichartigen Zellen in diesem Organismus zu untersuchen. Derartige Untersuchungen hat Haeckel schon im Jahre 1866 in seiner generellen Morphologie der Organismen angestellt unter dem Titel: Promorphologie.

Haeckel denkt sich den Organismus derart aus den Zellen zusammengesetzt, daß diese stufenweise zu immer größeren Gebilden zusammentreten. Diese verschiedenen Stufen nennt er die Individualitätsordnungen. Die erste dieser Ordnungen sind die Zellen selber, diese treten zusammen zu der zweiten Individualitätsordnung, den Organen. Durch Zusammensetzung von Organen entsteht die dritte Ordnung, die der Antimeren, die vierte Ordnung, die Metameren, sind aus Antimeren zusamengesetzt. Durch Zusammentritt von Metameren entstehen die Personen und durch deren Zusammentritt die sechste Ordnung, die der Stöcke.

Im 15. Kapitel des ersten Bandes hat Haeckel seine Anschauungen über die Grundformen der Organismen in promorphologischen Thesen zusammengefaßt, von denen ich eine Anzahl für unser Thema besonders wichtiger hier wiederholen will.

Aus III. Thesen von der Konstitution der individuellen Grundform hebe ich hervor:

26. Die Grundform der Organe oder der Formindividuen zweiter Ordnung ist daher bedingt durch die Zahl, Lagerung und Differenzierung der konstituierenden Plastiden (Cytoden und Zellen) und insbesondere durch die Zahl und Lagerung der Plastidengruppen, welche als Parameren um eine gemeinsame Mitte herumliegen.

27. Die Grundform der Antimeren oder Formindividuen dritter Ordnung ist ebenso bedingt durch die Zahl, Lagerung und Differenzierung der konstituierenden Organe, besonders der Parameren.

28. Die Grundform der Metameren oder der Formindividuen vierter Ordnung ist bedingt durch die Zahl, Lagerung und Differenzierung der konstituierenden Antimeren.

29. Die Grundform der Personen oder der Formindividuen fünfter Ordnung ist bedingt durch die Zahl, Lagerung und Differenzierung der konstituierenden Metameren (und dadurch natürlich zugleich der Antimeren).

30. Die Grundform der Stöcke (Cormen) oder der Formindividuen sechster Ordnung ist bedingt durch die Zahl, Lagerung und Differenzierung der konstituierenden Sprosse (Personen).

Aus IV. Thesen von den Mittendifferenzen der Grundformen hebe ich hervor:

31. Alle stereometrischen Grundformen der achsenfesten organischen Individuen lassen sich bezüglich der Beschaffenheit ihrer natürlichen Mitte in drei Hauptgruppen bringen, welche wir Zentrostigmen, Zentraxonien und Zentrepipeden nennen.

32. Bei den Zentrostigmen, den stereometrischen Grundformen mit einem Mittelpunkte, ist die natürliche Mitte der Form, d. h. der planimetrische Körper, gegen welche alle übrigen Teile des Körpers eine bestimmte gesetzmäßige Lagerungs- (Entfernungs- und Richtungs-)Beziehung haben, ein Punkt; dies ist der Fall bei der Kugel und beim endosphärischen Polyeder.

33. Bei den Zentraxonien, den stereometrischen Grundformen mit einer Mittellinie (Achse), ist die natürliche Mitte der Form eine Linie (Hauptachse oder Längsachse); dies ist der Fall bei der Formengruppe der Monaxonien (Sphäroid, Doppelkegel, Ellipsoid, Zylinder, Ei, Kegel, Hemisphäroid, abgestumpfter Kegel); bei den Doppelpyramiden, den regulären Pyramiden und den amphitekten Pyramiden.

34. Bei den Zentrepipeden, den stereometrischen Grundformen mit einer Mittelebene, ist die natürliche Mitte der Form eine Ebene (Medianebene oder Sagittalebene). Dies ist der Fall bei der Formengruppe der Zeugiten oder allopolen Heterostauren, deren allgemeine Grundform die halbe amphitekte Pyramide ist.

Aus V. Thesen von lipostauren Grundformen hebe ich hervor:

38. In bezug auf die allgemeinen Verhältnisse der Achsen zerfallen alle organischen Grundformen in zwei große Gruppen, nämlich Formen mit Kreuzachsen (Stauraxonia) und Formen ohne Kreuzachsen (Lipostaura).

40. Die lippostauren Grundformen haben entweder gar keine bestimmten Achsen (Anaxonia) oder lauter gleiche Achsen (Homaxonien, Kugeln) oder eine bestimmte Anzahl von konstanten Achsen, die aber gleich sind (Polyaxonien) oder endlich nur eine einzige konstante Achse (Monaxonien).

41. Alle lipostauren Formen sind ausgezeichnet durch den Mangel einer bestimmten Anzahl von Meridianebenen, welche sich in einer einzigen Hauptachse schneiden, und durch welche der Körper in eine bestimmte Anzahl von gleichen und ähnlichen Teilen geteilt wird.

42. Allen lipostauren Grundformen fehlen daher bestimmte Antimeren (Parameren) und Metameren (Epimeren), wenn man darunter in der strengeren Bedeutung des Begriffes nur diejenigen entsprechenden Teile versteht, welche entweder nebeneinander rings um die Hauptachse, oder hintereinander, in der Hauptachse selbst liegen.

Aus VI. Thesen von den stauraxonien Grundformen

hebe ich hervor:

47. Die gemeinsame stereometrische Grundformen aller Stauraxonien ist die Pyramide, und zwar entweder die Doppelpyramide (Homopolen) oder einfache Pyramide (Heteropolen).

48. Fast alle Formen, welche bisher von den Botanikern und Zoologen als „reguläre" oder „radiale" und als „symmetrische oder bilaterale" unterschieden wurden, sind Stauraxonien.

51. Alle Stauraxonien sind ausgezeichnet (und wesentlich von den Lipostauren verschieden) durch den Besitz einer bestimmten Anzahl von Meridianebenen, welche sich in einer einzigen Hauptachse schneiden, und durch welche der Körper in eine bestimmte Anzahl von gleichen oder ähnlichen Teilen geteilt wird.

52. Die korrespondierenden Teilstücke des stauraxonien Körpers, welche durch ihre Anzahl, Lagerung und Differenzierung (Gleichheit oder Ungleichheit) die Grundform des stauraxonien Individuums näher bestimmen, sind entweder Parameren (bei den Formindividuen 1.—3. Ordnung) oder Metameren (bei den Buschpersonen) oder Personen (bei den Stöcken); die größte promorphologische Bedeutung haben im allgemeinen die Antimeren, nächst dem die Parameren; ihre Grundform ist stets pyramidal.

53. Alle Stauraxonien zerfallen in zwei Hauptgruppen; je nachdem die Körpermitte entweder eine der Meridianebenen ist (Zeugiten) oder aber die Hauptachse, in welcher sich alle Meridianebenen schneiden (zentraxonie Stauraxonien).

54. Die zentraxonien Stauraxonien, bei denen die Körpermitte eine Linie (die Hauptachse) ist, sind entweder I reguläre Doppelpyramiden (Isostauren); oder II reguläre Pyramiden (Homostauren); oder III amphitekte Doppelpyramiden (Allostauren) oder IV amphitekte Pyramiden (Autopolen); bei allen diesen Formen sind die beiden Pole sämtlicher Kreuzachsen gleichpolig; es ist also niemals die rechte Seite von der linken verschieden, und ebenso niemals die Rückenseite von der Bauchseite; jene sowohl als diese sind kongruent.

55. Die Zentrepipeden der Stauraxonien oder die Zeugiten, bei denen die Körpermitte eine Ebene (die Medianebene) ist, sind entweder I halbe amphitekte Pyramiden, oder II irreguläre Pyramiden (heteropleure Zeugiten); hier ist stets mindestens eine Kreuzachse ungleichpolig; es ist also stets die dorsale von der

ventralen Seite verschieden und die rechte von der linken, welche hier niemals kongruent sind.

Aus VII. Thesen von den zeugiten Grundformen

hebe ich hervor:

57. Die Zeugiten oder Zentrepipeden sind vor allen übrigen organischen Formen ausgezeichnet durch den Besitz von drei ungleichen idealen Achsen (Richtachsen, Eustyni), von denen entweder zwei ungleichpolig sind, die dritte gleichpolig, oder aber alle drei ungleichpolig.

58. Die drei Richtachsen der Zeugiten halbieren sich gegenseitig, stehen aufeinander senkrecht und entsprechen den drei Dimensionen des Raumes; sie können dementsprechend als Längenachse (Axis longitudinalis), Dickenachse (Axis sagittalis) und Breitenachse (Axis lateralis) bezeichnet werden.

62. Durch die drei aufeinander senkrechten und sich gegenseitig halbierenden idealen Achsen, welche den drei Dimensionen des Raumes entsprechen, werden drei aufeinander senkrechte Ebenen, die Richtebenen (plana eutyfora) bestimmt, welche von der größten promorphologischen Bedeutung sind.

63. Die erste Richtebene ist die Medianebene oder Hauptebene (planum medianum, Sagittalebene, Halbierungsebene), welche den ganzen Körper der Zentrepipeden oder Zeugiten in zwei symmetrisch gleiche Stücke, rechte und linke Hälfte, teilt (pars dextra und pars sinistra) sie wird bestimmt durch die Längenachse und die Dickenachse.

64. Die zweite Richtebene ist die Lateralebene oder Breitenebene (planum laterale), welche den ganzen Zeugitenkörper in zwei ungleiche Stücke teilt, Rücken- und Bauchhälfte (pars dorsalis und pars ventralis); sie wird bestimmt durch die Längenachse und die Breitenachse.

65. Die dritte Richtebene ist die Äquatorialebene oder Dickenebene (planum äquitoriale), welche den ganzen Zeugitenkörper in zwei ungleiche Stücke, orale und aborale Hälfte, teilt (pars oralis und pars aboralis); sie wird bestimmt durch die Breitenachse und die Dickenachse.

Aus IX. Thesen von der Hemiedrie der organischen Grundformen

hebe ich hervor:

73. In der aufsteigenden Stufenleiter der Grundformen sind zahlreiche höhere oder vollkommenere Formen die Hälften der nächst verwandten niederen oder unvollkommeneren Formen und verhalten sich zu diesen ganz ähnlich, wie die hemiedrischen Kristalle zu den holoedrischen Kristallen.

74. Der Vervollkommnungsprozeß, durch welchen hemiedrische organische Grundformen aus holoedrischen hervorgehen, ist wesentlich eine Differenzierung beider Pole einer Achse.

X. Thesen von der Kristallform organischer Individuen.

85. Alle einfachen und regelmäßigen stereometrischen Körper, welche als Grundformen der anorganischen Kristallsysteme vorkommen, finden sich ebenso vollkommen auch in gewissen organischen Formen verkörpert.

86. Der Würfel und das Oktaeder, die Grundformen des tesseralen oder regulären Kristallsystems finden sich in den organischen hexaedrischen und oktaedrischen Formen der rythmischen Polyaxonien realisiert.

87. Das Quadratoktaeder, die Grundform des tetragonalen oder quadratischen

Kristallsystems findet sich in den organischen Formen der oktopleuren Isostauren realisiert.

88. Das Rhombenoktaeder, die Grundform des rhombischen Kristallsystems, findet sich in den organischen Formen der oktopleuren Allostauren realisiert.

89. Das Hexagonal-Dodekaeder, die Grundform des hexagonalen Kristallsystems, findet sich in den organischen Formen des hexapleuren Isostauren realisiert.

Haeckel hat dieses System der organischen Grundform so weit durchgearbeitet, daß er für jede einzelne Abteilung desselben Belege aus dem Tier- oder Pflanzenreich beibringt. Das ist wohl die beste Bestätigung für die von mir entwickelte morphologische Theorie der Organismen.

Abschnitt II.

Eine zweite Reihe von Folgerungen führt zu dem Resultat, daß die homogenen Teilstücke des Organismus identisch sind mit jenen Teilchen, die De Vries als Pangene bezeichnet. Um das zu beweisen, will ich zunächst aus der „Intracellularen Pangenesis" von De Vries jene Sätze zitieren, die mir den wesentlichen Inhalt seiner Theorie zu enthalten scheinen.

De Vries geht aus von einer Theorie Darwins, von der er einen Teil anerkennt, einen anderen Teil aber nicht. Diese Theorie hat er am klarsten dargestellt im 3. Kapitel seines Buches unter der Überschrift

§ 10. Darwins Pangenesis.

„Die sogenannte provisorische Hypothese der Pangenesis besteht, wie bereits in der Einleitung erwähnt, nach meiner Auffassung aus den beiden folgenden Teilen:

1. In den Zellen gibt es zahllose unter sich verschiedene Teilchen, welche die einzelnen Zellen, Organe, Funktionen und Eigenschaften des ganzen Individuums vergegenwärtigen.

Diese Teilchen sind viel größer als die chemischen Moleküle und kleiner als die kleinsten bekannten Organismen; jedoch am meisten mit den letzteren vergleichbar, da sie sich wie diese durch Ernährung und Wachstum teilen und vermehren können.

Sie können durch zahllose Generationen untätig bleiben, und sich dann dementsprechend nur schwach vermehren, um später einmal wieder aktiv zu werden und anscheinend verlorene Eigenschaften zur Ausbildung gelangen zu lassen (Atavismus).

Sie gehen bei der Zellteilung auf die Tochterzellen über; dieses ist der gewöhnliche Vorgang der Vererbung."

II enthält den zweiten Teil der Darwinschen Theorie, den De Vries nicht anerkennt und der uns deshalb hier nicht zu beschäftigen braucht.

Weiter ausgeführt ist diese Theorie von Seite 71, Abs. 3 ab. Auch von diesen Ausführungen will ich die wichtigsten zitieren.

„Die Erscheinungen der Erblichkeit beruhen offenbar in der Darwinschen Vorstellung darauf, daß die lebendige Materie des Kindes aus denselben Pangenen aufgebaut ist, als die seiner Eltern. Herrschen im Keime die Pangene des Vaters vor, so wird das Kind diesem ähnlicher als der Mutter, herrschen nur bestimmte Pangene des Vaters vor, so beschränkt sich diese Ähnlichkeit auf einzelne Eigenschaften. Treten gewisse Pangene an Zahl hinter den übrigen zurück, so ist die von ihnen bedingte Eigenschaft nur schwach entwickelt, treten sie sehr stark zurück, so wird die Eigenschaft latent. Bedingen äußere Ursachen später eine relativ starke Vermehrung solcher Pangene, so tritt die bis dahin latente Eigenschaft wieder in die Erscheinung und man beobachtet einen Fall des Atavismus. Hören gewisse Pangene ganz und gar auf, sich zu vermehren, so geht die betreffende Eigenschaft definitiv verloren; doch scheint dieses sehr selten vorzukommen.

Im Protoplasma oder doch wenigstens in den Kernen der Ei- und Spermazellen sowie aller Knospen, sind alle Pangene der betreffenden Spezies vertreten; jede Art von Pangenen in gewisser Anzahl. Vorwiegenden Eigenschaften entsprechen zahlreiche, schwach entwickelten Merkmalen wenig zahlreiche Pangenen.

Die systematische Verwandtschaft beruht auf dem Besitz von Pangenen derselben Art. Die Anzahl der gleichartigen Pangene in zwei Spezies ist das wirkliche Maß ihrer Verwandtschaft. Die Systematik sollte auf experimentellem Wege durch die Abgrenzung der einzelnen erblichen Eigenschaften die Anwendung dieses Maßes ermöglichen. Systematische Differenz beruht auf dem Besitze verschiedener Art von Pangenen.

Nach der Pangenesis kann es zwei Arten von Variabilität geben. Diese werden von Darwin in folgender Weise unterschieden. Erstens können die vorhandenen Pangene in ihrer relativen Zahl abwechseln, einige können zunehmen, andere können abnehmen oder gar fast verschwinden, lange Zeit untätig gebliebene können wieder aktiv werden; und schließlich kann die Verbindung der einzelnen Pangene zu Gruppen möglicherweise eine andere werden. Alle diese Vorgänge werden eine stark fluktuierende Variabilität reichlich erklären. Zweitens aber können einige oder mehrere Pangene, bei ihren sukzessiven Teilungen, ihre Natur mehr oder weniger ändern, oder, mit anderen Worten, es können neue Arten von Pangenen aus den bereits vorhandenen entstehen. Und wenn die neuen Pangene sich vielleicht im Laufe mehrerer Generationen allmählich so stark vermehren, daß sie aktiv werden können, müssen neue Eigenschaften an dem Organismus zur Ausbildung gelangen.

Mit einem Worte: Verändertes numerisches Verhältnis der bereits vorhandenen, und Bildung neuer Arten von Pangenen müssen die beiden Hauptfaktoren der Variabilität sein. Leider ist es noch nicht gelungen, die beobachteten Variationen so weit zu analysieren, daß man für jeden dieser beiden Faktoren den Anteil an ihnen bestimmen könnte. Aber es ist klar, daß die erstere Art mehr die individuellen Unterschiede und die zahllosen kleinen, fast alltäglichen Variationen und Monstrositäten bedingen muß, während die zweite hauptsächlich jene Variationen hervorzubringen hat, auf welchen die allmählich steigende Differenzierung des ganzen Tier- und Pflanzenreichs beruht."

Zu dieser Theorie Darwins fügt De Vries noch die Hypothese: Das ganze lebendige Protoplasma besteht aus Pangenen; nur diese bilden darin die lebenden Elemente.

Danach haben also die Pangene folgende Eigenschaften:

1. Sie setzen das ganze lebendige Protoplasma zusammen.
2. Sie wachsen und vermehren sich.
3. Sie sind in verschiedene Arten zu trennen.
4. Alle Eigenschaften des Organismus sind auf sie zurückzuführen.
5. Das Variieren der Menge der einzelnen Arten von Pangenen ist die Ursache der fluktuierenden Variation der Organismen.
6. Systematische Differenz beruht auf dem Besitze verschiedener Arten von Pangenen.
7. Die Pangene sind viel größer als die chemischen Moleküle und kleiner als die kleinsten bekannten Organismen.

Es ist nicht schwer, zu zeigen, daß alle diese Eigenschaften den homogenen Teilstücken des Organismus zukommen.

Die Eigenschaft, das ganze Protoplasma zusammenzusetzen, ist bei den homogenen Teilstücken selbstverständlich. Daraus ergibt sich sofort die Eigenschaft des Wachstums und der Vermehrung.

Daß man die homogenen Teilstücke in verschiedene Arten trennen kann, habe ich oben schon auseinandergesetzt. Und daß alle Eigenschaften des Organismus auf sie zurückzuführen sind, ist bei den homogenen Teilstücken des Organismus selbstverständlich.

Nur die drei letzten der Eigenschaften bedürfen einer genaueren Betrachtung. Hierbei ist die sechste Eigenschaft am leichtesten abzuleiten. Sie geht zurück auf den Satz: Alle die Individuen gehören zur gleichen Art, die in allen kristallinen Grundformen, außer in derjenigen von geringster systematischer Wertigkeit, übereinstimmen Aus diesem Satze folgt, daß alle diejenigen zu verschiedenen Arten gehören, die nicht in allen diesen kristallinen Grundformen übereinstimmen. Nun entsteht die kristalline Grundform von zweit niedrigster systematischer Wertigkeit durch Zurückführung aller zur gleichen Art gehörenden homogenen Teilstücke des Organismus auf diejenige Grundform, von der sie alle äquidistante Deformationen sind. Stimmen demnach zwei Organismen in der kristallinen Grundform zweit niedrigster systematischer Wertigkeit nicht überein, so können sie unmöglich in allen Arten ihrer homogenen Teilstücke übereinstimmen.

Das Urteil über die fünfte Eigenschaft ergibt sich aus dem

Satze: alle diejenigen Formen sind Formen des gleichen Individuums, die in sämtlichen kristallinen Grundformen übereinstimmen.
Daraus folgt, daß die fluktuierende Variation nicht nur auf der
Variation der Menge der einzelnen Arten von homogenen Teilchen
beruht, sondern auch auf der Variation der Eigenschaften der
homogenen Teilchen.

Die siebente Eigenschaft läßt sich exakt aus einem Satze der
physikalischen Chemie ableiten, der unter dem Namen der Phasenregel bekannt ist.

Als Phase bezeichnet man in der physikalischen Chemie
jeden homogenen Bestandteil irgend eines Gebildes. Schwimmen
z. B. in einer Salzlösung irgendwelche ungelösten Kristalle, so ist
die Salzlösung die eine Phase, alle diejenigen Kristalle, welche
chemsch gleichartig sind, eine zweite Phase. Sind mehrere chemisch
verschiedene Arten von Kristallen vorhanden, so bildet jede chemische
Art eine besondere Phase. Als Anzahl der Freiheiten bezeichnet
man die Anzahl der Eigenschaften des Gesamtgebildes, die man
willkürlich ändern kann, ohne daß die Zahl der Phasen des Gebildes sich ändert. Besteht zwischen den verschiedenen Phasen
des Gebildes ein lebhafter chemischer Austausch, so gilt die
folgende Regel, die unter dem Nameu der Phasenregel bekannt
ist: Ist F die Anzahl der Freiheiten, B die Anzahl der chemischen
Bestandteile des ganzen Gebildes, P die Anzahl der Phasen, so ist:

$$F = B - P + 2$$

Nun besteht, wie der Stoffwechsel beweist, zwischen allen Teilen
des Organismus lebhafter chemischer Austausch. Die Phasenregel
ist also auf ihn ganz sicherlich anzuwenden. Bestände jede Phase
nur aus einem einzigen chemischen Individuum, so wäre die Zahl
der Phasen und der Bestandteile gleich groß und es würde sich
die Folgerung ergeben, daß der Organismus nur zwei Freiheiten
habe, daß er mit anderen Worten die Artenzahl seiner homogenen
Bestandteile ändern müsse, sobald in seiner Umgebung sich nur
drei Eigenschaften änderten, etwa Druck, Temperatur und Feuchtig-
keitsgehalt. Das ist nun aber ganz offenbar nicht der Fall; vielmehr läßt sich sagen, daß die Zahl der Freiheiten des Organismus
sehr groß ist. Und daraus folgt, daß jede Art von homogenen
Bestandteilen des Organismus ein Gemenge aus verschiedenen
Stoffen sein muß. Damit ist schon klar, daß diese homogenen
Bestandteile nicht mit Molekülen identisch sein können.

Diese Übereinstimmung in sieben Merkmalen genügt wohl, um zu beweisen, daß De Vries' Pangene einfach die homogenen Teilstücke des Organismus sind.

Abschnitt III.

Durch eine andere Reihe von Folgerungen können aus meiner Theorie jene Gesetze für die Bastarderzeugung abgeleitet werden die unter dem Namen der Mendelschen Gesetze bekannt sind. Diese Gesetze sind von Mendel dargestellt worden in seiner Schrift: „Versuche über Planzenhybriden". Das Wesentliche dieser Gesetze scheint mir in folgenden Stellen enthalten zu sein:

„Werden zwei Pflanzen, welche in einem oder mehreren Merkmalen konstant verschieden sind, durch Befruchtung verbunden, so gehen, wie zahlreiche Versuche beweisen, die gemeinsamen Merkmale unverändert auf die Hybriden und ihre Nachkommen über; je zwei differierende hingegen vereinigen sich an der Hybride zu einem neuen Merkmale, welches gewöhnlich an den Nachkommen derselben Veränderungen unterworfen ist."

„Schon die Versuche, welche in früheren Jahren an Zierpflanzen vorgenommen wurden, lieferten den Beweis, daß die Hybriden in der Regel nicht die genaue Mittelform zwischen den Stammarten darstellen. Bei einzelnen, mehr in die Augen springenden Merkmalen, wie bei solchen, die sich auf die Gestalt und Größe der Blätter, auf die Behaarung der einzelnen Teile u. s. w. beziehen, wird in der Tat die Mittelbildung fast immer ersichtlich; in anderen Fällen hingegen besitzt das eine der beiden Stammmerkmale ein so großes Übergewicht, daß es schwierig oder ganz unmöglich ist, das andere an der Hybride aufzufinden.

Ebenso verhält es sich mit den Hybriden bei Pisum. Jedes von den sieben Hybridenmerkmalen gleicht dem einen der beiden Stammmerkmale entweder so vollkommen, daß das andere der Beobachtung entschwindet, oder ist demselben so ähnlich, daß eine sichere Unterscheidung nicht stattfinden kann. Dieser Umstand ist von großer Wichtigkeit für die Bestimmung und Einreihung der Formen, unter welchen die Nachkommen der Hybriden erscheinen. In der weiteren Besprechung werden jene Merkmale, welche ganz oder fast unverändert in die Hybridenverbindung übergehen, somit selbst die Hybridenmerkmale repräsentieren, als dominierende, und jene, welche in der Verbindung latent werden, als rezessive bezeichnet. Der Ausdruck „rezessiv" wurde deshalb gewählt, weil die damit benannten Merkmale an den Hybriden zurücktreten oder ganz verschwinden, jedoch unter dem Nachkommen derselben, wie später gezeigt wird, wieder unverändert zum Vorschein kommen.

Es wurde ferner durch sämtliche Versuche erwiesen, daß es völlig gleichgültig ist, ob das dominierende Merkmal der Samen- oder Pollenpflanze angehört; die Hybridform bleibt in beiden Fällen dieselbe."

Die unmittelbaren Nachkommen der Hybriden nennt Mendel die erste Generation der Hybriden. Die unmittelbaren Deszendenten dieser Nachkommen nennt er die zweite Generation der

Hybriden u. s. w.   Mit diesen Nachkommen der Hybriden beschäftigen sich die folgenden Stellen:

„Die erste Generation der Hybriden.

In dieser Generation treten nebst den domierenden Merkmalen auch die
rezessiven in ihrer vollen Eigentümlichkeit wieder auf, und zwar in dem entschieden ausgesprochenen Durchschnittsverhältnisse 3 : 1, so daß unter je vier
Pflanzen aus dieser Generation drei den dominierenden und eine den rezessiven
Charakter erhalten.   Übergangsformen wurden bei keinem Versuche beobachtet."

„Die zweite Generation der Hybriden.

Jene Formen, welche in der ersten Generation den rezessiven Charakter
haben, variieren in der zweiten Generation in bezug auf diesen Charakter nicht
mehr.   Sie bleiben in ihren Nachkommen konstant.

Anders verhält es sich mit jenen, welche in der ersten Generation das
dominierende Merkmal besitzen.   Von diesen geben zwei Teile Nachkommen,
welche in dem Verhältnis 3 : 1 das dominierende und rezessive Merkmal an sich
tragen, somit genau dasselbe Verhalten zeigen, wie die Hybridform; nur ein Teil
bleibt mit dem dominierenden Merkmale konstant.

Das Verhältnis 3 : 1, nach welchem die Verteilung des dominierenden und
rezessiven Charakters in der ersten Generation erfolgt, löst sich demnach für
alle Versuche in die Verhältnisse 2 : 1 : 1 auf, wenn man zugleich das dominierende
Merkmal in seiner Bedeutung als hybrides Merkmal und als Stammcharakter
unterscheidet.   Da die Glieder in der ersten Generation unmittelbar aus dem
Samen der Hybriden hervorgehen, wird es nun ersichtlich, daß die Hybriden
je zweier differierender Merkmale Samen bilden, von denen die eine Hälfte wieder
die Hybridform entwickelt, während die andere Pflanzen gibt, welche konstant
bleiben und zu gleichen Teilen den dominierenden und rezessiven Charakter
erhalten."

„Die weiteren Generationen der Hybriden.

Die Nachkommen der Hybriden teilten sich in jeder Generation nach den
Verhältnissen 2 : 1 : 1 in hybride und konstante Formen.

Bezeichnet A das eine der beiden konstanten Merkmale, z. B. das dominierende, a das rezessive, und Aa die Hybridform, in welcher beide vereinigt
sind, so ergibt der Ausdruck:

$$A + 2 A a + a$$

die Entwicklungsreihe für die Nachkommen der Hybriden je zweier differierender
Merkmale."

„Die Nachkommen der Hybriden, in welchen mehrere differierende Merkmale
verbunden sind.

Für die eben besprochenen Versuche wurden Pflanzen verwendet, welche
nur in einem wesentlichen Merkmale verschieden waren.   Die nächste Aufgabe
bestand darin, zu untersuchen, ob das gefundene Entwicklungsgesetz auch dann
für je zwei differierende Merkmale gelte, wenn mehrere verschiedene Charaktere
durch Befruchtung in der Hybride vereinigt sind.

Um eine leichtere Übersicht zu gewinnen, werden bei diesen Versuchen die differierenden Merkmale der Samenpflanze mit A, B, C, jene der Pollenpflanze mit a, b, c und die Hybridformen dieser Merkmale mit Aa, Bb, Cc bezeichnet. Die Nachkommen der Hybriden erscheinen unter 9 verschiedenen Formen und zum Teil in sehr ungleicher Anzahl.

Die Entwicklungsreihe besteht demnach aus 9 Gliedern. 4 davon kommen in derselben je 1 mal vor und sind in beiden Merkmalen konstant; die Formen AB, ab gleichen den Stammarten, die beiden anderen stellen die außerdem noch möglichen konstanten Kombinationen zwischen den verbundenen Merkmalen A, a, B, b vor. 4 Glieder kommen je 2 mal vor und sind in einem Merkmal konstant, in dem anderen hybrid. Ein Glied tritt 4 mal auf und ist in beiden Merkmalen hybrid. Daher entwickeln sich die Nachkommen der Hybriden, wenn in demselben zweierlei differierende Merkmale verbunden sind, nach dem Ausdrucke:

$$AB + Ab + aB + ab + 2ABb + 2aBb + 2AaB + 2Aab + 4AaBb$$

Diese Entwicklungsreihe ist unbestritten eine Kombinationsreihe, in welcher die beiden Entwicklungsreihen für die Merkmale A und a, B und b gliedweise verbunden sind. Man erhält die Glieder der Reihe vollständig durch die Kombinierung der Ausdrücke:

$$A + 2Aa + a$$
$$B + aBb + b$$

Die Entwicklung der Hybriden, wenn ihre Stammarten in 3 Merkmalen verschieden sind, erfolgt daher nach dem Ausdrucke:

$$ABC + ABc + AbC + Abc + aBC + aBc + abC + abc + 2ABCc +$$
$$2AbCc + 2aBCc + 2abCc + 2ABbC + 2ABbc + 2aBbC + 2aBbc +$$
$$2AaBC + 2AaBc + 2AabC + 2Aabc + 4ABbCc + 4aBbCc +$$
$$4AaBCc + 4AabCc + 4AaBbC + 4AaBbc + 8AaBbCc$$

Auch hier liegt eine Kombinationsreihe vor, in welcher die Entwicklungsreihe für die Merkmale A und a, B und b, C und c miteinander verbunden sind. Die Ausdrücke:

$$A + 2Aa + a$$
$$B + 2Bb + b$$
$$C + 2Cc + c$$

geben sämtliche Glieder der Reihe. Die konstanten Verbindungen, welche in derselben vorkommen, entsprechen allen Kombinationen, welche zwischen den Merkmalen A, B, C, a, b, c möglich sind, zwei davon, ABC und abc, gleichen den beiden Stammpflanzen.

Außerdem wurden noch mehrere Experimente mit einer geringeren Anzahl Versuchspflanzen durchgeführt, bei welchen die übrigen Merkmale zu zwei und drei hybrid verbunden waren; alle lieferten annähernd gleiche Resultate. Es unterliegt daher keinem Zweifel, daß für sämtliche in die Versuche aufgenommenen Merkmale der Satz Gültigkeit habe: die Nachkommen der Hybriden, in welchen mehrere wesentlich verschiedene Merkmale vereinigt sind, stellen die Glieder einer Kombinationsreihe vor, in welchen die Entwicklungsreihen für je zwei differierende Merkmale verbunden sind. Damit ist zugleich erwiesen, daß das Verhalten je zweier differentierender Merkmale in hybrider Verbindung unabhängig ist von den anderweitigen Unterschieden an den beiden Stammpflanzen.

Bezeichnet n die Anzahl der charakteristischen Unterschiede an den beiden Stammpflanzen, so gibt 3^n die Gliederzahl der Kombinationsreihe, 4^n die Zahl der Individuen, welche in die Reihe gehören, und 2^n die Zahl der Verbindungen, welche konstant bleiben.

Diese Ausführungen Mendels will ich in den folgenden Sätzen zusammenfassen.

1. Das unmittelbare Produkt der Bastardierung zweier Arten ist stets eine einzige Hybridform.

2. Diese Hybridform zeigt eine Mischung der Merkmale der beiden bastardierten Arten derart, daß an die Stelle einer Anzahl von Merkmalen der einen Art die entsprechenden Merkmale der anderen Art treten.

3. Diejenigen Merkmale, die bei den beiden Stammarten nicht verschieden waren, gehen unverändert in die Hybridform über.

4. Die unmittelbaren Nachkommen der Hybridform zeigen die sämtlichen möglichen Kombinationen der differenten Eigenschaften der beiden Stammarten.

5. Die Individuenzahl in der jede dieser Kombinationen auftritt, ist abhängig von der Anzahl von Eigenschaften, die in ihr mit den homologen Eigenschaften der anderen Stammart verbunden auftreten. Ist die Zahl dieser Eigenschaften $= n$, so ist die Individuenzahl der betreffenden Kombinationen $p.2^n$, wo p eine ganze Zahl ist, deren Wert von der Gesamtzahl der Individuen in sämtlichen Kombinationen abhängt.

Diese Sätze ergeben sich als Folgerung aus den nachfolgenden Sätzen:

1. Jeder Organismus hat die Symmetrieeigenschaften von wenigstens einem Kristall.

2. Die Normalform des Organismus ergibt sich, wenn man in sämtlichen Arten seiner homogenen Teilstücke die Individuen auf diejenige Grundform reduziert, von der sämtliche Glieder der gleichen Art äquidistante Deformationen sind.

3. Betrachte ich eine Gruppe von Organismen, deren sämtliche homogene Teilstücke äquidistante Deformationen der gleichen Grundform sind, so gibt es in dieser Gruppe nur endlich viele Kristallformen.

4. Jeder Kristall ist zu charakterisieren durch die beiden Größenverhältnisse seiner drei Achsen und durch die drei Winkel,

welche diese drei Achsen miteinander bilden. Das Größenverhältnis zweier Achsen und den von ihnen eingeschlossenen Winkeln will ich ein Elementenpaar nennen, dann sind die im Satz 3 erwähnten Kristalle die sämtlichen kristallographisch möglichen Kombinationen einer gewissen endlichen Anzahl von Elementenpaaren.

5. Ein Organismus, der aus einem anderen durch geschlechtliche Fortpflanzung hervorgegangen ist, stimmt mit diesem wenigstens in einem Elementenpaar seiner Kristallform überein.

6. Ein durch ungeschlechtliche Fortpflanzung aus einem anderen entstandener Organismus stimmt mit diesem nur in einem Kristall von niedrigster systematischer Wertigkeit überein.

Von diesen Sätzen habe ich die beiden ersten schon weiter oben abgeleitet.

Der dritte Satz ergibt sich folgendermaßen. Alle diejenigen Organismen, deren sämtliche homogene Teilstücke äquidistante Deformationen der gleichen Grundform sind, müssen die Symmetrieeigenschaften eines und desselben Kristalls zeigen. Mit anderen Worten, die Mittelpunkte ihrer homogenen Teilstücke müssen sämtlich Punkte eines und desselben regulären Punktsystems sein. Die übrigen in dieser Gruppe von Organismen noch möglichen regulären Punktsysteme müssen so beschaffen sein, daß sie mit diesem ersten System die sämtlichen Mittelpunkte der homogenen Teilstücke gemeinsam haben. Es ist klar, daß es nur endlich viele Systeme geben kann, die dieser Bedingung genügen.

Satz 4 ergibt sich folgendermaßen. Ein Elementenpaar bestimmt ein reguläres Punktsystem in der Ebene. In einem bestimmten Kristall ist ein bestimmtes Elementenpaar enthalten, wenn ich durch das reguläre Punktsystem dieses Kristalls eine Ebene so legen kann, daß in ihr das reguläre Punktsystem entsteht, das dem Elementenpaar entspricht. In jedem Organismus muß es also eine Anzahl von Ebenen geben, in denen die Mittelpunkte homogener Teilstücke so verteilt liegen, daß sie ein reguläres Punktsystem bilden. Eine solche Ebene will ich eine Teilstückebene nennen, dann ist klar, daß alle diejenigen ebenen regulären Punktsysteme in dem betreffenden Organismus möglich sind, die mit irgend einer Teilstückebene die sämtlichen Mittelpunkte der homogenen Teilstücke gemeinsam haben. Sind unabhängig voneinander drei kristallographisch zusammenpassende Elementenpaare an einem Organismus möglich, so hat der Organismus auch jene Kristallform, in der alle drei zusammengefügt sind.

. Der fünfte Satz ergibt sich daraus, daß jeder durch geschlechtliche Fortpflanzung entstandene Organismus eine Mischung zweier Bestandteile darstellt. Jeder der beiden Bestandteile ist durch eine Kristallform charakterisiert, die Mischung muß also durch einen Mischkristall aus den beiden Kristallformen charakterisiert werden. Nun ist geschlechtliche Fortpflanzung nur zwischen solchen Individuen möglich, die eine verhältnismäßig enge systematische Verwandtschaft haben. Sie werden also sicher der in Satz 3 charakterisierten Gruppe angehören. In dieser Gruppe sind aber, wie Satz 4 besagt, nur Kristalle möglich, welche Kombinationen von einer gewissen Anzahl von Elementenpaaren vorstellen. Ein Mischkristall aus zwei derartigen Kombinationen muß natürlich Elementenpaare aus beiden enthalten.

Satz 6 ergibt sich folgendermaßen. Ich habe oben den Satz abgeleitet, Formen die zum gleichen Individuum gehören, stimmen in allen Kristallen überein. Daraus folgt, daß sämtliche Teile des Individuums kristallographisch genau miteinander übereinstimmen müssen, d. h. ein Individuum ist stets nur durch einen Kristall charakterisiert, finden sich an einem Organismus zwei Kristalle von gleicher systematischer Wertigkeit, so ist der Organismus eben eine Mischung zweier Individuen. Nun ist die ungeschlechtliche Fortpflanzung dadurch charakterisiert, daß bei ihr ein einziges Individuum das neue Individuum erzeugt; daraus folgt, daß das Produkt der ungeschlechtlichen Fortpflanzung nur mit einem Kristall des mütterlichen Organismus übereinstimmen kann.

Aus diesen Sätzen lassen sich nun die Mendelschen Gesetze leicht ableiten. Ich habe die Mendelschen Gesetze oben in fünf verschiedene Sätze zusammengefaßt. Von diesen ergeben sich die drei ersten als unmittelbare Folge aus dem eben von mir abgeleiteten Satz 5. Die beiden letzten lassen sich folgendermaßen ableiten. Man kann die Fortpflanzungszellen eines Organismus betrachten als Organismen, die durch ungeschlechtliche Fortpflanzung entstanden sind. Diese können nach dem eben von mir abgeleiteten Satz 6 mit dem mütterlichen Organismus nur einen Kristall gemeinsam haben. Nun ist die Hybridform eine Mischung aus zwei Kristallen. Sie enthält die Pangene zweier verschiedener

Arten; ihre Normalform müßte also eigentlich aus zwei verschiedenen Kristallen bestehen. Sie enthält also bedeutend mehr Elemente als notwendig sind für die Charakterisierung eines Kristalls. Die Fortpflanzungszellen der Hybridform sollen mit dieser nur in einem Kristall übereinstimmen; sie werden also sämtliche Kristallformen aufweisen, die durch Kombination der in der Hybridform vorhandenen Elemente entstehen können. In keiner dieser Fortpflanzungszellen können also homologe Eigenschaften der beiden Stammarten verbunden auftreten. Wohl aber kann dies eintreten bei den durch geschlechtliche Fortpflanzung entstandenen Nachkommen der Hybridform, da diese ja naturgemäß sämtliche möglichen Kombinationen der verschiedenen Arten von Fortpflanzungszellen aufweisen müssen. Denkt man sich diese sämtlichen möglichen Kombinationen dargestellt, so ergibt sich der Satz 6, wie eine einfache Überlegung zeigt.

Abschnitt IV.

Aus meiner Theorie lassen sich auch einige interessante Folgerungen, betreffend das Auftreten neuer Arten, entwickeln. Ich habe schon den Satz abgeleitet, daß Individuen der gleichen Art sich unterscheiden durch die Kristallformen von niedrigster systematischer Wertigkeit. In bezug auf diese Kristallformen müssen sich also durch geschlechtliche Fortpflanzung erzeugte Individuen der gleichen Art wie Hybridformen und wie die Nachkommen von Hybridformen verhalten. Nun zeigen nach den Mendelschen Gesetzen die Nachkommen von Hybridformen die sämtlichen möglichen Kombinationen der differenten Eigenschaften der Stammarten. Unter diesen Kombinationen gibt es solche, in denen Eigenschaften der einen Stammart mit den homologen Eigenschaften der anderen Stammart verbunden auftreten, und solche, bei denen das nicht der Fall ist. Ich will zunächst diese letzteren Kombinationen bei den Enkeln von zwei Individuen der gleichen Art betrachten und dabei zunächst nur den einfachen Fall berücksichtigen, daß sich die beiden kopulierten Individuen nur in zwei Eigenschaften unterscheiden. Ich habe im Anschluß an die Heinckesche Artdefinition den Satz abgeleitet; verwendet man die Größe der verschiedenen Eigenschaften eines Individuums als Koordinaten in einem n-dimensionalen Koordinatensystem, so lassen sich alle Individuen der gleichen Art als Punkte darstellen, die auf einer Kugelfläche liegen. Unterscheiden sich zwei Indi-

viduen nur in zwei Eigenschaften, so liegen sie auf einem Kreise
den eine der Koordinatenebenen aus der Artkugel herausschneidet.
Ich kann dann ihre gegenseitige Lage durch die nachfolgende
Zeichnung darstellen:

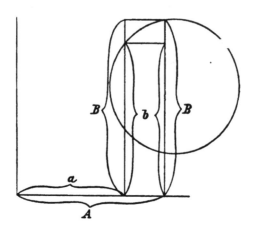

In dem dargestellten Falle sind die differenten Eigenschaften
der beiden Individuen *A*, *B* und *a*, *b*. Diejenigen Kombinationen,
in denen keine der Eigenschaften mit der homologen Eigenschaft
des anderen verbunden auftritt, sind also *AB*, *Ab*, *aB* und *ab*.
Ein Blick auf die Zeichnung zeigt, daß weder *Ab* noch *aB* durch
Punkte auf der Artkugel repräsentiert werden können, daß sie
also beide nicht zur gleichen Art wie die kopulierten Individuen
gehören. Daraus ergibt sich der Satz, unter den Nachkommen
zweier Individuen der gleichen Art, die sich nur durch zwei
Eigenschaften unterscheiden, ist stets ein gewisser Prozentsatz von
Individuen, die nicht der gleichen Art angehören. Genau dasselbe gilt natürlich bei der Kopulation von Individuen, die sich
durch mehr als zwei Eigenschaften unterscheiden für diejenigen
Kombinationen, in denen keine der Eigenschaften mit der homologen Eigenschaft des anderen Individuums verbunden auftritt.
    Um die Größe des erwähnten Prozentsatzes zu finden, müssen
wir nunmehr die Eigentümlichkeiten jener Kombinationen untersuchen, in denen Eigenschaften des einen Individuums mit den
homologen Eigenschaften des anderen verbunden auftreten. Ich
habe schon weiter oben darauf hingewiesen, daß die Eigenschaften
eines Organismus Funktionen der Eigenschaften seiner homogenen
Teilstücke sind. Verschiedene Individuen unterscheiden sich durch

die kleinsten systematischen Gruppen dieser homogenen Teilstücke. Man kann also ebensogut wie von homologen Eigenschaften von homologen Gruppen homogener Teilstücke reden. Die eben erwähnten Kombinationen kann man dann als solche bezeichnen, in denen gewisse Gruppen homogener Teilstücke des einen Individuums mit den homologen Gruppen homogener Teilstücke des anderen Individuums zusammen auftreten. Jeder Gruppe homogener Teilstücke entsprechen gewisse von ihr abhängige Eigenschaften des Individuums. Der Verbindung homologer Gruppen von Teilstücken werden im allgemeinen Eigenschaften entsprechen, die einen Mitteltypus bilden zwischen den Eigenschaften der verbundenen Gruppen. Die Beschaffenheit dieses Mitteltypus ist natürlich bis zu einem gewissen Grade variabel. Betrachte ich zunächst nur diejenigen Kombinationen, in denen nur eine Eigenschaft des einen Individuums mit der homologen Eigenschaft des anderen Individuums verbunden auftritt, so ist es klar, daß diejenigen davon nicht durch Punkte auf der Artkugel dargestellt werden können, mit denen eine jener Kombinationen in allen übrigen Eigenschaften übereinstimmt, die keine Verbindung homologer Eigenschaften aufweisen. Dagegen können infolge der Variabilität des Mitteltypus diejenigen Kombinationen sämtlich durch Punkte auf der Artkugel dargestellt werden, in denen mehr als eine der Eigenschaften des einen Individuums mit den homologen Eigenschaften des anderen Individuums verbunden auftritt.

Aus alledem ergibt sich: unter den Nachkommen zweier Individuen der gleichen Art ist stets ein gewisser Prozentsatz von Individuen, die nicht der gleichen Art wie die kopulierten Individuen angehören. Ist die Gesamtzahl der Nachkommen $p \cdot 4^n$, so ist die Zahl der fremdartigen Individuen $(2^n - 2 + n \cdot 2^n) \cdot p$, wenn n die Zahl der differenten Eigenschaften bei beiden Individuen ist. Daraus ergibt sich, daß der Prozentsatz fremdartiger Individuen um so kleiner wird, je größer die Zahl der differenten Eigenschaften bei den kopulierten Individuen einer Art ist. Er ist notwendigerweise' kleiner als $(n + 1) : 2^n$. Für $n = 25$ erhält der ganze Ausdruck den Wert $26 : 2^{25}$. Da 2^{25} größer ist als 33 000 000, so würde in diesem Falle auf eine Million Exemplare der Art noch nicht ein Individuum der neuen Art kommen. Wir können also sagen: eine Art bleibt sicher konstant, solange je 2 kopulierende Individuen in mehr als 25 Eigenschaften verschieden sind. Sinkt anderseits die Zahl der differenten Eigenschaften bei den kopulierenden Individuen bis auf 10, so muß jedes 100. Individuum einer neuen Art angehören.

Aus dem vorstehenden ergibt sich eine Methode, wie man willkürlich eine neue Arten erzeugen kann. Man wähle aus irgend einer Tier- oder Pflanzenart die zur Zucht benutzenden Individuen derart aus, däß die zu kopulierenden Individuen sich stets durch mindestens zwei oder höchstens zehn Eigenschaften unterscheiden, und daß in der ganzen Gruppe der zur Zucht benutzten Individuen nicht mehr als 10 differente Eigenschaften vorhanden sind. Dann müssen unter den Nachkommen dieser Gruppe sich Exemplare neuer Arten finden.

Kapitel III.

Abschnitt I.

Ich komme nunmehr zur Darstellung der Beziehungen zwischen meiner Theorie und den bisherigen Ergebnissen der Variationsstatistik. Die Grundlage aller Forschungen auf diesem Gebiete bildete bisher das Queteletsche Gesetz, das ich schon in der Einleitung dargestellt habe. Gegen das Fehlerverteilungsgesetz, das ihm zugrunde liegt, hat aber schon Gauß den Einwand erhoben, daß, wenn es vollkommen richtig wäre, bei einer genügenden Zahl von Messungen Fehler von jeder beliebigen Größe auftreten müßten. Ich will nun im folgenden zeigen, daß man ein Verteilungsgesetz ableiten kann, das diesem Einwurf nicht ausgesetzt ist, wenn man von der Voraussetzung ausgeht, alle Individuen der gleichen Art seien äquidistante Deformationen der gleichen Grundform.

Diese Annahme läßt sich ausdrücken durch die Gleichung:

$$(x_1 - a)^2 + (y_1 - b)^2 + (z_1 - c)^2 + (n_1 - d)^2 + \cdots\cdots = (x_2 - a)^2 + (y_2 - b)^2 + (z_2 - c)^2 + (n_2 - d)^2 + \cdots\cdots$$

wo x_1 der Wert einer Eigenschaft in einem Individuum 1

x_2 „ „ der gleichen „ „ „ „ 2

a der Queteletsche Mittelwert der gleichen Eigenschaft.

y_1 der Wert einer zweiten Eigenschaft im Individuum 1

y_2 „ „ derselben „ „ „ „ 2

b der Queteletsche Mittelwert der zweiten Eigenschaft u. s. w.

Das durch diese Gleichung dargestellte Gebilde habe ich schon in der Einleitung eine Artkugel genannt. Wäre der Mittelpunkt der Artkugel konstant und der Radius endlich groß, so würde die Variation der Art nach jeder Richtung endlich sein; ein aus ihr abgeleitetes Verteilungsgesetz müßte also von dem Fehler frei sein, den Gauß an seinem eigenen Fehlerverteilungsgesetz rügte. Der Notwendigkeit einer Konstanz des Mittelpunktes widerspricht eine Meinung, die heute wohl allgemein ohne nähere Begründung als selbstverständlich angesehen wird. Man kann sie dahin formulieren, daß die Zahl der Individuen einer Art nur durch äußere Einflüsse beschränkt, an und für sich aber unendlich groß sei. Wäre das richtig, so wäre es unmöglich, den Mittelpunkt der Artkugel mit Sicherheit zu bestimmen, da man ja nur für endlich viele Individuen den Queteletschen Mittelwert einer Art bestimmen kann. Dieser Meinung widerspricht nun meine Theorie auf das entschiedenste. Ich habe im zweiten Kapitel den Satz abgeleitet: In einer Gruppe von Organismen, deren sämtliche homogene Teilstücke äquidistante Deformationen der gleichen Grundform sind, gibt es nur endlich viele Kristallformen. Es ist klar, daß eine derartige Gruppe einen sehr viel größeren systematischen Umfang haben muß, als eine Art. Es kann also auch in einer Art nur endlich viele verschiedene Kristallformen geben. Anderseits rechne ich alle diejenigen Organisationsformen zum gleichen Individuum, die in sämtlichen kristallinen Grundformen übereinstimmen. Daraus folgt, daß eine Art nur endlich viele Individuen enthalten kann.

Damit steht Bestimmbarkeit und Konstanz des Mittelpunktes unzweifelhaft fest. Daß daraus auch die Endlichkeit des Radius folgt, ist leicht zu zeigen. Ich habe schon im ersten Kapitel gezeigt, daß man n beliebige Gebilde unter Benutzung von $n+1$ Eigenschaften stets als äquidistante Deformationen der gleichen Grundform darstellen kann, d. h. also, hat eine Art n Individuen, so genügen $n+1$ Eigenschaften stets zur Berechnung des Radius der Artkugel. Der Radius ist gegeben durch die Formel

$$(x-a)^2 + (y-b)^2 + (z-c)^2 + \cdots = r^2$$

wo die Zahl der Klammern auf der linken Seite der Gleichung n ist. Da n endlich ist, so muß auch der Radius endlich groß sein.

Es bleibt mir jetzt noch übrig, zu zeigen, daß sich aus den Eigenschaften einer endlich großen Artkugel mit konstantem Mittelpunkt ein Gesetz ableiten läßt, das die Menge der Individuen regelt, die den gleichen Wert einer Eigenschaft aufweisen. Das ist nun nicht schwer. Wähle ich aus einer Art alle diejenigen Exemplare aus, die den Wert x_1 der gleichen Eigenschaft aufweisen, so tue ich dasselbe, als wenn ich das Gebilde darstelle, das sich ergibt aus einem Schnitt der Artkugel mit einer Ebene, die in der Entfernung x_1 vom 0-Punkt auf der einen Koordinatenachse senkrecht steht. Denke ich mir die Punkte, welche Individuen darstellen, auf der Oberfläche der Artkugel gleichmäßig verteilt, so müssen die Größen irgendwelcher Oberflächenstücke den Anzahlen der in ihnen enthaltenen Individuen proportional sein. Es müssen also auch die Größen der Schnittflächen der Artkugel mit Ebenen, die auf der gleichen Koordinatenachse senkrecht stehen, proportional sein den Anzahlen der in den Schnittflächen enthaltenen Individuen. D. h. wähle ich aus einer Art alle diejenigen Exemplare aus, die den Wert x_1 einer Eigenschaft aufweisen und wähle ich ferner aus der gleichen Art alle die Exemplare aus, die den Wert x_2 der gleichen Eigenschaft aufweisen, so verhalten sich die Anzahlen der Individuen beider Gruppen, wie die Größen der Schnittflächen der Artkugel mit Ebenen, die in den Entfernungen x_1 und x_2 vom 0-Punkt auf der gleichen Koordinatenachse senkrecht stehen.

Das Verhältnis der Größen dieser Schnittflächen soll im folgenden berechnet werden. Die Gleichung der Artkugel ist:

$$\text{I. } (x-a)^2 + (y-b)^2 + (z-c)^2 + (n-d)^2 + \cdots\cdots = r^2$$

Wähle ich aus der Art alle die Exemplare aus, die den Wert x_1 der einen Eigenschaft aufweisen, so tue ich dasselbe, als wenn ich in Gleichung I $x = x_1 =$ konstant setze. Dadurch erhalte ich die Gleichung:

$$\text{II. } (y-b)^2 + (z-c)^2 + (n-d)^2 + \cdots\cdots = r^2 - \text{konstant} = r_1^2$$

d. h. die Schnittfläche der n-dimensionalen Artkugel mit einer Ebene, die in der Entfernung x_1 vom 0-Punkt auf der einen Koordinatenachse senkrecht steht, ist eine $n-1$-dimensionale Kugel mit dem Radius x_1. Wähle ich also aus einer Art alle diejenigen Exemplare aus, die den Wert x_1 einer Eigenschaft aufweisen, und wähle ich ferner aus der gleichen Art alle diejenigen Exemplare aus, die den Wert x_2 der gleichen Eigenschaft aufweisen, so verhalten sich die Anzahlen der Individuen beider Gruppen wie die Oberflächen zweier $(n-1)$-dimensionaler Kugeln mit den Radien

$$r_1 = \sqrt{r^2 - (x_1-a)^2} \text{ und } r_2 = \sqrt{r^2 - (x_2-a)^2}$$

Wie verhalten sich nun aber die Oberflächen zweier $(n-1)$-dimensionaler Kugeln? Das ergibt sich aus den folgenden beiden Sätzen:

1. Die Dimensionenzahl der Maßeinheit einer Fläche ist gleich der Zahl der Variabeln, die in der Gleichung der Fläche konstant gesetzt werden können, ohne die Gleichung überbestimmt zu machen.

2. Nimmt man zur Kantenlänge der Maßeinheit bei n-dimensionalen ähnlichen Gebilden nicht eine konstante Größe, sondern die Länge einer bei allen untersuchten Gebilden auffindbaren Linie, so verhalten sich die Oberflächen der Gebilde, wie die Maßeinheiten.

Nun wissen wir, daß wir in der Gleichung einer $(n-1)$-dimensionalen Kugel höchstens $n-2$ Variable konstant setzen dürfen, daß alle Kugeln von gleicher Dimensionenzahl ähnlich sind und daß man als Kantenlänge der Maßeinheit den Radius verwenden kann. Daraus folgt:

Die Oberflächen zweier $(n-1)$-dimensionaler Kugeln verhalten sich wie die $(n-2)$-Potenzen der Radien.

Daraus ergibt sich nun das Gesetz:

Ist die Anzahl aller Exemplare einer Art, die den Wert x_1 einer Eigenschaft aufweisen, m_1 und ist die Anzahl aller Exemplare, die den Wert x_2 der gleichen Eigenschaft aufweisen m_2, ist a der Queteletsche Mittelwert der Eigenschaft, r der Radius der Artkugel und n die Anzahl der Eigenschaften, die für die Konstruktion der Artkugel erforderlich sind, so ist:

$$\frac{m_1}{m_2} = \frac{\sqrt{r^2-(x_1-a)^2}^{\,n-2}}{\sqrt{r^2-(x_2-a)^2}^{\,n-2}}$$

Damit wäre das gesuchte Gesetz abgeleitet. Nun hat sich aber das Queteletsche Gesetz in einer außerordentlich großen Zahl von Fällen als richtig erwiesen. Soll dies neue Gesetz richtig sein, so muß demnach die Verteilung der Individuen auf die verschiedenen Werte der gleichen Eigenschaft, die es fordert, nahezu dieselbe sein, wie nach dem Queteletschen Gesetz. Daß das wirklich der Fall ist, soll im folgenden gezeigt werden. Mein Gesetz lautet:

$$\frac{m_1}{m_2} = \frac{\sqrt{r^2-(x_1-a)^2}^{\,n-2}}{\sqrt{r^2-(x_2-a)^2}^{\,n-2}} = \frac{[r^2-(x_1-a)^2]^{\frac{n-2}{2}}}{[r^2-(x_2-a)^2]^{\frac{n-2}{2}}}$$

Diese Formel kann man folgendermaßen deuten:

Die Mengen derjenigen Individuen, die den Wert x_1 einer Eigenschaft aufweisen und diejenigen, die den Wert x_2 der gleichen Eigenschaft aufweisen, verhalten sich wie die $\frac{n-2}{2}$-Potenzen der Inhalte derjenigen Kreise, welche zwei Ebenen, die im Abstande x_1 und x_2 einer Koordinatenebene parallel laufen, aus einer 3-dimensionalen Kugel ausschneiden, die den Radius der Artkugel hat. Daraus folgt:

Untersuche ich die Verteilung der Individuen einer Art auf die Werte von drei Eigenschaften, so muß ich mir die Individuen derart in einer 3-dimensionalen Kugel verteilt denken, daß die Menge der in parallelen Ebenen enthaltenen Individuen sich verhalten wie die $\frac{n-2}{2}$-Potenzen der Inhalte der Kreise, welche die Ebenen aus der Kugel herausschneiden.

Das Stück einer Kugel, das durch zwei parallele Ebenen aus ihr herausgeschnitten wird, heißt eine körperliche Zone. Die Entfernung der beiden Ebenen heißt die Höhe der Zone und der größere der beiden begrenzenden Kreise heißt der Grundkreis. Es gilt der Satz:

Die Inhalte zweier körperlicher Zonen von gleicher Höhe, die aus der gleichen Kugel ausgeschnitten sind, verhalten sich um so genauer wie die Inhalte der Grundkreise, je kleiner die Höhe ist. Ich kann also mein Verteilungsgesetz annähernd richtig folgendermaßen ausdrücken:

Die Mengen derjenigen Individuen, bei denen eine Eigenschaft Werte zwischen x_1 und x_2 aufweist und derjenigen, bei denen die gleiche Eigenschaft Werte zwischen x_3 und x_4 aufweist, verhalten sich, wenn $x_1 - x_2 = x_3 - x_4$, wie die $\frac{n-2}{2}$-Potenzen der Inhalte der beiden körperlichen Zonen, welche durch Ebenen aus der Kugel herausgeschnitten werden, die in den Abständen x_1, x_2, x_3 und x_4 der gleichen Koordinatenebene parallel sind. Dieser Satz gilt um so genauer, je kleiner

$$x_1 - x_2 \text{ und } x_3 - x_4 \text{ sind.}$$

In dieser Form läßt sich mein Gesetz bequem mit dem Queteletschen vergleichen. Nehme ich $\frac{n-2}{2} = 4$ und teile ich zur ersten Annäherung die Kugel in 8 körperliche Zonen von gleicher Höhe, so verhalten sich die 4-Potenzen der Inhalte der Zonen wie

14641; 707281; 2825761; 4879681; 4879681; 2825761; 707281; 14641

oder wenn ich alle Zahlen mit 14641 dividiere:

I) 1   48   193   333   333   193   48   1

Dem gegenüber sind die Koeffizienten eines Binoms mit dem Exponenten 5

II) 1   5   10   10   5   1

Hier entspricht offenbar der 48 in Reihe I die 1 in Reihe II, der 193 entspricht die 5, der 333 die 10. Multipliziere ich in Reihe II alle Zahlen mit 48, so erhalte ich:

48   240   480   480   240   48

Benutze ich in der bekannten Art die Zahlen von Reihe I und II als Ordinaten einer Kurve, so ist also die durch Reihe II dargestellte Kurve bedeutend steiler als die Kurve von Reihe I.

Die Koeffizienten eines Binoms mit dem Exponenten 7 sind:

III) 1   7   21   35   35   21   7   1

Hier entspricht offenbar die 7 der 48 in Reihe I, die 21 der 193, die 35 der 333. Multipliziere ich in Reihe III alle Zahlen mit $\frac{48}{7} = 6,857$, so erhalte ich:

6,857   48   144   240   240   144   48   6,857

Diese Zahlen zeigen deutlich, daß die Kurve von Reihe III flacher ist als die Kurve von Reihe I. Ich kann also sagen: Teile ich eine Kugel durch parallele Ebenen in 8 körperliche Zonen von gleicher Höhe und benutze ich die Größen der 4. Potenzen der Inhalte der Zonen als Ordinaten einer Kurve, so liegt die so dargestellte Kurve zwischen der Queteletschen Kurve mit dem Exponenten 5 und der mit dem Exponenten 7.

Teile ich eine Kugel durch parallele Ebenen in 12 körperliche Zonen von gleicher Höhe, so verhalten sich die 4. Potenzen der Inhalte der Zonen wie:

83521; 4879681; 25411681; 62742241; 104060401; 131079601; 131079601; 104060401; . . . . .

oder wenn ich alle Zahlen mit 83521 dividiere:

IV) 1   58   304   751   1245   1569   1569   1245   751   304 . . . . .

Die Koeffizienten eines Binoms mit dem Exponenten 13 sind:

V) 1; 13; 78; 286; 715; 1287; 1716; 1716; 1287; 715; 286;
78; 13; 1

Hier entspricht offenbar die 286 der 304 in Reihe IV. Multipliziere ich in Reihe V alle Zahlen mit $\frac{304}{286} = 1{,}0629$, so erhalte ich:

1,0629; 13,82; 82,9; 304; 764; 1368; 1823; 1823; 1368; 764;.....

Benutze ich die Zahlen von Reihe IV und V als Ordinaten einer
Kurve, so ist die durch Reihe V dargestellte Kurve vom 4. bis
zum 11. Gliede steiler, sonst aber flacher als die Kurve zu Reihe IV.
Die Koeffizienten eines Binoms mit dem Exponenten 15 sind:

VI) 1; 15; 105; 455; 1365; 3003; 5005; 6435; 6435; 5005;
3003; 1365; . . . . .

Hier entspricht offenbar die 1365 der 304 in Reihe IV; multipliziere ich in Reihe VI alle Zahlen mit $\frac{304}{1365}$, so erhalte ich:

0,22; 3,3; 23; 101; 304; 669; 1114; 1433; 1433; 1114; 669;
304; . . . . .

Benutze ich die Zahlen von Reihe IV und VI als Ordinaten von
Kurven, so ist die durch Reihe VI dargestellte Kurve flacher als
die Kurve zu Reihe IV. Ich kann also sagen:
Teile ich eine Kugel durch parallele Ebenen in 12 körperliche Zonen von gleicher Höhe und benutze ich die Größen der
4. Potenzen der Inhalte der Zonen als Ordinaten einer Kurve, so
liegt der Mittelteil der so dargestellten Kurve zwischen der
Queteletschen Kurve mit dem Exponenten 13 und der mit dem
Exponenten 15.
Teile ich eine Kugel durch parallele Ebenen in 20 körperliche Zonen von gleicher Höhe, so verhalten sich die 4. Potenzen
der Inhalte der Zonen wie:

VII) 707281; 47458321; 294499921; 895745041; 1908029761;
3208542736; 4784350561; 6234839521; 7249862201;
7990303776; 7990303776; 7249862201; 6234839521;
4784350561; 3208542736; 1908029761; 895745041;
294499921; 47458321; 707281

Oder wenn ich alle Zahlen mit 707281 dividiere:

1; 67; 416; 1266; 2697; 4536; 6764; 8815; 10250; 11014;
11014; 10250; 8815; 6764; 4536; 2697; 1266; 416; 67; 1

Die Koeffizienten eines Binoms mit dem Exponenten 37 sind:

VIII) 1; 37; 635; 7571; 65424; 434328; 2320478; 10283784;
38581158; 124353632; 348254854; 854899894; 1852390638;
3562391718; 6107036412; 9364172628; 12875763041;
15905364815; 17672630760; 17672630760; 15905364815;
12875763041; 9364172628; 6107036412; 3562391718;
1852390638; 854899894; 348254854; 124353632; 38581158;
10283784; 2320478; 434328; 65424; 7571; 635; 37; 1

Hier entspricht offenbar die 1852390638 der 1266 in Reihe VII.

Multipliziere ich in Reihe VIII alle Zahlen mit $\frac{2697}{3562391158}$, so

erhalte ich für die ersten 6 und die letzten 6 Glieder Werte, die kleiner sind als 1, im übrigen aber:

1; 8; 29; 93; 263; 646; 1401; 2697; 5217; 7084; 9740; 12033;
13370; 13370; . . . . .

Benutze ich die Zahlen von Reihe VII und VIII als Ordinaten einer Kurve, so ist die durch Reihe VIII dargestellte Kurve vom 1. bis zum 14. Gliede und vom 25. bis zum letzten Gliede flacher, sonst aber steiler als die Kurve zu Reihe VII.

Die Koeffizienten eines Binoms mit dem Exponenten 39 sind:

IX) 1; 39; 410; 8578; 81201; 572747; 3254558; 15359068;
61469204; 211799732; 635543276; 1675763234; 3910445280;
8122072888; 15084210486; 25140637170; 37711144709;
51021063525; 62359123431; 68923257095; 68923257095;
62359123431; 51021063525; . . . . .

Hier entspricht offenbar die 15084210486 der 2697 in Reihe VII.

Multipliziere ich alle Zahlen der Reihe IX mit $\frac{1266}{8122072888}$, so

erhalte ich für die ersten 7 und die letzten 7 Glieder der Reihe Werte, die kleiner sind als 1, im übrigen aber:

3; 33; 98; 261; 609; 1266; 2351; 3919; 5878; 7953; 9720;
10723; 10723; 9720; . . . . .

Benutze ich die Zahlen von Reihe IX als Ordinaten einer Kurve, so ist diese Kurve flacher als die Kurve zu Reihe VII. Ich kann also sagen:

Teile ich eine Kugel durch parallele Ebenen in 20 körperliche Zonen von gleicher Höhe und benutze ich die Größen der
4. Potenzen der Inhalte der Zonen als Ordinaten einer Kurve, so
liegt der Mittelteil der so dargestellten Kurve zwischen der
Queteletschen Kurve mit dem Exponenten 37 und der mit dem
Exponenten 39.

In derselben Weise wie bisher könnte ich beliebig weiter
fortfahren und erhielte den allgemeinen Satz:

Teile ich eine Kugel durch parallele Ebenen in 2 *n* körperliche Zonen von gleicher Höhe und benutze ich die Größen der
4. Potenzen der Inhalte der Zonen als Ordinaten einer Kurve, so
liegt der Mittelteil der so dargestellten Kurve zwischen zwei
Queteletschen Kurven, deren Exponenten benachbarte ungerade
Zahlen und größer als 2*n* sind.

Da die beiden Quetelet-Kurven mit steigendem Exponenten
einander immer ähnlicher werden, so muß die Inhaltskurve der
Zonen mit steigender Zonenzahl einer Quetelet-Kurve immer
ähnlicher werden.

Da die Inhaltskurve der Zonen sich mit wachsender Zonenzahl erst meiner Fehlerverteilungskurve annähert, so kann ich
also sagen:

Der Mittelteil meiner Fehlerverteilungskurve stimmt sehr nahe
mit einer Quetelet-Kurve überein.

Abschnitt II.

Als eine weitere Folge kann ich aus meiner Theorie das
Galtonsche Korrelationsgesetz ableiten.

Dieses Gesetz hat Weldon in „Proceedings of the Royal
Society", Band 51, folgendermaßen dargestellt:

„In the population examined let all those individuals be
chosen in which a certain organ A differs from its average size
by an affixed amount y; in these individuals, let the deviations
of a second organ B from its average be measured. The various
individuals will exhibit deviations of B equal to x_1, x_2, x_3 ......
whose mean may be called x_m. The ratio $\frac{x_m}{y}$ will be constant
for all values of y.

In the same way suppose, those individuals are chosen in
which the organ B has a constant deviation x; then in these in-

dividuals y_m the mean deviation of the organ A will have the same ratio to x whatever may be the value of x."

Dieser Satz läßt sich aus meiner Theorie folgendermaßen ableiten. Ich habe schon gezeigt, daß zur Konstruktion der Artkugel höchstens n Eigenschaften erforderlich sind, wenn die Art $n + 1$ Individuen zählt. Ich habe ferner gezeigt, daß man an einem Individuum beliebig viele Eigenschaften unterscheiden kann. Ich kann mir also die $n + 1$ Individuen einer Art als Punkte in einem $n + 1$-dimensionalen Koordinatensystem dargestellt denken. Durch zwei Punkte in der Ebene kann ich stets eine Gerade legen, durch drei Punkte im Raum stets eine Ebene. Durch 4 Punkte im 4-dimensionalen Raum werde ich also stets ein Gebilde legen können, das im 4-dimensionalen Raum dieselbe Rolle spielt, wie die Ebene im 3-dimensionalen. Ich will ein solches Gebilde eine 3-dimensionale Ebene nennen und kann dann sagen: Durch 4 Punkte im 4-dimensionalen Raum kann ich stets eine 3-dimensionale Ebene legen. Entsprechend werde ich durch 5 Punkte im 5-dimensionalen Raum eine 4-dimensionale Ebene legen können. Und ich kann allgemein aussprechen, durch $n + 1$ Punkte im $n + 1$-dimensionalen Raum kann man stets eine n-dimensionale Ebene legen.

Stelle ich also $n + 1$ Individuen einer Art als Punkte in einem $n + 1$-dimensionalen Koordinatensystem dar, so liegen alle erhaltenen Punkte in der gleichen n-dimensionalen Ebene. Anderseits müssen im $n + 1$-dimensionalen Raum $n + 1$ Individuen einer Art alle auf der gleichen $n + 1$-dimensionalen Kugel liegen. Daraus folgt: Hat eine Art $n + 1$ Individuen und stelle ich diese sämtlich als Punkte in einem $n + 1$-dimensionalen Koordinatensystem dar, so liegen alle erhaltenen Punkte auf einem Gebilde, das entsteht, wenn ich eine $n + 1$-dimensionale Kugel mit einer n-dimensionalen Ebene schneide.

Schneide ich eine 3-dimensionale Kugel mit einer 2-dimensionalen Ebene, so erhalte ich einen Kreis; schneide ich eine 4-dimensionale Kugel mit einer 3-dimensionalen Ebene, so erhalte ich ein Gebilde, das im 4-dimensionalen Raum dieselbe Rolle spielt, wie der Kreis im 3-dimensionalen. Ich will ein solches Gebilde einen 2-dimensionalen Kreis nennen. Beim Schnitt einer 4-dimensionalen Kugel mit einer 3-dimensionalen Ebene erhalte ich also einen 2-dimensionalen Kreis. Analog erhalte ich einen 3-dimensionalen Kreis, wenn ich eine 5-dimensionale Kugel mit

einer 4-dimensionalen Ebene schneide, und ich kann allgemein
sagen: Schneide ich eine $n+1$-dimensionale Kugel mit einer
n-dimensionalen Ebene, so erhalte ich einen $n-1$-dimensionalen
Kreis.

Ich kann also sagen: Hat eine Art $n+1$ Individuen und
stelle ich diese sämtlich als Punkte in einem $n+1$-dimensionalen
Koordinatensystem dar, so liegen alle erhaltenen Punkte auf einem
$n-1$-dimensionalen Kreise.

Nach Definition wird ein $n-1$-dimensionaler Kreis dargestellt durch 2 Gleichungen, von denen eine die Gleichung
einer $n+1$-dimensionalen Kugel, die andere die Gleichung einer
n-dimensionalen Ebene ist. Also durch die beiden folgenden:

$$\text{I.} \quad (x-a)^2 + (y-b)^2 + (z-c)^2 + (u-d)^2 + \ldots\ldots = r^2$$
$$\text{II.} \quad x = my + pz + qu + \ldots\ldots + n$$

Die Zahl der Variablen soll in jeder der beiden Gleichungen
$n+1$ sein. Setze ich aus Gleichung II den Wert von x in
Gleichung I ein, so erhalte ich eine Gleichung mit n Unbekannten
also die Gleichung der Projektion des $n-1$-dimensionalen Kreises
in den n-dimensionalen Raum. Die Gleichung ist die eines
n-achsigen Ellipsoids. Da es gleichgültig ist, ob ich einen $n-1$-
dimensionalen Kreis direkt in die Ebene projiziere oder ob ich
seine Projektion in den n-dimensionalen Raum in die Ebene
projiziere, so sehe ich, daß die Projektion eines $n-1$-dimensio-
nalen Kreises in die Ebene gleich der Projektion eines n-achsigen
Ellipsoids in die Ebene ist.

Hat eine Art $n+1$ Individuen und stelle ich diese sämtlich
unter Benutzung der gleichen 2 Eigenschaften als Punkte in
einem zweiachsigen Koordinatensystem dar, so liegen alle so erhaltenen Punkte auf der Projektion eines $n-1$-dimensionalen
Kreises in die Ebene.

Diese Projektion wird ein elliptisches Stück der Koordinatenebene ausfüllen. Die Koordinaten des Mittelpunktes dieser Ellipse
stellen die Mittelwerte der benutzten Eigenschaften dar. Diese
Koordinaten seien a und b, dann soll man, wie Weldon fordert,
alle diejenigen Punkte zusammenfassen, bei denen die eine Eigenschaft vom Mittelwert um y abweicht, man sieht sofort, daß man
dabei eine gerade Linie parallel der x-Achse erhält, im Abstande
$a+y$ oder $a-y$. Die durch diese gerade Linie dargestellten Individuen werden verschiedenartige Abweichungen vom Mittelwert

der zweiten Eigenschaft zeigen. Die größten Abweichungen werden durch diejenigen Punkte dargestellt werden, die auf den Schnittpunkten der Geraden mit der Ellipse liegen. Der Mittelwert dieser Abweichungen wird dargestellt durch den Mittelpunkt der durch jene Schnittpunkte begrenzten Sehne. Da in jeder Ellipse die Mittelpunkte aller parallelen Sehnen auf einer geraden Linie liegen, so folgt ohne weiteres der erste Teil des Weldonschen Satzes, daß der Mittelwert der Abweichungen der einen Eigenschaft xm dividiert durch das oben definierte y stets die gleiche Zahl ergibt, in genau gleicher Weise kann dann noch weiter der 2. Satz des Weldonschen Satzes bewiesen werden.

Abschnitt III.

Aus meiner Theorie folgt ferner, daß in einer Art der Variationsmittelpunkt der männlichen Exemplare der gleiche sein muß, wie der der weiblichen Exemplare.

Der Beweis hierfür beruht auf dem Mendelschen Gesetze, daß die Nachkommen einer Hybridform die sämtlichen möglichen Kombinationen der Eigenschaften der bastardierten Arten aufweisen. Daraus folgt, daß die Variationsmittelpunkte der Nachkommen der Hybriden in ihren Koordinaten Kombinationen aufweisen zwischen den Koordinaten der Variationsmittelpunkte der bastardierten Arten. Wäre in einer Art der Variationsmittelpunkt der männlichen Exemplare von dem der weiblichen verschieden, so müßten also die Enkel eines Paares in den Koordinaten ihrer Variationsmittelpunkte Kombinationen der Koordinaten des männlichen und des weiblichen Variationsmittelpunktes aufweisen. Es müßten also für die gleiche Art mehr als zwei Variationsmittelpunkte vorhanden sein, was offenbar unmöglich ist.

Die oft festgestellte Differenz zwischen den Queteletschen Mittelwerten für weibliche und männliche Exemplare der gleichen Art beweist also nur, daß auf der Artkugel diejenigen Punkte, die männliche Exemplare darstellen, anders verteilt sind als diejenigen, die weibliche Exemplare darstellen.

Dieser Umstand gestattet die Ableitung einer Formel, mit der man aus den Eigenschaften von drei Exemplaren die Koordinaten des Variationsmittelpunktes einer Art berechnen kann.

Sind zur Konstruktion der Artkugel n Eigenschaften nötig, so gilt für beliebige n Eigenschaften die Gleichung:

I. $(x_1 - a)^2 + (y_1 - b)^2 + (z_1 - c)^2 + \ldots\ldots = (x_2 - a)^2 +$
$(y_2 - b)^2 + (z_2 - c)^2 + \ldots\ldots$

Wo $a, b, c \ldots$ Koordinaten des Variationsmittelpunktes, x_1, y_1, $z_1 \ldots$ Eigenschaften eines Individuums, x_2, y_2, $z_2 \ldots$ Eigenschaften eines anderen Individuums sind.

Da die Gleichung für beliebige n Eigenschaften gilt, so kann man aus ihr eine zweite Gleichung dadurch herleiten, daß man bei beiden Individuen die gleiche Eigenschaft durch eine noch nicht benutzte ersetzt. Die beiden Gleichungen seien

I. $(x_1 - a)^2 + (y_1 - b)^2 + (z_1 - c)^2 + \cdots\cdots = (x_2 - a)^2 +$
$(y_2 - b)^2 + (z_2 - c)^2 + \cdots\cdots$

II. $(v_1 - e)^2 + (y_1 - b)^2 + (z_1 - c)^2 + \cdots\cdots = (v_2 - e)^2 +$
$(y_2 - b)^2 + (z_2 - c)^2 + \cdots\cdots$

Subtrahiere ich die zweite Gleichung von der ersten, so erhalte ich:

$$(x_1 - a)^2 - (v_1 - e)^2 = (x_2 - a)^2 - (v_2 - e)^2$$

oder wenn ich die Klammern auflöse und zusammenfasse, was sich zusammenfassen läßt:

$$2a(x_2 - x_1) - 2e(v_2 - v_1) = x_2^2 - x_1^2 - v_2^2 + v_1^2$$

Dividiere ich auf beiden Seiten mit $(x_2 - x_1)$, so erhalte ich

$$\text{V. } 2a - 2e\frac{v_2 - v_1}{x_2 - x_1} = \frac{x_2^2 - x_1^2 - v_2^2 + v_1^2}{x_2 - x_2}$$

Da die benutzten Individuen beliebig sind, so kann ich aus Gleichung I und II unter Benutzung der Eigenschaften eines dritten Individuums die beiden neuen Gleichungen ableiten.

III. $(x_1 - a)^2 + (y_1 - b)^2 + (z_1 - c)^2 + \cdots\cdots = (x_3 - a)^2 +$
$(y_3 - b)^2 + (z_3 - c)^2 + \cdots\cdots$

IV. $(v_1 - e)^2 + (y_1 - b)^2 + (z_1 - c)^2 + \cdots\cdots = (v_3 - e)^2 +$
$(y_3 - b)^2 + (z_3 - c)^2 + \cdots\cdots$

Behandle ich die Gleichungen III und IV ebenso wie vorhin die Gleichungen I und II, so erhalte ich:

$$\text{VI. } 2a - 2e\frac{v_2 - v_1}{x_2 - x_1} = \frac{x_2^2 - x_1^2 - v_2^2 + v_1^2}{x_2 - x_1}$$

Subtrahiere ich Gleichung VI von Gleichung V, so erhalte ich

$$2e\left(\frac{v_2-v_1}{x_2-x_1}-\frac{v_3-v_1}{x_3-x_1}\right)=\frac{x_2^2-x_1^2-v_2^2+v_1^2}{x_2-x_1}-\frac{x_3^2-x_1^2-v_3^2+v_1^2}{x_3-x_1}$$

Oder, wenn ich alle Brüche auf den gleichen Nenner bringe und beide Seiten der Gleichung mit diesem Nenner multipliziere

$$2e\left[(v_2-v_1)(x_3-x_1)-(v_3-v_1)(x_2-x_1)\right]=(x_2^2-x_1^2-v_2^2+v_1^2)(x_3-x_1)-(x_3^2-x_1^2-v_3^2-v_1^2)(x_2-x_1)$$

Daraus folgt:

$$e=\frac{(x_2^2-x_1^2-v_2^2+v_1^2)(x_3-x_1)-(x_3^2-x_1^2-v_3^2+v_1^2)(x_2-x_1)}{2(v_2-v_1)(x_3-x_1)-2(v_3-v_1)(x_2-x_1)}$$

Gehören die benutzten Individuen nicht alle der gleichen Art an, so ergibt sich aus der Formel die Größe einer der Koordinaten des Variationsmittelpunktes der Stammart der benutzten Arten. Um das zu beweisen, brauche ich nur zu zeigen, daß alle Individuen die Arten angehören, welche eine gemeinsame Stammart haben, daß alle solche Individuen sich darstellen lassen als Punkte auf einer Kugel, deren Mittelpunkt der Variationsmittelpunkt der Stammart ist.

Am Ende des zweiten Kapitels habe ich eine Theorie über die Entstehung neuer Arten entwickelt. Danach sind die Eigenschaften von Individuen der neuen Arten nur neue Kombinationen der Eigenschaften von Individuen der Stammart. Nenne ich die Individuen der Stammart Stammindividuen, so kann ich die Individuen, der neuen Arten unterscheiden: 1. nach ihren Stammindividuen, 2. nach der Auswahl der Eigenschaften, die von jedem Stammindividuum in einem Individuum der neuen Arten enthalten sind, 3. nach dem Mengenverhältnis, in dem die Eigenschaften verschiedener Stammindividuen in einem Individuum der neuen Arten vertreten sind.

Ist *r* die Anzahl der Eigenschaften eines Stammindividuums, die in einem Individuum der neuen Arten enthalten sind, *s* die Anzahl der Eigenschaften eines zweiten Stammindividuums, die in dem gleichen Individuum der neuen Arten enthalten sind, *t* die Anzahl der Eigenschaften eines dritten Stammindividuums, die in dem gleichen Individuum der neuen Arten enthalten sind u. s. w., so ist das Verhältnis $r:s:t....$ mit verschiedenen Werten in den neuen Arten vertreten. Ich habe schon bewiesen, daß die Anzahl der Individuen selbst eines sehr großen Verwandt-schaftskreises von Organismen nur endlich groß ist, daß aber die Zahl der Eigenschaften eines Individuums als beliebig zu ver-größern betrachtet werden kann. Daraus folgt, daß r, s, t bei allen Individuen der neuen Arten ganzzahlige Multipla der gleichen beliebig zu vergrößernden ganzen Zahl sein müssen. Ist diese Zahl gleich n der Anzahl der Eigenschaften, die nötig sind, um eine Artkugel zu konstruieren, und ist p die größte Zahl von Stammindividuen, deren Eigenschaften in einem Individuum der neuen Arten vertreten sein können, so kann man alle Individuen der neuen Arten sowie der Stammart darstellen durch Punkte, die auf einer $n \cdot p$-dimensionalen Kugel liegen, deren Mittelpunkt die Koordinaten des Mittelpunktes der Stammart hat. Das beweist eine einfache Rechnung.

Ich kann also die oben abgeleitete Formel benutzen, um aus den Eigenschaften gegebener Arten die Koordinaten des Variations-mittelpunktes der Stammart zu berechnen.

Abschnitt IV.

Die im vorigen Abschnitt abgeleitete Formel habe ich benutzt:

1. Um auf Grund von Messungen an 13 Coracoiden von Anas Blanchardi (aus dem Miocän von Südfrankreich) eine der Koordinaten des Variationsmittelpunktes dieser Art zu berechnen.

2. Um auf Grund von Messungen an Coracoiden von Anas boscas, Anas pelevensis und Dendrocygna fulva eine der Koordi-naten des Variationsmittelpunktes der Stammart dieser Arten zu berechnen.

Aus Milne-Edwards „Recherches sur les oiseaux fossiles de la France" hatte ich bereits entnommen, daß Anas Blan-chardi in vielen Eigenschaften eine Zwischenstellung zwischen den Gattungen Anas und Dendrocygna einnehme. Ich hielt es danach für wahrscheinlich, daß Anas Blanchardi die Stammart dieser beiden Gattungen sei und berechnete deshalb aus dem fossilen und aus dem rezenten Material den Mittelwert der gleichen Eigenschaft. War Anas Blanchardi wirklich die Stammart der beiden Gattungen, so mußten die erhaltenen Mittelwerte übereinstimmen.

In der Formel kommen viele Multiplikationen und Quadrier-ungen vor. Etwaige Messungsfehler werden also sicher stark vergrößert im Resultat auftreten. Um diese Fehler zu eliminieren, benutze ich folgende Methode:

In der Formel benutze ich zwei Eigenschaften von drei Individuen und erhalte den Mittelwert von einer der beiden Eigenschaften. Welche Eigenschaft ich für die zweite auswähle, ist ganz gleichgültig. Habe ich also bei drei Individuen je n Eigenschaften gemessen, so kann ich den Mittelwert einer dieser Eigenschaften auf $n-1$ Arten bestimmen, indem ich nacheinander die

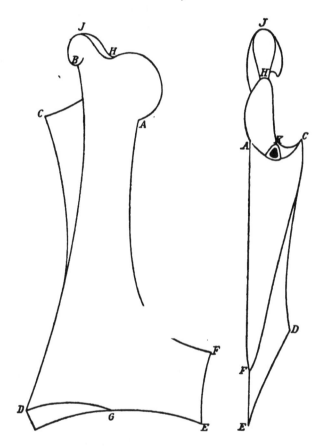

$n-1$ übrigen Eigenschaften mit der untersuchten in der Formel verwende. Wären die Messungen ganz exakt, so müßte die $n-1$ so erhaltenen Werte alle genau übereinstimmen, sind die Messungen inexakt, so müssen sich die erhaltenen Werte nach dem Gaußschen Fehlerverteilungsgesetz anordnen lassen. Der aus der Fehlerverteilungskurve gewonnene Mittelwert ist dann der wahre Mittelwert der untersuchten Eigenschaft. Als Eigenschaften benutzte ich die gegenseitigen Entfernungen von Punkten, die auf jedem der Coracoide leicht aufzufinden waren. Ich bezeichnete die Punkte mit den Buchstaben *A* bis *K*. Ihre Lage auf dem Coracoid geht aus der beiliegenden Zeichnung hervor.

Die beigefügten Tabellen enthalten die Resultate der Messungen in Millimetern, die Reihenfolge der benutzten Formeln und die Resultate der Rechnungen wieder in Millimetern. Ich lasse nunmehr die Resultate der Rechnungen folgen, geordnet nach dem Gaußschen Gesetz zur Bestimmung des wahren Mittelwertes.

Der berechnete Mittelwert ist *DC*.

Die Berechnung der Messungsergebnisse bei Exemplar 1, 2 und 3 ergibt:

23,1	24,4	25,8	26,9	27,8	28,2	33,9	37,9
			26,8			33,9	
			26,7				
			26,9				
			26,7				
			26,7				
			26,7				
			26,6				
			26,7				
			26,7				
			26,7				
			26,9				
			26,7				
			26,7				

Mittelwert offenbar 26,7 — 26,9.

Die Berechnung der Messungsergebnisse bei Exemplar 2, 3 und 4 ergibt:

25,7	25,9	26,1	26,45	26,6
25,7		26,1	26,4	26,6
			26,4	26,7
			26,4	26,7
			26,4	26,7
			26,4	26,7
			26,4	26,7
				26,7
				26,7
				26,7

Mittelwert offenbar 26,7

Die Berechnung der Messungsergebnisse bei Exemplar 7, 8 und 13 ergibt:

25,8	26,5	26,65	26,8	26,9	27,0	27,1	27,5	27,7	27,8	28/28,4
	26,5			26,9		27,1	27,5	27,7		
						27,1				
						27,1				
						27,1				
						27,1				
						27,1				

Mittelwert offenbar 27,1.

Die Berechnung der Messungsergebnisse bei Exemplar 11, 12 und 13 ergibt:

22,1	25,7	26,4	26,5	26,9	27,2	27,6	27,8	27,9	28,2	31,9
					27,2	27,6				
					27,2					
					27,2					
					27,2					
					27,2					
					27,2					
					27,2					
					27,2					
					27,2					
					27,2					

Mittelwert offenbar 27,2.

Die Berechnung der Messungsergebnisse bei Exemplar 1, 5 und 10 ergibt:

26,4	29,6	29,8	30,0	30,1	30,25	30,65	30,8	31,05	31,25
26,4		29,8	30,0			30,65			
			30,05			30,6			
						30,6			
						30,65			
						30,65			
						30,6			
						30,65			
						30,65			
						30,65			

Mittelwert offenbar 30,6 — 30,65.

Die Berechnung der Messungsergebnisse bei Anas boscas Anas pelevensis, Dendrocygna fulva ergibt:
Für das linke Coracoid offenbar sinnlose Werte.

Für das rechte Coracoid:

11,75	23,5	25,7	28,4	29,4	30,4	31,0	31,5	32,6
				29,5	30,4			
				29,75				
				29,75				
				29,75				

Mittelwert offenbar 29,4 — 29,75.

Dieses Zahlenmaterial ist für bestimmte Folgerungen natürlich viel zu dürftig. Immerhin scheint es mir nicht unwahrscheinlich, daß das untersuchte Material von fossilen Knochen Reste zweier verschiedener Arten enthält. Der von mir berechnete Mittelwert wäre bei der einen 27, bei der anderen 30,5. Die nahe Übereinstimmung dieses letzteren Wertes mit dem Mittelwert aus Anas boscas, Anas pelevensis und Dendrocygna fulva macht wahrscheinlich, daß Anas Blanchardi die Stammart der Gattungen Anas und Dendrocygna ist.

Tabellen.

$$1. \ \frac{(DB_2^2 - DC_2^2 + DC_1^2 - DB_1^2)(DB_3 - DB_1)}{2(DC_2 - DC_1)(DB_3 - DB_1)} -$$

$$\frac{(DB_3^2 - DC_3^2 + DC_1^2 - DB_1^2)(DB_2 - DB_4)}{2(DC_3 - DC_1)(DB_3 - DB_1)}$$

$$2. \ \frac{(DA_2^2 - DC_2^2 + DC_1^2 - DA_1^2)(DA_3 - DA_1)}{2(DC_2 - DC_1)(DA_3 - DA_1)} -$$

$$\frac{(DA_3^2 - DC_3^2 + DC_1^2 - DA_1^2)(DA_2 - DA_1)}{2(DC_3 - DC_1)(DA_3 - DA_1)}$$

$$3. \ \frac{(EB_2^2 - DC_2^2 + DC_1^2 - EB_1^2)(EB_3 - EB_1)}{2(DC_2 - DC_1)(EB_3 - EB_1)} -$$

$$\frac{(EB_3^2 - DC_3^2 + DC_1^2 - EB_1^2)(EB_2 - EB_1)}{2(DC_3 - DC_1)(EB_3 - EB_1)}$$

4.
$$\frac{(EC_2^2 - DC_2^2 + DC_1^2 - EC_1^2)(EC_3 - EC_1) -}{2(DC_3 - DC_1)(EC_2 - EC_1) -}$$
$$\frac{(EC_3^2 - DC_3^2 + DC_1^2 - EC_1^2)(EC_2 - EC_1)}{2(DC_2 - DC_1)(EC_3 - EC_1)}$$

5.
$$\frac{(EA_2^2 - DC_2^2 + DC_1^2 - EA_1^2)(EA_3 - EA_1) -}{2(DC_3 - DC_1)(EA_2 - EA_1) -}$$
$$\frac{(EA_3^2 - DC_3^2 + DC_1^2 - EA_1^2)(EA_2 - EA_1)}{2(DC_2 - DC_1)(EA_3 - EA_1)}$$

6.
$$\frac{(FB_2^2 - DC_2^2 + DC_1^2 - FB_1^2)(FB_3 - FB_1) -}{2(DC_3 - DC_1)(FB_2 - FB_1) -}$$
$$\frac{(FB_3^2 - DC_3^2 + DC_1^2 - FB_1^2)(FB_2 - FB_1)}{2(DC_2 - DC_1)(FB_3 - FB_1)}$$

7.
$$\frac{(FC_2^2 - DC_2^2 + DC_1^2 - FC_1^2)(FC_3 - FC_1) -}{2(DC_3 - DC_1)(FC_2 - FC_1) -}$$
$$\frac{(FC_3^2 - DC_3^2 + DC_1^2 - FC_1^2)(FC_2 - FC_1)}{2(DC_2 - DC_1)(FC_3 - FC_1)}$$

8.
$$\frac{(AF_2^2 - DC_2^2 + DC_1^2 - AF_1^2)(AF_3 - AF_1) -}{2(DC_3 - DC_1)(AF_2 - AF_1) -}$$
$$\frac{(AF_3^2 - DC_3^2 + DC_1^2 - AF_1^2)(AF_2 - AF_1)}{2(DC_2 - DC_1)(AF_3 - AF_1)}$$

$DB_1 = 32{,}3$	$DB_2 = 37$	$DB_3 = 35$
$DC_1 = 25{,}8$	$DC_2 = 30{,}3$	$DC_3 = 28{,}5$
$DA_1 = 28$	$DA_2 = 32$	$DA_3 = 29{,}5$
$EB_1 = 36{,}3$	$EB_2 = 41$	$EB_3 = 40$
$EC_1 = 30{,}5$	$EC_2 = 34{,}7$	$EC_3 = 34{,}3$
$EA_1 = 29$	$EA_2 = 33{,}5$	$EA_3 = 32{,}3$
$FB_1 = 30{,}3$	$FB_2 = 34$	$FB_3 = 34$
$FC_1 = 24{,}5$	$FC_2 = 28$	$FC_3 = 29$
$AF_1 = 23$	$AF_2 = 26$	$AF_3 = 26$
$AG_1 = 29$	$AG_2 = 32{,}3$	$AG_3 = 30{,}5$
$BG_1 = 32{,}5$	$BG_2 = 36{,}5$	$BG_3 = 35$
$CG_1 = 26{,}2$	$CG_2 = 30$	$CG_3 = 29$
$DH_1 = 33$	$DH_2 = 38$	$DH_3 = 35{,}5$
$EH_1 = 35$	$EH_2 = 39{,}5$	$EH_3 = 38{,}5$
$DC_1 = 25{,}8$	$DC_2 = 30{,}3$	$DC_3 = 28{,}5$

9.
$$\frac{(AG_2' - DC_1^2 + DC_1^2 - AG_1'')(AG_2 - AG_1) -}{2(DC_2 - DC_1)(AG_2 - AG_1) -}$$
$$\frac{(AG_2' - DC_2^2 + DC_1^2 - AG_1'')(AG_2 - AG_1)}{2(DC_2 - DC_1)(AG_2 - AG_1)}$$

10.
$$\frac{BG_2' - DC_1^2 + DC_1^2 - BG_1''(BG_2 - BG_1) -}{2(DC_2 - DC_1)(BG_2 - BG_1) -}$$
$$\frac{(BG_2' - DC_2^2 + DC_1^2 - BG_1'')(BG_2 - BG_1)}{2(DC_2 - DC_1)(BG_2 - BG_1)}$$

11.
$$\frac{(CG_2' - DC_1^2 + DC_1^2 - CG_1'')(CG_2 - CG_1) -}{2(DC_2 - DC_1)(CG_2 - CG_1) -}$$
$$\frac{(CG_2' - DC_2^2 + DC_1^2 - CG_1'')(CG_2 - CG_1)}{2(DC_2 - DC_1)(CG_2 - CG_1)}$$

12.
$$\frac{(DH_2' - DC_1^2 + DC_1^2 - DH_1'')(DH_2 - DH_1) -}{2(DC_2 - DC_1)(DH_2 - DH_1) -}$$
$$\frac{(DH_2' - DC_2^2 + DC_1^2 - DH_1'')(DH_2 - DH_1}{2(DC_2 - DC_1)(DH_2 - DH_1)}$$

13.
$$\frac{(EH_2' - DC_1^2 + DC_1^2 - EH_1'')(EH_2 - EH_1) -}{2(DC_2 - DC_1)(CH_2 - CH_1) -}$$
$$\frac{(EH_2' - DC_2^2 + DC_1^2 - EH_1'')(EH_2 - EH_1)}{2(DC_2 - DC_1)(EH_2 - EH_1)}$$

14.
$$\frac{(FH_2' - DC_1^2 + DC_1^2 - FH_1'')(FH_2 - FH_1) -}{2(DC_2 - DC_1)FH_2 - FH_1) -}$$
$$\frac{(FH_2' - DC_2^2 + DC_1^2 - FH_1'')(FH_2 - FH_1)}{2(DC_2 - DC_1)(FH_2 - FH_1)}$$

15.
$$\frac{(GH_2' - DC_1^2 + DC_1^2 - GH_1'')(GH_2 - GH_1) -}{2(DC_2 - DC_1)(GH_2 - GH_1) -}$$
$$\frac{(GH_2' - DC_2^2 + DC_1^2 - GH_1'')(GH_2 - GH_1)}{2(DC_2 - DC_1)(GH_2 - GH_1)}$$

$FH_1 = 28{,}5$	$FH_2 = 32$	$FH_3 = 32$
$GH_1 = 32{,}3$	$GH_2 = 36{,}5$	$GH_3 = 35$
$DJ_1 = 35{,}7$	$DJ_2 = 41$	$DJ_3 = 38{,}5$
$EJ_1 = 39{,}5$	$EJ_2 = 44{,}7$	$EJ_3 = 42{,}8$
$FJ_1 = 33$	$FJ_2 = 36{,}7$	$FJ_3 = 36{,}3$
$GJ_1 = 36{,}1$	$GJ_2 = 40$	$GJ_3 = 38{,}5$

$$DK_1 = 29 \qquad DK_2 = 33,5 \qquad DK_3 = 31$$
$$EK_1 = 31,5 \qquad EK_2 = 35,5 \qquad EK_3 = 34,5$$
$$FK_1 = 25 \qquad FK_2 = 27,5 \qquad FK_3 = 27,3$$
$$GK_1 = 28,5 \qquad GK_2 = 32,5 \qquad GK_3 = 30,5$$

16. $$\frac{(DJ_2^2 - DC_2^2 + DC_1^2 - DJ_1^2)(DJ_2 - DJ_1)}{2(DC_2 - DC_1)(DJ_2 - DJ_1)} -$$
$$\frac{(DJ_2^2 - DC_2^2 + DC_1^2 - DJ_1^2)(DJ_2 - DJ_1)}{2(DC_2 - DC_1)(DJ_2 - DJ_1)}$$

17. $$\frac{(EJ_2^2 - DC_2^2 + DC_1^2 - EJ_1^2)(EJ_2 - EJ_1)}{2(DC_2 - DC_1)(EJ_2 - EJ_1)} -$$
$$\frac{(EJ_2^2 - DC_2^2 + DC_1^2 - EJ_1^2)(EJ_2 - EJ_1)}{2(DC_2 - DC_1)(EJ_2 - EJ_1)}$$

18. $$\frac{(FJ_2^2 - DC_2^2 + DC_1^2 - FJ_1^2)(FJ_2 - FJ_1)}{2(DC_2 - DC_1)(FJ_2 - FJ_1)} -$$
$$\frac{(FJ_2^2 - DC_2^2 + DC_1^2 - FJ_1^2)(FJ_2 - FJ_1)}{2(DC_2 - DC_1)(FJ_2 - FJ_1)}$$

19. $$\frac{(GJ_2^2 - DC_2^2 + DC_1^2 - GJ_1^2)(GJ_2 - GJ_1)}{2(DC_2 - DC_1)(GJ_2 - GJ_1)} -$$
$$\frac{(GJ_2^2 - DC_2^2 + DC_1^2 - GJ_1^2)(GJ_2 - GJ_1)}{2(DC_2 - DC_1)(GJ_2 - GJ_1)}$$

20. $$\frac{(DK_2^2 - DC_2^2 + DC_1^2 - DK_1^2)(DK_2 - DK_1)}{2(DC_2 - DC_1)(DK_2 - DK_1)} -$$
$$\frac{(DK_2^2 - DC_2^2 + DC_1^2 - DK_1^2)(DK_2 - DK_1)}{2(DC_2 - DC_1)(DK_2 - DK_1)}$$

21. $$\frac{(EK_2^2 - DC_2^2 + DC_1^2 - EK_1^2)(EK_2 - EK_1)}{2(DC_2 - DC_1)(EK_2 - EK_1)} -$$
$$\frac{(EK_2^2 - DC_2^2 + DC_1^2 - EK_1^2)(EK_2 - EK_1)}{2(DC_2 - DC_1)(EK_2 - EK_1)}$$

22. $$\frac{(FK_2^2 - DC_2^2 + DC_1^2 - FK_1^2)(FK_2 - FK_1)}{2(DC_2 - DC_1)FK_2 - FK_1} -$$
$$\frac{(FK_2^2 - DC_2^2 + DC_1^2 - FK_1^2)(FK_2 - FK_1)}{2(DC_2 - DC_1)(FK_2 - FK_1)}$$

$$9.\ \frac{(AG_2^2 - DC_2^2 + DC_1^2 - AG_1^2)(AG_3 - AG_1)}{2(DC_3 - DC_1)(AG_2 - AG_1)} -$$
$$\frac{(AG_3^2 - DC_3^2 + DC_1^2 - AG_1^2)(AG_2 - AG_1)}{2(DC_2 - DC_1)(AG_3 - AG_1)}$$

$$10.\ \frac{BG_2^2 - DC_2^2 + DC_1^2 - BG_1^2)(BG_3 - BG_1)}{2(DC_3 - DC_1)(BG_2 - BG_1)} -$$
$$\frac{(BG_3^2 - DC_3^2 + DC_1^2 - BG_1^2)(BG_2 - BG_1)}{2(DC_2 - DC_1)(BG_3 - BG_1)}$$

$$11.\ \frac{(CG_2^2 - DC_2^2 + DC_1^2 - CG_1^2)(CG_3 - CG_1)}{2(DC_3 - DC_1)(CG_2 - CG_1)} -$$
$$\frac{(CG_3^2 - DC_3^2 + DC_1^2 - CG_1^2)(CG_2 - CG_1)}{2(DC_2 - DC_1)(CG_3 - CG_1)}$$

$$12.\ \frac{(DH_2^2 - DC_2^2 + DC_1^2 - DH_1^2)(DH_3 - DH_1)}{2(DC_3 - DC_1)(DH_2 - DH_1)} -$$
$$\frac{(DH_3^2 - DC_3^2 + DC_1^2 - DH_1^2)(DH_2 - DH_1}{2(DC_2 - DC_1)(DH_3 - DH_1)}$$

$$13.\ \frac{(EH_2^2 - DC_2^2 + DC_1^2 - EH_1^2)(EH_3 - EH_1)}{2(DC_3 - DC_1)(CH_3 - CH_1)} -$$
$$\frac{(EH_3^2 - DC_3^2 + DC_1^2 - EH_1^2)(EH_2 - EH_1)}{2(DC_2 - DC_1)(EH_3 - EH_1)}$$

$$14.\ \frac{(FH_2^2 - DC_2^2 + DC_1^2 - FH_1^2)(FH_3 - FH_1)}{2(DC_3 - DC_1)FH_3 - FH_1)} -$$
$$\frac{(FH_3^2 - DC_3^2 + DC_1^2 - FH_1^2)(FH_2 - FH_1)}{2(DC_2 - DC_1)(FH_3 - FH_1)}$$

$$15.\ \frac{(GH_2^2 - DC_2^2 + DC_1^2 - GH_1^2)(GH_3 - GH_1)}{2(DC_3 - DC_1)(GH_3 - GH_1)} -$$
$$\frac{(GH_3^2 - DC_3^2 + DC_1^2 - GH_1^2)(GH_2 - GH_1)}{2(DC_2 - DC_1)(GH_3 - GH_1)}$$

$FH_1 = 28{,}5$	$FH_2 = 32$	$FH_3 = 32$
$GH_1 = 32{,}3$	$GH_2 = 36{,}5$	$GH_3 = 35$
$DJ_1 = 35{,}7$	$DJ_2 = 41$	$DJ_3 = 38{,}5$
$EJ_1 = 39{,}5$	$EJ_2 = 44{,}7$	$EJ_3 = 42{,}8$
$FJ_1 = 33$	$FJ_2 = 36{,}7$	$FJ_3 = 36{,}3$
$GJ_1 = 36{,}1$	$GJ_2 = 40$	$GJ_3 = 38{,}5$

$$DK_1 = 29 \qquad DK_2 = 33{,}5 \qquad DK_3 = 31$$
$$EK_1 = 31{,}5 \qquad EK_2 = 35{,}5 \qquad EK_3 = 34{,}5$$
$$FK_1 = 25 \qquad FK_2 = 27{,}5 \qquad FK_3 = 27{,}3$$
$$GK_1 = 28{,}5 \qquad GK_2 = 32{,}5 \qquad GK_3 = 30{,}5$$

16.
$$\frac{(DJ_3^2 - DC_3^2 + DC_1^2 - DJ_1^2)(DJ_2 - DJ_1)}{2(DC_3 - DC_1)(DJ_2 - DJ_1)} -$$
$$\frac{(DJ_2^2 - DC_2^2 + DC_1^2 - DJ_1^2)(DJ_3 - DJ_1)}{2(DC_2 - DC_1)(DJ_3 - DJ_1)}$$

17.
$$\frac{(EJ_3^2 - DC_3^2 + DC_1^2 - EJ_1^2)(EJ_2 - EJ_1)}{2(DC_3 - DC_1)(EJ_2 - EJ_1)} -$$
$$\frac{(EJ_2^2 - DC_2^2 + DC_1^2 - EJ_1^2)(EJ_3 - EJ_1)}{2(DC_2 - DC_1)(EJ_3 - EJ_1)}$$

18.
$$\frac{(FJ_3^2 - DC_3^2 + DC_1^2 - FJ_1^2)(FJ_2 - FJ_1)}{2(DC_3 - DC_1)(FJ_2 - FJ_1)} -$$
$$\frac{(FJ_2^2 - DC_2^2 + DC_1^2 - FJ_1^2)(FJ_3 - FJ_1)}{2(DC_2 - DC_1)(FJ_3 - FJ_1)}$$

19.
$$\frac{(GJ_3^2 - DC_3^2 + DC_1^2 - GJ_1^2)(GJ_2 - GJ_1)}{2(DC_3 - DC_1)(GJ_2 - GJ_1)} -$$
$$\frac{(GJ_2^2 - DC_2^2 + DC_1^2 - GJ_1^2)(GJ_3 - GJ_1)}{2(DC_2 - DC_1)(GJ_3 - GJ_1)}$$

20.
$$\frac{(DK_3^2 - DC_3^2 + DC_1^2 - DK_1^2)(DK_2 - DK_1)}{2(DC_3 - DC_1)(DK_2 - DK_1)} -$$
$$\frac{(DK_2^2 - DC_2^2 + DC_1^2 - DK_1^2)(DK_3 - DK_1)}{2(DC_2 - DC_1)(DK_3 - DK_1)}$$

21.
$$\frac{(EK_3^2 - DC_3^2 + DC_1^2 - EK_1^2)(EK_2 - EK_1)}{2(DC_3 - DC_1)(EK_2 - EK_1)} -$$
$$\frac{(EK_2^2 - DC_2^2 + DC_1^2 - EK_1^2)(EK_3 - EK_1)}{2(DC_2 - DC_1)(EK_3 - EK_1)}$$

22.
$$\frac{(FK_3^2 - DC_3^2 + DC_1^2 - FK_1^2)(FK_2 - FK_1)}{2(DC_3 - DC_1)FK_2 - FK_1)} -$$
$$\frac{(FK_2^2 - DC_2^2 + DC_1^2 - FK_1^2)(FK_3 - FK_1)}{2(DC_2 - DC_1)(FK_3 - FK_1)}$$

14*

$$23.\ \frac{(GK_2' - DC_2' + DC_1' - GK_1')(GK_2 - GK_1) -}{2(DC_2 - DC_1)(GK_2 - GK_1) -}$$

$$\frac{(GK_2' - DC_2' + DC_1' - GK_1')(GK_2 - GK_1)}{2(DC_2 - DC_1)(GK_2 - GK_1)}$$

Rechnungsresultate.

	Sp. 1,2,3	Sp. 13,11,12	Sp. 1,5,10	Sp. 2,3,4	Sp. 7,8,13
1.	33,9	33,9	30,65	26,45	27,5
2.	23,1	27,8	29,6	26,4	27,8
3.	26,9	28,2	30,65	26,6	26,9
4.	26,8	26,5	29,8	26,4	27,7
5.	unbest. (§)	27,6	30,1	26,1	28,0
6.	33,9	27,2	26,4	25,9	25,8
7.	27,8	26,4	30,6	26,4	26,65
8.	24,4	27,2	30,6	26,4	26,5
9.	28,2	27,2	30,8	25,7	27,1
10.	25,8	27,6	26,4	26,6	26,8
11.	26,7	27,9	30,0	26,7	27,1
12.	37,9	26,9	31,0	25,7	27,0
13.	26,9	25,7	30,65	26,4	27,1
14.	26,7	22,1	30,65	26,7	27,1
15.	26,7	27,2	29,8	26,7	27,1
16.	26,7	27,2	31,05	26,7	27,7
17.	26,6	27,2	31,25	26,4	28,4
18.	26,7	27,2	30,25	26,7	27,1
19.	26,7	27,2	30,6	26,7	§ = unbest.
20.	26,7	27,2	30,65	26,7	27,1
21.	26,9	27,2	30,65	26,1	26,9
22.	26,7	27,2	30,05	§ = unbest.	26,5
23.	26,7	27,2	30,65	26,7	27,5

Linkes Coracoid.

	1	2	3	4	5	6	7	8	9	10	11	12	13
AB	9	9,5	8,7	9	9	9	8,5	8,3	8,6	9	7	8,4	8,8
BC	7,8	9,5	8,7	8,7	9	8,5	8,7	7,9	8,6	8,5	7	8	8,3
FE	9,5	8,1	7	7	8,7	8,2	7,5	9	9	8,4	7	8	8,3
ED	14,5	14,5	14,5	15,2	16	16,5	16	16	14,8	15,5	13,2	15,5	15
DB	35,6	33	33,5	32,3	37	35	34	33,3	35	37	31,5	32,9	33
DC	29,8	26,4	27	25,8	30,3	28,5	27,3	27,3	28,9	31	26,2	27,5	26,9
DA	31,8	27,4	28,4	28	32	29,5	29	28,7	30	32,5	27,7	28,3	28,1
EB	39,2	37	36,7	36,3	41	40	38,5	37,5	38	41	34,5	37	37,7
FD	19,5	17,2	17	17	18,5	19,2	17,7	19	18,2	18,5	15,5	18	18
EC	33,5	30,2	30,5	30,5	34,7	34,3	32,8	32	32,2	35,3	30	32	31,6
EA	32,4	29	29,6	29	33,5	32,3	32	30	31	34	29	30,5	29,7
FB	33,1	30,5	31	30,3	34	34	32,5	30,3	31	35	29	31	31
FC	27,7	24	24,5	24,5	28	29	27	25,5	25,3	29,5	24,5	26,3	25,8
AE	7,1	6,5	6,4	6,8	8	7,3	7	7	7	7,3	6,5	7	7,2
AF	25,6	22,5	23	23	26	26	25	23	23	27	22,5	23,7	23,3

Linkes Coxa id.

	1	2	3	4	5	6	7	8	9	10	11	12	13
AG	31,2	28,5	30,5	29	32,3	30,5	30	29	30	32,4	27,9	29	29
BG	35,6	33,5	33,7	32,5	36,5	35	34	33	35,5	37	31,4	32,7	33
CG	30	27	27,1	26,2	30	29	28	27	28,5	31,5	26,3	28,5	27
DG	8,7	8,7	8,3	7,5	7,1	7	7	7	8,3	7,5	6,5	6,5	8
EG	7,3	6,5	8	8,5	9,8	10	10	8,5	7	8,5	7,3	10	8
FG	13	11,3	10,5	11	12,5	12,5	12	12,5	11,3	12	10,5	13	11
AH	5	5	3,7	4	5	5	4,5	5	5	5	4,5	5	5
BH	5,5	5,5	6,5	6	7	6	5,5	5,5	6	6	4,5	5,5	5,5
CH·	8	8,5	8	8,7	9,5	8,5	8,5	8	8,2	8,4	7,8	8,5	8,5
DH	36	33,3	33,8	33	38	35,5	34	33,5	35,5	37,5	32	34	33,8
EH	38	35,5	35	35	39,5	38,5	37,5	36	36,9	39,5	33,5	36,5	36
FH	30,5	29	29	28,5	32	32	30,5	32	29	32	27	30	29
GH	34,8	33	33	32,3	36,5	35	34	33	34,3	37	31	33	33
AJ	10,5	11	9,5	10	11	10	10	10	10	10,5	8,5	10	10
BJ	5	5	4,3	5	5	4,5	4,5	4,5	3,9	4,5	3,5	5	5
CJ	10,5	10,5	10	10	11	10,5	10,5	10,5	10	10	9	9,2	10

Linkes Coracoid.

	1	2	3	4	5	6	7	8	9	10	11	12	13
DJ	39	36,3	36,3	35,7	41	38,5	37,5	37	38	40,3	34,2	36,5	36,5
EJ	42,3	39,2	39,5	39,5	44,7	42,8	41,5	40,5	40,8	44	37	40	40
FJ	36,3	33,5	33,5	33	36,7	36,3	35	33,5	33,5	37,5	31	33,5	33,5
GJ	39,3	36,5	36,5	36,1	40	38,5	37	37	37,8	40,3	34,2	36	36
HJ	6	6	5	6	6,5	6	6	6	5,5	6	4,5	6	6
AK	4,3	4,5	4,5	4,5	5	4,7	4,5	4,5	4,5	4,5	4,3	4,5	4,5
BK	9	9	9	9,5	10	9,8	9	9	9	9,5	7,5	9	9
CK	5	5	5	5	5,5	5,7	5,5	5,5	5	5,5	4,6	5	5,5
DK	32,5	29,7	29,7	29	33,5	31	30,5	30	31,5	33,5	28,3	30	30
EK	33,8	31,5	31	31,5	35,5	34,5	33	32,2	33	35,5	30	32,5	32,5
FK	27,5	25	25	25	27,5	27,3	26,5	25	25,5	28,5	23,7	25,5	26
GK	31	29	29	28,5	32,5	30,5	29,7	29,5	31	32,5	27,7	28,9	29
HK	5,5	5,3	5,7	5,5	6	6	5,5	5,5	5,5	5,5	5	5,5	5,5
JK	10	9,7	10	10	10,7	10	10	10	9,5	10	8,5	9,3	9,5

Coracoid.

	Anas boscas		Anas pelevensis		Dendrocygna fulva	
	rechts	links	rechts	links	rechts	links
AB	12,5	13	9,5	9	9	9,6
BC	12,5	11,5	8	7,7	9	9,6
FE	9	9,5	7,5	7,9	7,5	8,4
ED	22	22,3	15	15,2	13	12,9
DB	52,5	53,2	37	37	36,5	36,2
DC	44	44,9	32	31,8	27,5	28,3
DA	45	45,3	31	32,6	29	29,1
EB	57	58,5	40	40,2	39,5	39,5
FD	25,5	25	17,75	17,4	16,5	17,3
EC	49	50,3	34	35,2	32	33,7
EA	47	47,3	33	33	31	30,2
FB	51	50,3	34	33,7	34	34,4
FC	43,5	43	29	28,6	26,5	27,8
AC	11,1	11	7,5	7	7,3	6,8
AF	39	39	26,4	26,4	25,5	24,8

Rechnungsresultate.

Anas boscas	Anas pelevensis	Dendrocygna fulva
	rechts	
	1. 23,5	
	2. 32,6	
	3. 29,75	
	4. 11,75	
	5. 29,95	
	6. 30,4	
	7. 29,4	
	8. 25,7	
	9. 31,01	
	10. 30,4	
	11. 29,75	
	12. 31,5	
	13. 28,4	
	14. 29,5	

Zum menschlichen Raumproblem.

Von

Dr. Walter Schlodtmann.

Das menschliche Raumproblem ist alt. Es existiert, so lange
Denker sich um die menschliche Erkenntnis bemüht haben; die
Versuche, es zu lösen, reichen bis ins Altertum zurück. Daß man
dabei zu durchaus verschiedenen Ergebnissen gekommen ist, liegt
an der Verschiedenheit der Gebiete, auf denen man dem Problem
beizukommen gesucht, und an der Verschiedenheit der Standpunkte,
von denen aus man es betrachtet hat; und die Unklarheiten und
Widersprüche, die sich ergeben haben, sind zum großen Teil dadurch entstanden, daß man diese Gebiete miteinander vermengt
hat, während es unberechtigt ist, die Untersuchungsresultate des
einen mit denen des anderen zu identifizieren, oft sogar, sie auch
nur miteinander zu vergleichen.

Was namentlich vielfach durcheinandergeworfen wird, sind
auf der einen Seite räumliche Anschauung im Sinne Kants,
auf der anderen räumliche Empfindung und räumliche Vorstellung. Das erste ist ein Begriff der Erkenntniskritik und
hat mit naturwissenschaftlicher Forschung nichts zu tun, die beiden
letzten sind empirische Werte und können naturwissenschaftlich
bearbeitet werden, die Raumempfindung physiologisch, die Raumvorstellung psychologisch.

Kant hat durch seine Transzendentalphilosophie diese scharfe
Scheidelinie zwischen Empirie und Erkenntniskritik deutlich genug
aufgezeigt und hat die Grenzen festgestellt, innerhalb deren naturwissenschaftliche Erkenntnis überhaupt möglich ist. Daß die Vertreter der exakten Wissenschaften diese Abgrenzung ihres eigenen
Gebietes vielfach nicht kennen oder sich über sie hinwegsetzen,
ist bedauerlich, denn es kann nur auf Irrwege führen. Wenn aber
durch Verwechslung empirischer Werte mit transzendentalen Trug-

schlüsse auf die Bedeutung und Oiltigkeit kantischer Untersuchungs-
resultate gemacht werden, so muß man dem entgegentreten.
Diese Verwechslung geschieht aber gerade auf dem Gebiete des
Raumproblems recht oft.

Versucht man, für das uns hier beschäftigende Problem den
Kern der Kantischen Lehre in wenige, allgemeinverständliche Sätze
zusammenzufassen, so wäre etwa folgendes hervorzuheben:

Alle menschliche Erkenntnis stammt aus Erfahrung.

Bei jeder Erfahrung hat man zwischen Form und Inhalt zu
unterscheiden. Eins kann ohne das andere nicht vorkommen:
eine leere Form ist nichts, wenn sie keinen Inhalt erhält; ebenso
ist ein Inhalt undenkbar, der nicht eine bestimmte Form besäße.
Form und Inhalt der Erfahrung haben also einander zur Voraus-
aussetzung, sie bedingen sich gegenseitig.

Die **Form** nun der menschlichen Erfahrung (Anschauung) ist
räumlich. In diesem Sinne nennt Kant den Raum eine menschliche Anschauungsform, d. h. die formale Bedingung, unter der
Erfahrung überhaupt erst zustande kommen kann. Und das ist
es, was Kant unter dem Begriff a priori versteht, wenn er die
räumliche Anschauungsform des Menschen als a priori gegeben
bezeichnet. Dieses a priori enthält also überhaupt kein zeitliches
Moment, und die Raumanschauung in erkenntniskritischem Sinne
ist deshalb weder angeboren noch erworben, sondern sie ist die
bedingende Möglichkeit aller Erfahrung.

Den **Inhalt** der Erfahrung erkennt Kant als ein Produkt aus
Sinnlichkeit und Verstand. Diese Ausdrücke: Sinnlichkeit und
Verstand wendet Kant nun aber meistens garnicht in empirischem
Sinne an; überall, wo er erkenntniskritische Untersuchungen anstellt, gebraucht er sie nur als Bilder, um seine sehr abstrakten
Gedankengänge anschaulicher zu machen. Präziser geben, was
er meint, die uns heute freilich reichlich scholastisch anmutenden
Ausdrücke: Rezeptivität des Gemüts und Spontaneität des
Geistes wieder, denn sie deuten an, daß bei jeder Erkenntnis zu
unterscheiden ist: ein passives Empfangen von etwas Fremdem,
von außen Kommendem und ein aktives, schöpferisches Schaffen
von etwas Eigenem. Bei jeder Erkenntnis findet eine Verknüpfung
dieser beiden in Wechselbeziehung stehenden und sich gegenseitig
bedingenden Eigenschaften des Menschengeistes statt. Diese Verknüpfung ist ein transzendentaler Vorgang.

Diese kurzen Bemerkungen mögen genügen, um klarzumachen,

daß das Gebiet, auf dem Kant sich hier bewegt, garnichts mit der Empirie zu tun hat, daß seine Lehre also durch naturwissenschaftliche Forschungen und Experimente weder gestützt noch erschüttert werden kann, und daß die Entscheidung über ihren Wert und ihre Giltigkeit keinesfalls der Kompetenz des Empirikers untersteht.

Gegenstand auch der naturwissenschaftlichen Untersuchung sind, ganz allgemein gesprochen, die Erscheinungen. Auch hier sehen wir ein dauerndes Zusammenarbeiten von Verstand und Sinnlichkeit (hier aber natürlich im empirischen Sinne), und wir können je nach dem Verhältnis, in dem die sinnliche und Verstandeselemente zueinander stehen, zwanglos folgende Abstufungen unterscheiden: In ihrer relativ reinsten Gestalt ist unsere Sinnestätigkeit Empfindung; durch Hinzutreten weiterer Verstandeselemente wird sie zur bewußten Wahrnehmung. Vorwiegend verstandesmäßiger Natur ist dann die Vorstellung, zu der wir eine Gruppe von Sinneswahrnehmungen verarbeiten, während am Begriff in seiner abstraktesten Gestalt Sinneselemente nur noch einen sehr indirekten Anteil haben.

Dementsprechend kann sich auch der naturwissenschaftliche Bearbeiter speziell des Raumproblems nur die physiologische Betrachtung der räumlichen Empfindungen und Wahrnehmungen (auf die sich die folgenden Betrachtungen im wesentlichen beschränken), sowie die psychologische Untersuchung der Raumvorstellungen und Raumbegriffe zur Aufgabe stellen.

_____

Von den an die verschiedenen menschlichen Sinnesorgane geknüpften physiologischen Räumen (Sehraum, Hörraum, Tastraum) ist der Sehraum naturgemäß am geeignetsten, um die Tatsachen der Raumwahrnehmung festzustellen, da das Auge das anatomisch am feinsten ausgebildete und funktionell leistungsfähigste Sinnesorgan des Menschen ist.[1]

_____

[1] Das gilt indessen nur vom Menschen. Bei anderen Vertretern des Tierreichs, bei denen andere Sinnesorgane anatomisch und physiologisch feiner differenziert sind als das Auge, sind natürlich diese anderen, höher entwickelten Sinnesorgane die Träger der Raumempfindungen. Wenn z. B. Forel es durch seine Experimente in hohem Maße wahrscheinlich gemacht hat, daß der Fühlhörnergeruchsinn bei den Ameisen topochemischer Natur sei, d. h. also, daß die Ameisen ihre Geruchswahrnehmungen ähnlich räumlich auslegen, wie der Mensch seine Gesichtswahrnehmungen, so ist das um so verständlicher, als die Ameisen einen sehr kümmerlichen Gesichtssinn haben, einige Arten sogar blind sind.

Wie kommt der Mensch überhaupt zunächst zur optischen Wahrnehmung eines räumlichen Nebeneinander? Wie kommt es ferner,
daß die optische Empfindung, die er von der räumlichen Anordnung der Außendinge erhält, in weitem Maße übereinstimmt
mit der Tastempfindung, die er davon erhält? Oder, wenn
wir die Frage in eine recht populäre Form kleiden, der man immer
einmal von Zeit zu Zeit begegnet: Wie kommt es, daß wir die
Gegenstände aufrecht sehen, also gerade so, wie wir ihre Lage
durch den Tastsinn kennen, während doch ihr Bild auf unserer
Netzhaut, wie wir wissen, umgekehrt ist? Auf welche Weise geschieht diese Umkehrung des verkehrten Netzhautbildes zum
wahrgenommenen aufrechten Bilde eines Gegenstandes? — Die
Schwierigkeit dieses Problems liegt allein in der falschen Fragestellung; es ist überhaupt kein Problem, wie schon von mancher
Seite hervorgehoben worden ist. Von einer Umkehrung, wie sie
dabei vorausgesetzt wird, kann natürlich nicht die Rede sein. Der
naive Mensch weiß ja nichts von dem Zustande seiner Netzhaut
im Moment des Sehens; wir sind zu der Kenntnis des Netzhautbildes erst durch experimentelle Forschungen gelangt. Wir haben
die Empfindung nicht in unserer Netzhaut und verlegen sie
nicht in den Raum hinaus, wie die Projektionstheorie will, sondern
wir haben die Empfindung im Raum außer uns; wir empfinden
die untergehende Sonne, wie Hering das drastisch ausdrückt, nicht
in unserem Auge, sondern eben da im Raume, wo sie uns erscheint.

Bei mechanischen Reizeinwirkungen ist uns dieses Verhalten
ganz geläufig: auf einen Schlag oder Stoß reagiert das Auge bekanntlich mit einer Helligkeitsempfindung; wir empfinden aber
diesen hellen Schein nicht in unserem Auge, sondern sehen ihn
mit großer Deutlichkeit vor uns, im Raume außerhalb unseres
Auges, also an einer ganz anderen Stelle als der des mechanischen
Reizes. Beim gewöhnlichen Sehen geschieht aber ganz dasselbe,
nur daß es sich dabei um optische statt um mechanische Reize
handelt. Allgemein müssen wir sagen: Ebenso wie jedem Stäbchen und Zapfen die Eigenschaft innewohnt, auf einen bestimmten
Außenreiz — sei es ein optischer, ein mechanischer oder elektrischer — mit einer bestimmten Helligkeitsempfindung, bezw. einer
bestimmten Farbenempfindung zu antworten, so kommt ihm auch
eine ganz bestimmte Raumempfindung zu, d. h. die durch den
Reiz ausgelöste Helligkeitsempfindung wird in einer ganz bestimmten Richtung im Raum außer uns lokalisiert und nicht

etwa an der Stelle des gereizten Netzhautelements, also nicht in unserem Auge, empfunden.

Während das Lokalisationsvermögen unserer anderen Sinnesorgane, speziell unseres Geschmacks- und Tastsinnes, auf unsere Körperoberfläche beschränkt ist, indem unter allen Umständen die dem Reiz entsprechende Empfindung an der Stelle des Reizes selbst auftritt, jedenfalls nicht über den Verbreitungsbezirk des betreffenden Nerven hinaus, zeichnet sich also unser Auge dadurch aus, daß der Reizung jedes seiner Netzhautelemente eine Empfindung an einer Stelle im Raume außerhalb des Auges, und zwar in einer ganz bestimmten Richtung, entspricht; man sagt: die Netzhautelemente haben Raumwerte oder Richtungswerte.

Diese Raumwerte haben nun die Eigentümlichkeit, daß sie gegensinnig zur Lage der Netzhautelemente sind, denen sie angehören, eine Tatsache, wie sie sich in dem bekannten sogenannten Druckphosphen enthüllt: reizt man eine umschriebene Stelle der oberen Netzhauthälfte, indem man einen Druck mit dem Finger oder einem stumpfen Instrument oben auf den Augapfel ausübt, dann sieht man einen hellen Schein nach unten vom Augapfel, ein Reiz an seiner Schläfenseite löst eine Lichtempfindung an der Nasenseite aus u. s. w.

Ganz ebenso verhält es sich natürlich bei Lichtreizen: Sehen wir einen vor unserem Auge befindlichen Gegenstand an, so reizen ja die Lichtstrahlen, die von seinen oberen Teilen ausgehen, die untere Netzhauthälfte; sie werden entsprechend den Raumwerten der unteren Netzhauthälfte oben lokalisiert u. s. w. Die räumliche Anordnung der Gesichtsempfindungen, die wir von außer uns im Raume befindlichen Gegenständen durch Vermittlung unserer Netzhaut haben, entspricht demnach bis zu gewissem Grade der räumlichen Anordnung der Tastempfindungen, die wir von demselben Gegenstande haben.

Daß aber unser Sehraum sich durchaus nicht völlig mit dem Tastraum deckt und in vielen Beziehungen sogar starke Abweichungen von ihm zeigt, hat Hering durch zahlreiche Beobachtungen nachgewiesen. Eine der schlagendsten ist folgende: Ich mache mir auf einer Fensterscheibe einen Punkt und fixiere ihn. Ich kann es nun leicht so einrichten, daß in den Verlängerungen der Sehachsen (die sich also in dem fixierten Punkte kreuzen) auffallende und sehr verschiedenartige Objekte zu liegen kommen, etwa ein Kirchturm in der Verlängerung der einen Achse und ein Baum in der

der anderen Achse. Dann erscheinen mir diese beiden entfernten Gegenstände nicht etwa den Verlängerungen der Achsen entsprechend rechts und links von dem fixierten Punkt, sondern beide an demselben Ort, und zwar gerade vor mir, also auf einer Linie, die den Winkel zwischen den beiden Sehachsen halbiert. Erst wenn ich statt des nahen Punktes die fernen Gegenstände selbst fixiere, kann ich mich von ihrer stark seitlichen Lage überzeugen.

Es entsteht nun alsbald eine weitere Frage, nämlich: Wie kommt unsere Netzhaut zu jenen oben besprochenen Raumwerten? Werden sie durch Erfahrungen erworben, oder sind sie angeboren?

Dabei darf man natürlich lediglich an die Art und Weise denken, wie die Raumgestaltung physiologisch, also durch die Vermittlung der Sinnesempfindungen, speziell der optischen Eindrücke, geschieht; die Art und Weise, wie wir im Raume das oben Befindliche auch oben, das unten Befindliche auch unten wahrnehmen. Es handelt sich um die Frage, ob diese ganz allgemeine optische Orientierung, die mit unseren Tastempfindungen übereinstimmt, angeboren oder empirisch erworben ist; erworben nämlich in der Weise, daß eine fortdauernde Kontrolle und Korrektion unserer optischen Raumwahrnehmungen durch die Raumwahrnehmungen unseres Tastsinnes oder eventuell auch anderer Sinne stattfindet.

Diese rein physiologische Frage wird verschieden beantwortet: die Nativisten betrachten die menschlichen Raumwahrnehmungen als angeboren, die Empiristen als erworben. Doch stehen sich diese Gegensätze nicht unvermittelt gegenüber. Ja, im Lichte der mechanischen Entwicklungslehre gibt es für den Biologen, wie schon Donders und nach ihm Ewald Hering betont haben, im Grunde genommen gar keine grundsätzlichen, sondern nur gradweise Unterschiede zwischen Nativismus und Empirismus, indem durch Vererbung im Geschlecht fixiert wird, was durch Gewohnheit und Übung im Individuum erworben ist. So betrachtet, erscheint das Angeborene im Individuum als ein Erfahrungserwerb der Generation, d. h. jener zahllosen Wesen, mit denen das jetzt lebende Individuum in aufsteigender Linie verwandt ist; und es ist klar, daß sich das Verhältnis zwischen angeborenen und erworbenen Funktionen im Laufe sehr großer Zeiträume allmählich zugunsten der angeborenen verschieben muß.

Wenn es demnach auch im allgemeinen als ziemlich belanglos erscheinen kann, ob man dem Empirismus oder dem Nativismus mehr Zugeständnisse zu machen geneigt ist, so ist es doch für die richtige Auffassung der Phänomene der Sinnesphysiologie im einzelnen von großem Interesse, die augenblickliche Grenze zwischen den Resultaten der Vererbung und denen der Anpassung festzustellen.

Und so hat die Frage, ob die optische Raumwahrnehmung angeboren oder erworben sei, die Wissenschaft schon lange beschäftigt. Mit Vorliebe hat man sie auf Grund von Studien zu beantworten versucht, die man an erfolgreich operierten Blindgeborenen anstellte. Dies ist nun speziell ein Forschungsgebiet, auf dem das Durcheinanderwerfen physiologischer, psychologischer und erkenntniskritischer Gesichtspunkte zu den seltsamsten und unberechtigsten Schlußfolgerungen geführt hat.

Daß erkenntnistheoretische Probleme nicht durch empirische Untersuchungen gelöst werden können, ist bereits am Eingang betont worden; alle Beziehungen der Untersucher auf Kant kann man also ohne weiteres unberücksichtigt lassen. Von allgemein psychologischem Interesse sind die hierher gehörigen Beobachtungen ohne Zweifel, aber für die eben erwähnte Entscheidung in Sachen der Raumfrage ist hier die rein physiologische Betrachtung allein zulässig. Und für die physiologische Betrachtung könnte man sich allenfalls insofern eine Belehrung durch jene Untersuchungen versprechen, als man festzustellen suchte, ob die notwendig stattfindende räumliche Auslegung der optischen Wahrnehmungen operierter Blindgeborener der räumlichen Anordnung ihrer Tastempfindungen entspricht, was eine Stütze für die nativistische Auffassung sein würde, oder ob sie ihr nicht entspricht, was dann eine Stütze für die empiristische Auffassung wäre.[1]

Aber gerade von diesem rein physiologischen Gesichtspunkt aus können jene ziemlich zahlreichen Untersuchungen der Kritik der modernen Physiologie nicht standhalten. Schon die Frage, ob jene Menschen geeignete Untersuchungsobjekte für die Entscheidung des eben erwähnten Dilemmas seien, ist grundsätzlich zu verneinen. Denn man operiert eben nur solche Staarkranke, bei denen sich ein gut erhaltenes und deutlich erkennbares Lokalisationsvermögen empfangenen Lichteindrücken gegenüber feststellen läßt, da man nur unter diesen Umständen auf eine

---

[1] Im folgenden schließe ich mich eng an die Darstellung, die ich von diesen Verhältnissen in meiner Arbeit: „Ein Beitrag zur optischen Lokalisation der Blindgeborenen" (Archiv f. Ophthalmologie 54, 2) gegeben habe.

einigermaßen gute Leistungsfähigkeit der Netzhaut schließen und so auf ein brauchbares Sehvermögen nach der Operation rechnen darf, im entgegengesetzten Fall aber die Operation keinen Erfolg verspricht und deshalb unterlassen wird. Die Operierten besitzen also schon immer vor der Operation gewisse, wenn auch noch so unvollkommene Raumwerte, mögen diese nun angeboren oder erworben sein, sie können also auch nach der Operation nichts zur Entscheidung der streitigen Frage beitragen.

Aber auch die Art und Weise, wie die Untersuchungen vorgenommen sind, ist für eine solche Entscheidung durchaus ungeeignet. Ein in den betreffenden Beobachtungsreihen stets wiederkehrender Versuch ist der, daß man dem Operierten eine Kugel und einen Würfel vorhält und ihn auffordert, allein mit dem Gesichtssinn zu entscheiden, welcher der beiden Körper die Kugel und welcher der Würfel sei. Was wird hierbei von dem Untersuchten verlangt? Die beiden Gegenstände sind ihm als Tastbegriffe ganz geläufig; ihre Gesichtsempfindungen sind ihm, wie bisher überhaupt alle Gesichtsempfindungen außer Hell und Dunkel, vollkommen unbekannt. Es ist ferner zu berücksichtigen, daß der Gesichtssinn selbst sich noch auf einer ganz unentwickelten, primitiven Stufe befindet, etwa wie bei einem Neugeborenen, bei dem wir auch sehen, daß es Tage dauert, bis er die ihm neuen und unbekannten Gesichtseindrücke der beiden Augen zu einem gemeinsamen (binokularen) Bilde zu verschmelzen versteht. Nehmen wir nun selbst an, die Sehschärfe sei unmittelbar nach der Operation genügend hoch, die veränderte Brechkraft der Augen durch Staargläser genügend genau korrigiert, um objektiv einigermaßen scharfe Netzhautbilder zu ermöglichen, so besteht die gestellte Aufgabe darin, daß der Operierte einen Vergleich anstellt zwischen den ihm ganz neuen und fremden Gesichtswahrnehmungen, welche die vor ihm befindlichen Gegenstände bei ihm erregen, einerseits und den ihm geläufigen und bekannten Tastbegriffen „Kugel" und „Würfel", welche ihm genannt werden, andererseits. Auf Grund eines Vergleichs dieser zwei für ihn doch inkommensurablen Werte soll er entscheiden, welche der beiden unbekannten Gesichtsempfindungen sich mit dem Tastbegriff „Kugel", und welche sich mit dem Tastbegriff „Würfel" deckt. Es ist von vornherein undenkbar, daß diese Aufgabe bei auch noch so hoher Entwicklung eventueller angeborener Raumfunktionen der Netzhautelemente gelöst wird.

Auf die anderen Versuche, die aus ähnlichen Gründen im Prinzip unzulässig sind, braucht nicht näher eingegangen zu werden, das angeführte Beispiel dürfte einleuchtend genug sein.

Neuerdings habe ich das Problem von einer anderen Seite in Angriff genommen und, wie ich glaube, in einwandfreierer Weise behandelt. In einer Blindenanstalt wählte ich solche Zöglinge aus, bei denen sich auf Grund ihrer eigenen und ihrer Eltern Angaben, sowie durch gewissenhafte physiologische Untersuchungen mit Sicherheit feststellen ließ, daß sie von Geburt auf immer nur so viel Sehkraft besessen hatten, um Hell und Dunkel unterscheiden zu können, daß sie dagegen niemals den Ort der jeweiligen Lichtquelle zu erkennen und anzugeben imstande gewesen waren. Bei diesen Individuen war die Netzhaut in ihrer Funktionsfähigkeit erhalten, die Sehkraft aber durch optische Hindernisse so weit herabgesetzt, daß keinerlei räumliche Wahrnehmungen stattfinden konnten, also auch der Erwerb irgendwelcher Raumwerte des Gesichtssinnes ausgeschlossen war. Bei ihnen wurde nun in der oben beschriebenen Weise die Netzhaut mechanisch gereizt, indem durch Druck auf verschiedene umschriebene Teile des Augapfels umschriebene Lichtempfindungen ausgelöst wurden. Dabei zeigte sich nun, daß die so hervorgerufenen Lichtempfindungen prompt und deutlich wahrgenommen werden, und daß als Ort der Lichtquelle übereinstimmend und ohne Zögern die der Druckstelle gegenüberliegende Seite angegeben wurde.

Was beweist dieser Versuch? Auch bei Individuen, die von räumlichen Erfahrungen des Gesichtssinnes noch völlig unberührt geblieben sind, lassen sich physiologische Raumfunktionen an den Netzhautelementen nachweisen. Und auch ohne jeden kontrollierenden oder korrigierenden Einfluß von seiten des Tastsinnes sind diese Raumfunktionen der Netzhaut so beschaffen, daß die durch sie vermittelte optische Orientierung ungefähr mit der durch den Tastsinn vermittelten haptischen Orientierung übereinstimmen würde.

Diese angeborenen Raumwerte der Netzhautelemente, die man als die Fundamente des physiologischen Sehraums betrachten darf, müssen wir uns natürlich als durchaus primitiv und unvollkommen denken, denn daß jedes feinere Unterscheidungsvermögen, das dem Erkennen aller Einzelheiten, dem genaueren Orientierungs- und Schätzungsvermögen zugrunde liegt, erst durch Erfahrung erworben wird und durch Übung und Schulung erst zu den vollkommenen Leistungen befähigt wird, die wir am menschlichen Gesichtssinn bewundern, das wird auch der überzeugteste Nativist nicht bestreiten.

Eine noch viel größere Rolle spielt die Erfahrung dann bei der Auffassung der dritten Dimension, also der Tiefenunterschiede. Doch hier haben wir es nicht mehr mit räumlichen Empfindungen, sondern mit räumlichen Vorstellungen, also einem Gegenstand der psychologischen Betrachtung zu tun. Da es sich aber immerhin um ein Grenzgebiet zur Physiologie handelt, so seien wenigstens noch einige Andeutungen darüber gestattet.

Bei jeder körperlichen Auffassung eines Gegenstandes können wir sagen: auf Grund unserer Erfahrungen stellen wir uns die Raumverhältnisse in keinem einzigen Falle so vor, wie sie sich uns in der augenblicklichen einzelnen Gesichtsempfindung darbieten. Jedes beliebige Beispiel aus der perspektivischen Raumauffassung zeigt das: Eine gerade Chausse, die wir vor uns sehen, scheint sich allmählich zu verjüngen, ihre Bäume scheinen mit zunehmender Entfernung immer kleiner zu werden. Das Gesamtbild der Chaussee ist gleichsam zusammengesetzt aus unzähligen Einzelbildern, den einzelnen Querschnitten der Chaussee. Diese gesehenen Querschnitte sind sämtlich voneinander verschieden; und dort stellen wir uns vor, daß die wirklich vorhandenen Querschnitte einander gleich sind. Also: die verschiedenartigsten Empfindungen unserer Netzhaut können in uns dieselbe Vorstellung hervorrufen. Dagegen zeigt uns die sogenannte Umkehrung des Reliefs, wie sie in der verschiedenen räumlichen Auslegung einer körperlich gezeichneten Figur, etwa eines Würfels, zum Ausdruck kommt, das Gegenstück: eine und dieselbe Netzhautempfindung kann ganz voneinander verschiedene Vorstellungen auslösen.

Wie wir auf Grund der primitiven räumlichen Empfindungen unserer Netzhautelemente zu den kompliziertesten Raumvorstellungen gelangen, die sich auch nicht im entferntesten mit den Empfindungen decken, gehört dann schon in rein psychologisches Gebiet; es ist derselbe Vorgang, vermöge dessen wir überhaupt Sinnesempfindungen zu Vorstellungen und Begriffen verarbeiten: Die räumliche Gesichtsempfindung, die ein kugelig geformter Körper erregt, ist die einer kreisrunden flachen Scheibe; erst die Tatsache, daß wir immer dieselbe kreisrunde Gesichtsempfindung bekommen, von welcher Seite wir auch den Körper betrachten mögen, führt uns zu der Raumvorstellung der Kugel. Die Vorstellung oder der Begriff eines Gegenstandes entspricht eben nicht einem einzelnen sinnlichen Wahrnehmungskomplex, sondern er ist die Summe zahlloser möglicher Wahrnehmungskomplexe, die eng zueinander gehören. Indem wir eine zusammenhängende Gruppe sinnlicher Wahrnehmungen durch unsere Verstandestätigkeit zu einem gemeinsamen Symbol zusammenfassen, erhalten wir den Begriff des betreffenden Gegenstandes, dem jene Wahrnehmungskomplexe zugehören (Riehl). Ganz ebenso ergibt die Zusammenfassung aller von einem Objekte möglichen räumlichen Gesichtsempfindungen, die richtige optische Raumvorstellung dieses Objektes, und diese Raumvorstellung selbst ist nicht mehr anschaulicher Natur.

Unsere räumlichen Vorstellungen setzen sich also zusammen aus räumlichen Sinnesempfindungen, und je nachdem sie uns durch unser Gesicht, unser Gehör oder unser Gefühl übermittelt werden, nennen wir sie optische, akustische oder haptische. Und je nachdem sie der einen oder der anderen dieser Gruppen angehört, kann die einzelne Raumempfindung eines Gegenstandes ganz verschiedene Raumvorstellungen auslösen. Auf diese Weise kommt das zustande, was wir als Sinnestäuschungen zu bezeichnen pflegen. Am bekanntesten sind optische (d. h. Gesichts-) und akutische (d. h. Gehörs-)Täuschungen; es gibt auch haptische (d. h. Gefühls-)Täuschungen.

Immer handelt es sich bei solchen Täuschungen darum, daß wir die besonderen physikalischen Verhältnisse einer Erscheinung entweder nicht kennen oder uns ihrer nicht bewußt werden, und indem wir die Gesetze, die unter gewöhnlichen Verhältnissen gelten, auf solche besonderen, vom Gewohnten abweichenden Fälle anwenden, verarbeitet unser Verstand die empfangenen sinnlichen Eindrücke zu falschen Vorstellungen.

Ein schräg aus dem Wasser hervorragender gerader Stab erregt auf unserer Netzhaut das optische Bild eines geknickten Stabes. Unter gewöhnlichen Verhältnissen entspricht dem sichtbaren Bilde eines geknickten Stabes auch das fühlbare Bild eines geknickten Stabes (wir sagen: dem optisch geknickten Bilde ist das haptisch geknickte Bild assoziiert). Ein Kind, das die Erscheinung zum ersten Male sieht und keine praktische Erfahrung darüber hat, daß bei Vorhandensein zweier Medien von verschiedener Brechkraft die für den Gesichtssinn geltenden Gesetze von den für den Tastsinn geltenden abweichen, unterliegt einer Täuschung, indem es die fehlerhafte Vorstellung bildet, daß die gesehene Knickung des Stabes auch fühlbar sein müsse.

Nicht anders liegen die Verhältnisse bei den speziellen, vom Gewohnten abweichenden Gesetzen der Spiegelung, nicht anders bei zahlreichen anderen sogenannten Sinnestäuschungen. Diese Erkenntnis ist wichtig, denn gerade die Feststellung solcher Sinnestäuschungen verführt zu der unberechtigten Frage nach der „wahren Natur" der Dinge. Worüber wir uns täuschen, kann aber niemals diese „wahre Natur" der Dinge sein, denn sie liegt überhaupt nicht im Bereich der Möglichkeit unserer Erfahrung; täuschen können wir uns nur über die Beziehungen der sogenannten Dinge zu uns.

Denn womit wir es überall zu tun haben, sind die Erscheinungen; und sie sind immer Produkte der Wechselwirkung zwischen zwei Faktoren, die sich nie und nimmer voneinander trennen lassen und deshalb, jeder für sich betrachtet, keine Realitäten sein können, sondern notwendig leere Abstraktionen ergeben müssen: dem rein begrifflichen und daher unwirklichen Ding an sich und dem rein begrifflichen, ebenfalls unwirklichen Ich an sich. Gegenstand unserer Untersuchung kann nur immer die Gesetzmäßigkeit sein, die in den Beziehungen zwischen Objekt und Subjekt, zwischen Ding und Individuum, zwischen Natur und Mensch herrscht.

Diese „Relativität" der Dinge zum Individuum, wie sie uns in den Erscheinungen entgegentritt, betont Kant immer wieder auf das Schärfste, und es ist einer der tiefsten Kantischen Gedanken, daß der Anteil, den das Ich bei diesem Wechselverhältnis hat, von ihm als entscheidend für die Gesetzmäßigkeit aller menschlichen Erkenntnisse nachgewiesen wird. Dieser Anteil ist die formende Tätigkeit unseres Geistes. Ohne eine solche Formung kann kein Erkenntnis zustande kommen, denn nur durch sie wird das Mannigfaltige zur Einheit zusammengefaßt: das Mannigfaltige sinnlicher Erfahrungen zu wahrgenommenen Dingen, das Mannigfaltige begrifflicher Erfahrungen zu gestalteten Urteilen. In diesem Sinne ist die Gesetzmäßigkeit, die wir Menschen an den Erscheinungen beobachten, in der Gesetzmäßigkeit unseres eigenen Verstandes begründet, und unser Verstand „empfängt nicht Gesetze von der Natur, sondern schreibt sie ihr vor".

Nochmals über das nächste Problem der Chemie.

Antwort an Herrn Prof. Nasini.

Von

F. Wald
(Kladno in Böhmen).

Polemische Auseinandersetzungen sind für die Leser einer wissenschaftlichen Zeitschrift gewöhnlich sehr unerfreulich, können aber leider nicht immer vermieden werden, und waren daher auch seit jeher häufige Begleiterscheinungen des Widerstreites alter und neuer Ideen; so wolle man es mir auch nicht verargen, wenn ich mich hier eingehend mit den letzten Darlegungen Herrn Prof. Nasinis beschäftigen muß, welche von ihm der Accademia dei Lincei vorgelegt wurden,[1] und welche daher schon in Anbetracht dieser hochgeachteten Körperschaft nicht unberücksichtigt bleiben dürfen.

In meiner letzten Arbeit[2] berührte ich meine alte, unlängst in neuer Fassung reproduzierte Ableitung der stöchiometrischen Gesetze,[3] sowie deren Verhältnis zur Ableitung Richters und Prof. Ostwalds; dabei betonte ich, daß in der Ableitung „nur noch rein chemische Tatsachen, unter Ausschluß aller Phasentheorie, zur Geltung gebracht wurden". In der neuen Publikation der Ableitung selbst berief ich mich bei jeder wesentlichen Wendung der Beweisführung auf bekannte Erfahrungen, und sagte schließlich auch noch, es sei damit „der strenge Nachweis geführt, daß man die stöchiometrischen Gesetze auf banale chemische Wahrheiten zurückführen kann". Genau den gleichen Standpunkt nahm ich schon in meiner ersten Publikation dieser Ableitung und der

---

[1] Rendiconti della R. Accademia dei Lincei. Classe di scienze fisiche, mat. e naturali. Vol. XVI, pag. 847.

[2] Das nächste Problem der Chemie. Diese Annalen VI, 1.

[3] Ursprünglich Zeitschrift für phys. Chemie, 22, 253, neuerlich Chemiker-Zeitung 1906, No. 79.

daraus entstandenen Diskussion mit Prof. Bodländer[1] ein; auch sonst bin ich mir bewußt, jederzeit die Auffassung bekundet zu haben, daß naturwissenschaftliche Theorien ein möglichst genauer Ausdruck der Tatsachen sein sollen, und habe sogar wiederholt auf gewisse Tatsachen hingewiesen, welchen die herkömmliche Theorie nicht gerecht wird.[2] Gleichwohl sagt aber Herr Nasini, daß ich neuerdings eine aprioristisch scheinende Deduktion des Äquivalentgesetzes („deduzione apparentemente aprioristiche") bringe.

Wie immer man über das a priori in der Philosophie denken mag, in der Naturwissenschaft wird es mit vollem Rechte allgemein zurückgewiesen. In Anbetracht des üblen Geruches, in welchem das a priori in der Naturwissenschaft steht und der Art, wie Herr Nasini seine Bemerkung vorbringt, muß aber diese Äußerung noch einen viel ärgeren Eindruck machen als vielleicht beabsichtigt war. Zur Entschuldigung des Herrn Nasini kann ich nur anführen, er scheine eine eigenartige Auffassung des a priori zu haben. Wenn ich ihn recht verstehe, so glaubt er, man dürfe empirisch stöchiometrische Gesetze nur aus chemischen Analysen der Verbindungen ableiten, ihre Zurückführung auf Tatsachen anderer Art sei aprioristisch. Wenn zwei Städte zu beiden Seiten eines hohen Berges liegen, so kann man ihre Entfernung bestimmen, wenn man einen geraden Tunnel durch den Berg gräbt; oder man mißt irgendwo in der Nähe ein gerades, beliebig gelegenes Stück einer Straße als Basis ab, geht von hieraus mit dem Theodoliten so weit vor, bis man beide Städte erreicht hat und berechnet die Entfernung aus der Länge der Basis und der Größe der Winkel. Nach Prof. Nasini wäre die erste Messungsweise die empirische, die zweite die (wenigstens apparentemente) aprioristische.[3]

Meine Formulierung des nächsten Problems der Chemie erscheint meinem Herrn Gegner eine höchst vage; er hält ja den

---

[1] Zeitschr. f. phys. Chemie, 23, 78.

[2] Beispielsweise nenne ich nur meine Betrachtungen über die Wiedergewinnbarkeit der Elemente in einem Laboratorium, welchem keine Reagentien nachgeliefert werden. (Diese Annalen II, S. 124). Gerade diesen Darlegungen sind alle Gegner meiner Ansichten bisher scheu ausgewichen.

[3] Diese Auffassung des a priori hatte ich vor zehn Jahren auch, darum kenne ich sie so gut; nur hielt ich diese Art des a priori stets für eine einwandfreie Forschungsmethode, habe sie also niemals mit dem Kantschen a priori verwechselt.

großen Nutzen in Evidenz, den das Studium der Phasen an sich, für chemische Technologie und andere Wissenschaften (wie Mineralogie, Geologie, Physiologie) bringt.

Solche Darlegungen sind aber doch seit der ersten Auflage von Ostwalds Lehrbuch der allgemeinen Chemie und seit dem Erscheinen seiner Zeitschr. f. phys. Chemie in aller Welt so billig wie Brombeeren. Ich versuche dagegen zu zeigen, wie die theoretische Chemie durch solche Forschungen gefördert werden kann; an diese hat zwar Herr Prof. Nasini niemals gedacht, sagt aber trotzdem: „Dieses Wegweisen von Seite eines chemischen Technologen erklärt auch, warum seine (d. h. Walds) Ideen so viel Gefolge unter dem Scheine haben, den sie sich bezüglich der Anwendungen unserer Wissenschaft zu geben wußten".

In einem Vortrage in Hamburg[1] hat nämlich Herr Riedel meine Ideen befürwortet; dabei wies er darauf hin, daß in gewisser Hinsicht ein praktischer Chemiker über manche Dinge anders denke als ein wissenschaftlicher, und hat dies an meinen Ansichten eingehend und sehr zutreffend demonstriert. Unglückseligerweise vergaß aber Riedel zu sagen (obwohl sich dieser Gedanke durch den ganzen Vortrag fortspinnt), daß er einen gelehrten Chemiker von heute meint, und daß er hofft, es würde diese Nichtübereinstimmung zwischen chemischen Technologen und Gelehrten bald verschwinden, indem die Gelehrten ihren unhaltbar gewordenen Standpunkt auflassen werden. Es ist eben ein allgemein bekanntes Axiom, daß bei richtigem Denken der chemische Technologe und der Gelehrte gerade so vorgehen müssen wie alle anderen vernünftigen Leute. Herr Nasini ist aber sicher, daß die Wissenschaftler immer Recht haben, er referiert und prüft daher die Riedelschen Darlegungen überhaupt nicht weiter, benützt aber Riedels Konstatierung der Nichtübereinstimmung gewisser Denkweisen dazu, um den reformsüchtigen Technologen vor der Accademia dei Lincei als denjenigen hinzustellen, der selbstverständlich im Unrechte ist, und nur durch den Schein, den er seinen Darlegungen gibt, die Aufmerksamkeit fesselt.

Seinerseits stellt mir Herr Prof. Nasini zum zweiten Male — einmal habe ich es leider übersehen — ein wichtiges Problem; ich hatte vor Jahren schon sehr ausführlich dieselben Gedanken

---

[1] Chemische Grundbegriffe und Grundgesetze in antiatomistischer Darstellung. Zeitschr. f. angewandte Chemie, 1906, 2, 2113.

über Elemente und chemische Verbindungen dargelegt, die ich noch heute vertrete und habe zuletzt, um die Sache drastisch darzustellen, chemische Verbindungen und Elemente im Vergleiche zu Phasen frei veränderlicher Qualität als eine Art Raritäten bezeichnet. Heute sage ich, daß sie im polydimensionalen Bilde der Phase den Eckpunkten entsprechen. Schon damals bemühte ich mich aber eifrig, eine Erklärung zu finden, warum die Qualität einer Phase nicht unbegrenzt nach jeder beliebigen Richtung variiert werden kann; thermodynamische Überlegungen, Eigenschaften fester Körper, Gibbssche Phasenlehre versuchte ich für diesen Zweck auszunützen. In meinen „Bausteinen zu einer künftigen chemischen Theorie" habe ich vor einem Jahre das Problem neuerdings behandelt, wenn ich auch dabei, wie ich jetzt sehe, nicht sehr viel glücklicher war als früher, und mich der richtigen Erklärung nur wesentlich nähern konnte, ohne sie ganz zu erreichen. Jedenfalls habe ich das Problem nie verkannt, wenn ich auch nicht imstande war, es zu meiner eigenen, dauernden Zufriedenheit zu lösen.

Prof. Nasini hält sich aber mit Vorliebe jedesmal an den unvollkommensten und ältesten Ausdruck einer jeden von meinen Ideen; da ich damals die jetzige Chemie im Vergleiche zur künftigen mit einem Raritätenkabinett in Parallele stellte, zieht er ein solches Kabinett heran, in welchem nur lauter „vitelli a due teste" gesammelt sind; das Wunderbare sei nicht, daß wir solche vitelli in der Sammlung finden, sondern daß es solche vitelli a due teste gäbe. Wenn mein italienisches Lexikon nicht trügt, so sind diese vitelli a due teste Kälber mit zwei Köpfen, und es scheint mir, daß man noch keinen sicheren Grund dafür gefunden hat, warum gewöhnlich vitelli nur einen teste besitzen. Die Erklärung des seltenen zweiten testes wird also wohl auch noch lange auf sich warten lassen; inzwischen dürfte sogar schon die Frage endgültig gelöst sein, warum chemische Phasen begrenzte Gebilde sind, aber schlimmsten Falles werden wir uns doch mit der Tatsache begnügen können, daß die Phasenbilder zwar Eckpunkte, aber keine teste haben.

Ich habe darauf hingewiesen, daß die Atomhypothese aus sich heraus noch keine Begriffsbestimmung des chemischen Individuums gegeben habe, und brachte selbst eine solche, wobei ich selbstverständlich nur objektiv. feststellbare Merkmale des Individuums anführte. Den Mangel einer solchen Definition fand ich schon vor mehr als zwanzig Jahren in einem Lehrbuche der Chemie betont, welches in den siebziger Jahren erschienen war, und dessen Titel und Verfasser ich heute nicht mehr feststellen kann. Aus einem Referate[1] ersehe ich, daß erst neuerlich wieder ein Autor vom Range Ladenburgs darauf hinweist, es fehle immer noch eine allgemeine, für jeden Fall ausreichende Definition, um ein Gemenge von einer Verbindung zu unterscheiden. Auch Prof. Tammann versuchte die landläufigen Ansichten über diese Frage zu bessern, und führte dies zu einer Erwiderung von mir, die Herr Nasini zitiert. Immerhin machen diese wenigen Schwalben noch keinen Frühling, und ich durfte sagen, die Atomhypothese empfinde diesen Mangel gar nicht, sonst müßten ihn eben alle Chemiker ständig fühlen und zu beseitigen suchen; doch war ich so naiv, zu glauben, man könne hier nur an experimentell prüfbare Merkmale eines chemischen Individuums denken. Herr Prof. Nasini überweist mich auch in diesem Punkte eines Besseren, denn er merkt die schmerzliche Lücke im System der atomistischen Chemie auch dann noch nicht, wenn sie eingehend besprochen und scharf gerügt wird, und sagt mit rührender Einfalt:

„Nach der Atom- und Molekulartheorie sind die Moleküle des Individuums gleichartig, diejenigen der Phase ungleichartig. Leider ist es nicht möglich, sie (die Definition) experimentell zu verifizieren, wenn hier nicht die Ultramikroskopie hilft."

Die Fabrikanten chemisch reiner Präparate, die Forscher über Atomgewichte, ja alle Chemiker überhaupt werden wohl von dieser Definition den gleichen Nutzen haben, wie von der folgenden, welche ich ernstlich in Erwägung ziehe: „Ob ein Körper ein chemisches Individuum oder eine allgemeinere Phasenform ist, steht in den Sternen geschrieben".

Herr Prof. Nasini mutet mir also zu, daß ich nicht wisse, welchen Unterschied die Atomhypothese hypothetisch zwischen Individuen und anderen Phasen statuiert, und ich bin am Ende schuld daran, weil ich versäumte, zu sagen: ... „die herkömmliche Theorie ist unfähig, die objektiven Merkmale des Individuums auszusprechen".

In seinem ersten Artikel hat Herr Prof. Nasini meine älteste Ableitung der Proportionen zitiert; es handelt sich um Gleichungen der Form

$$\pi = \mu_1 m_1 + \mu_2 m_2 + \cdots \mu_h m_h$$

---

[1] Chem.-Ztg. 1907, No. 38, S. 491.

wo die Größen μ thermodynamische Potentiale nach Gibbs sind, die Größen *m* aber Massen von Bestandteilen darstellen. Aus einer entsprechenden Anzahl solcher Gleichungen könnten (bei bekannter Zusammensetzung der Phasen und bekannten π) die Potentiale μ als Unbekannte bestimmt werden. Indem ich alle denkbaren Variationen der Phasenzusammensetzung in Erwägung zog, fand ich als möglichen Fall auch den, welcher die gesuchten Potentiale unbestimmt macht, indem die Determinante der Größen *m* (zugleich mit anderen Determinanten) gleich Null wird. Diesen ausgezeichneten Fall hielt ich für denjenigen, in welchem die veränderlichen Phasen, auf welche sich obige Gleichungen beziehen, in chemische Individuen übergehen und bin auch heute noch überzeugt, daß in dieser Ansicht ein wesentliches Stück Wahrheit steckt. Tatsächlich führt diese Idee, mag sie an sich richtig oder falsch sein, durch richtige Folgerungen zu einem richtigen Resultate, nämlich zu den einfachen Proportionen, die ich auch damals auf diese Weise ableitete; ich drückte sie als Folgerungen aus dem vorher Gesagten durch Gleichungen aus, welche Herr Nasini in anderer einfacherer Form wiedergibt:

$$x + y = a$$
$$x + v = b$$
$$z + y = c$$
$$z + v = d$$

Er betrachtet hier *v x y z* als die Unbekannten, wobei er ganz übersieht, daß meine Unbekannten die Größen μ waren, und daß er sich nur noch mit den Ergebnissen meiner Entwicklungen beschäftigt; über diesen groben Schnitzer ging ich aber in christlicher Nächstenliebe schonend hinweg und bemerkte bloß, es handle sich gar nicht darum, aus der Menge dieser Körper *(a b c d)* ihre Zusammensetzung *(v x y z)* zu berechnen, sondern die notwendigen Beziehungen in der Zusammensetzung dieser Körper zu finden, damit trotz vier Bestandteilen die Umsetzung nur vier, nicht aber mehr Körper umfasse. „Es irritiert ihn" (sagte ich weiter), „daß er eine von seinen Gleichungen aus den anderen ableiten kann, und doch ist gerade dies eine Folge der gesuchten Beziehung."

„Io non mi irrito affato, anzi!" frohlockt Prof. Nasini. „Ich irre tatsächlich nicht, umgekehrt!" Und so konstatiert er, daß die vier Gleichungen mit vier Unbekannten ein unbestimmtes System bilden.

Das gilt unter meiner Prämisse wirklich für m e i n e vier Gleichungen mit den Unbekannten μ_1 μ_2 μ_3 μ_3 wie für die s e i n i g e n. Es kommt aber darauf an, welche Folgerungen man daraus ziehen kann.

Ich bin von Haus aus kein Mathematiker, mußte mir also schon damals für diesen Fall die Rezepte aus mathematischen Lehrbüchern holen und fand dabei folgendes: Wenn wir vier Gleichungen mit vier Unbekannten haben, die Gleichungen aber nicht homogen sind (d. h. neben den Unbekannten oder Produkten derselben mit Zahlen noch eine Konstante — wie z. B. oben die Größe π — enthalten) so ist im allgemeinen die Bestimmung aller Unbekannten möglich. Es gibt aber zwei Ausnahmsfälle: Die Gleichungen können sich widersprechen, d. h. es muß jede Unbekannte unendlich groß angenommen werden. Oder wenigstens eine Gleichung ist aus den übrigen ableitbar, und dann ist das Gleichungssystem u n b e s t i m m t; das sagt aber nicht, es gäbe k e i n e endlichen Zahlen, welche die Gleichungen befriedigen, im Gegenteil, es gibt deren viel mehr als uns eventuell lieb ist.

Herr N a s i n i hat konstatiert, daß er eine von seinen Gleichungen aus den drei anderen ableiten kann, sein System ist also indeterminiert, w e i l eine Beziehung von der Art der Äquivalente besteht, und seine Gleichungen gestatten uns, e i n e r Unbekannten einen ganz beliebigen Wert zu erteilen. Ich setze ganz willkürlich z. B. $z = 5$ und finde

$$y = c - 5$$
$$x = a - c + 5$$
$$v = b - a + c - 5.$$

Ohne solche Annahme ergibt sich allgemeiner:

$$\frac{y}{z} = \frac{c}{z} - 1$$

$$\frac{x}{z} = \frac{a - c}{z} + 1$$

$$\frac{z}{v} = \frac{b - a + c}{z} - 1$$

Sind die Gleichungen homogen, so gelten im ganzen ähnliche Regeln, nur sind hier bei vier Unbekannten immer nur höchstens drei unabhängige Gleichungen möglich, d. h. man kann dann jedesmal nur die V e r h ä l t n i s s e der Unbekannten, wie z. B.

$$\frac{y}{z},\ \frac{x}{z},\ \frac{v}{z}$$

bestimmen.

Nun bleibt aber noch der Fall, daß wir bei z. B. vier Unbekannten mehr als vier inhomogene Gleichungen oder wenigstens vier homogene Gleichungen vorfinden. Hier können dann abermals die Gleichungen einander widersprechen und lassen nur unendlich große Werte für die Unbekannten zu, ober die Gleichungen vertragen sich, und können durch endliche Zahlenwerte befriedigt werden. Damit sie sich aber vertragen, müssen die überzählichen Gleichungen aus den übrigen ableitbar sein, und werden abhängig genannt. Nicht überzählig sind dabei bei vier Unbekannten vier nicht homogene Gleichungen, resp. drei homogene.

Diese elementaren Dinge bleiben Chemikern gewöhnlich sehr unbekannt, und es ist ihnen daher anzuraten, sie an ganz simplen Beispielen einzupauken, wie ich es vor ca. 15 Jahren tun mußte.

Dieses Einpauken hat offenbar Prof. Nasini versäumt, und so passiert ihm das Unglück, daß er seine Rezepte für die Berechnung von Unbekannten aus Systemen linearer Gleichungen gerade in dem Moment verwechselt, in welchem er meine Beweisführungen zerschmettert zu haben glaubt. Und so lautet denn seine mir zugedachte Belehrung: „Io non mi irrito affato, anzi! Solo constato: e constato che le quatro equazioni con quatro incognite costituiscono un systema indeterminato e perchè ammettano una soluzione è necessario che sia verificata una equazione di conditione, che proprio esprime l'esistenza degli equivalenti: senza la verificata di quella equatione di condizione — e che si verifichi è un dato di fatto sperimentale — la soluzione simultanea delle quatro equazioni non sarebbe possibile".

Ohne Anspruch auf mehr als sinngetreue Widergabe lautet meine Übersetzung: „Ich irre tatsächlich nicht, umgekehrt! Ich konstatiere allein: Es ist festgestellt, daß die vier Gleichungen mit vier Unbekannten ein unbestimmtes System darstellen, und damit sie eine Lösung bieten, ist es nötig, daß eine Bedingungsgleichung erfüllt sei, welche eigentlich das System der Äquivalente ausspricht: Ohne Erfüllung dieser Bedingungsgleichung — und ob sie erfüllt ist, ist eine Sache der Erfahrung — erscheint die simultane Lösung der vier Gleichungen unmöglich."

Tatsächlich ist das System indeterminiert, weil die Bedingungsgleichung erfüllt ist. Hätte Prof. Nasini für seine vier Unbekannten fünf inhomogene Gleichungen oder vier homogene, und hätte er Gründe für die Zulassung einer simultanen Lösung, so könnte er die Äquivalente ableiten; aber sein Fall liegt gerade umgekehrt, er hat nicht zu viele Gleichungen, sondern zu wenige!

Nun dürfte es wohl auch klar sein, warum meine Ableitung der Proportionen bei den Chemikern absolut kein Glück hat; vielleicht darf sie auf bessere Aufnahme hoffen, wenn ich sie jetzt nochmals unter Weglassung der Gleichungen kurz reproduziere:

Wir finden beispielsweise, daß zwei Körper zu einem dritten zusammentreten, ohne daß sonst ein weiteres Produkt entstände; doch liege der Fall so, daß dies nur dann gilt, wenn wir die beiden Körper in einem genau einzuhaltenden Verhältnis zusammenführen, sonst bleibe von einem der Körper etwas übrig oder es entstehe noch ein viertes Produkt. Wir wollen aber gerade diesen besonderen Fall erwägen, da die Chemie heutzutage dies immer tut, ohne sich um andere Fälle zu kümmern.

Nachträglich entdecken wir, daß diese Körper drei oder mehr Elemente „enthalten"; formulieren wir für die Elemente den Erhaltungssatz, so gewinnen wir wenigstens drei homogene Gleichungen mit drei Unbekannten, von welchen letzteren je eine der Masse eines von den drei Körpern entspricht. Schon drei homogene Gleichungen sind aber bei drei Unbekannten zu viel; nur zwei unabhängige Gleichungen können existieren, jede weitere muß aus beiden anderen ableitbar sein, wenn das ganze Problem kein Unsinn ist. Aus den zwei unabhängigen Gleichungen mit drei Unbekannten vermag man nur die beiden Verhältnisse, z. B.

$$\frac{x_1}{x_3}, \frac{x_2}{x_3}$$

zu berechnen, und dies ist auch ohne viel Mathematik verständlich, weil eine solche Reaktion ganz gleichartig abläuft, mag man sie mit Grammen oder Tonnen der Ausgangskörper ausführen; ebenso fest steht aber, daß die Gleichungen eine Lösung besitzen, denn wir haben die Umsetzung der Körper längst beobachtet, bevor wir noch die Bestandteile gezählt haben. Daraus folgt dann nach Prof. Nasinis Rezept — bei richtiger Anwendung desselben — die Existenz der Proportionen, und diese Folgerung könnte nur dadurch angefochten werden, daß man z. B. die Existenz von Elementen leugnet!

Vielleicht kommt nur Herr Nasini zur Einsicht, daß meine Ableitung der Proportionen gerade nur so viel Mathematik enthält, als unbedingt nötig, und daß man sich in Polemiken nur dann einlassen soll, wenn man die strittige Frage genau überlegt hat.

Es tut mir jetzt schon wirklich leid, weiter fortzufahren, aber Prof. Nasini klagt der Accademia dei Lincei entrüstet, ich hätte ihn keiner kleineren Sache beschuldigt, als an die Möglichkeit zu glauben, daß eine bestimmte Verbindung aus einer variabelen Anzahl von Atomen bestehen könne, und daß auch die Atome eines und desselben Elementes variable Gewichte haben könnten. Er ruft die Geister von Helmholtz und Mendelejew an, zitiert auch den (glücklicherweise noch lebenden) Lord Kelvin und versichert mich, daß er sich solche Enormitäten nicht träumen ließ, und daß auch die Atomhypothese solche nicht enthalte. Er schreibt einen ganzen Absatz seiner ersten Arbeit nochmals ab, und übersetzt mir ihn auch noch ins Deutsche, um mich davon zu überzeugen.

Herr Nasini hat aber ein paar Zeilen nach diesem Zitate eine Zusammenfassung der stöchiometrischen Gesetze in der Sprache der Atomhypothese gegeben, und dies ist verdienstlich, obwohl man sich wundern darf, warum die Atomhypothese nicht schon längst eine musterhafte Formulierung dieser Art besitzt. In dieser Formulierung lautet der erste Absatz:

„Legge delle proporzioni definite. — L'unione degli elementi avviene secondo la juxtaposizione degli atomi che conservano sempre il loro peso, e, nella stessa combinatione, il loro numero: quindi uguali vengono ad essere le quantità dei componenti una specie chimica."

Dies wird man wohl sinngetreu durch die Worte ausdrücken dürfen:[1]

„Gesetz der bestimmten Proportionen. — Die Vereinigung der Elemente erfolgt durch Aneinanderlagerung der Atome, welche stets ihr Gewicht beibehalten und — in derselben Verbindung — auch ihre Zahl. Daher kommt es, daß die Quantität der Komponenten einer chemischen Verbindung gleich bleibt."

Es ist klar, daß diese Darstellung einen Schüler voraussetzt, welcher schon an Elemente und Atome glaubt, aber noch nicht gehört hat, daß alle Atome eines bestimmten Elementes als untereinander gleich gedacht werden, und auch noch nicht erfuhr, wie er sich im Geiste der Atomhypothese Verbindungen vorstellen soll. Es wird ihm also gesagt, daß er sich die Atome aneinander-

---

[1] Von mir mit ausgiebigster Benutzung des Lexikons übersetzt.

gelagert zu denken habe; aber dabei könnte er noch glauben, manches Atom Chlor sei schwerer, manches leichter, und daher die Belehrung, daß alle Atome eines Elementes gleichschwer sind und gleich schwer bleiben. Dann könnte aber der Anfänger noch meinen, es sei gleichgültig, ob ein Atom Chlor mehr oder weniger da sei, und daher wird ihm eingeschärft, daß auch die Anzahl Atome eines Elementes in derselben Verbindung nie wechselt.

Es faßt also wirklich Herr Prof. Nasini auf Grund der Atomhypothese die Möglichkeit ins Auge, daß eine Verbindung aus einer variabelen Anzahl Atome bestehen könnte, und daß Atome desselben Elementes auch variabele Gewichte haben könnten, und ich kann nicht dafür, daß er dies vergessen hat.

Nun sagte ich aber sofort weiter: „Natürlich weist Prof. Nasini diese Gedanken selbst wieder zurück, und zwar durch den Wortlaut seiner Gesetze".

Ich habe diese Gedanken nur deshalb bemängelt, weil hier die Atomhypothese dem Schüler Möglichkeiten als denkbar vorspiegelt, die in der Natur gar keine Rolle spielen, welchen also nichts wirklich mögliches (z. B. bei den veränderlichen Phasen zu berücksichtigendes) entspricht, und tadelte nicht Prof. Nasini, sondern die Atomhypothese: „Diese Gedanken ... muß ich aber als Mißgeburten der Atomistik ansehen, die sich hier als geradezu irreführend erweist".

Dagegen bemängelte ich vom Standpunkte der strengen Logik den Umstand, daß Prof. Nasini diese Gedanken durch den Wortlaut seiner Gesetze abweist, und zeigte, wie dies geschehen sollte; aber auch diesen gelinden Tadel erstreckte ich auf alle existierenden Lehrbücher der Chemie, so daß von ihm für Herrn Nasini fast gar nichts übrig bleibt. Diesen Tadel halte ich auch aufrecht, da eben die heranwachsenden Chemiker, wenn ihnen schon die Hypothese nicht erspart bleiben kann, wenigstens stets darüber aufgeklärt werden sollten, warum die Hypothese gerade diese oder jene Gestalt erhalten muß, um mit den Tatsachen in Einklang zu bleiben, denn offenbar ist es nur auf diesem Wege möglich, dem Geiste des Schülers die richtige Wertschätzung der ewig bleibenden Tatsachen als des Primären, gegenüber den vergänglichen hypothetischen Hirngespinnsten zu geben.

Wie irreführend aber auch der Gedanke sein mag, daß die Atome desselben Elementes in gegebener Verbindung einmal ein größeres, das andere Mal ein kleineres Gewicht haben könnten,

oder daß z. B. in verschiedenen Proben derselben Verbindung
einmal mehr, das andere Mal weniger Atome desselben Elements
im Moleküle vorkommen könnten, so entbehrt dieser Gedanke
vom Standpunkte der Atomhypothese durchaus nicht der
Berechtigung, d. h. er ist nicht unsinnig, sondern nur vom Standpunkte des Tatsächlichen ganz überflüssig, und daher irreleitend.
Selbst der Gedanke an eine Transmutation der Elemente ist keine
Heresie gegen den gesunden Menschenverstand, sondern nur
gegen unsere bisherigen Erfahrungen, die mit der Zeit durch neue
Tatsachen eine wesentliche Änderung erleiden könnten, wenn dies
auch nicht sehr wahrscheinlich sein mag. —

Es war vorauszusehen, daß meine herben Worte über die
Laxheit der Denkweisen, welche unter der Herrschaft der Atomhypothese in der Chemie gang und gäbe geworden seien, die
Entrüstung der Betreffenden resp. Betroffenen erregen dürften;
überraschend ist es aber sicherlich, daß auch jetzt noch Vertreter
der Atomhypothese so unvorsichtig sind, mir derart schlagende
Belege für meine Behauptung zu liefern, wie ich sie im Vorstehenden
bloßstellen mußte. Es zeigt sich leider, daß das von mir gerügte
Übel noch viel tiefere Schäden angerichtet hat, als ich zu behaupten wagte; während jeder Chemiker strengstens dazu angeleitet
wird, jede Beobachtung und mechanische Operation, wie Wägen,
Filtrieren, Waschen, Destillieren, Ablesen von Büretten, Thermo-
metern u. s. w. mit größter Sorgfalt und peinlichstem Bewußtsein
persönlicher Verantwortlichkeit auszuführen, wird die Erziehung zur gleichen Gewissenhaftigkeit im Streite über theoretische Dinge offenbar derart vernachlässigt, daß Vergehen
nach dieser Richtung in der Regel gar nicht als Sünden gegen
die Wissenschaft betrachtet werden. Zwar habe ich diese Erfahrung schon in meiner engeren Heimat machen müssen, hielt
sie aber für eine lokale Erscheinung. So muß ich denn jetzt auch
meine Ansichten über das nächste Problem der Chemie wesentlich modifizieren: Es ist, wie ich jetzt sehe, ganz gleichgültig,
womit man sich zunächst in der theoretischen Chemie beschäftigen
wird, denn ihr kann dadurch nicht früher geholfen werden, als
bis eine gründliche Reform der — Geister selbst hinsichtlich ihrer **Gewissenhaftigkeit in Fragen der Theorie** stattgefunden haben wird, denn gerade diese hat sich unter
der Herrschaft der Atomhypothese bis auf eben noch
merkbare Spuren vollständig verflüchtigt.

Kritische Bemerkungen zur modernen Mathematik.

Von

Julius Baumann.

1. Cantors transfinite Zahlen. — Cantor (Zeitschrift für Philosophie und philosophische Kritik Bd. 91) behauptet von seinem ganz neuen Zahlengeschlecht, den aktuell unendlichen oder transfiniten Zahlen (S. 52 des Separatabdrucks), daß „sie auf Beweisen beruhen, die von den vorher gegebenen, nicht willkürlichen oder gekünstelten, sondern aus dem Quell naturgemäßer Abstraktion entsprungenen Definitionen ausgehend mit Hilfe von Syllogismen zum Ziel gelangen" (S. 55). Nach S. 19 weist das potentielle Unendliche stets auf ein zugrunde liegendes Transfinitum hin, ohne welches es weder sein noch gedacht werden kann. Nach S. 21 „erfordert jedes potentielle Unendliche (die wandelnde Grenze Herbarts) ein Transfinitum (den sicheren Weg zum Wandeln) und kann ohne letzteres nicht gedacht werden. Beispiel eines aktuell Unendlichen ist die Gesamtheit, der Inbegriff aller endlichen ganzen positiven Zahlen; diese Menge ist ein Ding für sich."

Soviel ich sehe, besagt das potentielle Unendliche nur: so groß man auch die Zahlenreihe ansetzt, man kann sie immer noch fortsetzen, nämlich im Denken. Das Unendliche ist ein modus procedendi eben im Denken; das Denken ist die Kraft zu diesem Prozeß; diesen Prozeß schließt es aber nicht ab, will ihn gar nicht abschließen, wenn es auf sich selber acht hat. Es gibt in ihm gar keine Gesamtheit, keinen Inbegriff aller endlichen ganzen positiven Zahlen; diese Menge ist kein Ding für sich. Cantor schließt einen Prozeß ab, der seinem Begriff nach gar nicht abgeschlossen werden kann und hypostasiert ihn außerdem.

Ein anderes Beispiel eines aktuell Unendlichen ist nach S. 33 „die Gesamtheit aller Punkte, die auf einem gegebenen Kreise oder irgend einer anderen bestimmten Kurve liegen." Diese Punkte sind aber keine Gesamtheit, denn man kann im Setzen derselben immer noch fortgehen.

Ein drittes Beispiel (S. 33) ist: „die Gesamtheit aller streng punktartig vorzustellenden Monaden, welche zum Phänomen eines vorliegenden Naturkörpers alle konstitutiven Bestandteile beitragen." Neue Beweise für diese Leibnizsche Vorstellungsweise, die so Cantor adoptiert, hat er nicht gegeben. Er sagt zwar S. 30: „ein anderer Beweis zeigt a priori, daß die Annahme eines Transfinitum in natura naturata eine bessere, weil vollkommenere Erklärung der Phänomene, im besonderen der Organismen und der psychischen Erscheinungen ermöglicht, als die entgegengesetzte Hypothese," aber Belege hat er für diesen Satz nicht gegeben. – Nach S. 29 gibt es eine unendliche Zahl von Einzelwesen, selbst in jedem kleinsten Teil des Raumes. Ich möchte dazu bemerken: am meisten kennen wir von der unorganischen Natur; nun weist neuerdings die Astronomie darauf hin, daß selbst in ihr das aktuell Unendliche durch die Beobachtung nicht angezeigt ist: eigentlich ist der Raum öde und sind die Weltkörper in demselben kärglich zerstreut, sowohl Bewegung als Licht derselben deutet nicht auf Unendlichkeit, sondern gerade auf Endlichkeit der realen Welten. Man kann nicht annehmen, daß organische Keime, z. B. in der Sonne und ähnlich heißen Zentralkörpern, existieren. Die Freiheit, die man im Menschen als Fähigkeit zur Änderung und Besserung, aber nur im normalen Menschen, was zugleich ein physiologischer Begriff ist, aufweisen kann, hat nichts von aktueller Unendlichkeit. Selbst die Phantasie ist beim Menschen sehr beschränkt, was z. B. Walter Scott nachdrücklich hervorgehoben hat.

Nach Cantor „stehen oder fallen die transfiniten Zahlen mit den endlichen Irrationalzahlen." Er weist aber selbst auf andere Rechtfertigungen der Irrationalzahlen hin, die ihm freilich nicht recht gefallen.

Cantor findet bei Augustin ganz den Grundgedanken seiner aktuell unendlichen Zahlen. Nämlich Gott denkt die (für uns potentiell unendliche) Zahlenreihe ganz. „Wenn Gott das Unendliche nicht weiß, dann weiß er auch die Zahlen nicht." Die Einwendung des Origenes gegen die Unendlichkeit Gottes: wenn die göttliche Kraft ἄπειρον ware, könnte Gott sich selbst nicht erkennen (weil er dann nie zu Ende über sich selbst käme), scheint Cantor durch jenes Wort Augustins über die Zahlenkenntnis Gottes für abgetan zu halten. Sehr mit Unrecht. Indem Gott die Zahlenreihe als unabschließbar ihrem Begriff nach denkt, kann er sie gar nicht abschließen nach dem Gesetz der Identität, das für Denken überhaupt gilt. Cantor ist in den Neuplatonismus zurückgeraten, aus welchem Augustin herkam. Wiewohl Origenes mit demselben auch Berührung hatte, war er doch gegen Augustin hier, wie auch in anderen Punkten, der schärfere Denker; dem Neuplatonismus ist die höchste Wahrheit ein Gefühl der Beseligung ohne bewußtes Denken. Cantor drückt sich ganz neuplatonisch über Gott aus. Gott ist „das unterschiedslose höchste Eine, das absolute Maximum, welches natürlich keiner Determination zugänglich und daher der Mathematik nicht unterworfen ist." „Das Transfinite, obgleich als bestimmt und größer als jedes Endliche gefaßt, teilt mit dem Endlichen den Charakter unbestimmter Vermehrbarkeit." „Der absoluten Omnipotenz Gottes gegenüber erscheint jede Negation der Möglichkeit eines Transfiniten seu infinitum actuale creatum wie eine Verletzung jenes Attributes der Gottheit." Es hat stets Denker gegeben, die anerkannten, daß für Gott der Satz der Identität gelte, daß es nicht zu seiner Allmacht gehöre, 3 als gerade Zahl z. B. zu betrachten. Nach S. 34 „existieren auch die transfiniten Zahlen und Ordnungstypen im Reiche des Möglichen ebensowohl wie die endlichen Zahlen, und im Transfiniten ist sogar ein weiterer größerer Reichtum an Formen und an Spezies numerorum vorhanden und gewissermaßen aufgespeichert, als in dem verhältnismäßig kleinen Feld des unbeschränkten Endlichen. Daher standen die transfiniten Species den Intentionen des Schöpfers und seiner absolut unermeßlichen Willenskraft ganz ebenso verfügbar zu Gebote wie die endlichen Zahlen". Hier stehen wir wieder in Leibnizens möglichen Welten, die im Verstande Gottes einfach da waren oder sind. Aber eine der haltbaren Bemerkungen Kants war die Beseitigung des bloß logisch Möglichen als einer Art Realität, indem er daran erinnerte, daß logisch Möglich nichts heiße als „ohne Widerspruch in sich selbst vorstellbar;" ob ein solches jemals real möglich sein werde, könnten wir aus der bloßen Widerspruchslosigkeit seines Begriffs nie wissen. Das aktuell Unendliche Cantors gehört aber nicht einmal zum logisch Widerspruchlosen in sich. Läßt man das aktuell Unendliche Cantors zu, so ergeben sich ja überraschende Sätze (S. 54): „Sei M die Gesamtheit (v) aller endlichen Zahlen v, M' die Gesamtheit (2v) aller geraden Zahlen 2v. Hier ist unbedingt richtig, daß M seiner

Entität nach reicher ist als *M′*." So sind wir wieder bei den scholastischen Entitäten, bei unhaltbaren Abstraktionen.

Nach S. 55 Anm. geben die fünf Finger der Hand an sich die Fünfzahl. S. 57 wird dann auf die ideale Unabhängigkeit jeder Zahl von allen anderen hingewiesen. Nach der Erfahrung geben die fünf Finger nur dies Bild, wie auch eine Herde Vieh dies Bild gibt; fehlt dann ein Finger oder ein Stück der Herde, so kann das Manquo ganz bewußt werden, ohne als Zahl schon bewußt zu sein. Bekanntlich haben es manche Völker nicht über die Zahl 3, 4 oder 5 hinausgebracht; das „Mehr" war dann „viel". Zahlen sind gar keine leichte Abstraktion; ein Idiot zählt die Schläge einer Uhr als 1, 1 u. s. w., es ist ihm aber versagt, sie als 4, 10 u. s. w. zusammenzufassen. So sehr man beim Zählen von der Beobachtung ausgeht, ebensosehr ist ein Moment des Denkens über die Erfahrung hinaus dabei. Aber zu dem Aktuell-Unendlichen führt das von der Erfahrung geweckte Denken nicht. Auch der Satz totum est sua parte majus ist von der Erfahrung aus gelernt und wertvoll in stetem Zusammenhang mit derselben. Das Beispiel, womit Cantor es für aktuell unendliche Zahlen ablehnt (S. 54), zeigt das Erkünstelte eben dieser Zahlendichtung.

2. Zu Russell-Couturat. — Couturat hat sich in seinem Buch Les principes des Mathématiques 1905 zum Vertreter der Grundgedanken von Russells Werk The principles of Mathematics I 1903 gemacht. Ich lege ihn und eventuell spätere Erklärungen von Russell, besonders im Mind, zum Grunde meiner Bemerkungen. Couturat nimmt die aktuell unendlichen Zahlen Cantors an: S. 269 das Ganze ist größer als sein Teil, ist falsch für die unendlichen Kardinalzahlen."

Nach Couturat, S. 204: „Spekuliert man in der reinen Geometrie über ideale (gedachte) Räume, deren reale Existenz man keineswegs behauptet; man muß die Postulate auffassen als problematisch gesetzte Hypothesen." Nach S. 206 „ist die reine Geometrie eine Reihe formaler Deduktionen, die an einer Definition hängen." „Eine (S. 209) reine Geometrie sagt: wenn *a* wahr ist, so ist *b* wahr; die angewandte Geometrie hat zum Objekt den aktuellen Raum und ist eine Experimentalwissenschaft, sie sagt: *a* ist wahr, also ist *b* wahr." Russell selbst erklärt: „Die Sätze Euclids sind, da sie aktuellen Raum behaupten, ein Teil der gemischten Mathematik". — Nach Couturat (217) „ist die mathematische Methode die Deduktion, und zwar die rein logische Deduktion." Aber sie hängt doch an einer Definition? Über diese sagt Couturat (250): „alle mathematischen Definitionen sind nur nominell; eine Definition ist keine Behauptung (proposition), da sie weder wahr noch falsch ist; man kann sie weder beweisen noch widerlegen, sie ist eine Konvention, Anwendung eines einfachen Zeichens, welches eine Menge von Zeichen (in der symbolischen Logik, der Logistik) vertritt. Eine Definition ist weder eine Wahrheit noch eine Quelle von Wahrheit." Nach Russell (1906) sagt die Geometrie aus, daß, wenn gewisse Bedingungen, die wir willkürlich fixieren, erfüllt sind, sich an sie bestimmte Folgerungen anknüpfen. „Existiert" ist ihm so viel wie im logischen Sinne völlig bestimmt. Die symbolische Logik fragt nach der Existenz der Dinge in Raum und Zeit oder wie Gott als übersinnliche Existenz ist, nicht. Nach Couturat, S. 297, ist die Frage nach dem Ursprung der Postulate der Geometrie noch kontrovers, und die formale Logik ist nicht zuständig, sie zu entscheiden. Es gibt mehrere sogenannte mögliche Geometrien. Jede derselben stellt sich dar als ein hypothetisch-deduktives System. S. 298: „Die verschiedenen Geometrien gehen auf ideale und bloß mögliche Räume."

Das logisch Eigentümliche dieser Denkweise enthüllt sich bei Couturat S. 307: „Es gibt nur Eine Logik, die Logik der Deduktion" und S. 255: „Die Logik ist die Wissenschaft aller formal notwendigen Raisonnements;" S. 34: „Es handelt sich in der Logistik um die Beweismethode, durch welche man die Verkettung der Ideen und der Sätze beglaubigt (vérifie)." Was den Ausgangspunkt betrifft, die Nominaldefinitionen, so sagt S. 36: „Einen Begriff definieren heißt, ihn zurückführen auf eine logische Kombination anderer Begriffe, die als bekannt vorausgesetzt werden." Von dem Prinzip der Identität hat dabei Couturat die Vorstellung, S. 245, es gestatte nur von dem Nämlichen auf das Nämliche überzugehen, und rechtfertige nur leere Tautologien, und Russell erklärt im Mind: „Ich kann nicht einsehen, warum wir einen Grund für alles (everything) erwarten sollten."

Hiernach ist die Logistik (symbolische oder mathematische Logik) so viel wie deduktives Schließen, und ihre Schlüsse setzen Definitionen voraus, die bloß widerspruchslos in sich zu sein brauchen.

Treffend sagt der „Monist" über die neue Logik: „man

fragt nur, wieviel sich aus den zugrunde gelegten Definitionen ableiten läßt, bei den Definitionen selber kommt es nur auf Möglichkeit (Widerspruchslosigkeit in sich) an."

Die Möglichkeit in diesem Sinne hat einst in der Metaphysik eine große Rolle gespielt. Die orthodoxe Philosophie der Araber im Mittelalter bewies daraus, daß der einzige Erklärungsgrund unserer Welt der freie (grundlose) Wille Gottes sei. Man könne sich alle Dinge in der Welt ganz anders denken, als sie tatsächlich seien, was mit der Phantasie, die wir aus 1001 Nacht kennen, ausgeführt wurde. Möglich gewesen sei also eine ganz anders beschaffene Welt. Daß nun unsere Welt die wirkliche Welt sei, komme bloß von der freien Entscheidung Gottes. Leibniz hat diesen Gedanken der logischen Denkbarkeit als einer Art realen Möglichkeit dazu benutzt, um Gott nach seinem Prinzip des Besten (größte Mannigfaltigkeit bei der höchsten Ordnung) zwischen den verschiedenen möglichen Welten wählen zu lassen. Ich habe schon oben (bei Cantor) daran erinnert, daß Kant streng darauf drang, daß ein Gedanke, wenn er noch so sehr aus unserem Geiste komme (a priori sei) und in sich widerspruchslos, darum doch nichts sei, als ein Gedanke in uns, womit dann die arabische und Leibnizsche Verwendung solcher Gedanken entfiel.

Wohin man kommen könnte, wenn man bloß logischer Widerspruchslosigkeit mehr einräumte, kann man sich deutlich machen an einer Wendung, die Lotze manchmal gesprächsweise vorbrachte: man könne auch behaupten, daß die Welt aus lauter Stecknadelsköpfchen bestehe; man brauche nur zu erklären, diese hätten außerdem noch einige Eigenschaften, nämlich die, aus denen wir unsere Weltvorstellung bildeten, aber im Hintergrund seien alles nur Stecknadelsköpfchen. Aus einer solchen Behauptung, so sehr sie in sich logisch widerspruchslos ist, läßt sich allerdings nichts ableiten, so wenig wie aus dem Kantischen Ding an sich. Aber nun nehme man Selma Lagerlöfs Reise des Knaben mit den Schnee- oder Wildgänsen, der, von einer unter ihnen unter ihren Flügel genommen, eine Menge Abenteuer erlebt, oder Lucians lügenhafte Geschichte, Gullivers Reisen. Da ist vieles abgeleitet, mit Benutzung von Annäherungen an erfahrungsmäßige menschliche Art und dabei wird manches derselben durch Steigerung uns gewissermaßen deutlicher, als wir es gewöhnlich auffassen. Leibniz hat geurteilt: „die mechanischen Gesetze aus der Erfahrung führen keine strenge Notwendigkeit

mit sich." Man würde also ganz andere mechanische Gesetze erdenken und mit ihnen ein Lehrgebäude utopischer Art aufführen
können. Einigermaßen ist es ja in der Mechanik vor dem 17. Jahrhundert zum guten Teil so gewesen, in der Astrologie war es
durchaus so. Alle solche Entwürfe können ein Interesse haben.
Es ist manchmal recht gut, wenn die Geister in ganz anderer
Weise aufgerüttelt werden, als wie man gewohnt war. Nur ist
nicht einzusehen, warum deshalb die Logik soll umgeändert
werden, und warum der Satz der Identität, auf dem doch gerade
alle logische Deduktion beruht, nur „leere Tautologien" rechtfertigen soll.

Einer solchen Mißdeutung ist allerdings gerade die symbolisch
mathematische Ausdrucksweise des Satzes ausgesetzt. Aber a ist
a, besagt doch nur: eine Vorstellung oder ein Urteil ist dies und
nicht zugleich sein Gegenteil, rot meint nicht zugleich nicht rot;
3 ist eine ungerade Zahl, meint nicht zugleich, es sei eine gerade
Zahl. Wäre dem nicht so, wäre jede Vorstellung oder jedes Urteil ein
Proteus, der keinen Augenblick bliebe, was er ist, sondern sich in
unserem Geist unaufhörlich in alles andere verwandelte, wäre 3
zugleich jede andere Zahl und Nichtzahl, so würde alles Verknüpfen von Vorstellungen nicht nur, sondern auch alles Vorstellen, auch alles Handeln aufhören; ich tue, wäre zugleich: ich
tue nicht, u. s. w.

Nach Couturat (S. 297) ist „die Frage nach dem Ursprung
der Postulate der Geometrie noch controvers und die formale
Logik nicht zuständig sie zu entschieden; es gibt mehrere logisch
mögliche Geometrien." Ihm ist Logik Widerspruchslosigkeit einer
Vorstellung oder ·eines Gedankens in sich und Ableitung daraus
nach den formalen Schlußregeln. Er umgeht die Frage: woher
hat man die Vorstellungen und die Verknüpfung derselben in Urteilen? Darauf gibt Antwort der Satz des Grundes, den Aristoteles
so ausgedrückt hat: verknüpfe im Urteil (als Subjekt und Prädikat),
was in den Dingen verknüpft ist, und trenne, was in den Dingen
getrennt ist, so urteilst du richtig. Man könnte diesen Satz des
Grundes erweitern durch den Zusatz: du kannst in Analogie mit
den so gewonnenen Urteilen auch andere davon verschiedene dir
erdenken, nach dem Verfahren der menschlichen Phantasie, die
aber nie ganz aus sich selbst schöpferisch ist. Wenn du dann
nur die formalen logischen Gesetze beobachtest, so kannst du
rein logisch nie in Anspruch genommen werden und deine freien

Entwürfe können aus verschiedenen Gesichtspunkten mehr oder weniger Interesse haben. Mir scheint eine französische Arbeit Recht zu haben, die da sagt: „die Logistik hat das Problem der Gewißheit (certitude) gewaltsam über Bord geworfen, um sich an das der Einschließung zu halten." Einschließung (implication) meint nach Russell beispielsweise: wenn *x* ein Mensch ist, so ist er auch sterblich.

Erkenntnißtheoretisch steht Russell so (Mind 1906): „matter (in Physik) and the mind of other men kennen wir nur als etwas, das die und die Eigenschaften hat, wir haben keine Bekanntschaft mit dem Ding selber." „Wahre Sätze (propositions) drücken Tatsachen aus. Das Wort Tatsache wird am natürlichsten angewendet auf Sätze, welche entweder wahrgenommen sind oder wahrgenommenen analog sind." „Die Gründe gegen absoluten Raum sind widerlegbar und der common sense behauptet seine Existenz; es ist daher kein Grund, ihn zu leugnen."

Diese kritischen Betrachtungen sollen der Formulierung von Wellstein („Encyclopädie der elementaren Geometrie. 1. Buch: Grundlagen der Geometrie 1905") nicht widersprechen, welcher S. 142 sagt: „Es hat sich noch nie ein begründeter Anlaß gefunden, die historisch uns werte, wohl erprobte Euklidische Geometrie als Grundlage der Mechanik aufzugeben, aber ihre prinzipielle Alleinherrschaft ist gebrochen, ihre Vorrechte sind (143) nur historisch, psychologisch-physiologisch und durch die Ökonomie des Denkens zu rechtfertigen". Was die „Ökonomie des Denkens" betrifft, so ist nur der Ausdruck neu (von Mach), die Sache selber war in der Bildung der Allgemeinbegriffe immer, in dem Satz der ausgehenden Scholastik: entia praeter necesitatem non sun multiplicanda, seit langem da. Nach Newton macht die Geometrie das in den Sinnen ungefähr Gegebene exakt. So entstand die Euklidische Geometrie. Nun kann gerade ihr Ausgangspunkt, das Ungefähre der nächsten sinnlichen Wahrnehmung, in Anspruch genommen werden. Wellstein sagt (S. 24): „Was wäre aus der Geometrie geworden, wenn ihre Ebenen (wie bei den Wasserflächen) in Wirklichkeit große Kugeln wären. — — Wir könnten unter dieser Annahme alle Sätze unserer Geometrie gewinnen, die Annahme brächte sogar in der Physik manche Vorteile," und S. 58: „Es wird empirisch unmöglich sein, zu entscheiden, ob das, was man Ebenen und Geraden nennt, wirklich Ebenen und Geraden sind oder Scheinebenen und Scheingeraden in einem Kugelgebüsch von ungeheurer großer Potenz (Sonne, Zentrum — sämtliche Planeten einschließend in einer Kugel)," und S. 134: „Nun sind ja die Lichtstrahlen, gespannte Fäden, Rotationsachsen u. s. w. gewiß im landläufigen Sinne gerade Linien, aber ob das nicht bloß Annäherungen sind, kann man nicht wissen." Zu all solchen Betrachtungen braucht man aber nicht eine neue Logik aufzustellen. Aber sie selbst freilich machen wieder an sich stutzig, wenn Wellstein (S. 136) bemerkt: „Die beiden nichteuklidischen Geometrien lassen sich gerade auf Grund der euklidischen realisieren, sind also nicht reine Hirngespinnste."

Übrigens dürfte man sich erinnern, wie anspruchslos verhältnismäßig die Alten mit der Geometrie als Wissenschaft verfahren sind, nach Proclus in Euklidis Elementa: „Axiome und Postulate bedürfen keines Beweises und keiner geometrischen Beglaubigungen (πίστεων). In den Axiomen wird aufgenommen, was aus sich (αὐτόθεν) zur Erkenntnis offenbar und zur Hand (πρόφειρα) unserem nicht durch Lehre überkommenen Begriffe ist (ταῖς ἀδιδάκτοις ἡμῶν ἐννοίαις), in den Postulaten (αἰτήματα) suchen wir zu nehmen, was leicht zu beschaffen (εὐπόριστα) und leicht zu machen (εὐμήχανα) ist, indem der Verstand nicht Mühe hat bei ihrer Annahme und keine Umstände (ποικιλία) nötig hat und keine Zurüstung. Evidente und unbeweisbare Erkenntnis und Annahme ohne Zurüstung scheiden die Postulate und Axiome ab, wie überall die Prinzipien (Anfänge) von dem auf sie Folgenden sich unterscheiden durch Einfachheit, Nichtbeweis, Glauben aus sich selbst (αὐτόπιστα)." Als Beispiel dient: von einem Punkt eine gerade Linie ziehen, mit einer geraden einen Kreis beschreiben. Kurz faßt es Proclus so zusammen: „Postulate und Axiome werden nicht bewiesen; die ersten werden genommen als leicht zu bewerkstelligen (εὐπόριστα), die zweiten als leichterkannt bewilligt (εὔγνωστον ὁμολογεῖται)." Alles dies mit Berufung auf Geminus, doch wohl den Astronomen aus Rhodus, der im ersten Jahrhundert vor Chr. schrieb.

Neue Bücher.

Friedrich von Schellings Vorlesungen über die Methode des akademischen Unterrichts. Herausgegeben von Dr. Otto Braun. XXIII u. 169 S. Leipzig, Quelle & Meyer 1907. Preis M. 2.60.

In einer langen Vorrede bemüht sich der Herausgeber, den Wiederabdruck der Vorlesungen Schellings zu rechtfertigen, indem er der gegenwärtigen Zeit über allerlei Sünden, gegen die sie als Heilmittel dienen sollen, mit großem Nachdrucke den Text liest. Es nimmt sich dies etwas wunderlich im Munde eines Mannes aus, der sich zu solchem Predigerberufe noch nicht durch hervorragende eigene Leistungen legitimiert hat; denn anscheinend hat er nur soeben den ersten Schritt in die gelehrte Gemeinde durch Erwerbung des Doktorgrades getan. Auch hat er, bloß äußerlich genommen, seines Herausgeberberufes nicht geschickt oder sorgfältig genug gewaltet, denn dem Berichterstatter sind eine ganze Anzahl sinnentstellender Druck- oder Lesefehler aufgefallen, die, wenn sie aus dem Originale stammen sollten, jedenfalls erklärende Bemerkungen erfordert hätten.

Sachlich ist dieser Versuch, den wüsten Unsinn jener Naturphilosophie vor hundert Jahren wieder zu Ansehen zu bringen, mit aller Schärfe zurückzuweisen. Selbst der Herausgeber sieht sich veranlaßt, die Unzulänglichkeit der Vorlesungen über die Naturwissenschaft im allgemeinen und über das Studium der Physik und Chemie im besonderen zuzugeben, unter Bezugnahme auf den „Tiefstand der Naturwissenschaften" zu jener Zeit. Bekanntlich war jene Zeit, die Wende des 18. Jahrhunderts zum 19., eine hohen Aufschwunges in den Naturwissenschaften, und der Tiefstand beschränkte sich auf die naturphilosophisch beeinflußten Kreise Deutschlands. Aber auch die anderen Kapitel sind von der gleichen Ungenießbarkeit für den nach klaren Begriffen strebenden und mehr oder weniger an solche gewöhnten Forscher und Arbeiter. Das Verfahren kommt immer auf das dürftige Rezept hinaus, irgend welche Gegensätze aufzusuchen, und anzugeben, daß diese im „Absoluten" identisch werden. Hierdurch kann man dann vom Absoluten alles behaupten, was man will. Dies ist ebenso unwiderleglich, wie inhaltlos.

So darf dieses Buch nur insofern begrüßt werden, als es der heutigen Generation den trostlosen Zustand der allgemeinen Denkarbeit vorführt, der vor hundert Jahren durch die maßlose Übertreibung der von Kant betonten Berücksichtigung des subjektiven Anteils unserer Erfahrung bewirkt worden ist. Wer etwa den Verdacht hegen sollte, daß mit der später einsetzenden kräftigen Reaktion der Naturwissenschaft gegen diese Art der Philosophie ein Unrecht begangen worden sei, hat hier Gelegenheit, sich davon zu überzeugen, daß die Reaktion gar nicht energisch genug sein konnte. Der heutigen Naturphilosophie, die vielleicht auf dem biologischen Gebiete ein wenig Gefahr läuft, sich nach ähnlicher Richtung zu verirren, werden diese Vorlesungen eine eindringliche Warnungstafel mit der Aufschrift: »Sumpf von unergründlicher Tiefe« sein. W. O.

Lessing als Philosoph von Chr. Schrempfe. (Frommanns Klassiker der Philosophie XIX). 203 S. Stuttgart, Fr. Frommanns Verlag 1906. Preis M. 2.—.

Wenn auch dies Schriftchen mit dem Ergebnis abschließt, daß Lessing kein Philosoph im eigentlichen, schöpferischen Sinne gewesen ist, und insofern sich selbst gegenstandslos gemacht zu haben scheint, so wird man doch den klaren und verständigen Darlegungen mit Interesse und mit zweifellosem Nutzen folgen. In bezug auf die gleichzeitig wohlwollende und wissenschaftlich-nüchterne Stellung des Verfassers zu dem Manne, dessen geistige Beschaffenheit er zu ergründen und darzustellen sucht, darf man diese Arbeit sogar unter die sehr wenigen rechnen, aus denen unmittelbar für die Psychologie der großen Männer etwas zu lernen ist. Denn es bricht praktisch ganz mit der Tradition des unbedingten Verhimmelns, welche in dem Gebiete der Biographie bisher der herrschende Stil gewesen ist, während doch überall die tiefe Sympathie des Verfassers mit der Person Lessings erkennbar ist. Am bemerkenswertesten in dieser Beziehung ist am Schlusse der Hinweis, daß Lessing trotz seines frühen Todes gestorben sei, nachdem er sein Tagewerk vollbracht hatte. Dies trifft in dem vorliegenden Sonderfalle so nahe mit allgemeinen Ergebnissen zusammen, die der Berichterstatter durch die Verfolgung ganz anderer Gedankenreihen gefunden hat, daß dadurch der objektive Wert jener Gedanken eine bemerkenswerte Bestätigung erfahren hat.

Der Inhalt ist in drei Abschnitte geteilt, die sich mit Lessings religiöser und philosophischer Entwicklung bis 1760, mit seinen Gedanken zur Theorie der Kunst und mit Lessing als Vorkämpfer der intellektuellen Redlichkeit beschäftigen.

Auf Seite 200 findet sich im Anschlusse an Lessings Förderung der Auffassung des Tragischen, die allerdings nicht zu einem befriedigenden Ergebnis geführt hat, die folgende Bemerkung: »In dem Eindruck des Tragischen verbindet sich das Gefühl des unendlichen Wertes der Persönlichkeit mit dem Gefühl, daß sie in dem Welthaushalt nichts gilt; und merkwürdigerweise werden wir durch das Tragische nicht niedergedrückt, sondern gehoben, nicht entmutigt, sondern belebt. Wer das erklären könnte, hätte das Rätsel des Menschen gelöst.« Mir scheint eine befriedigende Erklärung möglich zu sein, die ich auch an anderer Stelle schon angedeutet habe; sie sei hier nochmals dargelegt.

Der Mensch entwickelt sich mehr und mehr zu einem sozialen Wesen, indem immer größere Anteile seiner Persönlichkeit untrennbar mit allgemeinen Verhältnissen verschmelzen. Die Anpassung folgt der Entwicklung aber nur mit einer größeren oder geringeren Zeitdifferenz, und so kommt es, daß erhebliche Teile unseres Wesens mit den sozialen

Lebensbedingungen unserer Zeit in einem oder dem anderen Sinne im Widerspruche stehen. Namentlich wird dies bei solchen Personen eintreten, die auf dem Wege einer solchen Entwicklung weiter vorgeschritten sind, als ihre Umgebung. Die tragischen Konflikte entstehen nun als Konkurrenzen zwischen den Anforderungen des Individuums und denen der Allgemeinheit; dazu gibt es Allgemeinheiten verschiedenen Umfanges und verschiedener Bedeutung, zwischen denen gleichfalls Konkurrenzen unvermeidlich sind. Die tragische Lösung derartiger Probleme besteht meist darin, daß der Held die engeren Interessen den weiteren opfert, also seine persönlichen denen der Familie, diese denen der Staatsgemeinschaft, und schließlich diese den allgemein-menschlichen Forderungen. Eine andere Form tragischer Konflikte wird in solcher Gestalt ausgetragen, daß jene größere Forderung sich durchsetzt, auch wenn der Mensch, auf den sie gefallen ist, sich zu schwach erweist, um sie aus eigenem Entschlusse zu erfüllen. Das soziale Streben ist in uns bereits so stark entwickelt, daß wir eine derartige Lösung, auch wenn ein wertvolles Individuum darüber zugrunde geht, mit Beifall aufnehmen, und in dieser Anerkennung der höheren Rechte, die der höheren Gemeinschaft zukommen, liegt das Erhebende der tragischen Lösung. W. O.

Essais optimistes par Elie Metschnikoff. III u. 438 S. Paris, A. Maloine 1907.

Vor einigen Jahren sind in diesen Spalten die Studien über die Natur des Menschen desselben Verfassers angezeigt worden, die inzwischen auch in deutscher Sprache[1] erschienen sind. Das vorliegende Buch ist eine Ergänzung jenes Werkes, indem es teilweise neue Gesichtspunkte in dem früheren Sinne entwickelt, teilweise inzwischen erhobene Einwände widerlegt und Mißverständnisse aufklärt. Daraus ergeben sich einige Wiederholungen neben dem vielfachen Neuen, welches dieses höchst lesenswerte Buch enthält.

Der Inhalt gliedert sich in neun Teile, die nacheinander das Alter, langes Leben bei den Tieren, den natürlichen Tod, die Frage, ob eine Verlängerung des menschlichen Lebens anzustreben sei, psychische Rudimente beim Menschen, tierische Gesellschaften, Pessimismus und Optimismus, Goethes Faust sowie endlich Wissenschaft und Moral behandeln. So mannigfaltig diese Inhalte erscheinen, so sind sie doch durch einen gemeinsamen Gesichtspunkt zusammengehalten, der auf die Grundfragen der praktischen Philosophie gerichtet ist. Das Gesamtergebnis läßt sich vielleicht dahin zusammenfassen, daß das Leben lebenswert ist, und daß die Wissenschaft allein die Eigenschaft hat, die noch vorhandenen Leiden und Beeinträchtigungen des Lebens zu beseitigen. Der letzterwähnte Gedanke tritt namentlich im letzten Kapitel hervor, in welchem der Verfasser die bisherigen Grundlegungen der Moral einer eingehenden Kritik unterzieht, wobei sie sich ihm als unzulänglich herausstellen. Als Leitgedanken für die Gestaltung der

---

[1] Leipzig, Veit & Comp.

menschlichen Angelegenheiten sieht er die Orthobiose an, d. h. das Streben, das Leben des einzelnen so günstig als möglich zu gestalten. Hierbei erscheint ihm auch die altruistische Betätigung diesem allgemeineren Prinzip unterworfen, und er betrachtet beispielsweise in solchem Sinne das Mitleid als eine Eigenschaft, die späterhin wegen Nichtgebrauches zum Verschwinden bestimmt ist.

Von den vielen überraschenden und lange Gedankenreihen auslösenden Bemerkungen, die sich überall in den einzelnen Abhandlungen vorfinden, sei nur der folgende erwähnt. Bekanntlich ist die Erscheinung bei Nachtwandlern, Somnambulen und ähnlichen Patienten sehr allgemein, daß sie in einem Zustande, wo das gewöhnliche Bewußtsein ausgeschaltet ist, ihr Bett verlassen und Kletterleistungen auf Dächern, an Regenrinnen u. s. w. ausführen, zu denen sie im normalen Zustande unfähig sind und die meist auch die Leistungsfähigkeit eines geübten Turners weit überschreiten. Der Verfasser vermutet, daß es sich hierbei um die Rudimente von Anlagen handelt, die von den früheren affenähnlichen Vorfahren der Menschheit erworben und ausgebildet worden sind, während sie bei dem heutigen Menschen nicht mehr zur Betätigung gelangen. Jener somnambule Zustand steht dem geistigen Zustande jener Vorfahren jedenfalls näher, als der des bewußten Denkens und Handelns, und daher betätigen sich jene für gewöhnlich unbenutzt bleibenden Anlagen zu Fertigkeiten nur in diesem Zustande. Ebenso hält er es für möglich, daß die Steigerung der Empfindlichkeit des Hör- und Tastorgans bei Somnambulen in diesem Zustande gleichfalls einer entsprechend hohen Empfindlichkeit der Organe bezw. ihrer nervösen Apparate, bei jenen Voreltern entspricht, für deren Lebenshaltung sie natürlich viel wichtiger waren, als sie es für die gegenwärtige sind. Der Berichterstatter ist nicht in der Lage, auf Grund einer ausgedehnten Fachkenntnis die Gesamtbilanz dieses Gedankens zu übersehen, doch muß er hervorheben, daß sich ihm alsbald eine Anzahl weiterer Folgerungen aufgedrängt haben, die seine Fruchtbarkeit zu bestätigen scheinen.

Wie man sieht, handelt es sich um ein Buch, das weit aus dem Rahmen der üblichen Literatur herausfällt und als ein Bestandteil der Weltliteratur angesehen werden muß. Als ein weiteres Zeichen des unaufhaltsamen Vordringens der Wissenschaft in alle einzelnen Lebensgebiete kennzeichnet es eine neue Stufe unserer Kulturentwicklung. W. O.

Ausgewählte Werke von P. J. Möbius. Bd. VII, **Franz Joseph Gall.** VII u. 222 S. Preis M. 3.—. Bd. VIII. **Über die Anlage zur Mathematik.** XVI u. 264 S. Preis M. 4.50. Leipzig, J. A. Barth 1905 u. 1907. **Über die Hoffnungslosigkeit aller Psychologie** von P. J. Möbius. 69 S. C. Marhold, Halle a. S. 1907. Preis M. 1.50.

Gleichzeitig mit dem achten Bande der „ausgewählten Werke" geht der wissenschaftlichen Welt und den weiteren Kreisen die Nachricht zu, daß der geistvolle Nervenarzt und originale Denker, dem wir so manche neue Gedankenbahnen verdanken, plötzlich aus dem Leben

geschieden ist. Neben der Mißstimmung über den geringen und be-
strittenen Erfolg seiner Arbeiten, über den er selbst in der Vorrede
zum ersten Bande seiner ausgewählten Werke mit grimmigem Humor
berichtet hat, haben mehrfache Krankheiten seine letzten Jahre getrübt,
bis ein Herzleiden den erst im vierundfünfzigsten Jahre stehenden
Forscher für immer zur Ruhe berief. Die Selbständigkeit seines Denkens
und seine reine Hingabe an die Wissenschaft haben diese widrigen
Lebensumstände, zu denen noch manches Ungesagte zu rechnen ist,
nicht beeinträchtigen können; indem sie ihn vielmehr zu schärfster Ausprägung seiner eigenen Anschauungen veranlaßten, haben diese Umstände vielmehr den literarischen Reiz seiner Schriften nur steigern
können. Auch in den „Annalen" hat er sich seinerzeit vernehmen
lassen. (Bd. III, Heft 3, S. 315.)

Die drei in der Überschrift genannten Arbeiten gehören eng zusammen, denn sie beschäftigen sich alle mehr oder weniger mit den
Fragen der Individualpsychologie. Von der gegenwärtigen Universitäts-
psychologie hält Möbius außerordentlich wenig; ihrem Betrieb wird
in erster Linie die „Hoffnungslosigkeit" zugeschrieben. Vielleicht
machen sich auch in der überaus pessimistischen Auffassung selbst der
künftigen Möglichkeiten die Einflüsse der Trübungen geltend, von denen
seine letzten Tage besonders reich erfüllt waren. Der Gedankengang
bewegt sich vornehmlich um den Hinweis, daß so außerordentlich
wenig an den psychologischen Erscheinungen der wirklichen, unmittelbaren Beobachtung zugänglich ist, und daß so sehr viel nach mehr
oder weniger prekären Analogien ergänzt werden muß. Möbius
nennt diese Ergänzungen Metaphysik und verlangt, daß man sich auf-
richtig zu dieser bekenne. Auf den Namen kommt es natürlich nicht
an, und daß das „Selbstverständliche", d. h. ohne Prüfung Angenommene
überall der schlimmste Feind der exakten Wissenschaft ist, tritt auch
hier wieder zutage.

Die beiden Bände der gesammelten Werke beschäftigen sich mit
der Phrenologie, oder der Lehre von der Ausprägung geistiger Eigentümlichkeiten an der äußeren Schädelform. Der erste enthält eine
„Rettung" Galls, der als ein feinsinniger, exakter und äußerst kenntnis-
reicher Forscher gekennzeichnet wird, dem seit einem Jahrhundert ein
grobes Unrecht geschehen sei. Der Berichterstatter muß gestehen, daß
ihm dieser Feldzug durchaus siegreich zu verlaufen scheint. Ist es ihm
selbst doch zu verschiedenen Malen gegönnt gewesen, unbekannt gebliebenen oder mißkannten Forschern eine verspätete Gerechtigkeit
widerfahren zu lassen, so daß ihm ähnliche Arbeit von anderer Seite
durchaus sympathisch erscheint. Zudem weiß Möbius seine Sache
mit solcher Ruhe und schlichten Sachlichkeit zu führen, daß man sich
gern überzeugen läßt. Ob die Erklärung für dies lange Unrecht darin
zu suchen ist, daß Galls Arbeiten denen seiner Zeitgenossen zu weit
voraus waren, oder darin, daß Gall kein Mitglied einer Universität
gewesen ist, bleibt unentschieden; vermutlich haben beide Faktoren sich
wirksam erwiesen.

Der achte Band enthält die Probe auf das Exempel, nämlich die unabhängige Untersuchung eines Sonderfalles der von Gall angegebenen Zeichen. In dem Winkel zwischen dem äußeren Ende der Augenbrauen und der Stirnkante, welche die Stirn von der Schläfe trennt, liegt nach oben das „mathematische Organ", d. h. dort findet sich eine erhebliche Verstärkung des Schädelreliefs bei allen durch besondere mathematische Begabung ausgezeichneten Menschen. Möbius hebt hervor, daß gerade die mathematische Begabung so spezifisch und leicht erkennbar ist, daß sich hier das Vorhandensein einer angeborenen Anlage sehr sicher feststellen läßt, und daß daher dieser Fall sich besonders zur Untersuchung eigne. An einer großen Anzahl von Bildnissen hervorragender Mathematiker erläutert er die fragliche Erscheinung; hierbei tritt noch eine auffällige Asymmetrie hervor, vermöge deren die linke Seite das Organ viel stärker zu zeigen pflegt, als die rechte. Durch den Vergleich dieser Köpfe mit spezifisch unmathematischen, bei denen die fragliche Stelle flach oder verstrichen aussieht, wird der Unterschied besonders evident. Dem Berichterstatter kommt es nicht zu, sich irgendwie maßgebend zur Sache äußern zu wollen, doch bekennt er sich persönlich als überzeugt.

Und so nehmen wir von dem ausgezeichneten Manne und selbständigen Denker Abschied mit dem Bewußtsein, daß die Anregungen, die er gegeben hat, ihre dauernden Spuren in der Entwicklungsgeschichte der Kultur zurücklassen werden. Ob der zu erwartende Erfolg im unmittelbaren Zusammenhang mit der gegenwärtigen Erneuerung seiner Arbeiten eintreten wird, oder ob Möbius auch seinerseits später einmal der Gegenstand einer Entdeckung und Rettung werden muß, kann man jetzt noch nicht voraussagen. Hoffen wir das erstere. W. O.

Hegel, Haeckel, Kossuth und das zwölfte Gebot. Eine kritische Studie von O. D. Chwolson. 90 S. Braunschweig, Fr. Vieweg & Sohn 1906. Preis M. 1.60. — **Monismus und Naturgesetz** von Ernst Haeckel. Flugschriften des Deutschen Monistenbundes Nr. 1. 40 S. Breitenbach, Brackwede 1906. — **Haeckels Welträtsel und Herders Weltanschauung** von A. Hansen. 40 S. A. Töpelmann, Gießen 1907. Preis M. 1.20.

Die erste und dritte der genannten Heftchen unterscheiden sich von den zahllosen Anti-Haeckel-Schriften die seit einer Reihe von Jahren den literarischen Markt überschwemmen, dadurch, daß hier angesehene Naturforscher Stellung gegen die in den „Welträtseln" ausgesprochenen Anschauungen nehmen. Beide beschränken sich indessen nicht auf den Hinweis von Unzulänglichkeiten, sondern steigern den Ton zu mehr oder weniger heftiger Polemik. Es ist dies einigermaßen zu bedauern, da die sachliche Wirkung der erhobenen Anstände dadurch nur vermindert werden kann. Denn diese Anstände müssen, wenigstens was die physikalische Seite betrifft, die der Berichterstatter fachmäßig beurteilen kann, als durchaus berechtigt bezeichnet werden; in der Tat finden sich in den „Welträtseln" ziemlich zahlreich schiefe Auffassungen und bedenkliche Mißverständnisse physikalischer Verhältnisse. In der

zuzweit genannten Schrift verteidigt sich Haeckel gegen Chwolson
mit mindestens gleich grobem Geschütz; sachlich beruht seine Rechtfertigung darauf, daß er die betreffenden Äußerungen als von namhaften
Physikern herrührend oder auf deren Anschauungen begründet darstellt.
Dem Berichterstatter hat diese Art der Rechtfertigung nicht einleuchten
wollen.

Sehr schätzbar ist der Hinweis auf Herders Ansichten und Äußerungen,
der sich in der zu dritt genannten Schrift findet, und es ist nur zu
bedauern, daß die dort gegebenen Nachweise von Herders Priorität
in bezug auf zahlreiche Ausprägungen des Entwicklungsgedankens im
organischen Gebiete (an welches sich Kant bekanntlich nicht heran-
getraut hatte) mit der entbehrlichen Polemik gegen Haeckel verbunden
worden sind. Wünschenswert ist nach dieser mehr skizzenhaften Darstellung eine eingehende und durchgearbeitete Untersuchung von Herders
Ideen im Verhältnis zur modernen Entwicklungstheorie.   W. O.

Wilhelm Fließ und seine Nachentdecker O. Weininger und H. Swoboda
von R. Pfennig.   67 S.   E. Goldschmidt, Berlin W 62.   1905.

Dieses Schriftchen beschäftigt sich eingehend mit der Darlegung
der früher (6, S. 96) erwähnten, höchst unerfreulichen Angelegenheit.
Es wird, soweit der Fernstehende beurteilen kann, mit ausreichenden
Gründen nachgewiesen, daß von den beiden genannten der erste in
seinem Werke „Geschlecht und Charakter" (III, 342), der andere in
seinen „Perioden des menschlichen Organismus" und „Studien zur
Grundlegung zur Psychologie" (IV, 415) Gedanken von Fließ ohne
entsprechende Anerkennung von dessen Priorität benutzt haben. Bei
Weininger handelt es sich um die Auffassung aller individuellen
Organismen als mehr oder weniger bisexuell gebildet und hier er-
scheint der Nachweis einer böswilligen Aneignung fremden geistigen
Eigentums unwiderleglich erbracht. Bei Swoboda handelt es sich
um das Vorhandensein ausgezeichneter Zeitpunkte im organischen
Leben, welche durch Multiplen konstanter Zeitlängen getrennt sind.
In diesem Falle liegt eine weniger bestimmte Anlehnung vor, die der
Verfasser als eine auf Unverständnis beruhende Verschlechterung der
ursprünglichen Gedanken von Fließ zu kennzeichnen unternimmt. Am
schwersten belastend wirken beiden gegenüber die brieflichen Aussagen
des Professors Siegmund Freud, der selbst versäumt zu haben
scheint, rechtzeitig einzugreifen, als er Gelegenheit und Ursache dazu
gehabt hat. Sie finden sich neben anderem Material in der Schrift abgedruckt.   W. O.

Psychographische Studien.

I. Humphry Davy.

Von

W. Ostwald.

1. Einleitung.

Es waren in erster Linie persönliche Erfahrungen, d. h. Erfahrungen an mir selbst, welche mich zum Nachdenken über den Lebensverlauf einer Forscherexistenz veranlaßten. Ein ganz unerwarteter Wechsel in der Beschaffenheit meiner wissenschaftlichen Neigungen und Fähigkeiten, insbesondere ein fast plötzliches Verschwinden der Fähigkeit, mich einem ausgedehnten Schülerkreise gegenüber als anregender Lehrer zu betätigen, verursachten mir zunächst ein sehr starkes geistiges Unbehagen, ja machten mich zu Zeiten, trotz einer optimistischen Lebensauffassung im allgemeinen, ausgeprägt unglücklich. Ich muß es als einen der größten Werte betrachten, die ich als Entgelt für meine Hingabe an die Wissenschaft gewonnen habe, daß ich bald genug aufhörte, diese Erscheinung als mich allein betreffend unter dem Gesichtspunkte von Schuld und Verantwortung zu betrachten. Die angezüchtete Gewohnheit, wissenschaftlich zu verallgemeinern, begann sich alsbald auch hier, zunächst instinktiv, zu betätigen, so daß ich mir bald die Frage vorlegte: handelt es sich hier um einen persönlichen Sonderfall, oder lassen sich Allgemeinheiten über die intellektuellen Schicksale der Wissenschaftler angeben? Ein ziemlich reichliches Material, das mir aus früheren Studien zur Geschichte meiner Sonderwissenschaft, der Chemie, zu Gebote stand, ließ sich alsbald unter diesem Gesichtspunkte einer vorläufigen Untersuchung unterziehen. Das Ergebnis war, wie ich bereits an anderer Stelle in großen Zügen mitgeteilt habe, daß sich ohne Zweifel sehr bestimmte Gesetzmäßigkeiten erkennen lassen, und daß der Lebensverlauf großer Männer im Gebiete der Wissenschaft einer weitgehenden psychologischen Analyse zugänglich ist. Insbesondere war der Einfluß wissenschaftlicher Entdeckungen auf das Lebenspotential des Forschers ein so evidenter, daß mir bald jeder Zweifel an der Existenz vorhandener Gesetzmäßigkeiten verschwand. Nachdem ich aber meine vorläufigen Ergebnisse der Öffentlichkeit gegenüber zunächst in skizzenhafter Weise dargelegt und auf die weitgehenden praktischen Konsequenzen hingewiesen habe, welche sich aus ihnen ergeben, fühle ich die Verpflichtung, nach der Methode der exakten Wissenschaft das Studienmaterial, auf welchem jene Resultate beruhen, im einzelnen vorzulegen, damit die Sonderfälle nachgeprüft werden können, auf welchen jene allgemeinen Induktionsschlüsse beruhen. Wie immer in den exakten Wissenschaften, gibt es keine andere Unterlage für solche verallgemeinernde Schlüsse, als die unvollständige Induktion vermöge einfacher Aufzählung; diese Schlüsse sind daher der Verschiebung, Verbesserung, Verdeutlichung, wenn auch nicht der völligen Vernichtung durch spätere Forschungen unterworfen.

Ich beabsichtige daher, in den nachfolgenden Darlegungen das Beobachtungsmaterial und dessen Analyse vorzulegen. Um alle bewußte und unbewußte Einseitigkeit auszuschließen, verfolge ich hierbei kein System oder Schema, sondern lasse mich ausschließlich von der Zugänglichkeit des Materials leiten. Daß es sich vorwiegend um Physiker und Chemiker handeln wird, liegt an meinen früheren Studien. Philologen sind gänzlich ausgeschlossen, nicht nur weil ich zür Beurteilung ihrer Leistungen inkompetent bin, sondern auch, weil sie erfahrungsmäßig zur Entwicklung unserer Kenntnisse von der Welt und den Menschen nichts Erhebliches beigetragen haben.

2. Humphry Davy. Das Material.[1]

Humphry Davy wurde am 17. Dezember 1778 zu Penzance in Cornwall geboren. Sein Vater war als Knabe nach London geschickt worden, um dort das Kunsthandwerk eines Holzschnitzers zu erlernen; er erbte jedoch hernach ein kleines Vermögen, das ihm ein unabhängiges Leben, entsprechend seinen bescheidenen Neigungen, ermöglichte, und übte später seinen Beruf mehr zum

---

[1] Ich entnehme die Einzelheiten über Humphry Davys Lebenslauf der ausführlichen Biographie von I. A. Paris, London 1831.

Vergnügen als um Gelderwerb aus. Seine Mutter war als Kind völlig verwaist und mit ihren Schwestern von dem Arzte Tonkin aufgenommen und erzogen worden; es wird von ihr angegeben, daß sie von besonders freundlicher Gemütsart war. Humphry Davy war der älteste von fünf Geschwistern, zwei Knaben und drei Mädchen; sein Bruder John wurde praktischer Arzt und hat gleichfalls einige nicht unerhebliche chemische Entdeckungen gemacht.

Humphry Davy hat sich sehr frühzeitig entwickelt; besonders wird seine lebenslang behaltene und geübte Fähigkeit, mit unbegreiflicher Geschwindigkeit sich den Inhalt eines Buches beim Durchblättern anzueignen, hervorgehoben. Seinen Spielgefährten und Schulgenossen hat er oft Vorträge gehalten und Geschichten erzählt; auch pflegte er sie durch Feuerwerk und naturwissenschaftliche Experimente in Erstaunen zu setzen. In der Schule hatte er keinen Erfolg, denn obwohl seine Lehrer die Beweglichkeit und Aufnahmefähigkeit seines Geistes erkannten, vormochten sie doch nicht, ihn dazu zu bringen, daß er diese Eigenschaften auf das Erlernen der lateinischen Sprache richtete, die damals (wie leider noch vielfach heute) als der geradeste Weg zur Entwicklung des Geistes angesehen wurde. Das beste, was Davy selbst von seiner Erziehung sagt, ist, daß sie ihm hinreichend Zeit und Raum für seine persönliche, durch die Schule nicht beeinflußte Entwicklung gelassen habe. Er bemerkt hierüber: „Übrigens hat die Art und Weise, wie wir im Latein unterrichtet werden, keinen großen Einfluß auf die wesentliche Gestaltung unseres Geistes. Ich betrachte es als einen Glücksfall, daß ich als Kind meist mir selbst überlassen war, ohne daß man mich auf einen besonderen Unterrichtsplan festlegte, und daß ich auch in Mr. Croytons Schule viel bummeln durfte. Wahrscheinlich verdanke ich diesen Umständen die kleinen Talente, die ich besitze, und deren besondere Anwendung. Was ich bin, habe ich selbst aus mir gemacht; ich sage dies ohne Eitelkeit und aus reiner Herzenseinfalt."

Seine persönlichen Interessen waren bereits in seinen Kinderjahren sehr manigfaltig. Neben den genannten haben wir Nachricht über Theaterspielen und über Jagen und Fischen, die er mit Hingabe trieb und in denen er es zu einiger Geschicklichkeit brachte. Ebenso kennzeichnet sich sehr früh eine besondere Begabung für poetische Leistungen und es sind aus seinem Jünglingsalter eine ganze Reihe von Gedichten erhalten, die einen auf das heroische und philosophische gerichteten Sinn für Natur-schilderung zu Ausdruck bringen.

Die große Freiheit der persönlichen Entwicklung wurde Davy auch nicht genommen, als sein Vater verhältnismäßig früh starb und er zu dem praktischen Arzt seines Heimatsortes, J. B. Borlase, als Lehrling gegeben wurde.[1] Er benutzte diese Gelegenheit, mit chemischen Substanzen in Berührung zu kommen, sehr ausgiebig zur Ausführung eigener Experimente, zunächst zur Herstellung von Farbstoffen. Später haben ihn die auffallenderen chemischen Erscheinungen angezogen, und er hat, wie viele andere junge Chemiker, seine Umgebung durch unbeabsichtigte Explosionen in Schrecken versetzt. Sein Lehrherr war demgemäß sehr wenig zufrieden mit ihm, zumal er für den eigentlichen Beruf nur ge-ringes Interesse zeigte.

Im Gegensatz zu seinen künstlerischen Neigungen nach der Seite der Poesie hat er gar keine musikalische Begabung gehabt und auch später haben seine Laboratoriumsgenossen, wenn er bei der Arbeit ein Lied summte, niemals die beabsichtigte Melodie zu erkennen vermocht. Ebenso erwies er sich als unvermögend, französisch bis zu leidlicher Aussprache zu lernen. Überhaupt hatte er mit dem Sprechen Schwierigkeiten, und es wird angegeben, daß seine spätere, affektiert erscheinende Art des mündlichen Vor-trages von den Übungen herrührte, die er zur Überwindung seines Zungenfehlers angestellt hatte.

Mit diesem musikalischen Unvermögen steht wahrscheinlich im Zusammenhange Davys Unvermögen, die Griffe und Bewegungen beim Exerzieren zu lernen, was er als Mitglied eines Freiwilligen-korps versuchte. Obwohl er mit Privatunterricht nachzuhelfen sich bemühte, hat er nie gelernt, ein Gewehr richtig zu schultern.

Die eben erwähnten chemischen Interessen waren nur ein Teil seiner allgemeinen naturwissenschaftlichen Beschäftigungen, die

---

[1] Es ist hier zu erinnern, daß damals und noch lange nachher in England der Beruf des praktischen Arztes ungefähr ebenso gelernt zu werden pflegte, wie der des Handwerkers und Kaufmanns: indem nämlich der Anfänger als Lehrling von dem älteren Praktiker angenommen und stufenweise mit den mannigfaltigen Handgriffen des Berufes bekannt gemacht wurde. Ein späteres akademisches Studium wurde zwar als sehr wünschenswert, aber keinesfalls als notwendig an-gesehen. Ebenso pflegte der praktische Arzt die von ihm verordneten Medizinen selbst zu bereiten, und dieser Teil der Arbeit wurde zuerst dem Lehrling über-tragen.

sich damals in erster Linie auf die Geologie und Mineralogie erstreckten, zu deren praktischer Ausübung die Umgebung seines Geburtsortes besonders reiche Anregung gab. Er wird in jener Zeit beschrieben, als meist in freier Luft wandernd, eine Tasche voll Angelgerät und die andere voll Mineralien.

Außerdem scheint Davy eine Art von wildem Selbstunterricht aus Büchern, wie sie ihm zufällig in die Hand fielen, getrieben zu haben, wobei ihm die oben erwähnte ungewöhnliche Beschaffenheit seines Gedächtnisses sehr zugute gekommen sein mag.

In Summa erhalten wir das Bild eines geistig überaus beweglichen Jünglings mit sehr großer intellektueller Reaktionsgeschwindigkeit, die ihm von einem älteren Freunde, mit dem er zu disputieren pflegte, die Bezeichnung: „the most quibbling hand in dispute" eintrug, und mit einem Interessenkreise, der fast alles umfaßte, was ihm in der kleinen und geistig sehr wenig bietenden Stadt, in der er aufwuchs, zugänglich war. Seine äußere Erscheinung entsprach allerdings nicht dem Bilde, das man sich hiernach machen würde, denn er war häßlich und pflegte sein Gesicht in wunderlicher Weise zu verziehen.

Seine ersten selbständigen chemischen Experimente gingen dahin, die Luft in den Blasen des Blasentangs zu analysieren, um Bestätigung für seine Annahme zu gewinnen, daß die Seepflanzen das chemische Gleichgewicht der atmosphärischen Luft ebenso aufrecht erhalten, wie die Landpflanzen; er kam indessen zu keinem bestimmten Ergebnisse, da ihm die Hilfsmittel fehlten. Die Not, mit dem wenigen Vorhandenen zu arbeiten, entwickelte indessen seine experimentelle Geschicklichkeit in so hohem Grade, daß er, als ihm ein gestrandeter ärztlicher Fachgenosse, dem er sich hilfreich erwiesen hatte, eine Anzahl medizinischer Instrumente schenkte, die vorhandene Klistierspritze alsbald in eine Luftpumpe verwandelte, obwohl er dieses Instrument bis dahin nur aus Abbildungen kennen gelernt hatte.

Ein anderer Versuch, den er, 17 Jahre alt, anstellte, ist indessen erfolgreicher gewesen und berühmt geworden. Mit Hilfe einer alten Uhr und der eben erwähnten umgewandelten Klistierspritze stellte er fest, daß durch Reibung zweier Stücke Eis im luftleeren Raume sich dieses teilweise in Wasser verwandelt. Der Versuch war angestellt, um als Beweis gegen die damals übliche Annahme zu gelten, daß die Wärme ein (imponderabler) Stoff sei; man kann den Gedanken als einen wichtigen Vorgänger der Thermodynamik ansehen, die allerdings erst vier Dezennien später in genügender Gestalt entwickelt werden sollte. Bemerkenswert ist neben der großen Jugend des Experimentators die Kühnheit und Unabhängigkeit seiner Denkweise.

Inzwischen hatte Davys frühe Beschäftigung mit derartigen Experimenten den Erfolg, daß er von seinen Freunden dem Dr. Beddoes empfohlen wurde, der damals eben im Begriffe war, ein „pneumatisches Institut" anzulegen. Es war dies eine medizinische Anstalt, in welcher die Kuren hauptsächlich mit Hilfe von Gasen ausgeführt werden sollten, deren damals eben eine ganze Anzahl entdeckt worden war; Davy sollte einerseits die Gase herstellen, anderseits ihre Einwirkung auf den menschlichen Körper prüfen. Er siedelte zu diesem Zwecke, noch nicht 20 Jahre alt, nach Bristol über, wo die Anstalt gegründet werden sollte.

Da Dr. Beddoes gleichzeitig eine Zeitschrift herauszugeben begonnen hatte, welche dazu bestimmt war, die zu erhaltenen Ergebnisse der Welt mitzuteilen, so war er bereitwillig, eine von Davy verfaßte Abhandlung zu publizieren. So erschien 1799 der erste Band der „Contributions to Physical and Medical Knowledge, principally from the West of England" und darin als erste Beiträge drei Abhandlungen von H. Davy, „On Heat, Light and the Combinations of Light; On Phos-Oxygen or Oxygen and its Combinations; On the Theory of Respiration".

Alle drei Abhandlungen enthalten nichts, was später in die Wissenschaft übergegangen wäre, denn sie sind eine Zusammenstellung wildester Spekulationen, die sich auf eine geringe und unregelmäßige Kenntnis der damals vorhandenen Wissenschaft stützen. Während Davy auf Grund des oben erwähnten Experiments die Wärme als unkörperlich und aus einer Bewegung der Atome bestehend ansah, hielt er das Licht für einen Stoff (in einem etwas späteren Briefe teilt er mit, daß er glaube, das Gewicht des Lichtes gemessen zu haben, indem er Stoffe, die unter Lichtentwicklung aufeinander reagieren, im geschlossenen Glasgefäß aufeinander wirken ließ und das Gewicht vor und nach dem Versuche bestimmte), und den gasförmigen Sauerstoff hielt er für eine Verbindung des Elementes Sauerstoff mit Licht. Denn während ein Feuerstein mit Stahl an der Luft Funken gibt, konnte er keine erhalten, als er diesen Versuch unter Kohlensäure oder im luftleeren Raume anstellte, obwohl auch in diesem Falle die abgeschlagenen Eisenteilchen ein geschmolzenes Aussehen hatten, also heiß genug waren, um zu glühen. Somit tritt Licht erst durch die Mitwirkung des Sauerstoffs auf, den er daher Phos-Oxygen nennt. Wo immer Sauerstoffgas sich verbindet oder umwandelt, muß es daher Licht entwickeln; so leitet Davy in höchst phantastischer Weise die leuchtenden Meteore und die Phosphoreszenz ebenso wie das Leuchten faulender Fische aus dieser seiner Theorie ab. Auch die Elektrizität ist ihm nichts als verwandeltes Licht; ebenso tritt dieses bei der Oxydation im Gehirn auf und verursacht Empfindungen und Gedanken.

In einigen gleichzeitigen Briefen zeigt sich Davy sehr eifrig, das Urteil seiner Freunde über seine Ansichten kennen zu lernen. Er schreibt: „Als ich Penzance verließ, war ich in der Spekulation ein bloßes Kind, und wußte sehr wenig von Licht und Wärme. Ich bin nun von der Nichtexistenz der Wärme ebenso überzeugt wie von der Existenz des Lichtes. ... Die Betrachtung gewisser Tatsachen führt mich zur Annahme, daß man ihre Nichtexistenz auf logischem Wege (by reasoning) nachweisen könnte.“ Daneben finden sich dann wieder weitgehende Vorempfindungen später erkannter Wahrheiten, die mit diesen Anschauungen allerdings kaum vereinbar sind. „Die Annahme aktiver Kräfte, die aller Materie gemeinsam zukommen und deren verschiedene Modifikationen alle ihre Veränderungen hervorbringen, scheint mir verständiger, als die Annahme imaginärer Flüssigkeiten, die allein mit aktiven Kräften ausgestattet sind und der gewöhnlichen Materie gegenüber dieselbe Rolle spielen, wie nach der vulgären Philosophie sich der Geist zum Körper verhält.“

In seinem späteren Leben hat Davy bitterlich bedauert, diese Abhandlung veröffentlicht zu haben. Tatsächlich war Dr. Beddoes, der ihm dazu verhalf, ein überaus rascher und leichtgläubiger Mann, der bereit war, jeden Gedanken gut zu heißen, der in der Richtung seiner eigenen Phantasie lag. In seinen späteren Vorlesungen hat Davy derartige Spekulationen auf das schärfste verurteilt, nachdem er sich überzeugt hatte, daß das Experiment wunderbarere Tatsachen entschleiert, als die freieste Phantasie sich ausdenken kann. Er sagt hierüber: „Solche Theorien sind die Träume mißbrauchter Genialität, die nie zur Wahrheit durch Beobachtung und Versuch geführt worden waren, und sie sind nur eine Zusammenstellung von Wörtern, die aus bekannten Erscheinungen hergenommen und mit Hilfe unbestimmter sprachlicher Ähnlichkeiten auf unbekannte Erscheinungen angewendet werden.“

Eine zweite Arbeit, welche in dem gleichen Sammelwerk erschien, hatte bereits einen wesentlich anderen Charakter. Sie war allerdings gleichfalls in hohem Grade ungewöhnlich, verdankte aber diese Beschaffenheit der Ungewöhnlichkeit der darin berichteten Experimente. Sie bezog sich auf den unmittelbaren Zweck, zu dem Davy angestellt worden war: die Einwirkung verschiedener Gase auf den Menschen. Davy setzte sich selbst mit größter Rücksichtslosigkeit allen Gefahren aus, die mit derartigen Versuchen an Stoffen ganz unbekannter Wirkung verbunden sind, und hat sich denn auch durch das Einatmen von „hydro-carbonate gas", d. h. dem Einwirkungsprodukt von Wasserdampf auf Holzkohle (ein Gemisch von Kohlensäure, Kohlenoxyd und Wasserstoff mit etwas Methan und anderen Kohlenwasserstoffen) nahezu umgebracht. Bei dieser Gelegenheit entdeckte er die eigentümlichen physiologischen Wirkungen des Stickoxyduls, welche damals ein sehr großes Aufsehen machten, wenn auch hauptsächlich durch die unbegründeten Übertreibungen, mit denen von dritter, nichtfachmännischer Seite diese Wirkungen geschildert wurden.

Sehr bemerkenswert ist, daß in dieser Arbeit, die unter dem Titel „Researches Chemical and Philosophical, chiefly concerning Nitrous Oxide, and its Respiration" von den einundeinhalb Jahre vorher veröffentlichten Ideen, die sich teils auch auf Respiration beziehen, nichts zu finden ist. Davy erklärte diese in einem Briefe damit, daß er durch einige neue Versuche zu Zweifeln an der Richtigkeit seiner Theorie gekommen sei, und vor Erledigung dieser Zweifel an der alten, allgemein üblichen Ausdrucksweise festhalten wolle. Er ist auch später nie wieder auf sie zurückgekommen.

An der pneumatischen Anstalt blieb Davy drei Jahre. Dann trat das große Ereignis seines Lebens ein, welches die Richtung seiner späteren äußeren und vermutlich auch inneren Existenz bestimmte: seine Berufung an die Royal Institution in London.

Es handelte sich wieder um eine Neugründung, die wesentlich den Bemühungen des Grafen Rumford ihre Entstehung verdankte. Der leitende Gedanke in dem Leben dieses bemerkenswerten Mannes war, der Wissenschaft an allen Orten den Einfluß auf die Gestaltung des praktischen Lebens zu verschaffen, den sie ausüben muß, um diesem eine sachgemäße Entwicklung zu geben. So hatte er in London im Verein mit einer Anzahl gesellschaftlich und geistig hervorragender Männer eine private Anstalt gegründet, deren Zweck die Pflege der Naturwissenschaften und ihrer Anwendungen war. In Ausführung dieses Zweckes wurde ein passendes Haus (in Albemarle Street, wo es sich noch jetzt befindet) beschafft und mit Vorlesungsräumen wie mit Laboratorien versehen; auch sollte ständig ein Professor der Physik und einer der Chemie angestellt sein, denen regelmäßige Vorlesungen, teils technischen, teils allgemeinen Inhaltes, übertragen waren. Von verschiedenen Seiten wurde Graf Rumford auf Davy als einen besonders begabten Chemiker aufmerksam gemacht, so daß er einen gemeinsamen Freund, Underwood, beauftragte, Davy die Stelle anzubieten. Auf die briefliche Anfrage, ob er sie annehmen würde, kam er selbst nach London, um alsbald die Verhandlungen mündlich abzuschließen. Graf Rumford war allerdings von der ersten persönlichen Begegnung so enttäuscht, daß er Underwood heftige Vorwürfe über seine Beratung machte und Davy nicht erlaubte, seine erste Vorlesung im großen Hörsaal zu halten. Als er ihn aber reden gehört hatte, änderte er vollständig seine Ansicht und rief aus: „er soll alles haben, was die Institution leisten kann." Auch verlegte er die Vorlesungen alsbald in das große Auditorium.

Für Davy begann nun eine stürmische Periode persönlicher Entwicklung und Umgestaltung, die ihm keine Zeit zu wissenschaftlicher Arbeit ließ. Bereits auf dem pneumatischen Institute hatte er begonnen, mit der damals eben bekannt gewordenen Voltaschen Säule zu arbeiten, und hatte auch schon einige bemerkenswerte Tatsachen (so z. B. Säulen mit einem Metall und zwei Flüssigkeiten) entdeckt. Von seiner Anstellung an der Institution, die 1801 erfolgte, bis zum Jahre 1806 hat er indessen nichts von Belang publiziert, und auch seine erste Veröffentlichung hernach, eine Analyse des Waweltits, bei der er den erheblichen Gehalt dieses Minerals an Phosphorsäure völlig übersehen hatte, diente eben nicht zu seinem Ruhme. Alsdann kamen allerdings in schneller Folge die Arbeiten, in denen er das höchste erreichte, was er zu leisten vermochte, und auf denen sein dauerndes Verdienst um die Wissenschaft beruht.

Zunächst kostete es dem jungen, gleichzeitig linkischen und leidenschaftlichen Provinzialen einige Mühe, in der Londoner wissenschaftlich-literarischen Gesellschaft Fuß zu fassen, und er mußte sich manche persönliche Zurechtweisung gefallen lassen.

Anderseits wurde er aber Mitglied eines Klubs höchst aktiver junger Männer, die sich Tepidarier nannten, weil sie nur Tee bei ihren Zusammenkünften tranken, und auf die Davy einen solchen Eindruck hervorrief, daß sie sich alsbald die größte Mühe gaben, seinen Namen populär zu machen, was ihnen auch sehr schnell gelang. So waren die ersten regulären Vorlesungen, die er im Januar 1802 im großen Hörsaale der Royal Institution hielt, für das damalige London ein Ereignis, welches von einem Zeitgenossen folgendermaßen geschildert wird: „Das Aufsehen, welches seine ersten Vorlesungen an der Institution erregten und die enthusiastische Bewunderung, die ihnen entgegengebracht wurde, kann man sich gegenwärtig kaum vorstellen. Leute von höchstem Rang und Talent, Wissenschaftler und Literaten, Praktiker und Theoretiker, Blaustrümpfe und Modedamen, Alt und Jung, alles drängte sich eifrig in den Vorlesungssaal. Seine Jugend, seine Einfachheit, seine natürliche Beredsamkeit, seine chemischen Kenntnisse, seine glücklichen Beispiele und wohlausgeführten Experimente erregten allgemeine Aufmerksamkeit und riefen unbeschränkten Beifall hervor. Komplimente, Einladungen und Geschenke regneten in Massen von allen Seiten auf ihn herab: jedermann suchte seine Begegnung und war stolz auf seine Bekanntschaft."

Allerdings verschwand die Einfachheit und Unmittelbarkeit seines Wesens, die sich damals noch geltend machte, sehr schnell, denn Davy wurde bald der Held der damaligen Salons und kein gesellschaftliches Ereignis wurde für vollständig gehalten, an dem er nicht teilnahm. So teilt er seine Energien zwischen den Vorbereitungen für seine Vorlesungen und der Teilnahme an gesellschaftlichen Veranstaltungen, und es kann uns nicht Wunder nehmen, daß hierbei für die reine Forschung zunächst nichts übrig blieb.

Diese Verhältnisse hatten indessen insofern einen günstigen Einfluß auf seine späteren Arbeiten, als er, um möglichst glänzende Demonstrationen zu geben, eine ungewöhnlich große und kräftige Voltasche Batterie konstruierte. Der Besitz dieses außerordentlichen Hilfsmittels erwies sich später als eine wesentliche Bedingung für das Zustandekommen seiner glänzendsten Entdeckung, der Herstellung der Alkalimetalle.

Bereits in weniger als einem Jahre wurde Davy, der als außerordentlicher Professor angestellt worden war, zum ordentlichen Professor an der Institution befördert.

Die besondere Eigentümlichkeit seines Geistes, die bereits in seiner Kindheit sich bemerkbar gemacht hatte, nämlich die ungewöhnlich große Reaktionsgeschwindigkeit, hatte sich zu dieser Zeit, in der Mitte seiner zwanziger Jahre, im höchsten Grade entwickelt, so daß sie allen seinen Freunden auffiel. „Es war seine Gewohnheit, im Laboratorium verschiedene unabhängige Experimente zu gleicher Zeit durchzuführen und er sprang von dem einen zum anderen ohne sichtbaren Plan oder Ordnung über. Hierbei war er gänzlich rücksichtslos seinen Apparaten gegenüber, indem er sie teilweise zerbrach oder auseinandernahm, um irgend einem augenblicklichen Bedürfnis zu genügen. Seine Bewegungen waren so geschwind, daß, während der Zuschauer glaubte, daß er bloß einen Versuch vorbereitete, er bereits seine Ergebnisse erhalten hatte, die ebenso genau waren, als hätte er eine viel längere Zeit auf sie verwendet. Davys Stärke war seine Geschwindigkeit."

Außer der Beförderung an der Royal Institution erhielt Davy um diese Zeit noch die Auszeichnung, zum Mitglied der Royal Society, der Englischen Akademie[1] ernannt zu werden. Auch dies muß als ein mehr persönlicher denn wissenschaftlicher Erfolg angesehen werden.

Während dieser wissenschaftlich unfruchtbaren Jahre macht sich bei Davy eine andere Betätigung geltend, die ihn hernach während seines späteren Lebens vorwiegend beschäftigt hat, nämlich die Anwendung der chemischen Wissenschaft auf praktische Fragen. Durch seinen Erfolg als Lehrer veranlaßt, hat der „Board of Agriculture" Davy eingeladen, über die Anwendung der Chemie auf Landwirtschaft Vorlesungen zu halten, was diesem wieder Anregung zu mannigfaltigen Studien über diese Fragen gab. Auch hat Davy später ein Buch darüber veröffentlicht. Entgegen seinen sonstigen Erfolgen hat indessen Davy auf diesem Gebiete nichts hervorgebracht, was irgendwie reformatorisch in den Vordergrund getreten wäre. Eine andere technische Frage, nämlich die Anwendung des Catechu zum Gerben, hat er dagegen so weit ge-

---

[1] Ich entnehme dem oben erwähnten Buche von Paris die interessante Notiz, daß diese Akademie für die Förderung der „natural science" gegründet war und demgemäß sich bis zu ihrer in jüngster Zeit erfolgten Reorganisation auch ausschließlich mit Naturwissenschaften befaßt hatte. Ursprünglich ist aber das Wort „natural" als Gegensatz zu „supranatural" gemeint gewesen, um die Harmlosigkeit der beabsichtigten Beschäftigungen vom kirchlichen Standpunkte zu kennzeichnen. Die Gründung fand 1645 statt.

fördert, daß dieses Verfahren in den allgemeinen Gebrauch überging. Er selbst pflegte längere Zeit einen seiner Stiefel aus Catechuleder, den anderen aus gewöhnlichem Leder herstellen zu lassen, um sich aus eigener Erfahrung über das Verhalten des neuen Gerbstoffes eine Anschauung zu bilden.

Wir wenden uns nun zu den Arbeiten Davys, die ihn sehr schnell von einer lokalen Londoner Berühmtheit zu einem der ersten Naturforscher seiner Zeit machten. Es sind dies seine Untersuchungen über die chemischen Wirkungen der Voltaschen Säule. Er war nicht der erste auf diesem Gebiete, denn die Haupttatsachen waren bereits 1800 und 1801, unmittelbar nach der Bekanntmachung der Voltaschen Säule, ermittelt worden. Wohl aber war er derjenige, welcher die Besonderheiten des neuen Agens in ihrem Wesen zu erfassen und ihnen Leistungen abzulocken wußte, von denen sich seine Vorgänger und Konkurrenten nichts hatten träumen lassen.

Es sind zwei sehr verschiedene Eigenschaften, die sich in diesen Arbeiten beobachten lassen. Sie beginnen zuerst mit einer Untersuchung, welche im wesentlichen darauf gerichtet ist, gewisse auffallende Tatsachen in solchem Sinne aufzuklären, daß sie als Folgen bereits gut bekannter Verhältnisse erscheinen, und demgemäß irrtümliche Deutungen ungewöhnlicher Art, die sich an jene Beobachtungen geknüpft hatten, als unbegründet nachzuweisen. Es handelte sich also hier zunächst um Beseitigung des scheinbar Wunderbaren. Dann aber gehen dieselben Arbeiten auf ein naheliegendes Gebiet über, indem sie ihren negativen Charakter gegen einen positiven vertauschen und so wunderbare wirkliche Erscheinungen neu bekannt machen, daß jene falschen Wunder weit übertroffen wurden. Man muß zugeben, daß die künstlerische Anordnung eines wissenschaftlichen Dramas nicht glücklicher getroffen werden kann, als sie sich hier von selbst gestaltete, und hieraus erklärt sich das meteorgleiche Aufleuchten des Ruhmes dieses jungen Forschers.

Die beiden Teile von Davys Arbeiten scheiden sich auch äußerlich dadurch, daß sie den Inhalt zweier, um ein Jahr auseinanderliegender Bakervorlesungen der Royal Society bilden.[1] Die

---

[1] Die Bakervorlesungen sind eine Stiftung, aus welcher jährlich ein hervorragender Naturforscher zu einer allgemeinen Darstellung seiner Ergebnisse eingeladen und entsprechend honoriert wird.

erste geht von der mehrfach aufgestellten Behauptung aus, daß bei der Leitung des elektrischen Stromes durch reines Wasser an einem Pole Säure, am anderen Alkali entsteht. Davy zeigt nun durch eine Reihe immer mehr verfeinerter Versuche, daß es sich jedesmal um Verunreinigungen handelt. Da die Prüfung auf die Anwesenheiten von Säure und Alkali durch Lackmus und Kurkuma eine äußerst empfindliche Reaktion ist, so machen sich ungemein geringe Mengen dieser Stoffe, die von verschwindend kleinen Mengen vorhandener Salze herrühren, noch deutlich bemerkbar, und es bedurfte daher ganz außerordentlicher Maßnahmen, um von diesen Spuren frei zu kommen. Erst als die Operationen in goldenen Gefäßen in einem mit Wasserstoff ausgewaschenen Vakuum vorgenommen wurden, konnte das letzte Ziel erreicht werden.

Hieran schloß sich eine ganze Reihe anderer Untersuchungen, welche zum ersten Male in systematischer Ordnung die Erscheinungen darlegten, welche wir jetzt unter dem Sammelnamen der Wanderung der Ionen darzustellen pflegen. Bei der sehr geringen Kenntnis von der Beschaffenheit der elektrochemischen Vorgänge um jene Zeit wirkten sie gleichfalls mit dem Reiz des Ungeahnten. Endlich verband Davy die Gesamtheit seiner Beobachtungen. zu einer elektrischen Theorie der chemischen Verbindungen, welche gleichfalls einen sehr großen Eindruck machte, da die Probleme der chemischen Verwandtschaft damals, dank den Meisterarbeiten Berthollets, im Bewußtsein der Forscher, noch lebendig waren. Von Volta übernahm er die Idee der elektrischen Spannungsreihe, die er (was allerdings Ritter schon vor ihm getan hatte) auf alle Stoffe auszudehnen versuchte. Freilich hat dieser Teil seiner Arbeit hiernach bei weitem nicht den Einfluß ausgeübt, den die auf den gleichen Zweck gerichtete, im einzelnen aber verschiedene Theorie von Berzelius alsbald gewann. Dies lag im wesentlichen an Davys mehr aphoristischer Aufstellung seiner Theorie, bei welcher auf eine genaue Durchführung im einzelnen verzichtet wurde. Es fehlte Davy hierzu der Sinn für geduldige systematische Arbeit, der umgekehrt bei Berzelius außerordentlich stark entwickelt war.

Diese Vorlesung wurde 1806 gehalten und der Eindruck, den sie auf die zeitgenössische Wissenschaft machte, wird am auffallendsten dadurch gekennzeichnet, daß sie seitens des Pariser Instituts mit dem vor kurzem von Napoleon Bonaparte gegründeten großen Voltapreise bedacht wurde, obwohl Frankreich und England sich unmittelbar vor dem Ausbruche eines Krieges befanden.

Der glänzende Erfolg dieser Arbeit wurde aber noch weit von dem übertroffen, den die Bakervorlesung des nächsten Jahres (1807) brachte. Die zerlegende Kraft des Stromes, welche sich verschwindend kleinen Stoffmengen gegenüber so wirksam gezeigt hatte, sollte benutzt werden, um eine alte Frage zu beantworten. Schon Lavoisier hatte es für möglich gehalten, daß die Alkalien bei ihrer sonstigen Ähnlichkeit mit den Metalloxyden (in der Fähigkeit, mit Säuren Salze zu bilden) sich auch als Oxyde noch unbekannter Metalle ausweisen möchten, doch war es weder ihm, noch anderen gelungen, die Metalle zu erhalten. Davy vermutete, daß die zersetzende Wirkung des elektrischen Stromes hierzu brauchbar sein könnte, doch erhielt er lange, wie er seine Versuche auch abänderte, immer nur Sauerstoff und Wasserstoff, d. h. eine Zerlegung des vorhandenen Wassers, und ohne Wasser wollten die Alkalien nicht leiten. Endlich beobachtete er, daß ein Stückchen Ätzkali, das nur eben an der Oberfläche feucht geworden war, an Stelle des Wasserstoffes kleine metallische Kügelchen erscheinen ließ, die unter Explosion sofort verbrannten. Er begriff sofort, daß er das gesuchte Metall vor sich hatte; in seinen Laboratoriumsnotizen findet sich zu dem entsprechenden Bericht die Bemerkung: „Capital experiment!" Der Erfolg war insofern das Ergebnis der großen Batterie, die er zur Verfügung hatte, als er ohne diese schwerlich die erforderlichen Bedingungen gefunden hätte. Daß aber der große Apparat allein es nicht tut, geht daraus hervor, daß weder die noch sehr viel größere Säule, die Davy später auf Kosten der Royal Institution gebaut hat, noch eine andere, die Napoleon I. von den Pariser Gelehrten bauen ließ, eine ähnliche Frucht hervorgebracht hatte.

Das Aufsehen, welches diese zweite Arbeit hervorrief, war außerordentlich groß; die wissenschaftlichen Zeitschriften jener Tage enthielten während einiger Monate fast nichts als Berichte über die Wiederholung jener Versuche, die alle bestätigend ausfielen. Sehr bemerkenswert ist aber, daß alsbald in Paris durch Gay Lussac und Thénard ein rein chemisches Verfahren gefunden wurde, um Kalium und Natrium darzustellen, nämlich durch Reduktion mittels weißglühenden Eisens. Es wäre also durchaus möglich gewesen, diese Entdeckung lange vor Davys Entdeckung zu machen, nur hatte früher die Ungewißheit darüber, ob das gewünschte Resultat überhaupt erreichbar war, ebenso lähmend gewirkt, wie später die Wahrscheinlichkeit, es zu erreichen, den Erfolg bedingt hatte.

Unmittelbar nachdem die Vorlesung gehalten worden war, verfiel Davy in eine schwere Krankheit, die ihn an den Rand des Grabes brachte. Er selbst pflegte sie einer Infektion zuzuschreiben, die er sich bei der Untersuchung einiger Gefängnisse mit Hinblick auf deren Luftversorgung zugezogen haben wollte, doch werden wir mit seinem Biographen Paris (der selbst praktischer Arzt war) sie richtiger als Folge der übermäßigen Beanspruchung seiner Energie auffassen. Letzterer gibt folgende Schilderung von Davys Lebensweise um jene Zeit: „Um diese Zeit war er so berühmt, daß sich Personen von höchstem Rang um die Ehre seiner Gesellschaft zum Diner rissen. Er besaß nicht genug Entschlußfähigkeit, um solche Ehrungen abzulehnen, obwohl es gewöhnlich geschah, daß er seine Laboratoriumsarbeiten nicht eher unterbrach, als bis die angesetzte Stunde bereits vergangen war. Wenn er am Abend zurückgekehrt war, nahm er seine Arbeiten wieder auf und pflegte sie bis drei oder vier Uhr nachts fortzusetzen: trotzdem war er am nächsten Morgen oft noch vor dem Laboratoriumsdiener da. Sein größter Mangel war Zeit, und seine Mittel, diese zu sparen, brachten ihn oft in lächerliche Lagen und verführten ihn zu den wunderlichsten Gewohnheiten. In der Eile zog er oft frische Wäsche an, ohne die alte auszuziehen, und es ist festgestellt worden, daß er zuweilen nicht weniger als fünf Hemden und ebensoviel Paar Strümpfe übereinander angehabt hat. Seinen Freunden entlockte er oft Ausrufe des Erstaunens über die Geschwindigkeit, mit welcher seine Korpulenz zu- und abnahm."

Die Krankheit dauerte vom November 1807 bis Februar 1808; Mitte März konnte er seine Vorlesungen wieder aufnehmen. Während der Krankheit war sein Geist ebenso schwach gewesen, wie sein Körper.

Die dritte Baker-Vorlesung (1808) brachte eine allgemeine Enttäuschung, sie enthielt allerdings eine große Anzahl interessanter Experimente, aber es war darunter keines, welches an Glanz und Bedeutung an die früheren herangereicht hätte. Davy hatte vermutet, daß Stickstoff, der Hauptbestandteil des Ammoniaks, gleichfalls ein zusammengesetzter Stoff sei, und scheint auch zu Zeiten geglaubt zu haben, daß ihm die Zerlegung gelungen sei; in der Vorlesung aber mußte er mitteilen, daß eine Zerlegung nicht ausführbar war. Ebenso ergaben seine Versuche andere Elemente, wie Schwefel, Phosphor und Kohlenstoff, als zusammengesetzt zu erweisen, negative oder unbestimmte Resultate; dagegen gelang es ihm, Borsäure mittelst Kalium zu zerlegen und das Element Bor herzustellen.

Ferner ist aus dieser Zeit eine ausgedehnte Untersuchung über Chlor und seine Verbindungen zu nennen, die ihn anfangs ziemlich in die Irre führte, bis er schließlich im Gegensatze zu der damals herrschenden Meinung erkannte, daß Chlor nicht (wie man der Lavoisierschen Säuretheorie zuliebe angenommen hatte) das Oxyd eines noch unbekannten Elements Murium sein kann, sondern als ein Element für sich aufgefaßt werden muß, wie dies seinerzeit schon Scheele, der Entdecker des Chlors, getan hatte. Demgemäß lehnte er die Ansicht Lavoisiers, daß alle Säuren Sauerstoff enthalten müßten (woher der unrichtige Name Sauerstoff noch immer sich erhalten hat) ab, und stellte seinerseits die richtige Wasserstofftheorie der Säuren auf.

Die Gesamtheit seiner chemischen Arbeiten und Ansichten faßte Davy im Jahre 1812 in seinen „Elements of Chemical Philosophy" zusammen, in welchem Werke er die gesamte Chemie bearbeiten wollte; es ist unvollendet geblieben. In demselben Jahre erhielt er vom Könige die „Knighthood", womit der Titel Sir (für die Gattin Lady) verbunden ist. Er heiratete eine sehr reiche Witwe und kündigte gleichzeitig seinen Dienst an der Royal Institution, den er mit seinem neuen Rang in der Gesellschaft nicht mehr für vereinbar ansah. Sein Biograph bemerkt hierzu: „Wieweit ein solcher Schritt geeignet war, sein Glück zu vermehren, will ich nicht untersuchen . . . . seine Gefühle wurden mehr aristokratisch; er entdeckte in Rang und Stellung Reize, die ihm früher entgangen waren und betrachtete gesellschaftliche Auszeichnung nicht mehr mit philosophischer Gleichgültigkeit."

Um die gleiche Zeit beginnt auch eine Reihe anderer Arbeiten Davys, die ihm zuweilen noch hohen Ruhm, öfter aber persönliche Kränkungen einbrachten, gegen welche er immer empfindlicher wurde, je höher seine Stellung anstieg. Diese Arbeiten sind dadurch gekennzeichnet, daß ihre Veranlassung nicht in rein wissenschaftlichen Interessen liegt, sondern ihm von außen kam. Meist handelt es sich um praktische Probleme, ähnlich seinen Untersuchungen über Gerben und über Landwirtschaft.

Bereits die erste Erfahrung auf diesem Gebiete hätte ihn abschrecken können. Er wurde aufgefordert, ein Projekt für die Ventilation des Hauses der Lords auszuarbeiten, da diese sich als unzulänglich erwiesen hatte. Seine Vorschläge wurden auch ausgeführt, die Anlage erwies sich aber als gänzlich wirkungslos.

Seine landwirtschaftlichen Untersuchungen faßte Davy 1813 in seinen „Elements of Agricultural Chemistry" zusammen. Es hat nicht den Anschein, als ob dieses Werk einen erheblichen Einfluß auf die Ausübung der landwirtschaftlichen Praxis ausgeübt hätte.

Nach Aufgabe seiner Professur ging Davy zunächst nach Paris, begleitet von seiner Frau und von Michael Faraday, der eine Mittelstellung zwischen einem Sekretär und einem Diener bei ihm einnahm. Die Reise war mit erheblichen Schwierigkeiten verbunden, da sich die beiden Länder eben im Kriegszustande befanden und die zufällig in Frankreich anwesenden Engländer sorgfältig überwacht wurden. So groß war indessen das Ansehen, das Davy genoß, daß er eine persönliche Erlaubnis seitens des Kaisers Napoleon erhielt, die ihm den Zutritt zu den französischen Ländern öffnete. Die Begleitung seiner Frau verursachte mancherlei Unbequemlichkeiten, da sie anscheinend noch mehr als er von den besonderen Rechten überzeugt war, auf die sie Anspruch hätte, und diese mit größter Rücksichtslosigkeit zur Geltung brachte. Soviel sich aus den naturgemäß unzulänglichen Überlieferungen erkennen läßt, hat die Ehe ungünstig auf Davy gewirkt, da die Frau einen unerfreulichen Charakter besessen zu haben scheint. Aus seinen letzten Tagen finden wir die Bemerkung, daß sein Taufsohn Tobin ihm diese erleichtert und erhellt hätte, indem er „der Begleiter auf seinen Reisen und der Trost seiner letzten Stunden" war, während von einer entsprechenden Tätigkeit seiner Frau nicht die Rede ist. Ebenso findet sich in seinem Testament zwar ihr Sinn für Gerechtigkeit angerufen, dagegen nicht die geringste Andeutung irgend eines warmen persönlichen Verhältnisses. Sie war in London, als ihn, der seinen dauernden Aufenthalt im Süden genommen hatte, der letzte Schlaganfall traf, der nach einiger Zeit zu seinem Tode führte. Diese Umstände sind zu berücksichtigen, wenn man zu einem Verständnis der zweiten Hälfte seines Lebens gelangen will.

In Paris wurde Davy außerordentlich ehrenvoll von den dortigen Gelehrten aufgenommen, doch betrug er selbst sich ihnen gegenüber ziemlich nichtachtend und formlos. Insbesondere kränkte

er sie durch seine Mitarbeit an der Aufklärung der chemischen
Natur des Jods. Dieser Stoff war etwa zwei Jahre früher von
einem Salpetersieder G. Courtois entdeckt und den Pariser
Chemikern gezeigt worden, doch hatten diese nicht viel mit ihm
zu machen gewußt. Ampère, mit dem Davy sich allein näher
befreundet hatte, brachte diesem eine Probe davon und auf Grund
einiger Versuche, die er mit seinem Reiselaboratorium angestellt
hatte, sprach Davy den Stoff als ein neues, dem Chlor ähnliches,
Element an.

Es ist hierbei zu bemerken, daß Davy gewohnt war, eine
Sammlung von Reagentien und Apparaten mit sich zu nehmen;
er hat oft seinen Freunden und Kollegen auseinandergesetzt, daß
man ausreichende Versuche mit einem Apparat machen könne,
der in einer kleinen Kiste Platz hat. Es ist ein Zeichen seiner
außerordentlichen experimentellen Geschicklichkeit, daß diese geringen Hilfsmittel für ihn auch genügend waren, jenen wichtigen
Schluß zu ziehen. Durch die oben erwähnte Arbeit über das
Chlor war er übrigens darauf besser vorbereitet, als die französischen Kollegen, die meist noch der Muriumtheorie der Chlor-
verbindungen anhingen.

Davy brachte seine Ansichten in einer Sitzung des Instituts
zur Geltung und erregte dadurch einen ziemlich heftigen Zeitungs-
streit, indem einerseits die fragliche Erkenntnis für die französischen Chemiker in Anspruch genommen, anderseits ihm ein un-
passendes Eindrängen in die Arbeitsgebiete anderer Forscher vor-
geworfen wurde. Man kann sich vorstellen, daß es ihn reizte,
den fremden Kollegen seine experimentelle Überlegenheit zu
weisen, indem er mit seinen geringen Hilfsmitteln eine Aufgabe
löste, an der sie sich schon lange vergeblich versucht hatten.

Was die wissenschaftliche Durcharbeitung des Problems anlangt, so haben allerdings Davys Hilfsmittel und Arbeitsweise
nicht ausgereicht, um diese befriedigend zu erledigen. Davys
spätere Mitteilungen über seine Beobachtungen am Jod enthalten
mancherlei Fehler, während Gay-Lussac, wie bekannt, eine
Meisterarbeit durchführte, welche den chemischen Charakter des
neuen Elements in für jene Zeit durchaus erschöpfender Weise
feststellte.

Von Paris aus reiste Davy durch Südfrankreich nach Italien
und kehrte von dort durch Deutschland nach London zurück.
Überall unterwegs besuchte er die bekannten Physiker und

Chemiker und experimentierte in deren Laboratorien, sowie mit seinem eigenen Apparate. Er hat zweifellos überall Anregungen der mannigfaltigsten Art gegeben und so einen nicht geringen Einfluß auf jene Männer ausgeübt. An eigenen wichtigen Arbeiten ist indessen aus jener Zeit nicht allzu viel zu melden. Am bekanntesten sind seine Untersuchungen über eine Anzahl von Farbstoffen geworden, die damals in den vor kurzem aufgedeckten Ruinen von Pompeji gefunden worden waren, und deren chemische Natur er bestimmte. Es waren im übrigen einfache analytische Untersuchungen, um die es sich handelte, und die bemerkenswerte Beschaffenheit jener Arbeit bezieht sich nur auf ihr Objekt und nicht auf die Art ihrer Ausführung, wenn auch letztere die gewohnte Meisterhand aufwies.

Bald nach seiner Rückkehr nach London (1815) wurde ihm indessen ein Problem vorgelegt, bei dessen Lösung Glück und Geschick in gleicher Weise beteiligt waren: die Vermeidung der so überaus gefährlichen und zahllose Menschenleben vernichtenden Explosionen in den Kohlebergwerken. Diese Explosionen entstehen, wie bekannt, dadurch, daß die in den Kohlen eingeschlossenen gasförmigen Kohlenwasserstoffe unter Umständen (wenn der Luftdruck schnell sinkt oder wenn die Höhlungen, die sie enthalten, geöffnet werden) sich der Luft an den Arbeitsstellen beimischen. Es entsteht ein Knallgas, das durch die Flammen der benutzten Laternen entzündet wird, und sowohl durch die mechanische Gewalt der Explosion, wie durch die Vergiftung der Luft das Leben der Bergleute bedroht. Es handelte sich also darum, eine Beleuchtung zu finden, die für die Arbeit genügend war und dennoch nicht die schlagenden Wetter entzünden konnte.

Davy unternahm alsbald auf eine an ihn ergangene Aufforderung seitens einer für diesen Zweck gegründeten Gesellschaft Untersuchungen zur Beseitigung dieser Gefahren. Da es sich in jener Zeit nur um Beleuchtung durch brennende Flammen handeln konnte, so bestand die Aufgabe darin, diese von den schlagenden Wettern so abzuschließen, daß zwar die Flammen brennen, die Wetter aber nicht entzünden konnten. Davy löste dies Problem in höchst genialer Weise vermittelst einer eingehenden Untersuchung der Eigenschaften brennender Flammen, aus welcher sich ergab, daß die Flamme des Grubengases nicht durch ein Drahtnetz von bestimmter Feinheit durchgehen kann, da sie inzwischen bis zum Verlöschen abgekühlt wird. Man brauchte also eine gewöhnliche Lampe nur vollständig mit einem solchen Drahtnetz zu umgeben, um die Entzündung der schlagenden Wetter sicher zu vermeiden.

Der praktische Versuch ergab eine allseitige Bestätigung dieser Schlüsse und in kurzer Zeit wurden die Sicherheitslampen mit großem Erfolge in den Kohlenbergwerken eingeführt. Diese segensreiche Erfindung hat den Namen Davys vermutlich noch weit populärer gemacht, als seine rein wissenschaftlichen Arbeiten. Allerdings machten sich auch hier Gegenströmungen geltend, denen zufolge ein Mann namens Stephenson die Sicherheitslampe früher erfunden haben sollte; doch haben sich diese Ansprüche als unbegründet erwiesen, und Davy erhielt seitens einer großen Anzahl von Grubenbesitzern als Anerkennung wertvolles Tafelsilber, während die Royal Society ihm die Rumford-Medaille zusprach.

Weniger erfolgreich war Davy mit einer anderen praktischen Aufgabe, deren sachliches Interesse allerdings auch viel geringer war. Es handelte sich um die Aufrollung der zu Pompeji gefundenen Schriftrollen, die in eine braunkohlenähnliche Masse verwandelt waren. Er reiste, nachdem er zu Hause einige Versuche angestellt hatte, die auf der Anwendung von Chlorgas beruhten, nach Neapel, um an Ort und Stelle zu arbeiten. Indessen wurden diese Arbeiten ziemlich plötzlich unterbrochen und Davy beschwerte sich lebhaft über mangelndes Entgegenkommen der dortigen Autoritäten, die ihm die Fortsetzung seiner Forschungen unmöglich gemacht hätten.

Ebenso mißglückte die praktische Ausführung eines an sich sehr glücklichen Gedankens in einem ganz anderen Gebiete. Der Kupferbeschlag, mit dem die hölzernen Schiffe damals überzogen zu werden pflegten, wurde durch die vereinigte Wirkung des Seewassers und des Luftsauerstoffs ziemlich schnell aufgelöst. Durch Anbringung von Schutzkörpern aus weniger edlem Metall, insbesondere Eisen, konnte dieser Angriff allerdings fast auf Null gebracht werden. Gleichzeitig schied sich aber durch den entstehenden schwachen elektrischen Strom Magnesia aus dem Seewasser auf dem Kupfer ab, auf welchem Überzug sich alsbald massenhaft Meeresorganismen ansiedelten, so daß die Schiffe sehr in ihrer Fahrt gehemmt wurden. Nach mannigfaltigen Versuchen erwies sich dieser Übelstand als so schwerwiegend, daß das an sich sehr schön erfundene Verfahren aufgegeben werden mußte.

Davy war inzwischen Präsident der Royal Society geworden, was zweifellos die höchste wissenschaftliche Auszeichnung für einen englischen Gelehrten ist. Sein Vorgänger, Banks, hatte die Geschäfte durch lange Jahre geführt und war schließlich überaus autokratisch geworden. Davy behielt diesen Stil bei, und setzte sich hier und in der Verwaltung der Royal Institution durch ein solches Verfahren manchen persönlichen Anfeindungen aus, die ihn äußerst empfindlich berührten. Diese Erfahrungen, zusammen mit den eben erwähnten Enttäuschungen bezüglich des Schutzes der Schiffsbeschläge hatten einen so niederdrückenden Einfluß auf seinen offenbar weitgehend erschöpften Organismus, daß er sich mit dem Gedanken trug, ein ganz ruhiges Leben auf dem Lande zu führen. Noch nicht fünfzig Jahre alt, war er bereits so verbraucht, daß er seine gewohnten Wanderungen zum Schießen und Jagen nicht mehr ausführen konnte, sondern ein Pony dazu benutzen mußte; dabei zeigte er eine große Abneigung dagegen, seine Schwäche zuzugeben. Der Vorsitz bei dem Stiftungstag der Royal Society erschöpfte ihn vollständig, so daß er sich, schwer genug, zu dem Gedanken entschließen mußte, seine Stellung als Präsident aufzugeben. Ehe aber der notwendige Entschluß zu einem weniger angespannten Leben gefaßt wurde (offenbar war der Gedanke daran so spät aufgetreten, daß er die erforderliche Willensenergie nicht mehr aufbringen konnte), erlitt er einen Schlaganfall, als er von einem Besuch beim Lord Gage, wo er sich unwohl zu fühlen begonnen hatte, nach London heimkehren wollte.

Nachdem die unmittelbare Gefahr vorüber war, entschloß er sich, nach Italien zu gehen, um in einem wärmeren Klima, frei von den Aufregungen des Londoner Lebens, seine Gesundheit zu verbessern. Sein Bruder John begleitete ihn dahin; in Ravenna hatte er ihn untergebracht. Davy berichtet darüber in Briefen an seinen Freund Poole. Von Lady Davy ist hierbei niemals die Rede. Den Frühling und Sommer verbrachte er in den österreichischen Alpen und im Herbste kehrte er nach London zurück, um von neuem seine Ärzte zu befragen. Diese schickten ihn sofort auf das Land und er verbrachte einige Monate in seiner alten Heimat, ging darauf für den Winter nach London, um im April wieder, in langsamen Stationen, nach Italien zu reisen. Im nächsten Jahre ist er dann in Rom von einem neuen Schlaganfalle heimgesucht worden, nach welchem er verlangte, nach Genf überzusiedeln. Diese Reise legte er noch lebend zurück; jedoch am Abend seiner Ankunft, am 28. Mai 1829, verschied er.

In der Zeit zwischen seinem ersten Schlaganfalle und seinem Tode hat Davy noch zwei sehr merkwürdige Bücher geschrieben. Das erste heißt „Salmonia" und ist in seiner Grundlage nichts als eine Anweisung zur Angelfischerei. Diese war, wie erwähnt, ein Sport, den Davy leidenschaftlich gern trieb, obwohl er, seiner unruhigen Natur gemäß, es nie zu großer Vollkommenheit darin gebracht hatte. Unter der Gestalt eines Gespräches zwischen vier verschiedenartigen Freunden dieses Sportes, hat Davy seinem Buch eine große Anzahl anderweitiger Naturbeobachtungen und allgemeiner Betrachtungen einverleibt, so daß es insgesamt ein höchst reizvolles Werk von künstlerischem Werte darstellt. Die erste Auflage war sehr schnell vergriffen; eine zweite, die er noch vorbereitet hatte, wurde bald nach seinem Tode von seinem Bruder herausgegeben.

Ferner schrieb er in dem letzten Jahre seines Lebens ein überaus merkwürdiges Buch unter dem Titel: „Consolations in Travels or the Last Days of a Philosopher". Auch dieses Werk ist in Gesprächsform abgefaßt und er beschloß das Manuskript wenige Tage vor seinem letzten Schlaganfall; herausgegeben wurde es gleichfalls von seinem Bruder.

Der Inhalt läßt sich nur schwer kennzeichnen; am ehesten vielleicht als eine Skizze zu einer Welt-Kulturgeschichte in den größten Linien. Davy gibt hier die allgemeinsten und umfassendsten Gedanken wieder, zu denen er als der Summa seiner Erfahrungen gelangt ist. Eine Vision im Kolosseum leitet die Gedankenreihe ein; sie ist durch eine wilde und großartige Phantasie gekennzeichnet und stellt, etwa im Sinne Herders, die Entwicklung der Menschheit aus halbtierischen Anfangsstadien über ihre verschiedenen Stufen bis zum gegenwärtigen Zustande dar, woran dann Ausblicke auf eine höhere und geistigere Existenz, als die menschliche ist, geknüpft werden. Geologische Betrachtungen führen dann auf eine Theorie der Entstehung der Erde aus einer feuerflüssigen Masse. Dann folgen wieder Naturschilderungen und Erörterungen über die Wichtigkeit der Chemie als Wissenschaft. Das Werk endet mit Betrachtungen über die endliche Zerstörung alles Menschenwerkes durch die großen meteorologischen und chemischen Agentien der Natur.

3. Analyse.

Nach dieser zusammenfassenden Übersicht von Humphry Davys Lebenslauf versuchen wir, die hervorragendsten Bestandteile oder Kennzeichen seines Charakters auszusprechen. Da macht sich in erster Linie und als bestimmend für die Mehrzahl der Besonderheiten die außerordentliche Schnelligkeit seiner geistigen Vorgänge geltend. Es wurde bereits hervorgehoben, daß diese Eigenschaft sich schon in frühester Jugend gekennzeichnet hat, und es bedarf nur eines kurzen Nachdenkens, um einzusehen, daß hiervon auch die Frühreife bewirkt worden ist, die sich bei Davys ganzer Entwicklung offenbart hat. Mit 17 Jahren hat er seine erste wissenschaftliche Arbeit veröffentlicht, mit 22 Jahren war er Professor, mit 28 Jahren hat er den Höhepunkt seiner sämtlichen Leistungen, die Entdeckung der Alkalimetalle, erreicht. Mit 33 Jahren schloß er seine berufsmäßige wissenschaftliche Laufbahn ab, etwas über 50 Jahre war er alt, als er, bedeckt mit Ruhm und Ehren, starb.

An anderer Stelle habe ich bereits auseinandergesetzt, daß es unter den großen Entdeckern und Erfindern zwei äußerste Typen gibt, die ich vorläufig als den klassischen und den romantischen unterschieden habe. Während der erste durch die allseitige Vollendung jeder einzelnen Leistung, aber gleichzeitig durch ein zurückgezogenes Wesen und eine geringe persönliche Wirksamkeit auf seine Umgebung gekennzeichnet ist, fällt der Romantiker durch die entgegengesetzten Eigenschaften auf. Nicht sowohl Vollendung der einzelnen Arbeit, als Mannigfaltigkeit und auffallende Originalität zahlreicher, schnell aufeinanderfolgender Leistungen ist ihm eigen, und auf seine Zeitgenossen pflegt er unmittelbar und stark einzuwirken. Nach dieser skizzenhaften Kennzeichnung kann bereits kein Zweifel bestehen, daß Davy durchaus dem romantischen Typus zuzuzählen ist. Und es soll hier bereits mit aller Bestimmtheit betont werden, daß die mentale Reaktionsgeschwindigkeit maßgebend dafür ist, ob der Entdecker dem einen Typus oder dem anderen zugehört. Forscher mit sehr großer Reaktionsgeschwindigkeit sind Romantiker, solche mit geringer sind Klassiker. Da dies einigermaßen das Leitmotiv der weiteren Untersuchung sein wird, so sollen die einzelnen Belege nicht an dieser Stelle erschöpfend zusammengestellt werden; sie werden sich vielmehr immer wieder von selbst zur Geltung bringen.

Sehr auffallend ist bei Davy die Erscheinung, daß er trotz seiner großen geistigen Begabung zweifellos ein sehr schlechter Schüler war. Zieht man auch den überaus unentwickelten Zustand des Knabenunterrichts zu seiner Zeit in England, der sich wesentlich auf lateinische Grammatik und Euklid beschränkte, in Betracht, und fragt sich, ob nicht in diesem Falle dieser Umstand maßgebend gewesen ist, so wird man durch weitere Studien an anderen Entdeckern eines anderen belehrt. Wie auch der Unterricht im übrigen systematisiert gewesen sein mag, die künftigen Entdecker sind fast ohne Ausnahme schlechte Schüler gewesen, obwohl die meisten von ihnen eine ähnliche frühzeitige Begabung gezeigt haben, wie Davy. Wir stellen mit anderen Worten allgemein fest, daß gerade die begabtesten jungen Menschen sich der Form der geistigen Entwicklung, welche die Schule ihnen vorzuschreiben versuchte, am kräftigsten widersetzten, obwohl ihnen eine Anbequemung an die Ansprüche der Schule leichter fallen würde, als ihren weniger begabten Mitschülern.

Die Ursache kann meines Erachtens in keinem anderen Umstande gesucht werden, als darin, daß die Schule eine Art des Verhaltens verlangt, welche den Bedürfnissen des werdenden Genies durchaus widerspricht. Es handelt sich einerseits um den vorwiegenden sprachlichen Unterricht, der leider noch bis auf den heutigen Tag die allgemeine Wirksamkeit der Mittelschule auf das Empfindlichste und Schädlichste beeinträchtigt, da er in keiner Weise geeignet ist, die schöpferischen Fähigkeiten des jungen Menschen zu entwickeln oder nur überhaupt ihnen eine Entwicklungsmöglichkeit zu geben. Anderseits aber handelt es sich um die meist noch als notwendig angesehene innere und äußere Uniformierung, welche gleicherweise sich im Widerspruch gegen die Grundeigenschaft des künftigen Entdeckers befindet. Es ist hier nicht der Ort, zu untersuchen, in welcher Weise die Mittelschule umgestaltet werden müßte, oder ob überhaupt ein Unterricht denkbar ist, welcher den Notwendigkeiten Rechnung trägt, die für das künftige Genie in Betracht kommen, ohne den großen Durchschnitt zu benachteiligen. Ich glaube meinerseits, daß beides möglich ist; allerdings müßte aber eine grundsätzliche Wandlung unserer allgemeinen Anschauungen über Ziel und Methode der Schulerziehung vorausgehen. Die vorliegenden Studien haben neben ihrem allgemeinen Interesse diesen praktischen Zweck im Auge. Indem die Eigenschaften des großen Mannes genauer bekannt werden, lassen sich auch die Bedingungen für seine günstigste Entwicklung sicherer erkennen und herstellen. Und da der Genius sich vom gewöhnlichen Menschen nur durch die Stufe, nicht aber der Art nach unterscheidet, so läßt sich auch verstehen, daß die Schule, die für ihn geeignet ist, seinen weniger begabten Mitschülern nicht nur keinen Nachteil, sondern auch die beste Entwicklung vermitteln würde, die bei ihrer Begabung noch möglich ist.

Ein weiteres charakteristisches Kennzeichen des jungen Davy ist der große persönliche Eindruck, den er trotz ungünstiger äußerer Voraussetzungen auf alle geistig höher stehenden Menschen seiner Umgebung macht. Es wird ausdrücklich berichtet, daß er den Umgang mit älteren Leuten dem mit seinen Altersgenossen weit vorzog und seine schnellen Erfolge in der Gestaltung seiner äußeren Laufbahn sind ein Beweis dafür, daß er auf jene einen großen und nachhaltigen Eindruck machte. Diese Eigenschaft kam um so mehr zur Geltung, je weiter der Kreis wurde, mit dem er in Berührung kam, und seine Londoner Erfolge sind nur eine auffallendere Form in der Betätigung der gleichen Eigenschaft.

Die Tatsache, daß seine erste Publikation nur sehr wenig enthielt, was sich später als wissenschaftlich haltbar erwiesen hat, ist gleichfalls eine für seinen Typus ganz normale Erscheinung. Die ungewöhnliche Geschwindigkeit der geistigen Prozesse muß notwendig zu einer massenhaften Produktion von Einfällen, Kombinationen, Möglichkeiten führen, deren Massenhaftigkeit ebenso notwendig die eingehende Prüfung eines jeden einzelnen Gedankens verhindert. So lange in sehr jungen Jahren die Übung der gegenseitigen Prüfung und Verbesserung der Gedanken noch fehlt, während gleichzeitig auch die Erfahrungsbasis für die geeignete Formung dieser Gedanken noch sehr schmal ist, muß es besonders glücklich hergehen, wenn hierbei richtige Ergebnisse gefunden werden. Es ist aber im übrigen durchaus Sache des Zufalls, ob diese ersten unreifen Produkte an die Öffentlichkeit kommen oder nicht. Wir haben gesehen, daß ohne das Bedürfnis des Dr. Beddoes nach Material für seine neue Zeitschrift schwerlich Davys Phantasien an die Welt gelangt wären, zumal er sie bereits nach anderthalb Jahren selbst im wesentlichen überwunden hatte. Doch müssen wir vom Standpunkte dieser Untersuchung aus diesen Zufall als einen sehr günstigen ansehen, da er uns auch bei einem so besonders begabten Entdecker den Nachweis

ermöglicht, daß kein Meister vom Himmel fällt, und daß die Bildung angemessener Gedanken und Begriffe auch von dem Höchst-
begabten erst gelernt werden muß, ebenso wie bei dem Durch-
schnittsmenschen, nur daß der erste viel schneller damit fertig wird.

Von den verschiedenen Eigenschaften, die in dem großen
Forscher vereinigt sind, ist also die Phantasie die am frühesten
und weitesten entwickelte, und ihre Entwicklung zur großen
Leistung besteht darin, daß sie auf Grund weiterer und tieferer
Erfahrungen diszipliniert wird. Wenigstens gilt dies für die
Forscher vom romantischen Typus, wie der hier betrachtete. Bei
den Forschern vom anderen Typus wird sich erweisen, daß überhaupt bei ihnen die Phantasie eine mindere Rolle spielt, so daß
sie nicht sowohl der Zügelung, als vielmehr der Steigerung be-
dürfte, vorausgesetzt, daß eine solche möglich ist. Die Untersuchung dieser letzteren Frage müssen wir allerdings verschieben,
bis uns das erforderliche Material an einem typischen Klassiker
zur Hand ist.

Die Phantasie ihrerseits besteht wiederum in der Mannigfaltigkeit und Schnelligkeit geistiger Verbindungen. Alles Denk-
material, mit welchem der Geist arbeitet, wird aus der Erfahrung
beschafft, und die geistige Geschwindigkeit bewirkt zunächst, daß
in einer gegebenen Zeit ein entsprechend größerer Vorrat an Erfahrungen eingesammelt wird. Ferner aber werden diese einzelnen
Erlebnisse zu Begriffen verarbeitet und diese ihrerseits in mannig-
faltigster Weise kombiniert. Hierbei entsteht das Neue, in der
Erfahrung nicht unmittelbar gegebene, was wir mit Phantasie bezeichnen. Diese Fähigkeit der schöpferischen Kombination ist nun
eine ganz wesentliche Eigenschaft des Forschers, dessen Aufgabe
es ist, unbekannte Verhältnisse aufzuklären. Das geschieht, indem
er aus seinen Beobachtungen, die notwendigerweise jedesmal unvollkommen sein müssen, die möglicher- oder wahrscheinlicher-
weise stattfindenden Verhältnisse durch ein Extrapolationsverfahren
vorausnimmt und dann die Erfahrung darüber befragt, ob die
Vorausnahme angemessen war oder nicht. Der wissenschaftliche
Erfolg hängt also einmal davon ab, daß er die geeignete Vorausnahme zu finden weiß, nachdem er notwendiger- und natürlicher-
weise eine ganze Anzahl verfehlter Ansätze versucht hatte, und
anderseits davon, wie sorgfältig er jenen nachträglichen Vergleich
durchführt oder mit welchem Grade der Bestätigung er sich zu-
friedengibt. Der erste Teil der Arbeit setzt eine bestimmte, ur-

sprüngliche Beschaffenheit der mentalen Organisation voraus,
während der zweite wesentliche eine Sache der Übung und Erfahrung ist. Man sieht also wiederum, daß die Phantasie die
angeborene Geschwindigkeit der mentalen Vorgänge zur Voraussetzung hat, während die Kritik vielmehr zu den erworbenen
Eigenschaften gehört. Das schließt allerdings auch nicht eine
bestimmte angeborene Disposition aus, auf Grund deren sich die
kritische Fähigkeit leichter entwickelt; doch ist gleichfalls unmittelbar ersichtlich, daß ein etwas langsamerer Ablauf der geistigen
Vorgänge für die kritische Betätigung eher günstig als nachteilig
ist. Daher ist bei den Forschern von romantischem Typus die
Kritik regelmäßig die schwächere Seite ihrer Begabung, im Gegensatz zu den Klassikern.

Hatte sich bei Davy die übersprudelnde, synthetisch-phanta-
stische Tätigkeit zunächst als ein Nachteil erwiesen, so brachte sie
ihm doch wieder den Vorteil, daß er nicht eigensinnig an den einmal ausgebildeten Anschauungen festhielt, sondern sie ebenso schnell
aufgab, nachdem sie sich als unzweckmäßig erwiesen hatten, da
gewisse Erfahrungen mit den aus ihnen gezogenen Schlüssen sich
in Widerspruch gesetzt hatten. Ein Hauptpunkt jener ältesten
Ansichten Davys war, daß Licht nur infolge chemischer Vorgänge
sollte entstehen können. Nun hatten aber Kinder aus seiner Verwandtschaft, die mit Stäbchen aus Spanischrohr spielten, welche
von den Hüten ihrer älteren Schwestern stammten, beim Reiben
solcher Stäbchen aneinander eine Lichtentwicklung beobachtet.
Davy verfolgte die Erscheinung und fand, daß sie von der natürlichen Oberfläche des Rohrs bedingt war, die sich als kieselsäure-
haltig erwies. Auch andere Pflanzen, insbesondere Getreidehalme,
zeigten ein schwaches Leuchten beim Reiben, und in ihnen konnte
der gleiche Stoff nachgewiesen werden; auch leuchten bekanntlich
Kieselsteine selbst, wenn man sie aneinanderschlägt. So war eine
Lichtentwicklung nachgewiesen, bei der ein chemischer Vorgang
ausgeschlossen war, und damit Davys Theorie zu Fall gebracht.
Offenbar wäre die Theorie überhaupt nicht so weit entwickelt,
sondern im Entstehen bereits begraben worden, wenn ihm die
Gesamtheit der damaligen Kenntnisse über Phosphoreszenz und
ähnliche Erscheinungen zur Hand gewesen wäre.

Bei seiner zweiten Arbeit über die physiologischen Wirkungen
der Gase verursachte die bestimmte experimentelle Fragestellung,
daß seine Phantasie ihn nicht ins Unbegrenzte führen konnte,

sondern sich in der Mannigfaltigkeit und Originalität seiner Versuche betätigte. Das Ergebnis war entsprechend hervorragend. Indessen spielte hier noch ein anderer Faktor mit. Dieser liegt in der Hingabe und Begeisterung für die zu lösende Aufgabe. Diese psychologische Eigenschaft ist dadurch gekennzeichnet, daß ein bestimmtes Gedankengebiet gefühlsmäßig so stark hervorgehoben erscheint, daß es den Betreffenden weit stärker beschäftigt und erfüllt, als alle anderen. Überlegt man, daß es sich ohnehin um einen schnell und reichlich produzierenden Geist handelt, und zieht noch die Konzentration auf ein bestimmtes Feld in Betracht, so erkennt man, daß eine ganz außerordentliche Intensität der Leistung die notwendige Folge sein muss. Eine solche Art der Betätigung löst nun notwendig erhebliche Glücksgefühle, und zwar solche von der Art des Heldenglückes,[1] aus. Diese Gefühle sind anderen leicht erkennbar und erwecken in ihnen gegebenenfalls den Wunsch, des gleichen Glückes teilhaft zu werden. Die Folge ist, daß der für sein Feld begeisterte Forscher es leicht hat, andere, an sich nicht produktive Menschen für seine Interessen zu interessieren und in seine Absichten und Pläne hinzureißen.

Ich bin weit entfernt, in diesen Bemerkungen eine ausreichende Analyse der eigentümlichen und charakteristischen Fähigkeit junger Forscher vom romantischen Typus, ihre Umgebung mit ihren Interessen zu erfüllen, sehen zu wollen. Vielmehr kommt noch wesentlich die allgemeine Erscheinung der Willensübertragung in Betracht, der zufolge auch, abgesehen von Glücksgefühlen, der Anblick eines starken Willens auf den schwächeren richtend und mitnehmend wirkt. Aber mit der komplexen Erscheinung, die man Enthusiasmus nennt und die vom jungen Romantiker sowohl empfunden wie übertragen wird, sind doch Glücksgefühle in charakteristischer Weise verbunden, so daß ich deren Betrachtung in den Vordergrund treten lassen mußte.

Diese Fähigkeit hat nun Davy auf das ausgiebigste betätigt, als er in London vor einem weiteren Kreise seine Vorträge zu halten begann. Daß gerade der Geist der fashionablen Gesellschaft diesem Einflusse unterlag, darf man wohl sicher als eine historische Zufälligkeit bezeichnen, die durch Zeit und Ort bedingt war. Unter anderen Umständen, z. B. in Deutschland, wäre

---

[1] Theorie des Glückes, diese Annalen 4, 459, 1905.

Davy Universitätsprofessor geworden und hätte statt der Londoner Gesellschaft eine Schaar ebenso begeisterter, aber mit der Neigung und Fähigkeit zu ernster Arbeit ausgestatteter Studenten um sich gesammelt. Wir werden bei späterer Gelegenheit in Liebig einen anderen typischen Romantiker kennen lernen, der bei ganz ähnlicher ursprünglicher Veranlagung sich nach dieser scheinbar ganz anderen Richtung entwickelt hatte.

Hiermit ist auch die Antwort auf eine Frage gegeben, die man auf Grund meiner früheren Charakteristik des Romantikers stellen muß. Ich hatte die Fähigkeit der persönlichen Schulebildung als ein allgemeines Kennzeichen dieses Typus hingestellt, während bei Davy der Fall vorliegt, daß er überhaupt keinen Schüler im eigentlichen Sinne ausgebildet hat. Allerdings war Faraday folgeweise sein Laboratoriumsdiener, Assistent und Mitarbeiter. Aber aus dem unerfreulichen Verhalten Davys gegen diesen, von dem später die Rede sein muß, darf man mit Sicherheit schließen, daß es sich hierbei nicht um ein eigentliches und persönliches Schülerverhältnis gehandelt hat.

Bei Davy liegen vielmehr die Sachen so, daß er die übersprudelnde Produktion, die sonst auf den Schüler übertragen wird, ganz und gar in den einen Kanal seiner Vorlesungen leitete. Bei der vorher gekennzeichneten Beschaffenheit des größten Teils seines Auditoriums muß man dies als höchst beklagenswert ansehen, denn die starke Einwirkung, die er ausübte, verrann ergebnislos zur Aufstachelung einer nach Sensationen lüsternen Gesellschaft. Dies erklärt auch, warum er in den ersten Londoner Jahren keine wissenschaftliche Produktion fertig brachte, und hernach, als diese begann, zunächst recht unvollkommene Produkte zutage förderte. Denn der in einem wirklichen Schüler- und Nachfolgerkreise tätige Forscher erfüllt diese seine Umgebung nicht nur mit den fertigen Ergebnissen seiner Arbeit, sondern er läßt noch mehr die ungelösten Probleme, die ihn beschäftigen, auf sie wirken, indem er sie zur Mitarbeit anregt und bringt dadurch einen breiten Strom neuer wissenschaftlicher Arbeit hervor. Davy dagegen erregte zwar eine kräftige Bewegung in seinem Hörerkreise, aber keinen Drang zur Mitarbeit, und seine eigenen Energien wurden zunächst dazu verbraucht, diese Wirkungen ohne weitere Folgen auszuüben.

Erst nachdem der erste Rausch des neuen Zustandes vorüber war, kam die eigentliche Forschernatur Davys wieder zum Durchbruch und er nahm die Arbeiten wieder auf, die er bei seiner Übersiedlung nach London unterbrochen hatte. Sie führten ihn dann in schneller Folge auf die Höhe seiner Leistungen und unmittelbar darauf in eine schwere Erkrankung. Beide Erscheinungen sind typisch.

Zunächst die, daß jene höchsten Leistungen in verhältnismäßig jungen Jahren, zwischen 25 und 27, ausgeführt worden sind. Wenn sich bei einem Forscher ein deutlicher Höhepunkt erkennen läßt, was in der Mehrzahl der Fälle in ausgeprägtester Weise der Fall ist, so liegt dieser Maximalwert so gut wie ausnahmelos vor dem dreißigsten Lebensjahre. Diese sehr auffallende Tatsache ist in allgemeiner Weise bereits seit einiger Zeit bemerkt und gedeutet worden[1] und sie bestätigt sich bei eingehenderen Untersuchungen immer wieder. Die Ursache läßt sich in allgemeiner Form wie folgt darstellen.

Die allgemeine Physiologie ergibt, daß die Lebenstätigkeit einen neuen Organismus in gewissem Sinne verhältnismäßig am stärksten beim Beginn des Lebens ist, und von dort ab beständig abnimmt. Dies gilt in erster Linie für die Assimilation und die von dieser abhängigen Gewichtsvermehrung, außerdem aber auch für eine Anzahl anderer Erscheinungen. Anderseits wird die Leistungsfähigkeit eines Organismus, die durch das Maß seiner Beeinflussung der Außenwelt gemessen wird, durch eine anfangs zunehmende, später abnehmende Kurve dargestellt, die demgemäß dazwischen einen Maximalwert haben muß. Dies rührt natürlich daher, daß im ersten Falle die relativen Zunahmen in Betracht gezogen wurden, während hier der absolute Wert der vorhandenen und verfügbaren Energie in Frage kommt, der mit dem Gewicht des Organismus einigermaßen parallel geht, also zunächst zunehmen muß. Daneben ist die Leistungsfähigkeit noch von zwei Faktoren abhängig, von denen der eine mit der Zeit zunimmt, der andere dagegen abnimmt. Der erste mag als Ausbildung bezeichnet werden und beruht darauf, daß eine jede Handlung des Organismus um so leichter und vollkommener vor sich geht, je häufiger sie wiederholt worden ist. Der andere Faktor mag das Altwerden genannt werden und bringt die Tatsache zum Ausdruck, daß mit zunehmendem Alter die Fähigkeit des Organismus, äußere Energien (Nahrung und Atmungssauerstoff) für die eigenen Zwecke zu verwerten

---

[1] Tigerstedt, diese Annalen 2, 98, 1903.

immer geringer wird: die Maschine arbeitet mit einem beständig kleiner werdenden ökonomischen Koeffizienten, der schließlich sich soweit der Null annähert, daß der Tod eintritt. Das Zusammenwirken dieser Faktoren macht sich nun auch bei der wissenschaftlichen Leistungsfähigkeit geltend und bewirkt, daß irgendwo im mittleren Leben ein Maximalwert erscheinen muß.

Daß er besonders früh auftritt, hängt bei den Romantikern mit der großen Geschwindigkeit der gesamten Reaktionen zusammen, welche, wie bereits erwähnt, zur Frühreife führen und daher eine baldige Erreichung einer großen Höhe bewirken. Wie wir nun gleich sehen werden, wirkt eine große Entdeckung stets sehr stark schädigend oder wenigstens angreifend auf den Organismus; hat also der junge Romantiker seine große Tat getan, so liegt eben darin bereits ein Hemmungsfaktor, der es ihm sehr erschwert, ja unmöglich macht, eine ähnliche Leistung zum zweiten Male zu vollbringen. So wirken die psycho-physischen Voraussetzungen beim Romantiker in solchem Sinne, daß er meist eine isolierte große Entdeckung in jungen Jahren macht und außerdem Arbeit, die verglichen mit jener Meisterleistung zweiten Ranges ist.

Bei Davy lassen sich diese Verhältnisse in sehr ausgeprägter Weise erkennen. Die erste große Arbeit, welche S. 268 analysiert worden ist, läßt sich als eine ungewöhnlich feine Leistung bezeichnen, welche aber nicht eigentlich den Davyschen Typus zeigt. Ich vermute, daß es sich hier um den Einfluß Wollastons handelt, der als eine bei weitem geschlossenere und bewußtere Natur damals stark auf Davy gewirkt haben dürfte. Denn es ist der feine, im kleinsten sorgfältige Stil Wollastons, der sich in dieser ersten Arbeit geltend macht, deren Inhalt einigermaßen in Widerspruch zu der S. 267 geschilderten Technik Davys steht. Um so mehr entspricht die zweite Arbeit, die in der Entdeckung der Alkalimetalle gipfelt, dem persönlichen Charakter Davys; selbst die glänzenden Verbrennungserscheinungen, welche die neuen Metalle zeigen, sind sozusagen ein Reflex seines Wesens.

Die schwere Nervenkrankheit, in welche Davy unmittelbar nach Vollendung dieser Arbeit verfiel, ist eine notwendige Reaktion des überangestrengten Organismus gewesen, und sie wäre in irgend einer Form ausgebrochen, ganz unabhängig von etwaigen besonderen Infektionen oder dergleichen. Denn es handelt sich hier um den ersten Hauptsatz der Energetik, das Äquivalenzgesetz. Derjenige Anteil der Nahrung, welcher in die besondere Form chemischer Energie übergeführt werden kann, die im Gehirn für intellektuelle Arbeit verwendbar ist, beträgt selbst bei der günstigsten Organisation nur einen sehr kleinen Anteil der Gesamtenergie und eine Überanstrengung des Organismus nach dieser Richtung rächt sich bekanntlich sehr bald derart, daß durch Störung der Verdauungstätigkeit auch die Assimilation der Rohenergie erheblich beeinträchtigt wird. Einige Zeit hindurch kann das im Gehirn verbrauchte Plus durch Raubbau anderen Teilen des Organismus entzogen werden, aber bald muß dieser bei solcher Lebensweise vollständig bankerott machen. Hierbei ist der Schwerpunkt nicht etwa auf Davys Übertreibung des geselligen Verkehrs zu legen, denn Tausende vertragen eine solche Lebensweise ohne allzu erhebliche Schädigung; um so eher natürlich, je geringer bei ihnen die Ansprüche seitens des Gehirns sind. Es handelt sich vielmehr umgekehrt um die Erschöpfung des Organismus durch die konzentrierte geistige Arbeit, die um so schädlicher wird, je weniger die allgemeine Lebensweise für Ersatz der verbrauchten Energie Sorge trägt. Es wird sich später an anderen Beispielen erweisen, daß selbst eine kleinstädtisch-philisterhafte Existenz, die durchaus keine gesellschaftliche Erschöpfung verursachen kann, den mit einer großen Entdeckung beladenen Organismus nicht vor dem Zusammenbruch unter einer solchen Last schützt. Denn wie günstig auch die geistige Organisation eines Entdeckers sein mag: seine Leistungen bewegen sich der Natur der Sache nach an den äußersten Grenzen menschlicher Leistungsfähigkeit und da die durchschnittliche Energieaufnahme und -verwertung bei den Menschen nicht erheblich verschieden ist — jedenfalls sehr viel weniger verschieden, als die geistigen Leistungen — so bedingt eine ausgezeichnete Leistung solcher Art immer eine Überschreitung der normalen Ausgiebigkeit und somit eine Überanstrengung des Organismus. Die hierdurch entstehende Schädigung wird im übrigen bei den Romantikern mit ihrer großen Reaktionsgeschwindigkeit einen weit akuteren Charakter aufweisen, als bei den langsamer reagierenden Klassikern.

Die große Frage beim Überstehen einer solchen Erschöpfungskrankheit ist nun, wieviel von der ursprünglichen Begabung nach der Gesundung übrig geblieben ist. Es gibt Fälle, wo unmittelbar der Tod eintritt und der junge Entdecker „in der Blüte seiner Jahre", wie die übliche Phrase lautet, dahinstirbt. Mir scheint dieser Ausgang für den Betroffenen noch fast der günstigste zu sein. Denn er überhebt ihn einer mehr oder weniger langen Existenz, während deren er sich selbst beständig sagen muß — wenn es ihm nicht außerdem noch von anderen gesagt wird —, daß seine Leistungen geringer geworden sind, und er sich nie wieder zu der Höhe aufschwingen kann, die er damals erreicht hatte. Im Falle des Überlebens verschwindet oft ein größerer oder geringerer Teil der Leistungsfähigkeit und fast immer macht sich eine wesentliche Veränderung im allgemeinen Charakter der Arbeit geltend. Entweder wird das Arbeitsgebiet überhaupt an eine andere Stelle verlegt, oder die Art des Arbeitens wenigstens wird ein andere.

Die Ursache solcher Änderungen ist wiederum rein physiologisch aufzufassen. Nach den Ergebnissen der neueren Forschungen über die Entwicklungsgeschichte und die Anatomie des Gehirns ist es keinem Zweifel unterworfen, daß die verschiedenen Hirnfunktionen streng lokalisiert sind; es mag hierbei dahingestellt bleiben, wie weit nach dem Unbrauchbarwerden einer solchen lokalen Organisation eine Umlokalisierung möglich ist. So wird durch die übermäßige Beanspruchung beim erkrankten Forscher eine gewisse Gruppe von Hirnzellen geschädigt und mehr oder weniger gebrauchsunfähig gemacht. Da aber die Leistungsfähigkeit des Forschers von einer ganzen Anzahl glücklicher Organisationen abhängt, so wird die Schädigung ganz vorwiegend nur den Teil treffen, der am stärksten beansprucht gewesen ist und durch Verlegung des wissenschaftlichen Schwerpunktes können die intakt gebliebenen Anteile mit dem neuen Zentrum wieder erfolgreich zusammenwirken. Bedenkt man aber weiter, daß jenes erste Zentrum auch dasjenige der stärksten Begabung gewesen ist, da es sich vor allen anderen entwickelt hatte, so liegt der Schluß nahe, daß die späteren Leistungen verhältnismäßig um so geringer sein werden, je mehr jenes Zentrum die anderen übertroffen hatte, je einseitiger also die Begabung gewesen war. Hierzu kommt noch allerdings die Frage, wie weit die sekundären Zentren bei der allgemeinen Erkrankung gelitten haben. Soweit meine nicht medizinisch geschulte Erfahrung reicht, habe ich den Eindruck einer überraschend weitgehenden Unabhängigkeit der verschiedenen Zentren von einander, und man wird in erster Linie annehmen dürfen, daß die sekundären Zentren verhältnismäßig intakt aus der Allgemeinerkrankung hervorgehen.

In dem vorliegenden Falle finden wir, daß Davy seine große

Krankheit verhältnismäßig gut überstanden hat. Bald nach seiner Genesung hat er noch einige Arbeiten aus dem Gebiete der reinen Wissenschaft veröffentlicht, an denen keine auffallende Abnahme seiner Leistungsfähigkeit erkennbar ist. Insbesondere ist seine erfolgreiche Verteidigung der elementaren Natur des Chlors eine ausgezeichnete Leistung. Allerdings kann man im Gegensatz dazu anführen, daß er, obwohl ihm die Mittel zur Erbauung einer neuen, noch viel größeren Voltaschen Säule zur Verfügung gestellt wurden und er sie auch konstruiert hat, er mit dieser keine besonderen neuen Entdeckungen machte. Namentlich hat er sich vergeblich bemüht, die Erdalkalimetalle auf elektrischem Wege herzustellen, während später Bunsen gezeigt hat, daß dies bei geeigneter Wahl des Elektrolyts durchaus nicht sehr schwierig ist. Doch sind derartige Erwägungen so wenig scharf durchführbar, daß nur sehr ausgeprägte Erscheinungen als Belege angeführt werden dürfen, und solche sind bei Davy zunächst nicht vorhanden.

So werden wir auch seinen vier Jahre später gefaßten Entschluß, die Professur aufzugeben und als Gatte einer reichen Frau das Leben eines „independent gentleman" zu führen, mehr auf die bereits vor der Krankheit vorhandene weitgehende Überschätzung sozialer Auszeichnung zurückzuführen haben, als auf die Krankheit, namentlich da diese Reaktion unmittelbar auf die Standeserhöhung gefolgt ist.

Es ist in der Lebensgeschichte bereits bemerkt worden, daß in dieser zweiten Periode seines Lebens die Arbeiten Davys nicht mehr unmittelbar durch das rein wissenschaftliche Interesse verursacht erscheinen, sondern von äußeren, meist praktischen Anlässen ausgehen. Schon die Pariser Entdeckung von der elementaren Natur des Jods stellt einen solchen Fall dar, da er sich schwerlich mit dem Problem beschäftigt hätte, wenn er um jene Zeit nicht zufällig in Paris gewesen wäre und wenn er nicht von seinem Freunde Ampère Material erhalten hätte. Aber in diesem Falle handelte es sich wenigstens noch um ein rein wissenschaftliches Problem. Die späteren Arbeiten, wie die Sicherheitslampe und der Voltasche Schutz der Schiffsbeschläge, sind rein technischer Natur, ebenso die Aufwicklung der Pompejischen Manuskripte und die Untersuchung der Farbstoffe vom gleichen Orte. Und wo er wieder zu seiner alten Wissenschaft zurückgreift, wie in einer Baker-Vorlesung vom Jahre 1826, da sind es nicht neue Tatsachen und Beziehungen, die den Schwerpunkt der Mitteilung bilden, sondern vielmehr geschichtliche Rückblicke unter kräftiger Hervorhebung des eigenen Anteils an der Entwicklung.

Die hier gekennzeichnete Wendung ist indessen in diesem Falle nur zum Teil auf die Krankheit zurückzuführen; sie ist vielmehr daneben ein natürlicher Vorgang, der mit großer Häufigkeit eintritt, und daher seine allgemeine Ursache haben muß. Diese kann darin gesucht werden, daß die spezifisch schöpferischen Fähigkeiten bereits in verhältnismäßig früher Jugend zu verschwinden pflegen. Die Art der wissenschaftlichen Arbeit, welche von der Kühnheit und Unabhängigkeit des fundamentalen Einfalles, der Konzeption, abhängt, muß notwendig im höheren Alter zurücktreten, während die von der Erfahrung und Übung in mechanischen wie in geistigen Operationen abhängigen Leistungen noch unvermindert erhalten bleiben. So fällt es dem Entdecker in seinen späteren Jahren viel leichter, seinen Besitz an Methoden und Kenntnissen auf ein von außen herantretendes Problem anzuwenden, als das Problem selbst und den zu seiner Lösung erforderlichen geistigen Apparat gleichzeitig zu schaffen. Hiermit geht parallel der Umstand, daß man mit zunehmendem Alter mehr und mehr realistisch-unmittelbar zu fühlen lernt, während die Jugend durch ein weitgehendes Abstrahieren vom Persönlich-Menschlichen gekennzeichnet ist. So drängen Stimmung und Fähigkeiten gleichzeitig den älter werdenden Forscher in die Bearbeitung praktischer Probleme.

Daß Davy trotz zunehmender Verbesserung seiner äußeren Stellung immer empfindlicher gegen Tadel oder auch nur seines Erachtens ungenügende Anerkennung wurde, hängt mit dem beständigen Rückgang seiner Gesundheit und der gleichzeitigen Verengung seines ethischen Gesichtskreises zusammen. Hierbei scheinen gesellschaftliche und Familienverhältnisse auf ihn einen starken Einfluß ausgeübt zu haben, dem er um so weniger widerstand, als er in der Richtung einer bereits vorhandenen Schwäche seines Wesens lag. Einen beklagenswerten Beleg hierfür liefert sein Verhältnis zu Faraday.

Dieser stammte aus einer ärmlichen Familie und war wegen seiner Liebe für Bücher zu einem Buchbinder in die Lehre gegeben worden. Durch einen Zufall wurden ihm einige Eintrittskarten zu den Vorlesungen Davys geschenkt, und er hatte von diesen einen so tiefen Eindruck erhalten, daß er sich um jeden Preis an solcher herrlichen Arbeit zu beteiligen wünschte. So schrieb er den Inhalt der gehörten Vorlesungen auf, um sein Verständnis derselben zu belegen, und sandte diese Blätter an Davy mit der Bitte, ihm irgend eine Arbeit im Laboratorium zu geben. Dies war gegen Ende 1812, also kurz bevor Davy seine Stelle als Professor aufgab. Davy mußte den jungen Bewerber zunächst vertrösten, da er London verließ; Anfang 1813 ließ er ihn aber wieder kommen und übertrug ihm die Stelle als „Assistant" am Laboratorium. Es war dies keine Assistentenstelle im modernen Sinne, für welche der Buchbinderlehrling natürlich auch nicht geeignet war, sondern etwa ein Zwischending zwischen Aufwärter und Mechaniker. Durch seine ungewöhnlichen Kenntnisse und Geschicklichkeit erwarb sich Faraday indessen sehr schnell eine höhere Stellung.

Als Davy Faraday auf seine Bitte anstellte, warnte er ihn zuerst, seine frühere Tätigkeit aufzugeben, da die Wissenschaft eine strenge Meisterin sei und ihren Jüngern nur geringe pekuniäre Erfolge zubillige. „Über meine Vorstellungen bezüglich der hochstehenden moralischen Gefühle der wissenschaftlichen Männer lächelte er und bemerkte, daß er es mich der Erfahrung einiger Jahre überlassen wolle, um meine Meinung über diesen Gegenstand sachgemäß zu gestalten." (Faraday.)

Kurze Zeit nach dieser Anstellung begab sich Davy auf seine erste Reise nach dem Kontinent und schlug Faraday vor, ihn als Sekretär und wissenschaftlicher Assistent zu begleiten, was Faraday annahm. Gleichzeitig war ein Reisediener angenommen worden, welcher die damals sehr umständlichen Geschäfte zu besorgen hatte, die mit der Expedition einer mit eigenem Wagen reisenden mehrköpfigen anspruchsvollen Gesellschaft verbunden waren. Im letzten Augenblicke verweigerte der letztere die Mitreise und Faraday übernahm dessen Geschäfte, um die Reise überhaupt zu ermöglichen, und auf Davys Versprechen, daß er auf dem Kontinent alsbald für Ersatz sorgen wolle. Letzteres geschah indessen nicht, und Faraday geriet dadurch in eine unklare Stellung, die insbesondere von Lady Davy zu seinem Nachteil benutzt wurde. So schreibt Faraday gelegentlich an seinen Jugendfreund Abbot von Rom aus: „Ich hätte mich nur wenig zu beklagen, wenn ich allein mit Sir Humphry reiste, oder wenn Lady Davy ihm ähnlich wäre; aber ihre Art macht es, daß die Dinge oft schief gehen, mit mir, mit ihm und mit ihr selbst." Und in einem anderen Briefe: „Hierdurch sind mir Pflichten übertragen worden, die in unserem Abkommen nicht enthalten waren, die mir zu erfüllen nicht angenehm ist, die aber unvermeidlich sind, solange ich mit ihm zusammenbleibe. Es sind allerdings nicht viele, denn da er sich in jungen Jahren daran gewöhnt hat, ohne Diener auszukommen, so macht er es auch jetzt so, und läßt für einen solchen sehr wenig zu tun übrig. Da er außerdem weiß, daß es für mich kein Vergnügen ist, und daß ich mich nicht als dazu verpflichtet betrachte, so trägt er immer die größte Sorge, die unangenehmen Dinge von mir fernzuhalten. Aber Lady Davy ist anders. Sie liebt es, ihre Autorität zu zeigen, und in der ersten Zeit fand ich sie sehr geneigt, mich zu kränken. Hierdurch entstanden zwischen uns Streitigkeiten, wobei ich jedesmal besser abschnitt; denn da sie so häufig wiederkamen, machte ich mir immer weniger daraus, so daß ihre Autorität geschwächt wurde und sie jedesmal mildere Saiten aufzog."

Dies läßt zunächst den liebenswürdigen Untergrund von Davys Natur erkennen; daß indessen die andere Auffassung des Verhältnisses, die von seiner Frau vertreten wurde, schließlich nicht ohne Einfluß auf ihn blieb, ergibt sich aus einer etwas späteren Geschichte. In Genf hatte der Physiker de la Rive ein besonderes Wohlgefallen an Faraday gefunden und hatte ihn einmal mit Davy zusammen zum Essen eingeladen. Davy lehnte ab, an einem Tische mit jemandem zu sitzen, der in einigen Beziehungen sein Diener sei. De la Rive antwortete nur, daß er nun bloß zwei Essen statt eines geben müsse.

Nach der Heimkehr trat Faraday seine Assistentenstelle in der Royal Institution wieder an, wo inzwischen Brande Professor geworden war, während Davy als Ehrenprofessor das Laboratorium weiter benutzte. Hier kam es bald zu Mißhelligkeiten, die ihren Grund in der zunehmenden Eifersucht Davys auf den wachsenden wissenschaftlichen Ruhm seines früheren Dieners hatten. Als schließlich Faraday zum Mitgliede der Royal Society vorgeschlagen wurde, während Davy deren Präsident war, hat dieser alle möglichen Überredungsmittel bei den Mitgliedern versucht, um Faraday nicht Mitglied werden zu lassen. Trotz des großen Einflusses, den Davy ausübte, wurde dies Verhalten von niemandem gebilligt, denn Faraday wurde mit allen Stimmen gegen eine zum Mitgliede gewählt. Dies war im Jahre 1824, fünf Jahre vor Davys Tode.

Es bleiben schließlich einige Worte über Davys beiden letzten Bücher zu sagen, die so auffällig aus dem Kreise heraustreten, der sonst gewöhnlich von einem Naturforscher eingehalten wird.

Was das Angelbuch anlangt, so behandelt es einen Gegenstand, der immer einen sehr großen Teil von Davys Interesse während seines ganzen Lebens beansprucht hat. So sehr eine lebhafte Natur wie die seinige sich den unmittelbaren Eindrücken des Sports hingeben mag, die Gewohnheit wissenschaftlichen Denkens läßt sich doch nicht völlig abstreifen, und so haben sich auch bei Davy eine ganze Anzahl von Gedankenreihen mit seinen Angelerlebnissen verbunden. Nimmt man die „angewandte" Wendung seiner wissenschaftlichen Arbeiten und die von vornherein vorhanden gewesene Neigung zu literarischer, ja poetischer Arbeit hinzu, so sind die Faktoren gegeben, welche zusammengewirkt haben, um das Büchlein entstehen zu lassen. Immerhin ist es bemerkenswert, daß Davy die ideale Verpflichtung zu wissenschaftlicher Arbeit, die ihm durch seine Begabung auferlegt war, so ernsthaft empfunden hat, daß er sich solche Allotria doch nicht eher gestattete, als nachdem ihm infolge seines zweiten Schlaganfalls die rein wissenschaftliche Arbeit durch das Verbot des Arztes (und wohl auch durch die körperliche Behinderung) unmöglich gemacht worden war. Unter den gleichen Umständen entstand das letzte, poetisch-philosophische Buch, welches völlig in die Stimmungen und Gedanken seiner Jugendpoesien zurückführt.

Die Realität der sinnlichen Erscheinungen.

Von

Max Frischeisen-Köhler.

Die Frage nach dem Realitätswert der Sinneserscheinungen pflegt in der neueren Philosophie zumeist in dem Zusammenhang des allgemeineren Bewußtseinsproblems behandelt zu werden. Aber seitdem in jüngster Zeit die Einsicht sich immer mehr verfestigt hat, daß die letzthin auf Berkeley zurückgehende Begründung des reinen Phänomenalismus unhaltbar, daß die Existenz von Sinneinhalten unabhängig von dem empfindenden menschlichen Bewußtsein durchaus widerspruchsfrei denkbar ist,[1] liegt die Entscheidung in der Beweiskräftigkeit der Argumente, die unabhängig von dem Satz des Bewußtseins die ausschließliche Subjektivität der sinnlichen Qualitäten fordern. Geschichtlich angesehen, ist es in erster Linie die Ausbildung der mechanischen Naturauffassung im 17. Jahrhundert und sodann die von Johannes Müller und Helmholtz abgeschlossene Lehre von den spezifischen Sinnesenergien gewesen, die den Glauben des naiven Menschen an die Wirklichkeit alles dessen, was das unbewaffnete Auge der Erkenntnis erblickt, am tiefsten erschüttert hat. Aber die mannigfachen Wandlungen, welche das Urteil über die wahre Bedeutung und die Tragweite der naturwissenschaftlichen Sätze und Theorien durchgemacht hat, ist nicht ohne Einfluß auf die grundsätzliche Stellungnahme zu dem Problem der qualitativen

---

[1] Vergl. u. a. die Ausführungen von Stumpf: Erscheinungen und psychische Funktionen. Aus den Abhandlungen der Königl. Preuß. Akademie der Wissenschaften vom Jahre 1906. Berlin 1907, S. 12 ff., sowie meine Abhandlungen: Die Lehre von der Subjektivität der Sinnesqualitäten und ihre Gegner. Vierteljahrsschrift für wissenschaftliche Philosophie und Soziologie, Bd. XXX, S. 271 ff. (aus ihr sind unten S. 324 und 349 einige Ausführungen zur Vermeidung von Verweisungen aufgenommen) und: Über den Begriff und den Satz des Bewußtseins, ib., Bd. XXXI, S. 145 ff.

Seinsbeschaffenheit geblieben. Eine Reihe von Stimmen, zumal auch aus naturwissenschaftlichen Kreisen, sind zugunsten einer Auffassung laut geworden, die im Gegensatz zu dem abstrakten, gleichsam algebraischen Weltbild der theoretischen Physik das Wirkliche wieder als mit qualitativen Eigenschaften ausgestattet zu denken wagt, und von philosophischer Seite sind verschiedene Versuche einer förmlichen Rehabilitierung des sogenannten naiven Realismus vorgelegt worden. So entsteht die Aufgabe einer neuen Diskussion des Problems der Objektivität der sinnlichen Qualitäten; sind diese nur als subjektive Phänomene zu bezeichnen, deren Existenz in ihrem Wahrgenommenen sich erschöpft, oder sind sie mehr als solche flüchtige Erzeugnisse der Subjektivität, kann auch ihnen in irgend einem Sinne Realität unabhängig von dem Wahrnehmungsakt zugesprochen werden?

1. Vorbemerkungen.

Die erste Voraussetzung der folgenden Untersuchung bildet die Annahme, daß die Naturwissenschaft zu ihrem Objekt eine Realität hat, die unabhängig von dem forschenden Geist besteht. Die rein phänomenologische Auffassung der Physik, wie sie namentlich von J. St. Mill und Mach vertreten wird, hat sich gerade in ihrer grundlegenden Forderung, daß alle Erkenntnis auf Konstatierung von Relationen zwischen Elementen der unmittelbaren Erfahrung einzuschränken sei, als unhaltbar erwiesen.[1] Naturwissenschaftliche Gesetze sind nicht Gesetze von Erscheinungen; die aus den Erscheinungen erschlossene Ordnung ist nicht eine Ordnung der Erscheinungen. Der Ausgangspunkt aller wissenschaftlichen Bearbeitung des Gegebenen liegt in der Eigenerfahrung, ihre Aufgaben aber in der beständigen Erweiterung der Grenzen, durch welche diese Eigenerfahrung zunächst beschränkt ist. Denn die Eigenerfahrung enthält nur ein Partialbild der Totalität des Wirklichen, dessen Partikularität und Enge und Lückenhaftigkeit durch das Ineinandergreifen einer Mehrheit von Beobachtungen, durch die fortschreitende Verfeinerung von Hilfsmitteln aller Art, durch die Ausbildung der Methoden, nach denen

---

[1] Vergl. Riehl, Philosophischer Kritizismus, II, 1, 1879, S. 18ff., II, 2, 1889, S. 128ff., Stumpf, Zur Einteilung der Wissenschaften. Aus den Abhandl. der Königl. Preuß. Akademie der Wissenschaften vom Jahre 1906. Berlin 1907, S. 12ff. und meine Abhandlung über Naturwissenschaft und Wirklichkeitserkenntnis im Archiv für systematische Philosophie, 1907.

eine hypothetische Ergänzung zu schließen hat, allmählich überwunden werden kann. Die empirische Forschung darf und muß
alle Fragen unberücksichtigt lassen, welche den Logiker und den
Erkenntnistheoretiker beschäftigen. Selbst wenn die Erkenntnistheorie in der Erkenntnis der Bedingtheit aller Existenz durch ein
Bewußtsein eine Einsicht von grundlegender Bedeutung gewonnen
zu haben glaubt, so ist dieselbe doch für den Standpunkt der
Physik und der anderen Wissenschaften von der Natur ohne
weitere Folgen. Treten wir ein in deren Verfahrungsweisen, suchen
wir ihre Ergebnisse und Methoden in ihrer Tragweite uns zum
Verständnis zu bringen, so darf keine Erinnerung an irgend welche
Relation zum Bewußtsein hier eingreifen, weder fördernd noch
hemmend. Der positiven Forschung ist das Außenwirkliche als
eine Realität im Raume gegeben. Was diese an sich oder absolut
genommen sei, was in bezug auf die Transzendenz der räumlichen
Ordnung angenommen werden müsse, bleibt ihr völlig gleichgültig. Sie ist gewiß, daß in dem Raume ein Wirkliches
existiert, daß zu diesem Wirklichen auch die anderen Personen
gehören, in welchem psychische Vorgänge sich abspielen, die als
solche nicht im Raume sind. So tritt für dies naturwissenschaftliche Denken das Bewußtsein nur als ein Naturphänomen auf, als
Bewußtsein im psychologischen Sinn.

Und zwar bleibt zunächst auch unbestimmt, was unter diesem
Raum und unter den sinnlichen Erscheinungen im Besonderen zu
verstehen sei. Die erforderliche Präzisierung des Raumbegriffes
ließe sich nur durch eine methodische Untersuchung des in der
Naturwissenschaft erarbeiteten Raumbegriffes gewinnen. Nur so
könnte es sich entscheiden, ob der der euklidischen Geometrie zugrunde liegende abstrakte, dreidimensionale Raum oder etwa ein
mit gewissen physikalischen Eigenschaften ausgestatteter Raum,
wie ihn einige neuere Spekulation als absolutes Bezugssystem,
sei es mechanischer, sei es elektromagnetischer Kräfte, fordern,
unsere Außenerfahrung konstituiert. Hier genügt, daß jedenfalls
das Merkmal der stetigen Ausgedehntheit allen möglichen Raum-
begriffen, auch den rein analytisch definierten, unaufhebbar zukommt. Dieser Raum, was er auch im übrigen sei, ist jedenfalls
ein universales Stellensystem, dessen sämtliche Orte durch stetige
und in beliebiger Ordnung zu durchlaufende Züge miteinander
verbunden werden können, und das als solches weder in einem
bewußten Prozeß der Erzeugung von Elementen noch in einer

bloßen Abstraktion von wahrgenommenen Formen und Lageverhältnissen begründet ist.[1] In bezug auf diese ist er ein Prius; denn er bildet die Voraussetzung für die Möglichkeit, Formen und Lageverhältnisse zu bestimmen. Er kann auch auf keine Weise aus irgend welchen Daten durch eine psychische Chemie oder Verschmelzung rein intensiver Elemente oder ein Arrangement von Lokalzeichen abgeleitet werden. Denn wie es sich auch mit den Fragen des Empirismus und Nativismus im einzelnen verhalten mag: der objektive Raum wird, selbst wenn man sich auch, was gegenwärtig kaum noch durchführbar sein dürfte, für einen extremen Empirismus entscheiden wollte, dadurch so wenig aufgehoben, daß vielmehr sein Dasein die unentbehrliche Grundlage für die Argumente des Empirismus und überhaupt jeder physiologischen und psychologischen Raumtheorie bildet. Nicht die Entstehung des Raumes selbst, etwa seine Deduktion aus Etwas, das noch nicht Raum ist, sondern nur die psychologischen und physiologischen Bedingungen, welche die Ordnung der Empfindung in ihm, ihre Raumwerte ermöglichen, sind ein Problem der psychologischen Analyse. Daher ist es, streng genommen, nicht eigentlich zulässig, von einem Sehraum und Tastraum oder gar einem Hörraum zu sprechen und die Möglichkeit ihrer Koinzidenz oder Ähnlichkeit in Frage zu ziehen. Ob und wann die optischen und haptischen Raumvorstellungen zu den ähnlichen oder selben Ergebnissen in der Auffassung und Reproduktion äußerer Formverhältnisse gelangen, ist ein Problem von großem Interesse; aber der Raum, in welchem ·alle diese Lokalisationen statthaben, ist nicht selbst eine Sinnesvorstellung. Die sinnliche Lokalisation, ob sie als ursprünglich oder abgeleitet angenommen wird, ist immer relativ zum eigenen Körper, sowohl vom objektiven Standpunkt des Physiologen als auch von dem subjektiven des auf seine Erlebnisse reflektierenden Psychologen angesehen.[2] Der Eigenkörper in seinen Dimensionen sowie der Raum, in welchem derselbe einen Ort einnimmt, gelten als absolut gegenüber der empfundenen Räumlichkeit.

Und ebenso erübrigt sich zunächst eine genaue Umgrenzung dessen, was als sinnliche Erscheinung angesehen werden soll. Auch hier ist eine exakte Begriffsstimmung nur der Wissenschaft

---

[1] Vergl. Sigwart, Logik, 2. Aufl., II, S. 60ff.
[2] Über die Lokalisation von Herings Kernfläche vergl. Hildebrand, Zeitschrift für Psychologie und Physiologie der Sinnesorgane, XVI, 135ff.

zu entnehmen, deren Aufgabe die Untersuchung und Beschreibung der Phänomene, wie sie gegeben sind, ist. Jedenfalls gehören ihnen die Inhalte der Sinnesempfindungen an, für deren Gesamtheit repräsentativ die optischen (Farben) und die akustischen (Töne) gelten mögen. Auf dem Standpunkt der Naturforschung kommen sie nur als das in Betracht, was von dem Begriff der Naturwirklichkeit als ein eigenes Gebiet zu sondern ist. Nun geht die Tendenz der positiven Wissenschaft im Einklang mit der natürlichen Auffassung der Dinge dahin, als objektiv gewiß alles das zu betrachten, was in der Wahrnehmung gegeben ist und als Teil oder Eigenschaft der körperhaften Wirklichkeit angesehen werden kann. Aber indem weiter nach der näheren Beschaffenheit dieses Wirklichen gefragt wird, entsteht das Problem, ob die Annahme anderer als quantitativer Eigenschaften desselben möglich oder vielleicht gar notwendig, oder unhaltbar, weil durch die wissenschaftliche Bearbeitung der Erfahrung widerlegt, ist. Wir wissen, daß alle Bestimmungen dieses von unserem Selbst scheidbaren Wirklichen, wozu auch der eigene Körper gehört, erschlossen sind und es fragt sich nun, welche Bedeutung die Empfindungen für die Bestimmung des Wirklichkeitscharakters besitzen. Und hier ist die Forderung der physikalischen Forschung, sofern sie von dem Ziel einer mechanischen Naturerklärung geleitet wird, klar und eindeutig, und seit dem Zeitalter des Galilei und des Descartes als die Bedingung ihres Fortschrittes ausgesprochen worden, soweit auch die Formulierung und Begründung im einzelnen abweicht. Sie ist in dem Satze von der Subjektivität der sinnlichen Qualitäten zusammengefaßt. Nach ihm sind die Sinnesinhalte, die Farben, die Schälle keine physischen Tatsachen, sie sind nicht im objektiven Raum; sie sind Reaktionen im inneren Bereiche der Seele. Der Gegenstand vor meinem Auge ist nicht gefärbt, sondern die Farbe, mit der er bekleidet erscheint, ist nur ein Erzeugnis meiner Sinnlichkeit, übertragen auf den Gegenstand der Wahrnehmung. Zu ermitteln, welche Prädikate diesem Gegenstande sonst zukommen, ist die Aufgabe der Wissenschaften. Wesentlich aber bleibt, daß die empfundenen Qualitäten nicht zu diesen Prädikaten gehören, sondern den Ort ihres Daseins nur in dem empfindenden Individuum haben. Die Farben und die Töne sind rein subjektive Phänomene und als solche nicht existent in dem physikalischen System der Körper.

Bei der Diskussion dieser Annahme muß jedoch ein Mißverständnis von prinzipieller Bedeutung abgewiesen werden, welches seit den Tagen der Sophisten und Skeptiker bis auf unsere Zeit das Problem verdunkelt und eine einwandfreie Entscheidung durch einen falschen Ansatz schon im Beginn verhindert hat. Denn die Frage nach dem Realitätswert des in der sinnlichen Wahrnehmung Gegebenen darf nicht mit der Frage nach ihrem Erkenntniswert verwechselt oder derselben gleichgesetzt werden. Auch diese enthält ein Problem erster Ordnung, ja unter dem Gesichtspunkt einer Theorie der naturwissenschaftlichen Erkenntnis ist eine methodische Klarlegung, ob und wann und unter welchen Bedingungen und in welchem Umfange ein Rückschluß von den Erscheinungsbildern auf das sie Hervorbringende gestattet ist, von zentraler Bedeutung. Denn die Wissenschaften von der Natur sind mehr als ein bloßer Inbegriff von Regeln, welche die Ordnung, die Koexistenz und Suzzession der stets individuellen Erscheinungsbilder beschreibend zusammenfassen. Sie gelten, wie schon bemerkt, für das System verharrender Wirklichkeit, das das Auftreten der Sinnenbilder in unseren Organen hervorruft. So arbeiten gleichmäßig Physik, Chemie und Biologie an der Konstruktion eines objektiven Zusammenhanges, der als das materielle Substrat unserer Wahrnehmungen dieselben erklärbar macht. Aber hiervon ganz verschieden ist die Frage nach dem Wirklichkeitscharakter der Sinnenbilder selbst; ob den empfundenen Qualitäten eine analoge Eigenschaft in den Dingen, auf die sie bezogen werden, korrespondiere, mag problematisch sein und es vielleicht auch immer bleiben; aber das heißt noch nicht, daß die empfundenen Qualitäten selbst aus dem Reich der Naturwirklichkeit herausfallen. Alle Bedenken, welche die Skeptiker der verschiedenen Zeiten gegen eine Erkenntnis der objektiven Unterlage des in unseren Eindrücken Erscheinenden geltend gemacht haben, mögen zu Recht bestehen; aber sie enthalten keine Entscheidung über die Subjektivität oder Objektivität der Sinneseindrücke selbst. Die Behauptung, daß die Rose in Wirklichkeit nicht rot sei, ist gänzlich unbestimmt hinsichtlich des wahren Ortes und der wahren Natur der Röte. Fast alle gegen den objektiven Erkenntniswert der sinnlichen Eindrücke gerichteten Einwürfe lassen ihren Realitätscharakter unberührt.

Man kann die zuerst von den Sophisten auf das Erkenntnisproblem angewandte und dann von den Skeptikern des Altertums vollendete Form der Argumentation, welche die Trüglichkeit der

Sinneswahrnehmung dartun sollen, allgemein als das Prinzip der Relativität aller Sinneseindrücke bezeichnen. Sie zielt im letzten Grunde immer auf den Nachweis, daß die äußere Wahrnehmung ein τον προς τι sei, insofern sie an eine Mehrheit von in jedem Fall verschiedenen Bedingungen geknüpft ist. So vereinigen sich zu diesem umfassenden Theorem der Relativität aller Empfindungen die Beobachtungen über die Sinnestäuschungen, die pathologischen Zustände, die Abweichungen der verschiedenen Wahrnehmungen sei es desselben Sinnes zu verschiedenen Zeiten oder verschiedener Personen und Sinne zu gleicher Zeit.[1] Die Qualitäten des erscheinenden Objektes sind bedingt durch die Zustände des empfindenden Subjektes und gestatten so keinen Schluß auf das, was ihnen am Objekt als das sie Hervorbringende entspricht. Aber diese Einsicht, wenn sie auch zu dem Satz erweitert wird, daß das Substrat der erscheinenden Sinnesbilder qualitätslos sei, weil es durch die in diesen auftretenden Qualitäten nicht bestimmt werden könne, enthält an sich noch nicht die Behauptung, daß die Sinneseindrücke nun als bloß subjektive, „innere" Tatsachen aufgefaßt werden müßten. Vielmehr zeigt die geschichtliche Ausbildung der griechischen wie der mittelalterlichen Wahrnehmungslehren, daß es sehr wohl möglich ist, den Gegenständen die sinnlichen Qualitäten abzusprechen, ohne doch die Subjektivität derselben daraus zu folgern. Daher ist der Satz der Relativität auch in keiner Weise geeignet, eine Subjektivität der Sinneseindrücke in dem Sinne ihrer bloß phänomenalen Existenz zu begründen. Es ist zweifellos richtig, daß, wie Hobbes in schärfster Formulierung es ausdrückt, die empfundene Qualität nicht dem Objekt, sondern allein dem Subjekt inhäriert, und sein Beweis, der auf die Phänomene der Spiegelung, vor allem aber auf die Doppelheit unseres Auges zurückgeht, vermöge der wir jederzeit ein tatsächlich einfaches Objekt doppelt sehen können,[2] ist ebenso kurz wie schlagend. Aber bei Hobbes selbst bildet derselbe nur die Voraussetzung der weiteren Argumentation, die nun dartun soll, daß die empfundene Qualität in dem Empfindenden selbst nichts anderes als eine gewisse Bewegung in den inneren Partien des Gehirns ist. Wir können hier von der umfassenden, auf die mechanische Naturbetrachtung sich stützenden Demonstrationen absehen. Es ge-

---

[1] Vergl. die Aufzählung der Beweggründe des Relativismus bei Aristoteles. Met. IV, 5, 1009 b.

[2] Elements of law. ed. Tönnies, ch. 2, § 5.

nügt, daß Hobbes durch diese Einbeziehung anderer Überlegungen förmlich die Unzulänglichkeit der Lehre, daß die Sinneseindrücke ihren Ort in dem Empfinden haben, zur Begründung
für deren reine Subjektivität anerkennt. Damit fällt zugleich jedes
Argument, das aus der Divergenz verschiedener Aussagen über
dasselbe Objekt für die Aufhebung der Realität der divergenten
Sinnesinhalte geltend gemacht worden ist und noch immer ins
Feld geführt wird.[1] Welches die absoluten Eigenschaften der Dinge
sind, wissen wir nicht und können wir jedenfalls auf dem Wege
der sinnlichen Wahrnehmung auch nicht erfahren; denn dieselbe
zeigt uns immer nur Affektionen unserer Sinnlichkeit. Die Abweichungen der Wahrnehmungen normalsichtiger und farben-
blinder Beobachter bei Anblick desselben Dinges kann deshalb
nicht als ein Widerspruch konstruiert werden, der die objektive
Setzung etwas von Farben unmöglich mache und somit ein zu-
reichendes Motiv für die Folgerung bildet, daß das erkennende
Subjekt den qualitativen Empfindungsinhalt in sich zurücknehme.
Das durch Locke berühmt gewordene Beispiel der zwiefachen
Wärmeempfindung, die ein Mensch in seinen beiden Händen zu
gleicher Zeit von demselben Wasser haben kann, zeigt die Verwirrung deutlich. Der Schein einer vorgeblichen Unversöhnlich-
keit der Aussagen entsteht nur dadurch, daß die Sinnesaffektionen
im allgemeinen ohne Einschränkung auf ein und dasselbe Substrat bezogen werden; so ergibt sich allerdings das unmögliche
Urteil, daß das Wasser zugleich kalt und warm sei. Aber in
Wahrheit ist der Gegenstand der unmittelbaren Beurteilung nur
die Empfindung selbst; ihre Beziehung auf ein Objekt, das zu
gleicher Zeit auch als Träger anderer Attribute gedacht wird, ist
ein weiterer Erkenntnisakt, der solange unvollständig und hypothetisch und darum auch korrigierbar bleibt, als nicht die besonderen Bedingungen, die vornehmlich in der vermittelnden
Tätigkeit der Sinnesorgane gegründet sind, in Rechnung gezogen
werden. Sollte nicht etwa die Modifikation, die der von dem
erwärmten Wasser ausgehende Reiz in den empfindenden Partien
der Handfläche — sagen wir durch eine gegebene Eigentemperatur
der Haut, die Locke selbst ausdrücklich voraussetzt — erfährt,
hinreichen, um den Gegensatz der beiden Sinnesaussagen aufzu-

---

[1] Brentano, Psychologie vom empirischen Standpunkte, I, S. 122, Wundt,
System der Philosophie, 2. Aufl., 143 u. a.

heben?[1] Natürlich, als Abbild der jeweilig im faktischen Objekt existenten Verhältnisse und Eigenschaften darf die empfundene Qualität nicht ohne weiteres betrachtet werden, denn sie ist immer nur in uns, das heißt in unseren Organen gegeben. Aber die widerspruchslose Vereinigung der Wahrnehmungen zu einem System der Naturerkenntnis ist schon hinreichend durch genaue Berücksichtigung der Mittel und Wege garantiert, durch welche wir überhaupt Naturkenntnis gewinnen können. Die Physik bedarf der Physiologie zu ihrer Korrektur, aber es ist auf keine Weise nötig, deswegen die Qualitäten überhaupt aus dem Naturgeschehen, wozu auch die Vorgänge im Organismus gehören, zu eliminieren.

Der Schwerpunkt des Problems von dem Realitätswert der Empfindungen liegt in der Aufklärung über die Natur und die Art der Existenz der wirklich empfundenen Qualitäten. Daß diese ihren Ort in dem empfindenden Organismus haben, mithin als solche dem Gegenstande der Wahrnehmung nicht anhängen, unterliegt keinem Zweifel mehr. In dieser Einsicht, die den Realgrund für das Theorem von der Relativität der sinnlichen Eindrücke darstellt, sind alle Denker einig: Empfunden wird immer nur der Effekt oder die Wirkung von Bewegungsvorgängen in unseren Organen. Auch unter der Voraussetzung, daß den Dingen qualitative Beschaffenheiten inhärieren, die unabhängig von ihrem möglichen Empfundenwerden existieren, bleiben doch diese Qualitäten für immer der menschlichen Wahrnehmbarkeit entrückt. So wenig wie die tastende Hand den Gegenstand „fühlt", vielmehr nur Druckschwankungen innerhalb der Nervenendigungen in Verbindung mit komplizierten Spannungs- und Bewegungsempfindungen erfährt, so wenig erfaßt das sehende Auge das Objekt vermittelst einer Art von Fernwirkung oder unsichtbarer Tastfäden. Die Welt der erlebbaren Gegenständlichkeit liegt in uns, in unserem Organismus; ob wir überhaupt und unter welchen Bedingungen wir ein Recht haben, den in unserem Organismus lokalisierten Empfindungen einen transorganischen Wert zuzuschreiben, ist eine offene Frage. Versteht man unter der Lehre von der Subjektivität der sinnlichen Empfindungen nichts weiter als diese Beziehung zum Subjekt, dann findet sie in dem Satz der Relativität ihren vollständigen Nachweis, denn sie ist mit ihm identisch. So bedeutend

---

[1] Mach, Wärmelehre, 2. Aufl., 40.

aber dieser Satz in anderer Hinsicht ist, so vermag er doch eine Begründung für die Subjektivität der sinnlichen Qualitäten so wenig zu geben, daß nicht einmal die Aufgabe, um deren Lösung es sich hier handelt, klar gefaßt ist. Denn indem aus ihm als eine nächste Folgerung die weitere Einsicht abgeleitet wird, daß wir wenigstens auf dem Wege der sinnlichen Wahrnehmung die Dinge nicht so erkennen, wie sie an sich sind, führt er unmittelbar zu einem neuen Problem, durch welches das ursprüngliche Empfindungsproblem verdunkelt oder doch in einer Form als gelöst angenommen wird, das durch den Tatbestand der Relativität allein nicht gegeben ist. Ob die Qualitäten in Wahrheit den Dingen als Eigenschaften inhärieren, die auch bleiben, wenn ihre Träger der Wahrnehmbarkeit entzogen sind, oder ob sie flüchtig entstehende oder vergehende Phänomene in der Sinnlichkeit empfindender Organismen sind, hat mit der Frage nach der Art der Realität der Qualitäten nichts zu tun. Die hier auftretende Beziehung auf die Dingvorstellung und die Diskussion der Schwierigkeiten, die mit der Vorstellung der Inhärenz verbunden sind, bedeuten eine unnötige Komplikation der Fragestellung; jedenfalls kann sie wie überhaupt jede weitere Bestimmung der Eigenschaften des „Beweglichen im Raum" aus unserem Zusammenhang ausgeschieden werden. Denn wie auch die Entscheidung hinsichtlich des Realitätswertes der Empfindungen lauten möge: Selbst unter der Annahme, daß die Existenz der Empfindungen in ihrem Empfundenwerden sich erschöpfe, mithin ihnen eine dauernde Relation zu dem System der Dinge nicht zukomme, besteht doch die allgemeinere Frage fort, wie das Verhältnis der Dinge zu ihren Eigenschaften zu denken sei; denn irgend welche Beschaffenheiten muß jede Naturanschauung, auch die der mechanischen Naturerklärung, an oder in ihren Gegenständen setzen.[1] Bevor wir in eine Erörterung der Realation treten können, welche zwischen den als objektiv angenommenen Qualitäten und ihren supponierten Trägern bestehen, muß der Nachweis geliefert sein, daß die Qualitäten überhaupt an sich objektiv, d. h. nicht gebunden an den Akt der Wahrnehmung sind; und diese Untersuchung ist von jener ganz unabhängig.

Die so abgegrenzte Aufgabe kann nun aber zunächst noch

---

[1] Über den hieraus entspringenden Zirkel bei Descartes s. Schwarz, Die Umwälzung der Wahrnehmungshypothesen durch die mechanische Methode, 1895, Zweite Hälfte, S. 78.

unter einen allgemeineren Gesichtspunkt gebracht werden. Wo immer die Empfindung in dem Organismus zu lokalisieren ist, ob sie ihren Sitz in dessen peripheren Apparaten oder in Zentralpartien hat, tritt die Frage nach der Verbindung von Qualitäten und materiellen Systemen hervor. Das Gehirn oder der nervöse Apparat des Mitmenschen bildet für den analysierenden Physiologen einen Teil der räumlichen Außenwelt. Und wie der Standpunkt dieser Betrachtung der Standpunkt des idealen Beobachters ist, dem alle Leiblichkeit nur von außen als physisches Objekt gegeben ist, entsteht ihm, indem er die Möglichkeit der Verbindung von Qualitäten mit diesen besonderen Objekten erwägt, das weiter gefaßte Problem, ob überhaupt die physischen Gegenstände, ihrer Natur nach, die Existenz von Qualitäten zulassen. Es wäre denkbar, daß der Begriff von Naturwirklichkeit, den wir zu bilden gezwungen sind, grundsätzlich die Annahme qualitativer Existenzen ausschließt. Dann hätte es keinen Sinn, auch nur in der Welt des Organischen, soweit dieselbe diesem Begriff von Naturwirklichkeit untergeordnet werden darf, qualitative Empfindungen als existent und für das empfindende Individuum wie für den idealen Beobachter objektiv zu denken. Der Beweis für die Subjektivität der sinnlichen Empfindungen wäre dann durch die Unmöglichkeit geliefert, sie mit materiellem System als von derselben Ordnung vorzustellen.

Es ist ersichtlich, daß diese Frage, wie sie generell gestellt werden kann, auch eine generelle Antwort erheischt. So lassen wir allerdings zunächst die Beschränkung der Diskussion auf die wirklich empfundenen Qualitäten und den psychophysischen Prozeß fallen, aber doch nur, um diesen Tatbestand nach seiner allgemeinen Form schärfer hervorheben und die auf ihn anwendbaren Theorien nach ihrem prinzipiellen Gehalt bestimmen zu können. Zeigt es sich, daß die Voraussetzung der Objektivität der Qualitäten mit den Grundbegriffen der Naturwissenschaft nicht in einem unversöhnlichen Gegensatz steht, dann wird die Erörterung der Frage, in welchem Umfang die Qualitäten als reell und wirklich zu setzen sind, naturgemäß ihren Ausgangspunkt von der Betrachtung der empfundenen Qualitäten und ihrem Verhältnis zu den Leistungen des Organismus nehmen müssen.

Es ist nun füglich nicht zu bestreiten, daß die Auffassung der Natur als eines mechanischen Systems, dessen letzte Erklärungsgründe durch die allgemeinen Bewegungsgesetze bestimmt sind

und das die Reduktion aller qualitativen Unterschiede auch quantitative fordert, in einem Gegensatze zu dem Weltbilde steht, das
auf Grundlage der Aussagen der Sinne entwickelt werden kann.
Daher ergäbe sich von vornherein eine ganz andere Grundlage
für die Diskussion des Realitätsproblems, wenn man von den
neueren Bemühungen ausgehen würde, die mechanische Naturbetrachtung durch eine Methode zu ersetzen, welche ohne Hypothesen über das den Erscheinungen zugrunde Liegende lediglich
eine Darstellung des gesetzlichen Zusammenhangs der Erscheinungen selbst erstrebt. Die von Ostwald begründete qualitative
Energetik ist der bedeutendste der Versuche dieser Art. Auf ihrem
Boden können nicht nur, sondern müssen sogar die Wirklichkeits-
elemente als ein qualitativ Charakterisierbares gedacht werden.
Daher denn auch Laßwitz geradezu das Recht der Ausdrucksweise
des sogenannten naiven Realismus, der die Gegenstände als warm
und leuchtend und tönend bezeichnet, verteidigt.[1] Allein es ist
schon angedeutet, daß, wie es sich auch um die Haltbarkeit und
Fruchtbarkeit der Energetik im Einzelnen verhalte,[2] jedenfalls im
folgenden die phänomenalogische Auffassung nicht zugrunde gelegt
werden soll. Wir halten zunächst an der mechanischen Naturauffassung in ihrer ganzen Strenge fest; von ihren Gesichtspunkten
aus soll das Problem der Realität der Qualitäten in der räumlichen
Welt angegriffen werden. Es ist für unseren Zweck nicht hinreichend, sich auf einen agnostizischen Standpunkt, wie ihn die
qualitative Energetik repräsentiert, zurückzuziehen, denn der Gewinn, der die auf ihm erreichte Gesetzeserkenntnis an Sicherheit
gewährt, wird reichlich durch die Unbestimmtheit aufgewogen,
mit der nun die gemeine Meinung bezüglich der tatsächlichen Beschaffenheit der Welt sich hervorwagen darf. Nicht durch Ver-
neinung der mechanischen Weltbetrachtung kann die erlebte Wirklichkeit in ihre Rechte eingesetzt werden, sondern nur durch die
Diskussion ihres Verhältnisses zu dem von der Wissenschaft postu-
lierten System von Realitäten. Das ist die Frage. Schließt die
Welt, als ein mechanisches System betrachtet, die Qualitäten aus?
Wenn wir von der Deskription quantitativer Relationen dazu fortgehen, diesen Inbegriff erkannter Quantitäten real zu setzen, so

---

[1] Philosophische Monatshefte, XXIX, S. 195.
[2] Vergl. hierüber Wundt, Physiol. Psychologie, 5. Aufl., Bd. III, S. 692ff.
Boltzmann, Annalen der Physik u. Chemie, Neue Folge, LX, 231ff. u. LIX, 66,
sowie meine oben S. 296 zitierte Abhandlung.

ist von der Aufdeckung der mechanischen Struktur der Welt die Behauptung abtrennbar, daß dieser allein Realität zukomme. Besteht zwischen den Eigentümlichkeiten der in unserer sinnlichen Erfahrung gegebenen Erscheinungen und ihrem hypothetisch erschlossenen Substrat ein derartiger Widerspruch, daß ihre Existenz in einem gemeinsamen Raum undenkbar, unmöglich ist?

2. Die Argumente der mechanischen Naturbetrachtung.

Die Geschichte der Philosophie hat eine Reihe von Argumentationen hervorgebracht, welche übereinstimmend in dem Ergebnis zusammentreffen, daß in der Tat der Begriff von Naturwirklichkeit, welchen die positiven Wissenschaften erarbeitet haben, die Annahme einer qualitativ bestimmten Objektwelt ausschließt. So verschieden auch die Ausgangspunkte sind, von denen diese Überlegungen ausgehen, so weit sie sich selbst in der Strenge der Forderung unterscheiden: Seitdem das siebzehnte Jahrhundert gegenüber der bloßen Naturbeschreibung des Altertums, gegenüber den phantastischen Natursystemen der Renaissance das Ideal einer erklärenden Erkenntnis des Naturzusammenhanges entworfen hat, das alsdann in seinen dauernden Leistungen das Recht seiner Existenz erwies, scheint es hinreichend, auf eben dieses Ideal des naturforschenden Geistes zu verweisen, um den Anspruch der Empfindung auf Objektivität zu verneinen. Und zwar haben die großen Denker, welche in ihren Arbeiten den Begriff der mechanischen Naturanschauung in seinem positiven Sinne und in seiner Tragweite entwickelt haben, auch zugleich alle wesentlichen Gründe angegeben, die für jenes ablehnende Urteil aus diesem Begriff gefolgert werden können. In den literarischen Diskussionen und Debatten der Philosophen, Mathematiker und Chemiker, von Galilei bis zu Locke, sind bereits alle möglichen Beweise, die auf der Grundlage der mechanischen Naturerklärung für die Subjektivität der qualitativen Eigenschaften der Dinge gegeben werden, so erschöpfend erörtert, daß die Folgezeit bis zur Gegenwart unter diesem Gesichtspunkt nichts Bedeutsames von irgend welchem Belang hinzugefügt hat. Das Problem liegt noch genau so, wie die Begründer unserer mathematischen Naturwissenschaft es formuliert und in ihrer Weise aufgelöst haben. Der Fortschritt des Wissens während der folgenden Jahrhunderte, die vielen und so außerordentlich folgenreichen Ergebnisse haben doch zu einer Revision der Prinzipien der Forschung nicht geführt. Und so sieht sich, wer eine Nachprüfung der geschichtlich überlieferten und zurzeit noch allgemein festgehaltenen Lösung unternimmt, genötigt, in eine Auseinandersetzung mit jenen Argumenten einzutreten, mit denen einst die Galilei, Mersenne, Descartes, Hobbes, Boyle und Locke das Recht der neuen Lehre verteidigt haben.

Löst man den allgemeinen Protest, der in dem Begriff des mechanischen Natursystems gegenüber der sinnlichen Naturanschauung enthalten ist, in die sachlich trennbaren und für sich in geschlossener Form darstellbaren Einzelbeweise auf, so ist das erste bedeutende Argument der Versuch, aus der Tatsache, daß die Wissenschaft, wie sie als ein System von mathematisch-logischen Sätzen zu bestimmen ist, eben deshalb nur Gedankliches als Realität anerkennen kann, die Subjektivität der Sinnesempfindung zu folgern. In der Sprache des Descartes ausgedrückt, geht diese Begründung auf die Verworrenheit und Unklarheit der sinnlichen Erkenntnis oder Einbildungskraft zurück und indem sie den Nachweis bringt, daß dieser gegenüber allein das rationale Denken imstande sei, im Veränderlichen und Flüchtigen des sinnlichen Scheines das Dauernde und Wesenhafte zu erfassen, erhebt sie den Anspruch, daß nur diesen durch das Denken gesetzten Bestimmungen Objektivität zukomme. Nun sind aber die Qualitäten nicht denknotwendig. Sie sind, wie Kant es dann formuliert hat, „garnicht notwendige Bedingungen, unter welchen die Gegenstände allein für uns Objekte der Sinne werden können" und daher scheiden sie aus dem Zusammenhang rationaler Naturerkenntnis aus. Es bleiben allein Zahlen und Ausdehnung und die mathematischen Bestimmungen als die Konstruktionselemente unseres theoretischen Weltbildes.

Die Plausibilität dieses Argumentes ist unbestreitbar, und seine Überzeugungskraft, ich möchte sagen, der Enthusiasmus über die Autonomie des Verstandes, der in ihm sieghaft hervortritt, ist besonders erkenntlich in der Zeit, welches zuerst in der mathematischen Analyse das große Hilfsmittel fand, das Buch der Natur zu entziffern, wie es geschrieben ist in Dreiecken, Kreisen und geometrischen Figuren, und den Bau und die Verfassung des Universums dem rechnenden Verstande ganz durchsichtig zu machen. Aber eine Untersuchung, welche weniger dies Ideal als vielmehr den reellen Tatbestand, wie er sich in dem individuellen psychologisch bedingten Denken und den geschichtlich vorliegenden Sätzen und Forschungsweisen der Wissenschaft darstellt, der

Prüfung unterzieht, muß doch feststellen, daß der Sachverhalt durchaus nicht so einfach ist, daß er ohne Einschränkung auf jenes Schema gebracht werden kann.

Die Forderung, daß die Objektivierung des Gegebenen zu Gegenständen der Erfahrung durch das rationale Denken zu erfolgen hat, ist nicht gleichbedeutend mit der Forderung, daß nur Bestimmungen des Denkens als Prädikate dieser Gegenstände in die Konstruktion eingehen dürfen. Wenn das logische Ideal der Naturwissenschaft, wie es Descartes entworfen und wie es wesentlich Kant festgehalten hat, bei diesen Denkern den Grundzug seines Eigentümlichen durch die Beziehung auf das mathematische genauer das geometrische Raisonnement empfängt, so kann dies Ideal nur insoweit als ein auch inhaltlich logisch fundiertes angesehen werden, sofern der hier zugrunde gelegte Raumbegriff als eine wie immer hervorgebrachte Schöpfung des Denkens, als ein intellektueller Elementarbegriff gedacht wird. Die Beweisführung des Descartes hängt von der Voraussetzung ab, daß neben und unabhängig von den in der sinnlichen Wahrnehmung gegebenen Formbildern ein geometrisches Denken möglich sei, welches allein das Gesetz des Gegenstandes bestimmt. Aber diese Raumauffassung, die grundsätzlich von dem spezifisch sinnlichen Momente der Raumvorstellung abstrahiert, um nur die rein gedankliche Form herauszuheben, die sie in der euklidischen Geometrie verwirklicht sieht, unterliegt seit den Tagen des Descartes starken Bedenken, und es erhebt sich die Frage, die insbesondere auch der Darstellung Kants gegenüber geltend gemacht worden ist, ob in der Tat diese Scheidung des Intellektuellen und Sinnlichen in der Raumvorstellung haltbar, ob nicht vielmehr das rein Logische um Bedeutendes einzuschränken, der Anteil der Sinnlichkeit und zwar der Sinnlichkeit im psychologischen Verstande, dagegen um den gleichen Betrag zu erweitern sei. Jedenfalls vermögen die Beispiele, auf welche Descartes seine Beweisführung stützt, schwerlich das Recht dieser Auffassung erweisen; vielmehr scheint es, als führe schon eine genauere Analyse derselben notwendig über die Position, welche sie verdeutlichen sollen, hinaus.

Descartes geht aus von der Betrachtung eines Stückes festen Wachses, dessen Eigenschaften, Farbigkeit, Kälte, Härte u. s. w. alle klar und deutlich zutage liegen.[1] Nähert man es aber dem Feuer, so verändern sich alle diese Eigenschaften, der Geruch

---

[1] Meditationes II, § 16 ff.

entschwindet, die Farbe ändert sich, seine Gestalt wird vernichtet, die Größe wächst, es wird flüssig und warm; und wenn man darauf klopft, wird es keinen Ton mehr von sich geben: Das Sinnenbild, das ich Wachs nenne, ist ein ganz anderes geworden. Und dennoch behaupte ich und niemand wird es leugnen wollen, daß das Wachs dasselbe geblieben ist, das sein Wesenhaftes, das seine Identität ausmacht, verharrt. Offenbar deckt sich dieses Wesenhafte mit keiner der einzelnen in den Sinnen auftretenden Eigenschaften des Wachses, noch ist es einfach die Gesamtheit aller durch einen Namen festgehalten.[1] Daher vermag uns die Sinnlichkeit keinen Aufschluß darüber zu geben. Aber was ist es nun, was nach Abzug aller sinnlichen Bestimmungen als das Substantielle oder Essentielle des Wachses übrig bleibt? Descartes antwortet: Der Begriff eben dieses Veränderlichen, der nur durch das Denken erfaßt werden kann, weil er nur durch das Denken gesetzt wird. Bis zu diesem Punkt ist die Analyse unanfechtbar und folgerichtig weitergeführt, mündet sie in der transzendentalen Logik Kants, welche nun die Substanz als den Verstandesbegriff bestimmt, vermöge dessen ein Urteil, das Identität der Erscheinungen in Ort und Zeit behauptet, erst möglich wird. Aber das Entscheidende bei Descartes ist nun, daß er die Ausdehnung als ein wesentliches, als das notwendige, und zwar allein notwendige Attribut der gedanklichen Substanzvorstellung, so weit sie für die Naturwirklichkeit Geltung hat, fordert. Und hier ist der Ursprung einer ganzen Reihe von Schwierigkeiten, die aller Orten in dem System störend hervortreten. Zunächst möchte es erscheinen, als könne unter die primären Bestimmungen der Substanz die Räumlichkeit nicht aufgenommen worden, da die Gestalt des Wachses in der gleichen Weise wie seine Qualitäten in der sinnlichen Wahrnehmung als veränderlich erkannt worden ist. Aber Descartes kennt noch einen anderen Begriff von räumlicher Größe, der nicht durch die Einbildung, sondern durch das mathematische Denken gegeben ist. Von dem sinnlich anschaubaren Polygon ist die Idee des Polygon zu trennen,[2] wie das Bild der Sonne, das ich erblicke, von der Idee der Sonne, das die Berechnungen der Astronomen ergeben,[3] und zwar beruhen diese Ideen in letzter

---

[1] Wie die Nominalisten, Gassendi und Hobbes, dem Descartes entgegenhielten.

[2] Med. VI, § 3.

[3] Med. III, § 17, 18.

Instanz auf gewissen, aus Grundgesetzen meines Geistes fließenden Vorstellungen, die Descartes als eingeborene Ideen, notiones communes, bezeichnet[1] und als eine dritte Klasse den beiden anderen, den sinnlichen und den von uns gebildeten gegenüberstellt. Gegen diesen Sprachgebrauch hat nun schon Hobbes Protest eingelegt und seine Argumentation, die durchaus kein bloßer Wortstreit ist, wie es Descartes in seiner Antwort auffaßt, hebt scharf den Punkt hervor, auf den alles in diesem Zusammenhang ankommt. Jene zweite Idee der Sonne, welche das mathematische Raisonnement ergibt, ist von der ersten, der sinnlichen, nicht in der Weise verschieden, wie Descartes statuiert; vielmehr ist sie nur „eine Folgerung auf Grund von Argumenten, die uns ' lehrt, daß die Idee der Sonne viele Male größer wäre, wenn sie aus entsprechend größerer Menge betrachtet würde."[2] Das heißt, die Operationen des Denkens, welche durch die eigene Gesetzlichkeit desselben bestimmt sind, führen über das gegebene sinnliche Anschauungsbild garnicht zu einem neuen, reinen Anschauungsbilde hinaus. Das Gegenständliche, was in den Berechnungen der Astronomen enthalten ist, kann immer nur nach Analogie der Sinnesdaten vorgestellt werden, auf deren Grundlage die Berechnung angestellt worden ist. Der astronomische Begriff der Sonne ist ein Inbegriff von Regeln, die Sinnesdaten als in einer solchen Weise verbunden vorzustellen, daß die tatsächliche, unter gewöhnlichen Bedingungen vollzogene Wahrnehmung erklärlich wird. Die etwas geheimnisvolle Idee der Sonne zweiter Ordnung kann somit reinlich in zwei Bestandteile verschiedener Provenienz aufgelöst werden. Der eine ist die Summe der Gesetze, Beziehungen und Verhältnisse, die dem Sonnenkörper, soweit er unabhängig von unseren Sinnen gedacht wird, zukommen, und zwar können diese Sätze ganz ohne unmittelbare Beziehung auf die Anschauung ausgesprochen werden, denn sie enthalten nur Relationen und sind daher nach ihrer formalen Seite durch das Denken, das immer ein beziehendes und verbindendes ist, hinreichend bestimmt. Das andere Moment liegt in der Anweisung, die in diesen Relationen ausgedrückten Beziehungen in der Anschauung zu vollziehen, eine Anweisung, die unter Umständen garnicht erfüllbar, aber für die eigentlich begriffliche Erkenntnis auch nicht notwendig ist. Wenn ich sage, daß der wahre Sonnendurchmesser das Vielfache irgend

---

[1] Ib. § 13.
[2] Hobbes, Opera lat. ed. Molesworth, V, 263.

eines irdischen Maßes sei, so ist diese Einsicht von der sinnlichen
Anschauung dieses Maßes und auch des Maßsystems, dessen Einheit es bildet, ganz unabhängig. Zu der logischen Voraussetzung
dieses Urteils gehört die Raumanschauung in ihrer spezifisch
sinnlichen Ausprägung nicht; die formalen Bedingungen seines
Vollzuges erfordern nur die Annahme eines universalen Stellen-
systems, als dessen logische Merkmale lediglich die „Gleichförmigkeit,
die Kongruenz und die dem Axiom der Graden zugrunde liegende
einfachste Beziehung von Punkt zu Punkt" abzuleiten sind,[1] und
die Anwendbarkeit der arithmetischen Operationen, durch welche in
diesem System ein bestimmtes Verhältnis herausgehoben wird. So
ist natürlich der Inbegriff von Bestimmungen, der auf diese Weise
von unserem Zentralgestirn ausgesagt werden kann, etwas anderes
als das Wahrnehmungsbild; aber es kann in keinem Sinne als Anschauung, als Idee bezeichnet werden. Denn erst in Beziehung auf
eine mögliche sinnliche Anschauung gewinnt er sachliche Anschauung. Wollen wir uns ein anschauliches Bild von der Sonne konstruieren, das von der Zufälligkeit unseres Standortes unabhängig ist,
so können wir uns immer nur an die Bestimmungsstücke halten, die
auf unserem Standorte in unserer sinnlichen Erfahrung gegeben sind.
　　Nun kann freilich die Möglichkeit erwogen werden, ob die
in unserer Wahrnehmung enthaltenen Daten von gleichem Werte
seien, so daß vielleicht aus der Totalität des Gegebenen etwa die
räumlichen Momente ausgesondert und, wie sie vermöge ihrer
Eigentümlichkeit in einer ganz anderen Weise als die Qualitäten
der messenden Bestimmung zugänglich sind, daher in erster Linie
der anschaulichen Konstruktion zugrunde gelegt werden mußten.
Aber diese Überlegung substituiert der Frage nach den logischen
Voraussetzungen der naturwissenschaftlichen Forschungsprinzipien
die Frage nach der Berechtigung und der zweckmäßigen Auswahl
der Bestimmungsstücke. Es ist nicht zu verkennen, daß hier ein bedeutsames Problem vorliegt, und es verdient hervorgehoben zu werden,
daß dieses Problem notwendig an die Stelle des ursprünglichen treten
muß, sofern man daran festhalten will, aus dem rationalen Charakter
der mechanischen Naturerklärung die Irrealität der Qualitäten zu folgern. Aber es ist zweifellos, daß der Schwerpunkt der Argumentation jetzt auf ein anderes Feld gerückt ist und die Beweisführung
demgemäß zu anderen Mitteln der Begründung greifen muß.
　　Geht man davon aus, daß die Denkmittel, mit deren Hilfe

---

[1] Riehl, Philos. Kriticismus, II, 1, Kap. 2, insbes. S. 175.

der rechnende Verstand aus der Mannigfaltigkeit der Erscheinungen den Begriff einer Erfahrungswelt erarbeitet, in ihrem spezifischen Charakter sich von dem Material, zu dessen begrifflicher Fassung sie dienen, unterscheiden, so kann freilich die rein begriffliche Erkenntnis von der sinnlichen Wahrnehmung geschieden werden; aber sie bleibt so lange rein formal und ohne gegenständliche Bedeutung, als nicht bestimmte, in der sinnlichen Anschauung gegebene Größen in ihre Rechnung eingesetzt werden. Zu diesem inhaltlich Gegebenen gehört auch die Raumanschauung und daher kann eine Trennung der Qualitäten von den Quantitäten im Sinne einer metaphysischen Wertbestimmung nicht auf Grund dieser Gegensätzlichkeit befürwortet werden. Versucht man nun aber, an dem Material des Gegebenen selbst eine Scheidung vorzunehmen, um die Konstruktionselemente für eine „reine Anschauung" zu gewinnen, so ist die erste Frage, ob eine solche Scheidung der räumlichen von den qualitativen Daten überhaupt möglich ist. Es kann auch ganz davon abgesehen werden, aus welchen Motiven sie erfolgt, und ob diese Motive in der Tat zureichende Gründe sind. Zunächst ist offenbar auch dies nicht ohne eine gewisse Bedeutung: Können die räumlichen Bestimmungen von dem übrigen Inhalt der sinnlichen Anschauung derart isoliert gedacht werden, daß sie als wahrhaft qualitätsfreie Elemente die Größen darstellen können, deren die rationale Konstruktion bedarf? Es ist nicht ohne ein historisches Interesse, zu bemerken, daß Descartes zu einer gleichen oder ähnlichen Problemstellung gelangt ist, wenn schon er sie nicht förmlich anerkannt hat. Obwohl er gemäß den entwickelten Grundsätzen die sinnlichen Gestaltbilder für ebenso relativ und subjektiv hätte erklären müssen wie die Qualitäten, zwingt doch die immanente Logik der Sache, die von den Ideen höherer Ordnung nichts weiß und nichts wissen kann, dazu, am Ende diese höheren Ideen in der von den Qualitäten gereinigten Sinnesanschauung selbst zu suchen.[1] Ja er geht sogar gelegentlich soweit, um den Vorzug der räumlichen Bestimmungen vor den anderen zu erweisen, sich geradezu des Argumentes zu bedienen, mit denen die Peripatetiker in sensualistischer Begründung den Raum als den verschiedenen Sinnen gemeinsamen Wahrnehmungsinhalt von den spezifischen Qualitäten getrennt hatten.[2]

---

[1] Regulae 33, Oeuvres ed. Cousin. XI, 264. Auch Princ. IV, 200, sowie I, 69 muß in diesem Sinne interpretiert werden.

[2] Ib.

Die neuere Psychologie nun, soweit auch im einzelnen die Meinungsunterschiede reichen, neigt auf Grund zahlreicher und bedeutender Analysen[1] dahin, eine engere Verbindung des räumlichen Momentes mit dem Empfindungsinhalt anzunehmen, als sie hier von der rationalistischen Schule vorausgesetzt wird. Indem die sogenannte nativistische Richtung in der Psychologie, über deren grundsätzliche Berechtigung ernsthafte Bedenken kaum noch erhoben werden können, den Nachweis erbracht hat, daß die räumliche Ordnung der Empfindungen ihnen irgendwie als eine immanente Eigentümlichkeit mitgegeben ist, ist zugleich erwiesen, daß die räumliche Ordnung nicht als bloße Form von dem Inhalt sich in der Vorstellung sondern lasse. Man kann sehr wohl in der transzendentalen Ästhetik den erkenntnistheoretischen Satz, daß der Begriff einer ausgedehnten Mannigfaltigkeit die Bedingung jeder naturwissenschaftlichen Bestimmung ist, anerkennen, und doch die psychologischen Anschauungen, die der Kantschen Darstellung zugrunde liegen, ablehnen. Indem vielmehr die Analyse zeigt, daß die Verbindung des räumlichen Momentes mit den Sinnesdaten auf der einen Seite, vornehmlich bei dem Gesichtssinn, viel inniger, als Kant zugibt, auf der anderen Seite, wie etwa bei dem Geruchsinn viel loser ist, als aus den Formeln Kants eigentlich gefolgert werden müßte, wird es erst möglich, den rein logischen Bestandteil des Raumbegriffes, der allein a priori ist, in voller Schärfe herauszuheben.

Man kann dies Ergebnis, das durch die Aufhellung des psychologischen Tatbestandes für uns, wenigstens soweit unsere Frage es erfordert, als gesichert gelten kann, noch von einen anderen Gesichtspunkt aus verdeutlichen. Die Argumentation, die von Galilei bis Locke und Kant für eine Scheidung der räumlichen von den qualitativen Bestandteilen der Wahrnehmung geltend gemacht worden ist, muß dem Gesagten gemäß einen Fehler enthalten. Es ist nicht schwer, den verführerischen Schein, der sie umgibt, in seinem Ursprung aufzudecken.

Der Beweis in seiner geschichtlichen Form ist sehr einfach. Er geht darauf zurück, daß wir in der Vorstellung auf keine Weise uns den Körper ohne Ausdehnung denken können,[2] während es nicht die geringste Schwierigkeit macht, die Wärme, die Farbe,

---

[1] Stumpf, Psychologischer Ursprung der Raumvorstellung, S. 49, 106ff.

[2] Galilei, Opere, Flor. IV, 333f. Locke, Essay I, ch. 1, § 9. Kant, Kritik d. rein. Vernunft, Transc. Ästhetik, § 3, Schlüsse aus obigen Begriffen.

den Klang und Duft und Geschmack von ihm abgezogen uns vorzustellen. Nun ist es zweifellos, daß innerhalb gewisser Grenzen eine derartige Abstraktion möglich ist. Der Physiker kann, wenn er die Luftwellen untersucht, ganz von der Tonempfindung absehen, die sie in einem empfänglichen Organ hervorrufen mögen. Diese Tonwellen, die keine Hypothese, sondern Ergebnis tatsächlicher Beobachtungen sind, bedürfen zu ihrer eindeutigen Bestimmung keine Rücksicht auf den Hörsinn. Er ist durchaus sekundär und es hat mit der Beschaffenheit des objektiven Vorganges nichts zu tun, daß eine gewisse Anzahlreihe der Schwingungen von Tonphänomenen begleitet ist. Aber diese Klasse von Fällen, denen auch das von Galilei angezogene Beispiel der Wärme zugehört, kann nicht bedingungslos als typisch für das gesamte Naturgeschehen angesehen werden. Vielmehr lehrt gerade die Erörterung der Umstände, warum die Abstraktion hier möglich ist, daß die Vernachlässigung der qualitativen Seiten der Erscheinung bestimmte Grenzen gezogen sind. Das schwingende Luftteilchen ist offenbar deshalb isoliert, von jeden begleitenden Ton vorstellbar, weil die Form der Vorstellung, die wir zumeist vielleicht notwendigerweise zugrunde legen, in sich gar keine Tonbestimmtheiten aufweist. Wenn wir überhaupt nach einem anschaulichen Repräsentanten der Formeln der analytischen Mechanik suchen, so stellen wir uns den Schwingungsvorgang optisch vor; und wie das Sehbild in allen seinen Teilen vollständig ist, sind in ihm alle Stücke vorhanden, die zu der Konstruktion des Vorganges nötig sind, soweit er ein sichtbarer ist. Wenn wir einen Körper betrachten, von dem wir eine Wärmewirkung ausgehend empfinden oder die Glocke ansehen, deren Klänge wir hören, sind uns diese Gegenstände garnicht in einer ursprünglichen Einheit ihrer verschiedenen Wirkungen gegeben, die wir dann nachträglich in ihre selbständigen Komponenten zerlegen, sondern der Tatbestand ist umgekehrt der, daß die Verbindung der Sinnesdaten verschiedener Sinne zu einer Einheit des Gegenstandes erst ein Ergebnis der Erfahrung, der Reflektion ist; ja, streng genommen, lehrt doch erst die Wissenschaft, welche Tonerlebnisse mit dem Kurvenverlauf zusammenzudenken sind. Solange wir ein Ding oder einen Vorgang hinreichend durch Sinnesdaten eines Qualitätenkreises bestimmen können, besagt es garnichts, daß wir von ihm die sonst assoziativ mit ihm verbundenen Daten anderer Qualitätskreise zu trennen imstande sind. Entscheidend würde das Argument erst sein, wenn es sich zeigen ließe, daß innerhalb ein und desselben Qualitätenkreises die Abstraktion der Formen vom Inhalt vollziehbar ist. Wenn wir den schwingenden Klöppel der Glocke, der die Ursache einer gewissen Tonerscheinung ist, ins Auge fassen, heben wir doch nicht bloß einen Rauminhalt heraus, sondern setzen stillschweigend wenigstens zugleich eine gewisse Farbigkeit in ihm voraus; ob er tönt oder stumm, ob süß oder bitter oder von angenehmem oder unangenehmem Geschmack oder warm oder kalt ist, deutet das Gesichtsbild in keiner Weise an, ist daher in ihm auf Grund der optischen Wahrnehmung nicht notwendig anzunehmen. Aber es fragt sich doch, ob wir auch fähig sind, etwa die Farbe unter Festhaltung der räumlichen Anschauung aus ihm wegzudenken.

Für das Problem in dieser engeren und einzig berechtigten Fassung scheidet nun eine Gruppe von Sinnen von vornherein aus; bei dem Geruch z. B. ist ein Moment des Räumlichen kaum zu bemerken, bei den Tönen ist es strittig. Es genügt hier, zu zeigen, daß jedenfalls bei der optischen Wahrnehmung die Behauptung einer möglichen Trennung der Qualitäten von den Quantitäten eine nicht statthafte Begriffsvertauschung einschließt. Wenn Galilei sagt, daß es unserer Einbildungskraft (immaginazione) unmöglich ist, die Materie ohne Gestalt und Figur (figurata) vorzustellen, während keinerlei Zwang vorliegt, sie als weiß oder rot zu denken, so muß ein doppeltes geschieden werden. Zunächst ist zweifellos, daß wir, wenn wir von einem Dinge als einem festen Körper reden, notwendig diesen als gestaltet vorstellen müssen; aber nicht notwendig ist die Bestimmtheit der Gestalt. Und anderseits ist es gewiß willkürlich oder zufällig, dem Körper eine bestimmte Farbe zuzuschreiben, aber die Farbigkeit überhaupt, wozu auch die Helligkeit gehört, kann ihm nicht genommen werden. Ich mag es anstellen wie ich will: eine Figur erscheint mir im Sehfelde immer als bunt oder als dunkel auf hellem Hintergrunde oder umgekehrt. Natürlich kann die Qualität in der Verwertung und Behandlung der Figur unberücksichtigt bleiben, natürlich können ihre geometrischen Eigenschaften in symbolischer Form für sich dargestellt werden, aber für die Anschauung verschwindet die Qualität als solche niemals. Ebenso vermag ich, wenn der Zweck der Forschung es erfordert, ausschließlich auf die Qualität einer gesehenen Fläche zu reflektieren, ohne ihre Form und die Tatsache ihrer Ausgedehntheit in Rechnung zu ziehen. Aber wie alle diese Momente stets zugleich und miteinander verbunden gegeben sind, vermag ich keines derselben für sich aufzuheben, ohne daß das andere nicht auch aufgehoben werden würde. Nur die besondere Bestimmtheit ist für jedes Gebiet unabhängig von der des anderen variabel.

Und was hier in psychologischer Wendung von dem räumlichen Sehen oder den geschauten Flächen gesagt ist, gilt nun ganz allgemein und objektiv von dem Erfahrungsinhalt. Nirgends können wir aus dem Gegebenen die Form des Geschehens, sei es in rein geometrischer oder nur mechanischer Hinsicht, sondern. Wenn wir Vollständigkeit der Beobachtungen erstreben, zeigt es sich, daß jedes einzelne Ding, jeder einzelne Vorgang, Momente enthält, die ihn mit anderen als bloß räumlichen Zusammenhängen in Verbindung bringen. „Rein mechanische Vorgänge", so formuliert es einmal Mach[1] kurz und scharf, „gibt es nicht." Immer sind in Wirklichkeit mit anscheinend reinen Bewegungsvorgängen auch thermische, magnetische und elektrische Änderungen verbunden; und die rein mechanischen Vorgänge sind in bezug auf den vollen Erfahrungsinhalt Abstraktionen, und zwar Abstraktionen, die nur in symbolischer Form sich von dem anderen Tatbestande isolieren lassen.

Hieraus folgt nun noch in keiner Weise etwa die Objektivität der Qualitäten. Wenn auch unsere Sinnlichkeit uns zwingt, die Quantitäten und die Qualitäten stets in unauflöslicher Verbindung miteinander vorzustellen, so könnte die Wirklichkeit unabhängig von unserer Wahrnehmung darum doch qualitätsfrei sein. Es könnte den räumlichen Eigenschaften, welche die sinnlichen Eigenschaften aufweisen, ein in bezug auf die räumliche Ordnung analoger Sachverhalt entsprechen, während den quantitativen nichts ähnliches korrespondiert oder wir doch, was ihre objektive Ursache ist, nur durch räumliche Bestimmungen zu beschreiben vermöchten, die selber allerdings nur in qualitativer Einkleidung vorstellbar sind. Und darin liegt keine Ungereimtheit, wenn man nicht gerade das verborgene räumliche Arrangement, das die spezifische Qualität eines bestimmten Sinnes, z. B. des Gesichtssinnes, in ihrem Auftreten und ihrer Bestimmtheit erklären soll, mit Hilfe etwa desselben Sinnes vorstellig macht. Werden etwa die letzten Teilchen, sagen wir die Elektronen, durch deren

---

[1] Die Mechanik in ihrer Entwicklung, 3. Aufl., 486.

Schwingungen die Farbe entsteht, durch elektrische oder thermische Eigenschaften oder ihr Gewicht hinreichend definiert, so
liegt kein Anlaß mehr vor, diese Teilchen, auch wenn man sie
anschaulich denken will, farbig vorzustellen. Hier hilft die Tatsache, daß wir eine Mehrheit von Sinnen besitzen, einen sonst
allerdings unvermeidlichen Widerspruch zu umgehen.[1] Aber
wenn wir auch so noch immer die Möglichkeit offen haben, die
Wirklichkeit hypothetisch qualitätsfrei anzunehmen, so kann die
Berechtigung dieser Annahme nicht auf das Verhältnis der Quantitäten und Qualitäten, wie sie in unserer sinnlichen Anschauung
gegeben sind, gestützt werden. Es ist wenigstens in einem psychologischen Sinne nicht wahr, daß die „Farben gar nicht notwendige Bedingungen sind, unter welchen die Gegenstände allein
für uns Objekte der Sinne werden können;" vielmehr ist für jeden
besonderen Sinn die spezifische Qualität erforderlich, damit der
Gegenstand Objekt eben dieses Sinnes werden kann. Ob freilich
die Qualität in dem Gegenstand wie ihre Form ein Gegenbild
oder Analogon besitzt, ist eine andere Frage. Jedenfalls ist einleuchtend, daß, wer dieselbe verneinend beantwortet, andere Beweise zu seiner Rechtfertigung herbeiziehen muß.

So liegen denn auch für Galilei, Descartes, Hobbes und
Boyle die tiefsten Gründe, welche sie zur Ausbildung der Lehre
von der Subjektivität der sinnlichen Empfindungen bestimmten,
auf einem anderen Gebiet. Mag es nun auch zutreffen, daß die
Quantitäten genauer die räumlichen Bestimmungen, für sich und
ohne gewisse qualitative Beschaffenheiten nicht vorstellbar sind,
so sind sie doch die unentbehrlichen Konstruktionselemente der
mechanisch erklärenden Naturwissenschaft. Und wie es nun
scheint, als sei der von ihr geschaffene rationale Zusammenhang
zu einer Erklärung alles Erklärungsbedürftigen in den Erscheinungen hinreichend, müssen die Qualitäten als ein überflüssiges,
störendes Phänomen aus ihm eliminiert werden. Es wäre vielleicht
ein Idealsystem denkbar, in welchem alle Qualitätenkreise für sich
und unabhängig voneinander aufgefaßt und in ihrem gesetzlichen
Verhalten dargestellt werden. Die aristotelische Naturlehre ist
geschichtlich der bedeutsamste Versuch zur Bewältigung dieser

---

[1] Den Riehl, Philos. Kritizismus, II, 1, § 35 und Stumpf, Psychol. Ur-
sprung der Raumvorstellung, S. 21, auch förmlich ausgesprochen. Vergl. hierzu
Schwarz, Das Wahrnehmungsproblem vom Standpunkt des Physikers, des
Physiologen und des Philosophen, 1892, S. 66 ff.

Aufgabe. Aber vergeblich hat das Mittelalter mit seiner Lösung gerungen. Vielmehr ist dies der große Gedanke, dem das siebzehnte Jahrhundert die Bahn gebrochen, daß die wissenschaftliche Bezwingung der Naturvorgänge auf eine Reduktion der Qualitäten aufeinander angewiesen ist, und zwar in dem Sinne, daß die der Messung zugänglichen und dadurch heraushebbaren Bestimmungen des Seienden als die unabhängigen Variablen aufgefaßt werden, von denen die Gesamtheit der Qualitäten abhängig gedacht wird. In dem so konstruierten materiellen System, wo nur Druck und Stoß regiert, wo Bewegung nur Bewegung erzeugt und alle Veränderung eine Variation der quantitativen Bestimmungen ist: in einem solchen System ist für die Farben, Töne und Gerüche, mit denen der naive Mensch die Welt erfüllt, kein Platz. Sie entziehen sich gleichsam der allgemeinen Darstellbarkeit, sie werden überflüssig. Die Voraussetzung nur statischer und dynamischer Verhältnisse vermag alle Erscheinungen, die sie bieten, hinreichend zu erklären. Da sie aber doch ein Etwas sind, das wir erleben und das uns keine Wissenschaft vernichten kann, so werden sie nun als der verworrene Schein dieser Bewegungen in die Subjektivität des menschlichen Geistes verlegt: Die Erkenntnis ihrer Irrealität ist die Konsequenz der Verallgemeinerung der mechanischen Methode.

Man kann an dieser Argumentation, welche auf den Erklärungswert der mechanischen Naturwissenschaft zurückgeht, und nur den von ihr geforderten Beständen objektiver Realität zuspricht, verschiedene Seiten unterscheiden, die für sich der Prüfung und der Beurteilung zugänglich sind. Das eine muß auf dem Standpunkt der empirischen Forschung zugegeben werden, daß den räumlichen Momenten der in unserer Sinneswahrnehmung auftretenden Bilder eine objektive räumliche Ordnung entspricht, welche auf Grund gesicherter Beobachtungen und Schlüsse als ihr im Gegenstand existente Ursache gelten kann. Denn die Einsicht von der Unlöslichkeit der qualitativen Elemente von ihrer quantitativen Form, welche Hume und Berkeley erfolgreich gegen das abstraktive Verfahren Lockes vertreten haben, beweist wohl, daß die räumlichen und qualitativen Bestimmungen als von derselben Ordnung gegeben angesehen werden müssen; aber sie beweist nicht, daß nur beide subjektiv oder von nur psychischer Existenzart sind. Nur unter der Voraussetzung, daß unabhängig von jeder Reflektion auf die Methoden des naturwissenschaftlichen Denkens

die Empfindungsinhalte als innere Phänomene erkannt worden
wären — eine Voraussetzung, die aber sich nicht einwandfrei
erweisen läßt — würde der Schluß auch auf die Subjektivität
der räumlichen Elemente zwingend sein. Aber es ist ein offen-
barer Zirkel, aus der Unfruchtbarkeit der Qualitäten für die Zwecke
der Naturerklärung ihre Subjektivität und dann auf Grund des
psychologischen Räsonnements die Subjektivität auch der Quantitäten zu folgern, von denen soeben die Qualitäten als Elemente
einer besonderen Dignität gesondert wurden. Aber wenn so die
Berechtigung der wissenschaftlichen Forschung (einen rationalen
Zusammenhang als Substrat der sinnlichen Erscheinung objektiv
zu setzen) keinem Zweifel unterliegt, so muß von dieser Annahme,
welche die Fruchtbarkeit aller gesunden Forschung ausmacht, die
Behauptung wohl unterschieden werden, daß nur den Quantitäten
Wirklichkeitswert zukomme. Denn das müssen wir durchaus
festhalten, daß bisher die Subjektivität der sinnlichen Erscheinungen, aus welchen die wissenschaftliche Konstruktion die gegenständliche Welt erarbeitet, noch in keinem Sinne erwiesen ist.
Gesetzt, das Vorkommen der Farben als ein objektives Phänomen
wäre gebunden an gewisse Oszillationen oder elektromagnetische
Störungen des Lichtäthers, so ist verständlich, daß die optischen
Wahrnehmungen das Merkmal des Gefärbtseins aufweisen, da wir
nur, wenigstens auf normalem Wege, durch die Fortpflanzung
dieser Störungen bis zu der Netzhaut Gesichtswahrnehmungen
erhalten. Dennoch wären wir bei dieser Annahme berechtigt,
den materiellen Gegenständen selbst, welche etwa auftreffende
Strahlen nach unserem Auge brechen, die Farbe abzusprechen.
Gesetzt weiter, alle uns bekannten Qualitäten wären in dieser
Weise Parallelerscheinungen von Vorgängen des Mediums, das
zwischen unseren Sinnesorganen und den Reizgegenständen sich
befindet, so könnten wir in bezug auf diese Gegenstände vielleicht
von unseren Wahrnehmungen aus auf gewisse räumliche Ordnungen und mechanische Verhältnisse schließen, aber wir hätten
allen Grund, die Existenz jedenfalls jener Qualitäten in ihnen im
höchsten Maße unwahrscheinlich zu finden. Dennoch wären die
Qualitäten im Zusammenhange des ganzen Naturgeschehens betrachtet als objektiv anzusehen.

Die mechanische Naturerklärung in der universellen Form,
wie sie das 17. Jahrhundert entwickelt hat, verneint nun grundsätzlich auch diese Möglichkeit. Der Klang, den ich höre, hat

nur Realität in mir als einem empfindenden Wesen oder in meiner Seele. „Der Klöppel in der Glocke hat nichts von einem Ton in sich, sondern nur Bewegung und ruft nur Bewegung in den inneren Teilen der Glocke hervor; so besitzt die Glocke wohl Bewegung, aber keinen Ton. Diese Bewegung überträgt sich auf die Luft und die Luft hat Bewegung aber keinen Ton. Die Luft überträgt diese Bewegung durch das Ohr und die Nerven zu dem Gehirn; und das Gehirn hat nur Bewegung aber keinen Ton.“[1] So beschreibt Hobbes in klassischer Form den Zusammenhang von Vorgängen, den die mechanische Naturerklärung dem Außenwirklichen substituiert.

Für die Begründung des Rechtes einer solchen Betrachtung der Dinge hat Descartes zuerst die große Formel gefunden: sie ist gegeben in dem ganzen Aufbau seines Systems, wie er von dem generellen Zweifel an der Realität alles Seienden schrittweis dazu fortgeht, die Welt aus ihren denknotwendigen Elementen wieder aufzubauen. In dieser hypothetischen Weltvernichtung und Weltschöpfung, welche dann Hobbes und besonders auch Boyle nach ihrem methodischen Gehalt entwickelt hat,[2] bricht das moderne Bewußtsein von der Souveränität des Verstandes hervor. Und da das konstruierende Denken ökonomisch verfährt, wählt es ausschließlich die Quantitäten zu Elementen des Konstruktionszusammenhanges. Die Bilder, welche die Wahrnehmung von der Welt uns zeigt, sind nicht das Wirkliche: existent ist nur das in ihnen Enthaltene, das ihre Konstruktion ermöglicht. Demgemäß scheiden die Qualitäten, da die mathematische Physik ihrer nicht bedarf, aus dem denknotwendigen systematischen Zusammenhange des Geschehens aus.

Wir zerlegen dies Räsonnement in seine einzelnen Glieder.

Zunächst bedarf der hier eingeführte Begriff der Quantitäten einiger Klärung. Die Summe von Voraussetzungen, welche die mathematische Physik der Ableitung ihrer Sätze zugrunde legt, kann gewiß, insofern sie als meßbare Elemente in Betracht kommen, unter dem Sammelnamen der Quantitäten zusammengefaßt werden. Aber im eigentlichen und engsten Sinne des Wortes ist doch nur der Raum und die Ausdehnung quantifizierbar. Messen können

---

[1] Elements of law. 7.

[2] Hobbes, De corpore, cap. 7, Boyle, De origine qualitatum et formarum, § 4.

wir immer nur Raumdistanzen,[1] auch die Dauer und die Veränderungen in der Zeit sind nur als Funktionen von Raumlagen
bestimmbar. Unser universales Maßsystem ist der Raum, und
daß er allein der Quantifikation unterworfen ist, begründet das
Recht, in ihm eine primäre Eigenschaft aller Naturwirklichkeit zu
erblicken, welche Messung und exakte Wissenschaft erst ermöglicht. Von dieser Einsicht aus entwarf Descartes die Forderung,
die körperliche Substanz allein als in die Länge, Breite und Tiefe
ausgedehnt, die Raumerstreckung als ihr einziges und wesentliches
Attribut zu denken, da alles, was sonst dem Körper zugeteilt wird,
die Härte, Gewicht, Bewegung, die Ausdehnung voraussetzt.[2]
Hiermit war zugleich die Aufgabe einer Naturlehre gegeben, wie
sie in dieser Einheitlichkeit niemals zuvor gesehen, aber auch
später niemals wieder angegriffen wurde. Denn eine Theorie der
Materie auf dieser Grundlage ist, obwohl sie die größte Umwälzung der physischen Naturanschauung eingeleitet hat, auch
nicht einmal als Ideal haltbar. Die Geschichte der Mechanik lehrt
unwiderleglich, daß zu den Voraussetzungen ihrer Konstruktion
mehr als die bloße Ausdehnung gehört, eine Tatsache, die schon in
dem Zeitalter des Descartes Galilei durch die Ausbildung seines
Begriffes von impetus dem strengen Denken, Hobbes durch
seinen Begriff von conatus dem philosophischen Bewußtsein nahe
gebracht haben. Schon innerhalb der rein mechanischen Vorstellungsweise ist die Annahme einer Realität unentbehrlich, die
nicht bloße Extension besitzt; und darin erweist sich der Fortschritt der Wissenschaft, der in der Schöpfung der Dynamik sich
vollzog, daß auch diese Realität der mathematischen Behandlung,
d. h. der Darstellung durch Funktionen von Raumlagen zugänglich
gemacht wird. Aber diese konstruktive Beziehung zum Raum
bedeutet nicht die Reduktion derselben auf bloße Quantitäten.
Noch deutlicher tritt dies Verhältnis hervor, wenn man die Stellung
der mechanischen Physik zu den übrigen Wissenschaften von der
Natur ins Auge faßt. Hier treten — wenigstens bei dem Stande
unseres Wissens — zu dem spezifisch mechanischen Verhalten der
Dinge andere Verhaltungsweisen hinzu, welche jedenfalls zurzeit
noch nicht, wenn nicht vielleicht für immer, aus mechanischen
Bedingungen zu erklären sind; es genügt hier nur, an das Gebiet

---

[1] Von der Schätzung der Empfindungsdistanzen, welche Stumpf und
Ebbinghaus in die Psychologie eingeführt haben, kann hier abgesehen werden.
[2] Prinzip. I, § 53, II, 4, IV, 202.

der magnetischen und elektrischen Erscheinungen zu erinnern, die sich so wenig den mechanischen Vorstellungen unterordnen lassen wollen, daß immer deutlicher ihr eigener und universaler Charakter hervortritt. Und auch das ist bedeutsam, daß die Ansätze, durch welche eine Beziehung qualitativer Phänomene des Naturverlaufes zu den meßbaren Größen hergestellt wird, in gewissen Fällen sich innerhalb eines merklichen Spielraums von Willkürlichkeit bewegen. Wenn wir z. B. Temperaturdifferenzen durch Volumendifferenzen messen, so ist dabei nicht gleichgültig, welche thermoskopische Substanz wir hierbei zugrunde legen; denn in diesen Substanzen ist eine eigene Gesetzlichkeit und sind Schranken enthalten, die für den Rückschluß von den bei ihnen beobachteten Bestimmungen auf die Wärme unter Umständen sehr wohl in Anrechnung kommen können.[1] Daß wir alle oder doch die meisten Sinnesdaten (Geruch und Geschmack sind praktisch noch ausgenommen) durch ein mechanisches System repräsentieren können, gibt uns vielleicht ein Recht, von einer mechanischen Struktur der Welt zu reden; aber es gibt uns nicht einmal ein Recht, zu glauben, daß die Welt der qualitativen Erscheinungen durch ihre Bezogenheit auf mechanische Vorgänge vollständig darstellbar oder in mechanischen Vorstellungen werde abgebildet werden können; um so weniger kann hieraus die Pflicht erwachsen, die Qualitäten gegenüber dem mechanischen System als ein Sekundäres und Zufälliges anzusehen.

Wie der Raum für die Mechanik, so ist diese selbst in bezug auf die Gesamtheit der Naturwirklichkeit unser Maßsystem und wir müssen uns hüten, aus dieser Tatsache, soweit nicht andere Gründe vorliegen, mehr zu folgern, als in ihr unmittelbar enthalten ist, und etwa das, wodurch wir messen, dem Gemessenen selbst gleichzusetzen. Daß wir die einzelnen, uns vermittelst der Sinneswahrnehmung als qualitativ erscheinenden Ereignisse nach ihrer quantitativen Seite, d. h. ihren räumlichen zeitlichen Beschaffenheiten, sowie ihren mechanischen Wirkungen bestimmen, bedeutet an sich keineswegs, daß nun ausschließlich diese für die Zwecke wissenschaftlicher Berechnung abgehobenen Momente allein real sind. Dem Altertum wie dem Mittelalter war es bekannt, daß mit den rein qualitativ erscheinenden Vorgängen in der Natur zugleich auch mechanische Veränderungen als ihre

---

[1] Vergl. die Kritik des Temperaturbegriffes bei Mach, Prinzipien der Wärmelehre, 2. Aufl., S. 39ff.

Ursachen oder Folgen auftreten. Wenn Aristoteles diese Effekte
als Nebeneffekte, die nicht sowohl durch die als objektiv gedachten Qualitäten selbst als vielmehr durch die Körper, in denen
jene ihren Ort haben, hervorgebracht werden,[1] so spricht sich
darin gewiß zunächst der Stand des Wissens aus, dem die Bedeutung der mechanischen Zusammenhänge für die Darstellung
des Wirklichen noch verborgen ist. Doch es ist immerhin beachtenswert, daß dieselbe Anschauung auch auf dem Gebiete
festgehalten wurde, wo das Verhältnis von Qualitäten und mechanischen Prozessen anscheinend viel offener zutage liegt und auch
viel früher in seiner Tragweite erkannt wurde. Die antike Musik-
theorie hatte es schon förmlich ausgesprochen, Aristoteles hatte
es in seine Psychologie aufgenommen, dem Mittelalter war es
durch Vitruv ein geläufiger Satz, daß das Auftreten und Wandern
von Tönen stets mit Lufterzitterungen und Erschütterungen des
tönenden Körpers verbunden ist. Gleichwohl wüßte ich keinen
nacharistotelischen oder scholastischen Philosophen zu nennen,
der auf Grund dieser Einsicht die Möglichkeit in Erwägung gezogen hätte, der Ton sei nur ein seelischer Nachhall, eine Antwort der Seele auf die ankommenden Bewegungen. Ob er Substanz oder Akzidenz, ob er körperlich, ausgedehnt oder teilbar
immateriell sei, ob er als eine ruhende Qualität den schallenden
Körpern, den Instrumenten eigen und nur durch die Erschütterung
aus ihnen herausgelockt oder unmittelbar durch die Luftwelle
erzeugt sei: das sind die Fragen, die gleichmäßig die Schulen,
in denen Naturphilosophie getrieben wurde, die Stoiker und die
Epikureer und dann vor allem die Peripatetiker beschäftigen.
Noch für Keppler ist der Ton, auch wenn er den Erkenntniswert
des Quantitativen an ihm jederzeit hervorhebt und damit die
Grundlage seiner methodischen Bearbeitung schafft, gleichwohl
wie das Licht und die übrigen Qualitäten eine species imma-
teriata, der nach seiner ausdrücklichen Erklärung[2] von der Luft-
bewegung geschieden werden muß, als welche nur den Ton dem
Ohre zuführt. Und ebenso bezeichnet Baco die Erschütterung
der Luft bei dem Tone nur als eine notwendige Bedingung seiner
Erzeugung, an der Tatsächlichkeit der Qualitäten als eines objektiven Bestandes hat er immer festgehalten.[3] Erst Gorläus und

---

[1] De anima, II, 12, 424b, 10ff.
[2] Op. ed. Fritsch, V, 445.
[3] Natural history, century, III, § 211.

Galilei, vor allem aber Mersenne,[1] haben die reine Subjektivität der Töne ausgesprochen und begründet.

Und zwar können die entscheidenden Motive, welche diese Denker und ihre Nachfolger zu dem Fortschritt über die Position Kepplers hinaus, auf welche eine streng mathematische Behandlung wohl möglich ist, in zwei Formeln zusammengefaßt werden. Die wissenschaftliche Forschung ist berechtigt, den Inbegriff von Wirklichkeit, den wir durch ein mechanisches System darstellen, nach Analogie desselben als einen qualitätsfreien Bestand zu denken, weil die Qualitäten einmal in ihm vollständig überflüssig sind und ihre Annahme keinen Erklärungswert besitzt, zum anderen, weil sie, objektiv gedacht, ein für das menschliche Denken Unfaßbares setzen würden, das nach den Prinzipien des theoretischen Vorstellens nicht begreiflich ist.

Die Ökonomie aller Wissenschaft verlangt, daß die Voraussetzungen, die sie zugrunde legt, auf ein Minimum eingeschränkt werden. Non est ponenda pluralitas sine necessitate ist der Satz, der über Occams Erkenntnislehre und über die Kreise der terministischen Logik hinaus für die Forschung der Neuzeit eine universelle Bedeutung erlangt hat. Aber so unbestreitbar er als das erste methodische Prinzip aller vorsichtigen Erklärung, welche der hypothetischen Elemente bedarf, angesehen werden kann, so gestattet er doch nicht ohne weiteres eine generelle Anwendung; nur nach Einbringung des Nachweises in jedem Fall, daß eine geringste Anzahl von Voraussetzungen zur Erklärung des gegebenen Tatbestandes ausreichend sind, können die Konsequenzen in bezug auf die überschüssigen Elemente gezogen werden. Nun hat die wissenschaftliche Phantasie, wenn sie aus dem Material der sinnlichen Wahrnehmung auf eine Welt von Existenzen schließt, durch welche jene in unseren Sinnesorganen hervorgebracht werden, ein offenes Feld für die Konstruktion der Substrate der Erscheinungen, die nur der einen Bedingung unterliegt, daß durch sie die Koexistenz und Sukzession der Erfahrungen vollständig bestimmt werde. Daher darf mit Recht hier das Verlangen gestellt werden, daß in dem Erklärungszusammenhange nur aufgenommen werde, was diesem Zwecke dient. Aber wieder müssen wir betonen, daß hierbei über den Charakter und die Existenzart der Sinnenbilder selbst noch keine nähere Festsetzung

---

[1] Harmonie universelle, 2. Aufl., 1636, II, 3ff.

getroffen ist. Descartes allerdings ging von der Annahme aus, daß die Sinnenwelt zunächst nur als eine Art von Traumphänomen in meinem Ich gegeben ist, das der objektiven Fundamentierung bedarf. Aber Hobbes und Boyle haben bereits den rein fiktiven Charakter dieser Annahme klar erkannt und hervorgehoben, daß jedenfalls die erkenntnistheoretische Selbstbesinnung zu seiner Begründung nicht ausreicht. Beginnt die theoretische Naturkonstruktion mit dieser Fiktion, so ist das nicht weiter bedenklich, so lange man sich ihrer nur als eines technischen Kunstgriffes bewußt bleibt. Berücksichtigt man aber die Tatsache der Sinnenbilder selbst, reflektiert man auf die Totalität des Naturgeschehens mit Einschluß der empfindenden Organismen und ihrer Organe, dann verliert jenes Prinzip von der geringsten Zahl der Erklärungsgründe seinen ausgezeichneten methodischen Wert. Denn die Annahme der reinen Subjektivität der Sinnesinhalte bedeutet nur in bezug auf die Denkbarkeit der Gegenstände, von den Reizwirkungen auf unsere Organe ausgehen, eine Verkürzung in den Voraussetzungen; in bezug auf die Relation zwischen Reiz, sinnlicher Empfindung und empfindendem Individuum ist sie genau so positiv und inhaltsreich, wie die Gegenbehauptung. Unter diesem Gesichtspunkt handelt es sich nicht mehr um die Setzung einer mehr oder minder großen Anzahl hypothetischer Elemente oder Eigenschaften zur Erklärung eines Tatbestandes, sondern lediglich um eine Frage des Arrangements der Elemente in diesem Tatbestand. Wenn Descartes[1] dem Feuer verborgene Qualitäten der Wärme und des Lichtes deswegen abspricht, weil wir, um allen seine Eigenschaften zu erklären, überdies noch eine Bewegung seiner Teile annehmen müßten, diese Bewegung aber allein schon genügt, um alle Erscheinungen des Feuers einschließlich der Wärme und des Lichtes zu begreifen, so ist dieses konstruktive Verfahren, wenigstens nach seiner logischen Seite, völlig klar und einwandfrei und kann so wenig wie die Schlußweise, nach welcher Descartes es unternimmt, einen hypothetischen Urzustand zur Erklärung der Entwicklung des Kosmos auszudenken, irgendwelchen Bedenken unterliegen. Aber wenn nun dem Physiker empfindende Menschen gegenübertreten, die aussagen, spezifische Empfindungen durch die Einwirkung des Feuers zu erfahren, so erhebt sich die Frage

---

[1] Monde, Oeuvr. ed. Cousin, IV, 220.

nach dem Ort des in solchen Aussagen behaupteten Sachverhaltes, und diese Frage ist nicht durch den bloßen Machtspruch einer methodischen Regel zu entscheiden. Denn was diese Empfindungen, die ein Mitmensch erlebt, an sich seien, ob sie vor allem in dem gemeinsamen Raum, der das Feuer und den Körper des Beobachters wie des Beobachteten umfaßt, existente Realitäten seien, vielleicht gebunden an bestimmte Reizvorgänge, oder aber ob sie lediglich in das innere Leben des wahrnehmenden Subjektes als rein psychische Vorgänge fallen, kann offenbar aus dem Grunde, daß keine Notwendigkeit besteht, sie im Feuer selbst anzunehmen, nicht gefolgert werden. Dem Physiker erscheint die Welt der sinnlichen Erscheinungen nicht als die wahre Welt, die er hinter jenen, und zwar im eigentlich räumlichen und hier auch berechtigten Sinne des Wortes sucht; und eben weil er mit Bewußtsein von der Relation der Dinge zu seinem Sinnesorgan abstrahiert, die ihm nur das Material liefern, das er zum Ansatz seiner Gleichungen gebraucht, darf er alles, was nicht als Größe in die Gleichungen eingeht, als ein Restphänomen sich zurechnen, wobei es für ihn ganz gleichgültig bleibt und bleiben muß, was der sinnliche Schein, abgesehen von seiner Beziehung zum Objekt, bedeutet. Und somit mag er auch bei anderen Menschen, die als körperliche Systeme von ihm nach den gleichen Bedingungen wie andere in seine Beobachtungssphäre eintretende Objekte erschlossen werden, alle Qualitäten, von denen seine Sinne ihm Kunde geben, von denselben aus methodischen Gründen abgezogen denken. Aber anders verhält es sich mit den Qualitäten, die jene Individuen in sich als Erlebnis vorfinden. Diese vermag der forschende Physiker auf keine Weise zum Verschwinden zu bringen. Er kann sie nie und nimmer sich selbst zurechnen, sie bilden ein Element in der als vom ihm unabhängigen erschlossenen Welt. Und darum darf er von dem Bestimmungsrecht, das ihm in bezug auf die von ihm selbst empfundenen Qualitäten zusteht, in diesem Falle keinen Gebrauch machen: Das Prinzip von der geringsten Anzahl von Voraussetzungen versagt hier.

Natürlich wird der Physiker bei dieser Einsicht sich nicht beruhigen. In der letzten Konsequenz der mechanischen Naturanschauung liegt auch die Erklärung des Menschen und seiner Funktionen nach mechanischen Gesetzen, wie es die großen Denker des 17. Jahrhunderts alle grundsätzlich anerkannt haben. Denn gesetzt, es würde zugegeben, daß in dem empfindenden

Organismus als einem materiellen System das Empfundene reell existiere, daß es etwa unter gewissen, gerade dort verwirklichten Bedingungen spontan entstehe oder in der drastischen Sprache von Hobbes als ein kleines Bildchen irgendwo im Gehirn zu denken sei, dann wäre die Einheit des mechanischen Ideals durchbrochen und mit Recht könnte dann weiter gefragt werden, ob überhaupt noch die prinzipielle Einschränkung der begrifflichen Naturerkenntnis auf Annahme von Bestimmungen rein mechanischen Charakters aufrecht zu halten sei.

Hier greift nun das zweite und letzte jener Argumente ein, welches die Unverträglichkeit der Annahme objektiver Qualitäten mit den Prinzipien der mathematisch-mechanischen Naturforschung von einem anderen Gesichtspunkt aus dartun soll. Das System von Substanzen und Veränderungen, das die Wissenschaft als denknotwendige Bedingung der sinnlichen Wirklichkeit zu setzen gezwungen ist, bildet einen rationalen Zusammenhang, der, bei vollendetem Wissen, eine eindeutige Bestimmung jedes seiner Glieder nach Ort und Zeit gestattet. Gewiß sind auch in ihm Voraussetzungen enthalten, die als solche nicht zur Begreiflichkeit gebracht, in ihrer Faktizität nicht abgeleitet werden können. Zu ihnen gehören die Tatsachen, daß es überhaupt eine Naturwirklichkeit gibt, welche in eine Mehrheit von Elementen zerlegbar ist, daß diese Elemente bestimmten Gesetzen folgen, und eine gewisse Anfangsverteilung der Lagen und Geschwindigkeiten. Das sind Grenzen, die jedem Naturerkennen gezogen sind. Das Tatsächliche, d. h. die Individualität und Einmaligkeit des Ganzen wie des Einzelnen, bildet für uns den Ausgangspunkt aller Ableitungen; es determiniert innerhalb der Weite logischer Möglichkeiten die Besonderheit der Fälle. Auch die Welt als Totalität ist nur ein Spezialfall unter vielen. So gehen in die Laplacesche Weltformel eine Summe von konstanten Größen ein, die als Bedingung für die Verwirklichung des Weltverlaufes von einem gegebenen Zeitpunkt an unentbehrlich, aber durch die Weltformel selbst nicht erklärlich sind. Gleichwohl ist das Ideal einer universellen Mechanik der Welt diejenige Form der Weltbetrachtung, welche das Unerklärliche und schlechthin Irrationale auf ein Minimum reduziert und eben darum dem logischen Geiste die größte Befriedigung gewährt. Indem sie den ganzen Reichtum der Erscheinungen auf ein System verharrender, unveränderlicher Substanzen zurückführt, deren Beziehungen zueinander ewigen, unveränderlichen Gesetzen unterworfen sind, wird es ihr möglich, das Veränderliche in der Erfahrung als eine Veränderung dieser Beziehungen, d. h. als Veränderung von Zeit- und Ortsbestimmtheiten zu fassen, die ihrerseits der genauesten Berechnung und Präzisierung durch das mathematische Denken zugänglich sind. So erscheint das gesamte Universum als ein sich selbst gleiches und sich erhaltendes Ganze, dessen Gegebensein in seiner Bestimmtheit für immer uns unfaßlich ist, dessen Veränderungsweisen im einzelnen aber durch das konstruktive Denken aus dieser allgemeinen Voraussetzung abgeleitet und daher dem Verstande ganz durchsichtig gemacht werden können.

In diesem Zusammenhang sind nun die sinnlichen Qualitäten, welche die Wahrnehmung an jedem Punkte der Erfahrungswirklichkeit zeigt, nicht mehr zulässig; denn ihre Setzung würde sofort wieder jenes Unbegreifliche einführen, daß der Wille der Erkenntnis zu eliminieren ausgegangen ist. Und zwar können sie weder als Attribute jener letzten Einheiten oder ihrer Verbindungen, noch etwa als Begleitphänomene der Lage- und Geschwindigkeitsänderungen gedacht werden. Denn wie man die Sache auch wende: die in der Erfahrung wahrnehmbaren Qualitäten sind dann spontane Entstehungen, Schöpfungen aus dem Nichts, die dann jeden Augenblick wieder in das Nichts zurücksinken, beständig auftauchend und enteilend. Selbst wenn man, um diesen unerträglichen Wechsel von Werden und Vergehen zu vermeiden, zu der verzweifelten Annahme griffe, nach dem Vorgange des Anaxagoras die letzten Einheiten mit konstanten Qualitäten ausgestattet zu denken, so versagt gerade in diesem Falle der Kunstgriff des Denkens, das gleichsam das Unbegreifliche ein- für allemal anerkennt, aber in den Anfang verlegt und damit in dem Gebiet der mechanischen Vorstellungen die Freiheit der Entwicklungen sich schafft. Denn die bei den sichtbaren Vorgängen auftretenden Erscheinungen lassen sich aus jenen Qualitäten der Elemente, aus denen die Vorgänge nach ihrer mechanischen Seite zusammengesetzt sind, nicht ableiten. Die Farbe eines Gemisches oder gar einer Verbindung zweier Substanzen ist nicht ein Summationseffekt der Farben der Bestandtteile. Es hat überhaupt keinen Sinn, Qualitäten in derselben Weise wie Raum- und Zeitgrößen zu behandeln. So kann das Denken, das immer ein Rechnen ist, insofern es in Verbindung und Zerlegung von Einheiten vorwärtsschreitet, mit den Qualitäten, die sich aus

Einheiten nicht zusammenfügen lassen, nichts anfangen. Die Weltenschöpfung ist ein Wunder; aber für die Wissenschaft ist es nur ein einmaliges Wunder, das zu begreifen sie verzichtet, um ausschließlich innerhalb des Geschaffenen den Wechsel der Stellung seiner Teile zu erklären. Die Annahme der Qualitäten aber zugeben oder fordern, heißt das Wunder zur Permanenz erheben.

Das 17. Jahrhundert hat denselben Gedankengang noch in einer anderen Formel ausgedrückt. Die Erfahrung lehrt, daß ein großer Teil von Reizen, die einen Organismus treffen, Bewegungen und nichts als Bewegungen sind und gleichwohl einen Effekt in dem Empfindenden hervorrufen, der dem Reiz ganz und gar nicht ähnlich ist. Das ist ersichtlich, wie Galilei, Boyle, Locke insbesondere ausführen,[1] in dem Falle, wo durch äußere Berührung ein Gefühl des Annehmlichen, des Kitzels, des Schmerzes hervorgerufen wird. Weiter zeigt das wissenschaftliche Denken, daß nach Analogie dieser Fälle alle übrigen Reizeinwirkungen, die in uns die Empfindungen von Ton und Licht u. s. w. erzeugen, ebenso als Bewegungsvorgänge konstruiert werden können. Auch hier ist der erlebte Effekt von der Bewegung, die als eine Ursache supponiert wird, gänzlich verschieden; ja für den Fortgang der Erkenntnis ist diese Einsicht von der größten Bedeutung, da sie die Grundlage für jede rationelle Erklärung des Wahrnehmungsprozesses bildet. Unter dieser Voraussetzung ergibt sich aber zwingend, daß den Qualitäten jede Art von Existenz abzusprechen ist. Denn der Obersatz des Schlusses, wie ihn Descartes[2] und vor allem Hobbes[3] streng gefaßt haben, fordert, daß die Wirkung der Ursache gleich sei. Demgemäß ist es uns unmöglich, zu denken, daß Bewegung etwas anderes als Bewegung hervorbringt. So folgert das Ideal eines geschlossenen kausalen Bewegungszusammenhanges die Ausschließung der Qualitäten an jedem Punkte der Naturwirklichkeit. Wären wir faktisch imstande, wie wir es gedanklich sind, den Bewegungsvorgang von dem Objekt durch den Sinnesapparat bis zu dem Zentralorgan und von diesem wieder zurückzuverfolgen, so würden wir ihn nirgends durch das Dazwischentreten eines Faktors unterbrochen finden,

---

[1] Galilei, Opere, IV, 339, Boyle, Works, London 1744, II, 466, Locke, Essay, II, chapt. 8, § 13 u. 16.

[2] Prinzip., IV, § 198.

[3] De corpore, cap. IX, § 8 u. 9, cap. XXV, § 2.

der als eine Empfindung, als eine Qualität, zu bezeichnen wäre:
Der Kausalnexus geht von Bewegung zu Bewegung.

Nun ist es eine geschichtliche Tatsache, daß dies Ideal einer
Mechanik, welche die gesamte Welt umfaßt, von seiner Verwirklichung gegenwärtig noch so weit entfernt ist, wie in den Tagen,
da es zuerst entworfen worden ist. Ja man könnte versucht sein,
zu behaupten, daß in dem Maße, als das Wissen fortgeschritten ist,
das Ideal einer „astronomischen" Erkenntnis der materiellen Welt in
immer weitere Ferne gerückt ist. Nicht nur daß die Aufschließung
großer Gebiete der Natur, welche, wie etwa die elektrisch-magnet-
ischen Erscheinungen dem 17. Jahrhundert völlig unbekannt waren,
Ergebnisse an das Licht gefördert hat, die, je eingehender man sie er-
forscht, desto selbständiger sich erweisen, nicht nur, daß noch immer
die Natur der organischen Vorgänge sich nicht restlos aus Bewegungsvorgängen will erklären lassen: jedenfalls gibt es doch eine strenge
Wissenschaft, in welcher die logische Forderung, aus der die Idee
einer Weltmechanik hervorgegangen ist, wenigstens zurzeit nicht
erfüllt ist. Das Grundgesetz der Chemie sagt, daß die in der Natur
vorkommenden Körper in Gruppen oder Stoffarten sich ordnen
lassen, denen spezifische Eigenschaften zukommen. Es mag dahingestellt bleiben, ob diese Stoffe, wie gewisse Regelmäßigkeiten
zwischen ihren Verbindungsgewichten oder andere neueste Erfahrungen nahelegen, als Spezifikationen eines Urstoffes gedacht
und ob die bisher erkannten Eigenschaften der Elemente in mechanischer Vorstellungsweise ausgedrückt werden können: Bedeutsam
ist doch, daß es noch nicht gelungen ist, die Eigenschaften der
chemischen Verbindung aus den Eigenschaften ihrer Bestandteile
abzuleiten. Die chemischen Vorgänge sind durch den Wechsel
von wesentlichen Eigenschaften charakterisiert, die Eigenschaften
verschwinden und neue nehmen ihre Stelle ein. Wir bezeichnen
nur tatsächliche Grenzen unseres gegenwärtigen Wissens, wenn
wir eingestehen, daß das Ergebnis der vor unseren Augen sich
vollziehenden Verwandlung von Stoffen nicht aus deren Elementar-
eigenschaften bestimmt werden kann. Die Atom- und Molekular-
hypothese ist, so fruchtbar und leistungsfähig sie in anderem Betracht sich erweist, noch nicht imstande gewesen, dies Rätsel der
Lösung näher zu bringen. Es will uns nicht gelingen, das Fortbestehen der Elemente, die durch die Summe ihrer Eigenschaften
gekennzeichnet sind, in der Verbindung uns vorzustellen, denn in
ihr treten uns im allgemeinen vollkommen neue Eigenschaften

entgegen. „Vielmehr ist dieses Fortbestehen", so drückt Ostwald den Sachverhalt in einer Termologie aus, die geradezu an aristotelische Formeln erinnert, „ausschließlich auf die Möglichkeit beschränkt, das Element aus jeder seiner Verbindungen in unveränderter Menge wiederzugewinnen."[1]

Mögen diese Grenzen nun auch durch die Unvollkommenheit unserer Einsichten in die Elementarstrukturen bedingt sein, oder mögen es Grenzen sein, welche die Erkenntnis chemischer Vorgänge von der physikalischer und mechanischer für immer trennen wird: immerhin mag das Beispiel doch in methodischer Hinsicht verdeutlichen, daß die Annahme der Entstehung und des Vergehens besonderer Effekte nicht in dem Maße widersinnig ist, daß sie als durch die logische Konsequenz der mechanischen Naturerklärung widerlegt gelten kann.   Bezeichnet man mit Erklärung eines Tatsächlichen seine Ableitung der Art, daß es als identisch mit einem vorgängig Bestimmten dargetan wird, von dem es sich nur durch eine Umlagerung der Teile oder Änderung von Geschwindigkeiten oder allgemein durch Anwendung von Operationen unterscheidet, die vollständig durch das Denken abgebildet werden können, dann ist die Entstehung der Beschaffenheit der chemischen Verbindung mit den Hilfsmitteln der gegenwärtigen Forschung unerklärlich, sie ist ein Wunder. Aber gerade die Chemie lehrt, wie die Wissenschaft mit einem solchen Wunder fertig wird.   Indem sie die gesetzmäßigen Bedingungen ermittelt, unter denen die Erzeugung eines Neuen steht, wird ihr das Wunder zu einer regelmäßigen Naturerscheinung, die eben wegen ihrer gesetzmäßigen Einfügung in einen allgemeinen Zusammenhang den Charakter des Wunders verliert.[2] So vermag die Chemie gleichwohl eine hinreichende Beschreibung des ganzen Zusammenhangs zu liefern, der als solcher durchaus geregelt und sogar in einem weiten Maße, etwa unter Benutzung energetischer Begriffe, der mathematischen Darstellung zugängig ist. Ja wir können die ganze Welt mit Nebeneffekten aller Art bevölkert denken, ohne dadurch die Durchführung der mechanischen Betrachtungsweise im geringsten zu stören, oder auch nur einen Moment des Willkürlichen und Wunderbaren einzuführen, so lange wir die Möglichkeit einer eindeutigen Zuordnung der auftretenden irrationalen Tatsachen zu den mechanischen Vorgängen als gegeben ansehen

---

[1] Vorlesungen über Naturphilosophie, 1. Aufl., S. 287.
[2] Stumpf, Leib und Seele u. s. w., 1903, S. 35.

dürfen. Wie diese Klassen von Geschehnissen innerlich zu-
zusammenhängen, ist allerdings unserem Verständnis für immer
entrückt. Aber es genügt für die wissenschaftliche Orientierung
in der Welt, daß die Koexistenz und und Sukzession der Ereignisse in ihr gesetzmäßig bestimmbar ist. Daß ein Teil der Vorgänge zu derjenigen Durchsichtigkeit erhoben werden kann, welche
das logische Denken überhaupt zu erreichen vermag, gibt keinen
hinreichenden Grund, auch wenn es im höchsten Maße wahrscheinlich wäre, daß ein denselben ähnliches System von Vorgängen das ganze Reich der Naturwirklichkeit durchzieht, das,
was sich nun nicht als ein solcher Vorgang unmittelbar darstellt,
als ein Phänomen oder Unwirkliches zu bezeichnen und als ein
Subjektives aus der Natur auszuscheiden.

Und hierzu kommt noch ein zweites. Die Transposition der
Qualitäten in das Innere des Subjektes wurde ersonnen, um die
lästigen Veränderungen, welche sie zeigen, zu beseitigen und so die
Naturtatsachen gleichsam auf einen Generalnenner zu bringen. Aber
der durch diesen Kunstgriff erzielte Gewinn ist in letzter Instanz doch
nur scheinbar. Denn da die Qualitäten doch nicht vollständig verneint werden können, da sie ein Etwas, ein Positives sind, das
existiert, das entsteht und vergeht, so werden die Denkschwierigkeiten, die mit ihnen gegeben sind, auch mit ihnen in das Gebiet
verlegt, dem sie von der Naturwissenschaft aus verwiesen werden. Die
Ausscheidung der Qualitäten aus dem als objektiv vorausgesetzten
System von Bewegungsvorgängen eigenschaftsloser Korpuskeln
befreit allerdings das naturwissenschaftliche Denken von der Aufgabe, den Wandel der Qualitäten, ihr Entstehen und Vergehen
zu erklären. Aber die Theorie ihres subjektiven Ursprunges verlegt das Problem ihrer Ableitung nur in ein anderes Gebiet, ohne
es dadurch der Lösung irgendwie näher zu rücken. Es ist so, wie
Dilthey es einmal darstellt. „Indem die Physik es der Physiologie überläßt, die Sinnesqualität blau zu erklären, diese aber,
welche in den Bewegungen materieller Teile eben auch kein
Mittel besitzt, das blau hervorzuzaubern, es der Psychologie über-
gibt, bleibt es schließlich, wie in einem Vexierspiel, bei der Psychologie sitzen".[1] Aber auch die Psychologie vermag ihrerseits das
Rätsel der qualitativen Empfindung nicht aufzuhellen. Sie erkennt
in ihnen die letzten Elemente des Vorstellungsverlaufes, die einer

---

[1] Einleitung in die Geisteswissenschaften, I, S. 13.

weiteren Analyse nicht mehr zugänglich sind. Jedoch die Empfindungen, d. h. die Empfindungsinhalte, sind keine Attribute etwa
der geistigen Substanzen: im Bereich des seelischen Lebens sind
sie ebenso fremd und unfaßbar, wie in dem des natürlichen Geschehens. Es ist ein denkwürdiges Zeugnis, daß Descartes vergeblich damit gerungen hat, einen Ort für die Qualitäten ausfindig zu machen; indem sein Begriff von Naturwirklichkeit es
nicht gestattete, sie als objektive Tatsachen anzusehen, mußte er
sie als psychische oder geistige Produkte auffassen; aber wie er
sie doch anderseits nicht als bloße Modifikationen des res cogitans
betrachten konnte und sie doch in einer spezifischen Beziehung
zu den materiellen Vorgängen stehen, waren sie ihm wiederum
mehr als ein, wenn auch verworrenes, Denken. So attributierte
er sie mit den Gefühlen dem Konjunktum von Leib und Seele.[1]
Wählt man diesen Ausweg auch nicht, der nur eine Verdoppelung
der Schwierigkeiten ist, so bleiben die Empfindungen innerhalb
des geistigen Lebens unbegreiflich.   In der Konsequenz dieser
Einsicht liegt es, daß, wenn nun ihre Verhältnisse Veränderungen
und Verbindungen erklärt, d. h. einem allgemeineren Zusammenhang von Gesetzen eingeordnet werden sollen, die Psychologie
auf materielle Prozesse zurückgeht, die als Korrelat dieser Vorgänge in den nervösen Partien des empfindenden Körpers angenommen werden müssen. Und an diesem Punkte ist der Zirkel
geschlossen. Daher ging denn auch Hobbes folgerichtig dazu
fort, auf diesem Umwege die Empfindungen als Bewegungen zu
fassen und sie dem mechanischen System wieder einzureihen.[2]

Die Lehre von der Subjektivität der sinnlichen Empfindungen
löst das Problem, das in ihrer Tatsächlichkeit enthalten ist, auf
keine Weise. Der den Sinnesdaten einwohnende Charakter unmittelbarer Gegebenheit, ihre Individualität, ist schlechterdings unaufhebbar; es ist auch nicht mit Hilfe psychologischer Kategorien,
etwa des Unbewußten, möglich, sie in ihrer Faktizität zu verstehen, d. h. abzuleiten aus etwas, wodurch ihr Dasein und ihre
Besonderheit durchsichtig wird. Daher kann dieser Erkenntnis-
mangel, der aus der immanenten Eigentümlichkeit der Sinnesdaten
selbst sich ergibt, der mechanischen Naturerklärung nicht zu
einem zureichenden Grunde dienen, die Realität des Tatsächlichen,

---

[1] Medit., IV, § 26.
[2] Vergl. meine Abhandlung über die Naturphilosophie des Th. Hobbes
im Archiv für Geschichte der Philosophie, XVI, 1902, S. 94 ff.

das sie nicht begreifen kann, zu bestreiten. Vielmehr muß sie zu der Frage nach dem Verhältnis von sinnlichen Qualitäten und Bewegungsvorgängen am Ende doch Stellung nehmen. Das 17. Jahrhundert hatte gleichsam den Nebel von aristotelischen Vorstellungen, welcher die Werke der Natur verdunkelte, gelüftet und die Aussicht auf die klare Bestimmtheit und den rationalen Charakter des Wirklichen eröffnet. So sah es ab von den fruchtlosen Debatten über das Wesen der Qualitäten, ihrer Anzahl, von dem ganzen Inbegriff von Quästionen, welche das mittelalterliche Denken beschäftigte, um alle Energie der Forschung auf die Konstruktion eines mathematischen mechanischen Weltbildes zu richten. Dafür entstand nun aber der Auffassung, für welche die Natur ein seelenloser entgötterter Mechanismus ist, dort, wo der Mensch in den Zusammenhang der Natur eintritt, das Problem, wie das Verhältnis des Geistes zum Körper zu denken sei; und in diesem Problem sind die besonderen Schwierigkeiten des Empfindungsproblemes wieder alle enthalten. Kein Lösungsversuch, der seitdem hervorgetreten ist, hat dieselben beseitigen können. Das Rätselhafte, das in dem Zusammenhang von Empfindungstatsachen und Bewegungen gegeben ist, bleibt. In der dualistischen Antwort ist das Wunder förmlich gegeben; wir verstehen nicht, wie Bewegung Empfindung hervorbringen kann, aber wir erleben es. Und in gleicher Weise läßt die parallelistische Hypothese, wie immer man sie auch fasse, den Sachverhalt unerklärt. Und doch muß eine Beziehung zwischen den beiden Klassen von Vorgängen irgendwie angenommen werden. Man mag im Interesse physikalischer Forschung ausschließlich die mechanische Struktur des Wirklichen ins Auge fassen, man mag seine qualitative Seite, wie sie dem Beobachter erscheint, vernachlässigen, man mag die Empfindungsinhalte, die nach den Aussagen anderer Personen unter gewissen Bedingungen von ihnen erlebt werden, ausschalten: Und wenn wir auch den mechanischen Zusammenhang, der sich vom Reizobjekt zu den Sinnesapparaten und von ihnen zu dem Zentralorgan und von diesem in die motorischen Nerven erstreckt, lückenlos durchschauen könnten, so müssen wir doch in irgend einem Punkte dieses Verlaufes, sei es als Zwischenglied der kausalen Kette, sei es als Begleitphänomen eines besonderen Abschnittes, die Entstehung dessen annehmen, was die empfindende Person als einen Empfindungsinhalt erlebt. Daher kann der spezifische Charakter des mechanischen Systems die Koexistenz von

Qualitäten nicht ausschließen. Es mögen zwingende Gründe dafür sprechen, das Auftreten von Qualitäten auf materielle Verläufe solcher Art zu beschränken, wie sie in den organischen Körpern verwirklicht sind, es möge am Ende sich als sehr wahrscheinlich erweisen, daß diese Qualitäten als psychische Phänomene immaterieller Substanzen zu betrachten sind, so ist doch das eine sichergestellt, daß in der Auffassung der Natur mit Einschluß der organischen Welt als eines mechanischen Systems ein hinreichendes Argument für diese Folgerung nicht gegeben ist. Vielmehr hindert grundsätzlich nichts, jedem Bewegungsvorgang in der Außenwelt korrespondierende Veränderungen von Tatsachen zugeordnet zu denken, die wir nach Analogie unserer Empfindungen als Qualitäten bezeichnen dürfen.

So halten wir denn daran fest, daß die mechanische Methode in der Naturforschung, soweit man auch ihren Anwendungsbereich ausdehne, keinesfalls schon durch sich selbst legitimiert ist, das, was nicht von ihren Begriffen gefaßt, in ihren Formeln dargestellt werden kann, für eine Realität anderer Ordnung zu erachten. Natürlich ist ein solcher Standpunkt, wie ihn die Naturanschauung des Descartes vorbildlich gezeichnet hat, möglich; es ist durchaus denkbar, daß der Zusammenhang des Naturwirklichen als ein mechanisches System zu bestimmen ist, in welchem die Qualitäten, welche die naive Erfahrung uns in ihr zeigt, keinen Ort haben, und es scheint nicht, daß in ihm ein größeres Maß von Denkschwierigkeiten enthalten ist, als in jeder anderen möglichen Weltbetrachtung. Daher ist der Standpunkt in sich selbst nicht aufzuheben, und insofern unwiderleglich. Aber es fragt sich doch, ob er notwendig ist, ob er bei Anerkennung der mechanischen Naturerklärung im Sinne einer Wirklichkeitserkenntnis als logische Konsequenz derselben gefolgert werden müsse. Jedenfalls ist er nicht eine selbstverständliche Wahrheit, die nur ausgesprochen zu werden braucht, um eingesehen und in ihrer Berechtigung anerkannt zu werden. Das siebzehnte Jahrhundert hat vermittelst eines förmlichen Beweisverfahrens es unternommen, das Weltbild, das uns primär gegeben ist, aufzuheben und als einen bloßen sinnlichen Schein aus dem Zusammenhang des Wirklichen zu eliminieren. So schuf es sich die nächste Grundlage für eine Konstruktion des Seienden aus Elementen, die nur aus dem Denken genommen und nur durch das Denken garantiert sind. Sondern wie hier, was in der positiven Methode der mechanischen

Naturerklärung selbst enthalten ist, von dem Naturideal, das die Mathematiker und Philosophen dieser Zeit auf der Grundlage des gemeinsamen Besitzes methodischer Einsichten entwickelt haben, so zeigt sich, das der Gegensatz der physikalischen Forschung zu der naiven Weltauffassung nicht so schroff und unversöhnlich ist, als daß nicht eine Annäherung innerhalb gewisser Grenzen denkbar wäre. Wenigstens ist es vom Standpunkt dieser Betrachtungsweise in einer gleichen widerspruchsfreien Weise möglich, wenn man nur alle Gesichtspunkte in Erwägung zieht, dem Tatbestande gerecht zu werden.

Das Wirkliche, das den Gegenstand der wissenschaftlichen Naturforschung ausmacht, ist uns in den Sinnen als ein Objektives und von uns als empirischen Subjekten Unabhängiges gegeben. Und zwar treffen wir an jedem Punkte der Erfahrung ein mehrseitiges Verhalten der Dinge, das die Darstellung durch ein einziges formales Begriffssystem niemals gestatten will. Einen besonderen Teilinhalt bilden die Vorgänge, die wir unmittelbar, das heißt ohne Hypothesen zu Hilfe zu nehmen, die etwas über die untersinnliche Welt aussagen, als mechanische erkennen und beschreiben. Und nun zeigt die Erfahrung weiter, daß mit diesem System mechanischer Vorgänge andere Gruppen von Erscheinungen, die als solche nur nach ihren zeitlichen und räumlichen Beschaffenheiten zu bestimmen sind, in einem derartigen Zusammenhange stehen, daß unter gewissen gesetzmäßigen Bedingungen Leistungen hervortreten, die mechanischer Arbeit äquivalent gesetzt werden können. Ihren formelhaften und den Sinn und die Grenzen dieser Beziehung genau umschreibenden Ausdruck hat diese Tatsache in dem Gesetz von der Erhaltung der Arbeit gefunden. Von hier aus ist es möglich, eine allgemeine Energetik zu entwickeln, welche unter voller Wahrung der spezifischen Eigenart der Erscheinungsgruppen doch ihren gesetzmäßigen Zusammenhang in mathematisch präziser Form hervorzuheben gestattet. Aber wir können noch weiter gehen, und schon aus methodischen Gründen empfiehlt es sich, die letzten Konsequenzen, welche die mathematische Naturwissenschaft nahelegt, in Betracht zu ziehen. So nehmen wir denn ausdrücklich an, daß wir berechtigt sind, um die Transformation der Energieformen ineinander zu erklären, eine mechanische Struktur hypothetisch zu setzen, welche den Zusammenhang der gesamten Wirklichkeit durchzieht und ihre Gesetzmäßigkeit begründet. Allerdings muß

betont werden, daß innerhalb gewisser Gebiete diese Annahme
weder erforderlich noch auch durchführbar erscheint, und demgemäß mag einmal die Möglichkeit eintreten, dieselbe durch eine
mehr geeignetere zu ersetzen. Aber soweit wir eine mechanische
Struktur ergänzen, können wir sie uns immer nur nach Analogie
jener Systeme bilden und vorstellen, welche die Erfahrung uns
zeigt. Isolieren wir daher von ihnen durch symbolische Darstellung das allein und rein Mechanische, die Lagen und Geschwindigkeiten von Raumeinheiten, so dürfen wir nicht vergessen,
daß damit dem durch solche Formeln beschriebenen Tatbestand
durchaus nicht alles genommen oder auch nur abgesprochen ist,
was mehr als mechanischer Natur ist. Für dieses in der Natur
als existent angenommene mechanische System gelten die Er-
haltungsgesetze, in ihm werden die logischen Forderungen befriedigt, welche das wissenschaftliche Denken als die Bedingungen
vollkommenster Erklärung aufstellt. Aber keine methodische Regel
gebietet, in den Erscheinungen, denen mechanische Vorgänge substituiert sind, eine andere Art der Realität zu erkennen als diejenigen Vorgänge aufweisen, nach deren Analogie jene gebildet
sind. Es ist weder ein Widerspruch gegen die Prinzipien der
Forschung, noch eine Verletzung der Ökonomie anzunehmen,
daß tatsächlich Bewegungen mit qualitativen Verläufen verbunden
sind, sofern nur die gegenseitige Zuordnung dieser Klassen von
Tatsachen als eine gesetzmäßige zu betrachten ist. Erwägt man
aber den Umstand, daß im allgemeinen eine weitgehende funktio-
nelle Abhängigkeit der Sinnesdaten von bestimmten materiellen
Prozessen nachgewiesen oder doch wahrscheinlich ist, denn wir
leben nicht in einem Chaos von Eindrücken, so möchten Bedenken gegen die Erfüllung dieser Voraussetzung nicht erhoben
werden. Allerdings bedarf die naive Weltauffassung wesentlicher
und in Hinsicht aller Einzelheiten außerordentlich einschneidender
Korrekturen. Die Einsicht der Relativität aller Sinneseindrücke hat
zur Evidenz gezeigt, daß die Qualitäten, die wir erleben, nicht
diejenigen sind, die wir in den Gegenständen zu setzen gewohnt
sind. Aber das betrifft letzthin nur die Auswahl der mechanischen
Zusammenhänge, denen die empfundene Qualität zuzuordnen ist.
Es ist vielleicht möglich, daß eine unter Beobachtung aller Erfahrungen ermittelte Verknüpfung mit anderen Vorgängen, sagen
wir mit gewissen chemischen Prozessen oder mit Zustandsänderungen des Mediums, die in unseren Organen eine Modifikation

erfahren, genügt, um die Tatsache der Relativität oder allgemein die Abhängigkeit der Empfindungen von den Leistungen unserer Organe befriedigend aufzuklären. Daß aber eine weitere Korrektur des naiven Weltbildes im Sinne von der Lehre der reinen Subjektivität der Qualitäten erforderlich ist, kann durch die Auflösung der Natur in ein mechanisches System nicht begründet werden.

3. Die Argumente der Physiologie.

Der so umschriebene und in sich klare Standpunkt bedarf noch einer letzten Ergänzung. Die Lehre von der Subjektivität der sinnlichen Qualitäten hat ihren geschichtlichen Ursprung in der Entwicklung der mechanischen Naturanschauung. Aber wie schon in den Tagen des Descartes und Hobbes es auch besondere physiologische Betrachtungen waren, welche ihre Ausbildung begünstigten, ist nun in der von Johannes Müller begründeten Sinnesphysiologie ein förmliches Argument, ein von allen anderen Überlegungen unabhängiger Beweis für sie entstanden. Müller selbst glaubte in seiner Lehre von den spezifischen Sinnesenergien eine direkte Bestätigung oder exakte Formulierung der subjektivistischen Theorien gefunden zu haben, als deren Vertreter ihm Plato, Locke und Kant erschienen. So entsteht die Aufgabe, den Anteil abzugrenzen, den die Physiologie zu einer Revision des natürlichen Weltbildes abgeben kann.

Gegeben sind uns Qualitäten nur als sinnliche Empfindungen, und die Erfahrung lehrt, daß, obschon sie zunächst nicht im allgemeinen dem eigenen Körper zugeordnet werden, sie dennoch in ihrem Auftreten und ihren Bestimmtheiten aufs engste mit gewissen Abläufen in demselben verknüpft sind. Wir betrachten es nun als ein gesichertes Ergebnis der psychologischen Untersuchung, daß die Empfindung trotz des Merkmals der Bewußtheit, das ihr innewohnt, doch nicht auf Grund allein dieser Eigentümlichkeit, die von allem Seienden, das wir erschließen können, postulieren, als Inhalt des sogenannten individuellen Bewußtseins, d. h. als ein psychisches Phänomen angesehen werden muß. Demgemäß hängt die Tragweite der in der Physiologie erkannten Bedingungen für das Zustandekommen des Wahrnehmungsprozesses von der Klarlegung des Verhältnisses ab, das zwischen der empfundenen Qualität und ihrem mechanischen Begleitvorgang besteht. Läßt sich der Nachweis erbringen, daß die Art der Verknüpfung zwischen beiden eine derartige ist, wie sie das naturwissenschaftliche Denken zu einer begründeten Verallgemeinerung voraussetzen muß, läßt es sich wahrscheinlich machen, daß die Form des Geschehens, das die notwendige und hinreichende Bedingung ihres Auftretens bildet, materiellen Vorgängen analog ist, die wir in der anorganischen Natur verwirklicht sehen, dann ist offenbar auch das letzte Hindernis hinweggeräumt, das einer realistischen Naturbetrachtung entgegengehalten werden kann.

Nun ist es freilich unbestreitbar, daß bei dem Stande unseres gegenwärtigen Wissens eine einigermaßen gesicherte Kenntnis der materiellen Substrate unserer Empfindungen, man kann sagen, an keinem Punkte erreicht ist. Die großen Fortschritte, welche die Analyse durch das Zusammenarbeiten der Anatomen, der Physiologen und Psychologen während der letzten Jahrzehnte gemacht hat, haben zunächst einen solchen Reichtum und eine solche Mannigfaltigkeit der zu erklärenden Tatsachen aufgedeckt, daß zurzeit wenigstens befriedigende Theorien auch innerhalb der engsten Gebiete der Sinnesphysiologie mit irgend einem Grade höherer Wahrscheinlichkeit nicht möglich erscheinen kann. Hierzu kommt, daß über das eigentliche Wesen des nervösen Reizvorganges noch völliges Dunkel liegt. Die Schwierigkeiten, die sich der Untersuchung dessen, was letzthin in den lebenden Nervenzellen und ihren Fortsätzen geschieht, entgegenstellen, sind so groß, daß unser ganzes positives Wissen sich fast ausschließlich auf die Kenntnis der elektrischen Eigenschaften beschränkt, die auch nur innerhalb sehr enger Grenzen, nämlich in dem Gebiet der peripheren Nervenfasern, unmittelbar als eine Funktion an ihm studiert werden können. Die Formeln von positiver und negativer Molekulararbeit oder von Assimilation und Dissimilation sind streng genommen bloße Schemata oder besser Postulate, die allgemeinste Zusammenfassungen in kurzer Bezeichnung gestatten, ohne irgendwelche tatsächliche Aufklärung über das Wesen der zugrunde liegenden Prozesse zu geben. Hier hat die wissenschaftliche Phantasie noch einen nahezu unbeschränkten Spielraum, ja wir sind, wie es von Kries gelegentlich ausdrückt,[1] nicht einmal in den bestuntersuchten Sinnesgebieten, etwa beim Lichtsinn, „in der Lage, eine mäßige Zahl von Möglichkeiten aufzustellen, zwischen denen auf Grund bestimmter Tatsachen abzuwägen wäre." Man kann ganz absehen von den sogenannten

---

[1] Nagel, Handbuch der Physiologie, III, 271.

niederen Sinnen, wo das Tatsachenmaterial erst zum kleinsten Teil bekannt und gesichtet ist, wo die Meinungen der Forscher noch in jeder entscheidenden Frage, hinsichtlich der psychologischen Charakteristik, der physiologischen Grundlage und auch dessen, was als adäquater Reiz zu gelten hat, auseinandergehen; es genügt, sich des bemerkenswerten Schicksales der verschiedenen Hypothesen zu erinnern, die in bezug auf den Hör- und den Lichtsinn, wo alle diese Verhältnisse noch am durchsichtigsten und jedenfalls am meisten durchforscht sind, in neuerer und neuester Zeit aufgestellt worden sind. Während nach dem Abschluß der großen Arbeiten von Helmholtz der Standpunkt gefunden schien, der ein in allem Wesentlichen erschöpfendes Verständnis der erfahrbaren Tatsachen gestattet, hat es sich nun mehr definitiv herausgestellt, daß die von ihm entwickelten und durchgeführten Theorien, wenn überhaupt noch haltbar, im besten Falle nur die Anfänge von Einsichten in zunächst noch garnicht übersehbare Komplikationen bedeuten. Es ist bekannt, wie von seiten Herings und seiner Schule die Dreikomponententheorie der Farben zugunsten ganz anderer Vorstellungen bekämpft worden ist, und es ist zweifellos, daß sie wenigstens in der Fassung von Young-Helmholtz aufgegeben werden muß. Aber nun sind anderseits die Tatsachen hervorgetreten, die von Kries unter dem Namen der Duplizitätstheorie zusammengefaßt hat, und die jedenfalls erhebliche Einschränkungen und Modifikationen der Heringschen Anschauung erfordert. Hier ist wieder alles im Fluß. Am ehesten möchte die Resonanztheorie in der physiologischen Akustik sich allgemeinerer Zustimmung erfreuen; aber auch gegen sie sind trotz ihrer weitgehenden Brauchbarkeit so schwerwiegende Bedenken geltend gemacht worden, daß sie vielleicht mehr durch das Fehlen einer sie ersetzenden Theorie denn durch ihre eigene Vollkommenheit von der Mehrzahl der Forscher zurzeit noch festgehalten wird. Und hierzu kommt, daß auch die Möglichkeit erwogen wird, ob nicht die gesamte psycho-akustische Theorie noch durchgreifender Umgestaltungen fähig und bedürftig ist.[1] Unter diesen Umständen ist natürlich eine Verwertung der Ergebnisse der Sinnesphysiologie im Interesse naturphilosophischer Überlegungen vorläufig aussichtslos. Jeder Versuch dieser Art sieht sich genötigt, in Auseinandersetzungen mit Meinungen und Auf-

---

[1] Münsterberg, Grundzüge der Psychologie, I, 514f.

fassungen einzutreten, über welche allein die allmähliche Forsch-
ung und letzthin das Experiment die Entscheidung bringen kann.
Gleichwohl dürfte der Stand unseres Wissens es doch erlauben,
wenigstens die allgemeinen Gesichtspunkte, von denen diese
Analyse getragen wird, herauszuheben und in bezug auf unser
Problem zu präzisieren.

Das Verhältnis der Empfindungen oder empfundenen Qualitäten zu den nervösen Prozessen, an welche ihr Auftreten gebunden ist, pflegt zumeist im Zusammenhang mit der Frage nach
dem Verhältnis des Geistigen zu dem Körperlichen, des Psychischen und Physischen erörtert zu werden. So setzt die Diskussion
in Übereinstimmung mit der Lehre von der Subjektivität der sinnlichen Qualitäten voraus, daß die Empfindungen als solche dem
geistigen Leben angehören. Indem wir aber eben diese Voraussetzung in Frage stellen, müssen wir es zunächst für durchaus
problematisch halten, ob die Arten möglicher Beziehungen, welche
zwischen Vorgängen, die ohne jeden Zweifel als psychische an-
gesprochen werden müssen, wie die Phänomene des Urteilens
und Haß und Liebe, und gewissen materiellen Prozessen bestehen
mögen, auch in gleicher Weise von dem Gebiet der Empfindungen ausgesagt werden dürfen; oder umgekehrt, ob diejenigen
Formen von Relationen, welche den Zusammenhang von Bewegung und Empfindung denkbar machen sollen, ohne Einschränkung
oder Erweiterung als giltig für die eigentlich seelischen Erlebnisse
gesetzt werden dürfen. Es ist keineswegs selbstverständlich, daß
beide Klassen von Erscheinungen, die in ihrem psychologischen
Charakter so weit differieren, daß die eine immer nur Objekt
der anderen ist, in der gleichen Weise auf physisches Geschehen
bezogen werden müssen. Wenn die philosophischen Bemühungen,
die gerade in neuester Zeit wiederum lebhaftes Interesse gefunden
haben, das Verhältnis von Leib und Seele oder Natur und Geist
faßlich zu machen sich fast ausschließlich in der Disjunktion,
Wechselwirkung oder psychophysischem Parallelismus bewegen, so
wird eine dritte Möglichkeit zumeist außer acht gelassen. Es ist
immerhin ein Standpunkt denkbar, für den Natur und Geist weder
so verschieden wie es ein konsequenter Dualismus etwa im Sinne
des kartesianischen Systems erfordert, noch aber so gleich wie
zwei restlos sich deckende Kreise sind, oder vielmehr nur zwei
Ansichten eines sich selbst identischen Realen, etwa im Sinne
Fechners, bedeuten, für den vielmehr Natur und Geist, wie

Wundt es einmal darstellt,[1] „zwei sich kreuzende Gebiete“ sind, „die nur einen Teil ihrer Objekte miteinander gemein haben.“ Nimmt man an, daß die den beiden Welten gemeinsamen Elemente die Empfindungsinhalte sind, dann könnte auf der einen Seite ein strenger Parallelismus von Empfindung und Bewegung gefordert, auf der anderen ein Verhältnis von Wechselbeziehung oder Wechselwirkung zwischen den mit den Empfindungen verknüpften physischen Vorgängen und den eigentlich seelischen Funktionen für möglich gehalten werden. Eine solche Anschauung schließt, wie es scheint, nicht größere Schwierigkeiten, als die einseitig dualistischen oder monistischen Theorien ein. Immerhin mag sie, wie man auch über ihre Verwertbarkeit urteilen mag, die Berechtigung verdeutlichen, in der Untersuchung des Verhältnisses vom leiblichen und seelischen Geschehen die einzelnen Erscheinungen sorgfältig zu sondern.

Die Grundlage aller neueren Hypothesen über die Art des Zusammenhanges von Physischem und Psychischem bietet die erfahrungsmäßig erworbene und fortschreitend sich vertiefende Kenntnis von der Bedeutung des nervösen Systems für den Vollzug der seelischen Leistungen. Diese Einsicht, die sich nicht etwa auf ein bloß logisches Postulat gründet, sondern das Ergebnis tatsächlicher, mühsamer, auf das Experiment und die klinische Erfahrung gestützter Forschung ist, kann, soweit das bisher ermittelte Tatsachenmaterial allgemeinste Schlüsse gestattet, dahin ausgedrückt werden, daß die psychischen Funktionen an gewisse, in den körperlichen Systemen ablaufende Prozesse materieller Natur gebunden sind, insofern dieselben als eine notwendige Bedingung für ihr Auftreten anzusehen sind. Dieses Zuordnungsprinzip, dem man auch über den Kreis der bisher sichergestellten Beobachtungen hinaus wenigstens eine heuristische Gültigkeit nicht wird versagen können, hat zunächst eine rein methodische Bedeutung; es enthält an und für sich keine Entscheidung zugunsten irgend einer metaphysischen Hypothese, und es ist daher ein irreführender Sprachgebrauch, wenn man es als das Prinzip des psychophysischen Parallelismus bezeichnet. Eine Annahme freilich, die lange Zeit hindurch in dem wissenschaftlichen Denken sich erhalten hatte, ist dadurch ausgeschlossen und kann daher als für immer widerlegt angesehen werden. Gegenüber dem

---

[1] Logik, 2, II, 2. Aufl., 258.

Nachweis, daß das seelische Leben an materielle Geschehnisse
gebunden ist, welche sich über einen großen räumlichen Bezirk
erstrecken und zugleich auf distinkte und voneinander unabhängige Stellen in demselben verteilen, läßt sich die Auffassung
der Seele als einer raumlosen, einfachen, immateriellen Substanz
wie Descartes ihren Begriff entwickelt hatte und wie Lotze ihn
in seinen früheren Schriften noch vertrat, nicht mehr aufrecht erhalten. Damit ist aber natürlich nicht zugleich die allgemeine,
geschichtlich mit dieser besonderen Hypothese entstandene Vorstellung über das Verhältnis einer Wechselwirkung zwischen den
seelischen und körperlichen Realitäten aufgehoben. So hat etwa
Lotze in seinen letzten Arbeiten[1] eine Möglichkeit ihres Zusammenhanges gezeigt, welche bei aller Anerkennung der erfahrungsgemäß ermittelten Tatsachen in bezug auf die leibliche Begründung der geistigen Tätigkeiten dennoch die relative Selbständigkeit beider Gebiete und der zwischen ihnen noch immer
denkbaren Formen gegenseitiger Einwirkungen bestehen läßt.
Wenn die Spekulationen über einen punktförmigen Seelensitz durch
die Fortschritte der Anatomie und Physiologie der Zentralorgane
hinfällig geworden sind, so berechtigt das nicht, der Seele nunmehr geradezu in gewisser Hinsicht eine Räumlichkeit beizulegen
und diese angebliche Erfahrungstatsache im Interesse parallelist-
ischer Hypothesenbildung zu verwerten.[2] — Vielmehr lehren diese
Erkenntnisse der eindringenden Forschung zunächst nur die allgemeine Frage enger zu fassen und in diejenigen Unterfragen zu
zerlegen, die erst eine präzise Formulierung ermöglichen und
damit zugleich die Aussicht, sie ihrer Lösung entgegenzuführen,
eröffnen. Denn das Eigentümliche der Beziehungen zwischen dem
leiblichen und geistigen Geschehen gestattet oder erfordert vielmehr genauere Bestimmung im einzelnen.

Es gilt nun als ein wesentliches Merkmal der psychischen
Realitäten, daß dieselben nicht in gleicher Weise wie die Körper
als ausgedehnte Dinge im Raum anzusehen und anzutreffen sind.
Wir können diesen Satz hier aufnehmen und, indem wir ihn er-
gänzen, zu einem Kriterium der schwebenden Frage fortbilden.
Alle naturwissenschaftliche Erfahrung über Gegenstände der

---

[1] Metaphysik, 574 ff.

[2] Vergl. z. B. Ebbinghaus, Psychologie, I, § 3. Auch Münsterberg,
Psychologie, I, 258, betont, daß dem Psychischem in demselben Sinne, in welchem
ihm Zeitbestimmungen zukommen, auch Raumwerte eigen sind.

Außenwelt, wozu auch der Organismus des Mitmenschen als Objekt der physiologischen Forschung gehört, ist an die vermittelnde Tätigkeit der Sinnesorgane dessen geknüpft, der diese Erfahrungen und Beobachtungen gemacht hat. Demgemäß untersteht die Untersuchung von Vorgängen, die in einem lebenden und empfindenden Individuum sich abspielen, denselben Bedingungen, wie die jeder Außenwirklichkeit; und auch für sie gilt der Satz, den wir nun schon bei den verschiedensten Wendungen hervorgehoben haben, daß die von ihr erkannten und aufgedeckten Sachverhalte erschlossen sind, sofern sie einen von mir unabhängigen und von meinen Erscheinungsbildern gesonderten Tatbestand darstellen. Daher ist zunächst das Psychische, was in den fremden Leibern existent angenommen wird, im Prinzip nicht mehr oder minder hypothetisch als diese selbst; jedenfalls sind sie beide meiner unmittelbaren Erfahrung ewig unzugänglich. Gesetzt selbst, eine gelegentlich von Seashore vorgeschlagene Anordnung wäre durchführbar, nach welcher die bei verschiedenen Personen korrespondierenden Zellen der Hirnrinde, in denen die materiellen Korrelatvorgänge gewisser geistiger Erlebnisse verlaufen, miteinander unmittelbar verbunden seien, so daß eine direkte Übertragung der Endeffekte des eintreffenden Reizes möglich wäre, dann möchte es scheinen, als könne bei einem solchen gleichsam telepathischen Verkehr das fremde Gefühl in meine Eigenerfahrung eingehen. Aber streng genommen wird doch hier nicht der fremde Zustand als solcher von mir erfahren, vielmehr wird in mir nur ein jenem völlig gleicher erzeugt. Es ist phänomenologisch falsch, zu sagen, der gesehene Baum sei ein gemeinsames Erfahrungsobjekt für eine Mehrheit von Individuen; denn sehen können wir nur unter Vermittlung des Lichtes, das nach optischen Gesetzen auf unserer Retina ein Bild erzeugt und dieses Netzhautbild ist es, wenn wir, um ein vorläufiges Schema zu haben, von weiteren Modifikationen des Reizes absehen, das empfundene Sehding. Dein Netzhautbild kann nun aber immer nur in derselben Art wie dein Gefühl unter jenen hypothetischen Bedingungen mein Erfahrungsinhalt werden. Demgemäß hat die physiologische Forschung in der Auswahl der Konstruktionselemente, welche sie zur Erklärung des Lebens und der Lebenserscheinungen setzt, freie Bahn. Ließe es sich nun zeigen, daß für die Erfüllung dieses Zweckes die Annahme von Elementen und Bestimmungsstücken genügt, die als solche lediglich physikalisch oder chemisch definiert sind, könnte mit anderen Worten auch das, was wir als psychisches Leben in den fremden Leibern vermuten, nach den Gesetzen und in Abhängigkeit von der anorganischen Natur konstruiert werden, dann läge kein zureichender Grund mehr vor, das Psychische als eine besondere Art von Wirklichkeit dem materiellen Geschehen gegenüberzustellen. In demselben Sinne, in welchem gewisse chemische Prozesse in der Hirnrinde des Mitmenschen objektiv vorfindbar sind, sind es dann auch die Gefühle und Gedanken, die sich mit jenen verknüpfen. Wir hätten dann das Recht, den beseelten Körper als eine Wirklichkeit zu bezeichnen, zu deren wesentlichen, wennschon nicht einzigen Bestimmungen die physikalischen und chemischen Eigenschaften gehören. Und ich wüßte nicht, wodurch sich eine solche Erklärungsweise von einem Materialismus unterscheidet. Denn über die Tatsache, daß es in diesem Falle doch die physikalischen und chemischen Gesetze sind, welche die seelischen Vorgänge in einem Organismus bestimmen, und nicht umgekehrt, hilft keine idealistische oder phänomenologische Anschauung hinweg, die in der erscheinenden Körperlichkeit nur ein verborgenes Seelisches sieht. Und anderseits ist mit der streng materialistischen Grundauffassung die Annahme der Existenz von Phänomenen, die auch andere als mechanische oder räumliche Eigenschaften aufweisen, durchaus verträglich, solange nur eine eindeutige Zuordnung der letzteren zu den materiellen Elementen oder ihren Verbindungen oder ihren Änderungen gewahrt bleibt.

Nun scheint es aber, daß eine solche Auffassung und Darstellung und Ableitung des seelischen Lebens aus den Gesetzen des körperlichen Geschehens nicht nur zurzeit, sondern überhaupt ausgeschlossen ist. Und zwar gründet sich ihre Ablehnung nicht auf irgend eine apriorische Überlegung über die Unlöslichkeit von Welträtseln. Ein Versuch, das Geistige, wie es unter den Bedingungen des Naturganzen hervortritt, aus diesen Bedingungen zu erklären, d. h. dem Naturganzen gesetzmäßig einzuordnen, enthält so wenig eine innere Denkunmöglichkeit wie die chemische Wissenschaft, die auch in den Eigenschaften der Verbindung die Entstehung eines Neuen hinnehmen muß, ohne dieselbe durchsichtig machen zu können. Vielmehr sind es ausschließlich die erfahrungsgemäß ermittelten Unterschiede beider Klassen von Erscheinungen, die besondere Art von Unvergleichlichkeit, die zwischen seelischen und körperlichen Vorgängen besteht, welche eine Unterordnung des seelischen Lebens unter den erkannten Zusammenhang der Natur nicht als durchführbar erscheinen läßt. Wir lassen hier dahingestellt, welches die Eigentümlichkeiten sind, vermöge deren die Tatsachen des Geistes nicht als Eigenschaften oder Seiten der Materie aufgefaßt werden können; es sind dieselben, welche die Auflösung des geistigen Lebens in eine psychische Atomistik, wie sie etwa Münsterberg als logisches Ideal der wissenschaftlichen Psychologie entworfen, wie sie etwa James[1] als Mind-Stuff-Theorie gezeichnet und verworfen hat, unwahrscheinlich machen; denn mit der Reduktion des Seelischen auf ein System von Gleichförmigkeiten konstanter Elemente steht und fällt die Möglichkeit einer strengen Parallelität von Physischem und Psychischem. Wir lassen auch dahingestellt, ob auf Grund dieser Einsicht die Beziehung zwischen den psychischen Erlebnissen und den materiellen Prozessen, die anderseits eine notwendige, wennschon nicht allein hinreichende Bedingung ihres Auftretens bilden, zu denken ist. Für uns ist nur die Stellung der Empfindungen von Bedeutung, die ihnen in dem Zusammenhang dieser beiden Arten von Wirklichkeiten zukommen. Zeigen auch die Qualitäten ein derartiges Moment des Eigentümlichen, daß ihre Ausschließung aus dem Naturgeschehen erfordert? Weisen auch sie einen spezifischen Charakter auf, der nun zwingend verbietet, sie als Seiten oder Eigenschaften oder Parallelphänomene der Materie oder gewisser materieller Vorgänge zu denken. Kann die Psychophysik oder die Physiologie der Sinne es in der Tat wahrscheinlich machen, daß eine restlose Darstellung der Empfindungsinhalte und der in ihrer Koexistenz und Sukzession beobachtbaren Regelmäßigkeiten durch Gesetze des materiellen Geschehens wenigstens im Bereich der Zukunft liegt, dann ist mit den Mitteln, die zurzeit zur Verfügung stehen, und innerhalb der Grenzen, in denen sie verwendet werden dürfen, der Nachweis ihrer Objektivität, d. h. ihre Zugehörigkeit zur physischen Natur gebracht. Denn unter dieser Voraussetzung ist nun weiter der Schluß auf die Existenz von unseren Sinnesinhalten analogen Qualitäten auch in dem Gebiet der anorganischen Natur soweit erlaubt, als die Ähnlichkeit der mechanischen Vorgänge in dieser mit den Prozessen, an welche die Empfindungen innerhalb der Organismen geknüpft sind, reicht.

---

[1] Principles of Psychology, I, 150f.

Verstehen wir unter dem mechanischen Korrelat der Sinnesdaten diejenigen physischen Vorgänge, denen sie eindeutig zugeordnet werden können, so daß alle Bestimmungen, welche diesen
zukommen, auch dieser eigen sind und durch sie vollständig angegeben werden können — mögen es nun Schwingungen oder
Lageveränderungen von Atomen oder Atomverbindungen, chemische
Zerfall- oder Aufbauprozesse oder elektrische Strömungen sein —
so kann es als eine im ganzen zugestandene Annahme der physiologischen Forschung angesehen werden, daß solche Vorgänge
existieren, daß sie von der fortschreitenden Untersuchung allmählich
aufgedeckt werden können. Diese Voraussetzung, die oft in dem
mißverständlichen Prinzip des psychophysischen Parallelismus ihren
Ausdruck findet, ist keineswegs so selbstverständlich und nicht
einmal in dem Maße erforderlich, wie es zunächst erscheint. Vielmehr muß in Erwägung aller denkbaren Möglichkeiten betont
werden, daß der Tatbestand, soweit er bisher bekannt ist, auch
noch andere Interpretationen gestattet. So könnte auch die Vermutung verteidigt werden, daß vielleicht weniger ein bestimmter
eng abgegrenzter materieller Prozeß als vielmehr ein ganzer Inbegriff von Vorgängen, von der Reizung des peripheren Organs
bis zur Erregung der zentralen Sinnesflächen, als die notwendige
Vorbedingung für das Auftreten der Sinnesempfindung aufzufassen
sei, daß diese mithin abhängig von Bestimmtheiten und Veränderungen sich erweist, die im körperlichen System auf verschiedene Stellen verteilt sind. Die von Münsterberg entworfene
Aktionstheorie[1] bewegt sich etwa in der Richtung dieser Auffas-
ung. Nach ihr ist zwar die physiologisch sensorische Erregung
an sich überhaupt nicht von psychischen Vorgängen begleitet,
sondern sie wird erst psychophysisch beim Übergang der Erregung
von der sensorischen Endstation in den motorischen Apparat.
Aber wenn auch so die psychischen Elemente einem genau um-
grenzten Vorgang im Rindengebiete zugeordnet werden, so reicht
doch dieser Prozeß allein nicht zur vollständigen Charakteristik
seines psychischen Korrelates hin, vielmehr wird die Qualität ausdrücklich von der räumlichen Lage der Erregungsbahn, die
Intensität der Empfindung von der Stärke der Erregung, die Wert-
nuance der Empfindung von der räumlichen Lage der Entladungs-
bahn, die Lebhaftigkeit der Empfindung von der Stärke der
Entladung abhängig gesetzt. Hier werden die verschiedenen

---

[1] Grundzüge der Psychologie, I, Kap. 15.

Momente der Empfindung, die uns immer nur als ein Ganzes und Unlösliches gegeben ist, zu streng voneinander getrennten und verschiedenen Bedingungsgruppen in Beziehung gebracht; erst deren Gesamtheit bildet ihre vollständige materielle Grundlage. Nun ist richtig, daß die Zerlegung sich noch innerhalb der Grenzen bewegt, in denen die tatsächliche Analyse an den psychischen Phänomenen der Empfindung unterscheidbare Merkmale antrifft. Wenn es zu der Bedingung unserer Sinnlichkeit gehört, daß die Empfindungsinhalte, die Empfindungen im strengen Sinne des Wortes, immer mit Momenten verbunden auftreten, deren Verschwinden auch das Verschwinden der Empfindung zur Folge hat, dann mag es immerhin verständlich erscheinen, daß diese Momente, wie sie unabhängig voneinander variabel sind, auch an verschiedene, etwa räumlich nacheinander gelegte Vorgänge gebunden sind. Aber offenbar kann der zugrunde liegende Gedanke nun auch auf die Qualität der Empfindung selbst angewandt werden; auch für sie ist es denkbar und jedenfalls nicht von vornherein ausgeschlossen, daß sie, obschon in der inneren Erfahrung ein schlechthin Einfaches, von dem Zusammenwirken einer Mehrheit von Faktoren abhängig ist, die eine Bedingungsgesamtheit für sie formieren. Der Schluß aus dem psychisch Einfachen auf das physisch Einfache ist mehrdeutig und stets mit einem hohen Maße von Unsicherheit behaftet. Es ist möglich, daß es unmittelbare oder einfache Substrate der Sinnesempfindungen überhaupt nicht gibt.

Immerhin sind diese Bedenken, zurzeit wenigstens, bei dem Mangel aller positiven Theorien, die auf sie eingehen, gegenstandslos, und so können auch wir von einer Diskussion ihrer naturphilosophischen Konsequenzen absehen. Bedeutsamer aber ist ein anderer Einwand, der sich grundsätzlich gegen die Annahme eines mechanischen Korrelates der Empfindungen richten läßt und gerichtet worden ist. Er entspringt einer Auffassung von der Bedeutung der Funktionen unseres nervösen Systems, die unter dem Namen der Lehre von den spezifischen Energien entwickelt worden ist. Nach ihrer ursprünglichen extremsten Fassung, wie sie zuerst Johannes Müller gegeben hat, ist „die Sinnesempfindung nicht die Leitung einer Qualität oder eines Zustandes der äußeren Körper zum Bewußtsein, sondern die Leitung einer Qualität, eines Zustandes, eines Sinnesnerven zum Bewußtsein, veranlaßt durch eine äußere Ursache, und diese Qualitäten sind in den verschiedenen Sinnesnerven verschieden, die Sinnesenergien."[1] In den Empfindungen sind uns so „nicht die Wahrheiten der äußeren Dinge, sondern die realen Qualitäten unserer Sinne" gegeben, daher man auch geradezu sagen kann, daß „das Nervenmark hier nur sich selbst leuchtet, dort sich selbst tönt, hier sich selbst fühlt, dort sich selbst riecht und schmeckt."

Und zwar muß diese Erklärung Müllers genau in dem Sinne verstanden werden, den ihr Wortlaut anzunehmen zwingt. Denn abgesehen davon, daß ähnliche Formulierungen an verschiedenen Stellen seiner verschiedenen Werke wiederkehren, hat er auch ausdrücklich gegen eine Interpretation Stellung genommen, die den Tatsachen, auf welche sich die Lehre der spezifischen Energien stützt, eine andere Deutung gibt. Daß die empfundenen Qualitäten zunächst innerhalb des empfindenden Körpers zu lokalisieren sind, daß sie auch durch Ursachen ausgelöst werden können, die ihnen unvergleichbar sind, hatten bereits die großen Denker des 17. Jahrhunderts ausgesprochen, war Gemeingut der physiologischen Einsichten der Zeitgenossen von Müller. So hat vor allem Purkinje in seinen genialen Analysen der Licht- und Farbenerscheinungen insbesondere auch die Abhängigkeit ihrer Entstehung von mechanischen, elektrischen und organischen Reizen untersucht. Aber nach ihm ist doch auch in diesen Fällen ein adäquater Reiz nachweisbar; eine mechanische Einwirkung setzt, so z. B. das Auge „in eine intime oszillatorische Bewegung. Das nun bei diesen Oszillationen teils im Nervenmarke des Auges selbst, teils in der nächsten Umgebung entwickelte Licht wird empfindbar."[2] Gegen eine solche Auffassung, welche mit einer Annahme der Objektivität der Qualitäten durchaus verträglich ist, richtet sich nun gerade die Lehre von spezifischen Sinnesenergien. Indem sie vielmehr postuliert, daß den Sinnesnerven „gewisse unräumliche Kräfte oder Qualitäten" einwohnen, „welche durch die Empfindungsursachen nur angeregt und zur Erscheinung gebracht werden",[3] rückt sie damit sowohl die „Energien des Lichten, Dunklen, Farbigen", die Nerven, als deren Erzeugnisse oder immanente Eigenschaften diese Kräfte anzusehen sind, aus dem Zusammenhang des mechanischen Systems heraus, als welches sich die übrige anorganische Natur der wissenschaftlichen

---

[1] Handbuch der Physiologie, II, 2, 254.
[2] Zur vergleichenden Physiologie des Gesichtssinnes, 1826, S. 50.
[3] Handbuch, I, 2, 3, S. 180.

Denkweise darstellt. Von dem Verhältnis der Empfindungen zu materiellen, eindeutig bestimmten Prozessen als ihrem mechanischen Korrelat, ist auf diesem Standpunkt nicht mehr zu reden möglich. Bezeichnet doch Müller geradezu die von ihm eingeführten spezifischen Sinnesenergien als „Energien im Sinne des Aristoteles."[1]

Nun dürfte es keinem Zweifel unterliegen, daß diese Nervenenergien für die mechanische Naturerklärung ein Mysterium sind. Werden den Sinnesnerven spezifische Kräfte beigelegt, die, da sie in der Erzeugung der spezifischen Empfindung sich erschöpfen, physiologisch oder allgemein mechanisch nicht zu beschreiben sind, dann können diese Nerven und ihre Funktionen niemals mit den Mitteln der mechanischen Naturforschung dargestellt und erklärt werden. Das Wort Energie ist ein Name für einen uns vollkommen undurchsichtigen und unbegreiflichen Effekt. Es ist ersichtlich, daß mit dieser Voraussetzung eine bedenkliche Einschränkung der mechanischen Naturbetrachtung gefordert wird, wer sie befürwortet, kann, streng genommen, überhaupt nicht mehr das mechanische Weltbild in dem Sinne gelten lassen, wie es in den Theorien der Physik und Chemie zum Ausdruck gebracht ist. Vielmehr liegt, wenn die bei Müller nicht zur Klarheit gekommene Bedeutung dessen, was in seiner Lehre von den spezifischen Sinnesenergien an prinzipiellen Grundgedanken enthalten ist, allgemein entwickelt wird, die Möglichkeit einer Aussöhnung mit dem exakten Denken nur auf dem Wege jener qualitativen Energetik, wie sie vor allem von Ostwald ausgebildet ist. Bedient man sich aber dieses Ausweges, um den Begriff einer Sinnesenergie in dem Verstande Müllers zu retten, so fällt, wie ausgeführt, die Nötigung fort, in bezug auf die übrige Natur an der Forderung einer qualitätslosen Beschaffenheit festzuhalten. Gibt man jedoch anderseits die Berechtigung der mechanischen Naturerklärung zu, dann ist die Annahme spezifischer, mechanisch nicht zu definierender Kräfte, dieses Residuum einer gleichsam hylozoistischen Auffassungsweise, unhaltbar. Daher war es durchaus folgerichtig, wenn Lotze gegenüber Müllers dunklem Begriff von Energie darauf bestand, daß das Problem derselben lediglich eine rein physiologische Bedeutung habe. „Empfindungen sind nie Leistungen eines Nerven oder eines Zentralorgans, sondern der Seele; niemals darf sich daher mit dem Namen der spezifischen Energien der Nebengedanke verbinden, als läge es in der Natur des Nerven

---

[1] Ib., II, 2, S. 255.

und seinem Eigensinn, daß er beständig Licht und Schall empfinde. Einer weiteren Kritik kann nur der bestimmter ausgedrückte Satz unterzogen werden, daß jeder Nerv, welches auch immer die Reize gewesen sein mögen, die auf ihn einwirkten, stets nur in eine ihm ausschließlich eigene Klasse physischer Zustände versetzt werden, und demgemäß auch der Seele stets nur Impulse zur Erzeugung einer einzigen Klasse der Empfindungen mitteilen können."[1] Sieht man von der in diesen Worten angedeuteten Stellung und Tätigkeit der Seele ab, so kann füglich nicht bestritten werden, daß hier genau der Punkt angegeben ist, wo die von dem Geist der mechanischen Denkweise geleitete Physiologie, welche keine Einführung geheimnisvoller Kraftprinzipien gestattet, sich von einer mehr mystischen Naturbetrachtung trennt. In der Tat muß, wenn überhaupt den Nerven eine spezifische Leistung zugeschrieben werden soll, dieselbe schon in rein physiologischer Hinsicht spezifisch sein, die Tatsache, daß die materiellen Vorgänge in unseren nervösen Organen unter gewissen Bedingungen von Empfindungen begleitet sind, ist für die physiologische Forschung irrelevant; die Empfindungen fungieren für sie nur als Zeichen für das Eintreten bestimmter, anderweitig, d. h. mit unseren Mitteln direkt nicht beobachtbarer Effekte, für die aber der Umstand, daß auch ein anderes mechanisch oder chemisch nicht Definierbares sie begleitet, kein Merkmal, am wenigsten das unterscheidende Merkmal abgibt. Vielmehr muß die Spezifikation der Leistung schon auf dem rein materiellen Gebiet erkennbar sein. In diesem Sinn ist denn auch die physiologische Forschung über Johannes Müller fortgeschritten. Es mag befremdlich erscheinen, daß das Bewußtsein von der grundsätzlichen Verschiedenheit der Auffassung, von welcher Müllers Lehre von den spezifischen Sinnesenergien beherrscht wird, und der Erweiterung, die sich durch Helmholtz gefunden hat, so spät erst hervorgetreten ist: daß etwa die Resonanztheorie im schärfsten Gegensatz zu der Lehre steht, als dessen Bestätigung oder Durchführung im besonderen sie zunächst und auch von Helmholtz angesehen wurde, kann gegenwärtig kaum noch einem Zweifel unterliegen.[2] Was in ihr als spezifische

---

[1] Medizin. Psychologie, S. 185.

[2] Den Nachweis haben vor allem Weimann, Die Lehre von den spezifischen Sinnesenergien, 1895, und Schwarz, Das Wahrnehmungsproblem u. s. w., gebracht. In derselben Richtung auch Dessoir, Über den Hautsinn, Archiv für Anatomie und Physiologie, Physiolog. Abteilung, 1892, S. 175 ff.

Energie für die einzelnen Tonempfindungen erscheint, ist nicht
mehr irgend eine geheimnisvolle Kraft der sensiblen Fasern des
Akustikus, eine „Energie im Sinne des Aristoteles", sondern
lediglich die physikalische Gesetzmäßigkeit des Systems von Saiten,
dem die Basilarmembran äquivalent gesetzt werden kann, von den
auftretenden Schallwellen nur diejenigen aufzunehmen und auf sie
durch Mitschwingen zu reagieren, für die sie abgesimmt sind.
Die spezifische Energie jeder Schneckenfaser ist somit die ihr
eigene, mechanisch zu ermittelnde und bestimmende Schwingungs-
dauer, durch welche nach physikalischen Gesetzen die Zerlegung
der Gesamtwelle in Sinusschwingungen verständlich und die Klang-
zerlegung durch das Ohr erklärlich wird. Und wenn es auch
vielleicht fraglich ist, ob die Verhältnisse der Schnecke und vor
allem die Dimensionen und die zarten Gewebseigenschaften der
in Betracht kommenden Teile die Übertragung dieser bestimmten
Gesetzmäßigkeit einer physikalischen Räsonnanz gestatten, so scheint
doch in den Helmholtzschen Arbeiten der Weg vorgezeichnet,
den die Physiologie, wenn sie die dunklen Vorstellungen von
Energie und die mit ihr gegebene vitalistische Anschauungsweise
zur Klarheit zu erheben bestrebt ist, allein gehen kann. In diesem
Sinne wird man Hering[1] und Rosenthal[2] durchaus zustimmen
müssen, wenn sie den Begriff der Energie so erweitern, daß unter
ihnen schließlich jede Beschaffenheit unserer Organe fällt, vermöge deren sie zu spezifischen Leistungen befähigt sind. In der
Sinnesphysiologie bedeutet daher die Erklärung durch spezifische
Energien nur einen Notbehelf durch Symbole, welche an sich
keine rätselhaften Kraftformen einführen, sondern nur die Fixierung
materieller Verhältnisse enthalten, die zunächst unserer Kenntnis
nicht zugänglich sind. Wird das in dem Begriff der Energie ausgesprochene Postulat erfüllt gedacht, wird, wie in der Helmholtzschen Hypothese von der Schneckenklaviatur im Ohr, eine bestimmte
physikalisch faßbare Vorstellung der geforderten materiellen Beschaffenheiten dargeboten, dann fällt die Notwendigkeit, von bestimmten Energien noch zu reden. Dieselben sind bei diesem
fortgeschrittenen Stande der Einsichten entbehrlich und überflüssig.
An die Stelle der Lehre von den spezifischen Sinnesenergien tritt
dann, wie Weinmann treffend bemerkt,[3] die Lehre von der

---

[1] Lotos, Neue Folge, 5, 1884.
[2] Biologisches Zentralblatt, 4, 1885.
[3] a. a. O. 57f.

spezifischen Struktur der physiologischen Träger der Empfindung.

Nun liegt allerdings der Schwerpunkt des sogenannten Gesetzes von den spezifischen Sinnesenergien in physiologischer
Hinsicht vor allem in dem Nachweis, daß — was auch immer
am Ende die Energie sein möge — dieselbe doch eine spezifische
Leistung, das heißt eine, in dem nervösen System oder genauer
der Faser oder dem Rindenganglion allein verwirklichte Form des
Naturwirkens sei. Auch wenn angenommen wird, daß den Empfindungen ein eindeutiger mechanischer oder chemischer Vorgang,
ein Molekularprozeß zuzuordnen sei, so besagt das Gesetz, daß
das Nervenelement, welches als der Sitz der Energie anzusehen
ist, nur einer einsinnigen, lediglich intensiv abstufbaren Funktion
fähig ist, gleichgültig, auf welche Weise es auch erregt sei. Aber
für den Zusammenhang unserer Betrachtung genügt es zunächst,
daß jene eindeutige Zuordnung, welche wir als die allgemeine
Bedingung erkannt haben, um die Qualitäten als Naturphänomen
anzusprechen, zugegeben wird. Denn unter dieser Voraussetzung
kann der Fortgang zu der weiteren Annahme, daß nun auch über
das engere Gebiet nervöser Prozesse hinaus ein Parallelverhältnis
von materiellen Vorgängen und Qualitäten möglich und sogar
wahrscheinlich sei, nicht abgewehrt werden. Wenn es auf keine
andere Weise, weder durch psychologische noch erkenntnistheoretische Argumente nachzuweisen ist, daß die empfundenen
Qualitäten, die Sinnesinhalte, ausschließlich psychisch sind, und
wenn anderseits die Reaktion der Nerven auf die Reize in derselben Weise nach mechanischen Gesetzen erfolgen wie die
Reaktion jedes Objektes der Welt, dann muß es nach den
Regeln aller methodischen Forschung gestattet sein, auch in der
unbelebten Natur, dort, wo ähnliche materielle Vorgänge wie in
den Nervenelementen sich abspielen, ähnliche Begleitphänomene
qualitativer Natur zu supponieren. Wie weit die Ähnlichkeit der
nervösen Prozesse, welche das Korrelat der Empfindungen sind,
mit anderen Formen des Geschehens reicht, könnte nur nach
abgeschlossener Untersuchung dessen, was unter der spezifischen
Energie in jedem Falle zu verstehen sei, ermittelt und bestimmt
werden; und da nun hierüber zurzeit gesicherte oder auch nur
irgendwie durchgebildete Vorstellungen nicht vorliegen, so muß
von einer näheren Erwägung der Folgerungen, die hier möglich
und für die Auffassung der Natur unter einem philosophischen

Gesichtspunkt wichtig sind, Abstand genommen werden. Aber mit demselben Recht, mit welchem überhaupt auf die Existenz von materiellen Ursachen unserer Empfindungen geschlossen wird, kann von einer spezifisch qualitativen Beschaffenheit derselben gesprochen werden.

Aber der Stand des physiologischen Wissens und vor allem der allgemeine Charakter, der die Tendenz der neueren physiologischen Theorie beherrscht, gestattet doch wenigstens in einer Richtung den hiermit eingeleiteten Gedankengang zu verfolgen und zu erläutern. Wenn die Lehre von den spezifischen Sinnesenergien auf Grund der Tatsachen der sogenannten inadäquaten Reizung betont, daß die die Empfindungen unmittelbar bestimmenden materiellen Prozesse einsinnige Zustandsänderungen gewisser nervöser Gebilde sind, so darf hervorgehoben werden, daß diese Anschauungsweise doch nicht mehr eine unbestrittene Geltung beanspruchen darf. In dem Sinne, in dem Müller das Gesetz gefaßt und ausgesprochen hat, kann es auch in bezug auf diese Seite nicht richtig sein. Wäre in der Tat der objektive, der adäquate Reiz völlig gleichgültig für den in den Nerven gewirkten Effekt, würde kein Verhältnis von funktioneller Abhängigkeit der Empfindungen von den im normalen Verlauf sie auslösenden Reiz bestehen, dann müßten wir bei dem beständigen Auftreffen von Reizen aller Art auf die Endausbreitungen unserer Nerven in einem beständigen Tumult von Empfindungen, in einem Chaos von Eindrücken leben, das in keinem Punkt Ordnung, Zusammenhang und Gesetzmäßigkeit erkennen ließe.[1] Eine Orientierung in der Welt, wie sie erfahrungsgemäß stattfindet, wäre dann unmöglich. Um diesen unhaltbaren aber aus der Annahme der eindeutigen Beantwortung beliebiger Reize durch die Nerven konsequent fließenden Folgerungen zu entgehen, mußte schon Müller im Widerspruch zu seinen eigenen Ausführungen eine engere gesetzmäßige Beziehung zwischen dem physikalischen Reiz und der Empfindung zugeben. Die Verschiedenheit der Qualitäten ein und desselben Sinnes hängt nach ihm doch von der Verschiedenheit der Reize ab.[2] Und in der Tat hat die fortschreitende Forschung die Behauptung Müllers, daß die Natur des Reizes ganz und gar indifferent gegen die im

---

[1] Ib. 81 f.
[2] Physiologie des Gesichtssinnes, S. 50.

Nerven erwirkte Empfindung sei, einigermaßen eingeschränkt und erschüttert. Vor allem ist die Bedeutung der spezifischen Disposition (nach dem von Nagel eingeführten Ausdruck) der Sinnesorgane, nach der sie für gewisse Reizarten besonders empfänglich sind, immer mehr gewürdigt und klargestellt worden. Schon der äußere Apparat des Sinnesorganes ist, wo ein solcher überhaupt ausgebildet ist, in hohem Maße den adäquaten Reizen angepaßt, sei es, daß er durch seinen Bau den Zutritt inadäquater Reize sehr erschwert und daher bei dem Auftreffen zusammengesetzter Reize auslesend fungiert, sei es, daß er geradezu eine Umwandlung der inadäquaten Reize in adäquate herbeizuführen vermag. Durch diese mit den Ergebnissen der Entwicklungsgeschichte bestens übereinstimmende Einsicht werden schon eine große Reihe von Tatsachen, die Müller noch für die Annahme einer unmittelbaren Empfindungsauslösung durch inadäquate Reize geltend machte, zwanglos erklärt. Und hierzu kommt weiter, daß innerhalb der einzelnen Qualitätenkreise die Durchführung dieses Prinzipes, wie Helmholtz sie inaugurierte, sich als nicht haltbar erwiesen hat. Die neueren Farbentheorien werden durchgehends dahin geführt, in denselben Nervenelementen verschiedene Sehsinnsubstanzen und demgemäß eine Verschiedenheit seiner Reaktionsweisen entsprechend den Unterschieden der Reizung anzunehmen und auch für den Gehörsinn ist eine Akkomodation der einzelnen Phasen mindestens in gewissen Grenzen an den Reiz erforderlich. Und endlich spricht die Entwicklungsgeschichte der Sinneswerkzeuge in der Tierreihe entschieden dafür, daß die spezifischen Reaktionsformen nicht als starre und unabänderliche Funktionen anzusehen sind, und es möchte vielleicht unter diesem Gesichtspunkt sich doch empfehlen, mit Wundt das sogenannte Gesetz der spezifischen Sinnesenergien allgemeiner als das Prinzip der Anpassung der Sinneselemente an die Reize zu formulieren. Natürlich haben sich die Sinnesempfindungen als solche nicht entwickelt, obschon in den eigentümlichen und weitgehenden Ähnlichkeitsverhältnissen, die etwa zwischen gewissen Geruchs- und Geschmacksempfindungen und auch Empfindungen des Hautsinns bestehen, immerhin als eine erfahrungsmäßige Analogie zu einer Differentiierung einzelner Qualitätenreihen aus einer gemeinschaftlichen Grundlage gelten können. Natürlich müssen, wenn die Erfahrung dazu zwingt, den Nervenelementen spezifische Leistungen in dem Sinn konstanter und einsinniger Funktionen zuzusprechen, gewisse strukturelle Unterschiede der verschiedenen ausgebildeten Elemente vorhanden sein. Aber das Wesentliche, wodurch sich diese Auffassung von der Müllers unterscheidet, bleibt doch, daß die spezifischen materiellen Beschaffenheiten durch die Annahme ihrer allmählichen Heranbildung den allgemeinen Gesetzen des Naturzusammenhanges untergeordnet werden.

Jedoch kann auch die Notwendigkeit, überhaupt permanente strukturelle Unterschiede, wie sie bisher die Beobachtung noch nicht hat finden können, anzunehmen, in Frage gestellt werden. Der Tatsachenbeweis, auf den die Lehre Müllers sich stützte, ist doch sehr lückenhaft. Nagel kommt nach sorgsamer Erwägung der mannigfachen, hier in Betracht zu ziehenden, von Müller nicht allseitig berücksichtigten Gesichtspunkten zu dem Ergebnis, daß das bisher bekannte Material eigentlich nur einen einzigen Fall einer wirklichen, klaren Bestätigung der inadäquaten Reizung enthalte; das ist die Erzeugung von Geschmacksempfindungen durch mechanische, chemische und elektrische Reizung des zentralen Stumpfes des Geschmacksnerven.[1] Man wird hinzufügen dürfen, daß auch in diesem Fall die Möglichkeit nicht prinzipiell ausgeschlossen ist, daß es sich hier um eine wie immer näher zu bestimmende vermittelte Reizung durch Entstehung etwa von chemischen Zersetzungsprodukten handeln kann; analoge Fälle der Erzeugung derselben Zustandsänderung durch verschiedene Ursachen zeigt die Physik und Chemie zahlreich.

In Anbetracht dieser Sachlage möchte die Frage doch nicht abzuweisen sein, ob, nachdem einmal die besonderen Qualitäten als von den Reizen abhängig erkannt sind, auch noch die Modalität der Empfindungen, in der Terminologie von Helmholtz als eine Funktion der Nervenelemente in dem Sinne anzusehen ist, daß nicht sowohl die Formen des materiellen Prozesses in ihm, als vielmehr die Tatsache, daß er in ihm verläuft, für die Bestimmung der Empfindungsklasse maßgebend ist. Nach einer Hypothese, die allerdings sehr problematisch ist, bleiben in den Akkustikusfasern die Schwingungsformen der Tonwelle oder der Partialwellen, in die sie zerlegt ist, erhalten, und können daselbst noch Erscheinungen der Addition und der Interferenz hervorrufen. Geben wir für einen Augenblick die Richtigkeit dieser Vorstellung zu, dann lautet die Frage: Ist das Auftreten und die Existenz von

---

[1] Nagel, Handbuch der Physiologie, III, S. 8.

Tönen an jene Schwingungsformen im Akustikus als solche gebunden, so daß auch überall dort, wo sonst ähnliche periodische
Änderungen vorkommen, ähnliche Tongeschehnisse anzunehmen
sind, oder ist der Umstand, daß jene Schwingungsformen im
Hörnerv und gerade in diesem verlaufen, für den Empfindungsinhalt entscheidend? In dem Maße nun, als der Satz Müllers
von der Gleichgültigkeit der Reize für den Erfolg in der Empfindung eingeschränkt wird, schwindet die Notwendigkeit, wenn
sie überhaupt eine ist, im letzteren Sinne sich zu entscheiden.

Ja die Tendenz der physiologischen Forschung der Gegenwart, wie sie von Helmholtz in seinen klassischen Arbeiten ausgesprochen ist, geht noch weiter. Man hat es Helmholtz bis-
weilen zum Vorwurf gemacht, daß er in seinen Hypothesen und
Theorien sich zu stark von physikalischen Gesichtspunkten habe
leiten lassen und physikalische Bedingungen, welche zur Hervor-
bringung von gewissen Empfindungen genügen, unmittelbar in
physiologische Bedingungen umgesetzt habe. In der Tat ist
offensichtlich, daß sowohl die Dreifarbentheorie als auch die
Resonanzhypothese aus physikalischen Überlegungen und Erfahrungen erwachsen ist. Man kann nun die besonderen Hilfs-
annahmen von Helmholtz fallen lassen. Aber die Ersatztheorien,
die bisher hervorgetreten sind, weisen doch alle eine im Prinzip
gleiche Richtung auf; sie streben danach, diejenigen materiellen
Prozesse, welche als bestimmend für die Empfindungen angesehen
werden müssen, nach Analogie von Vorgängen vorzustellen, die
nach den bekannten Gesetzen der Physik und Chemie begriffen
werden können. So sind vor allem die Hörtheorien, soweit sie
auch im einzelnen den Boden der Helmholtzschen Vorstellungsweise verlassen, durch die Neigung, die physiologische Akustik
als einen Sonderfall der physikalischen darzustellen, charakterisiert;
denn das Kriterium, das ihren physikalischen Ursprung beweist,
trifft auf sie alle zu: sie bedienen sich geradezu physikalischer
Modelle, welche gestatten sollen, die bei den Tonphänomenen
beobachtbaren Erscheinungen unabhängig von jedem nervösen
Organ hervorzubringen. Beim Lichtsinn liegen die Verhältnisse
ein wenig ungünstiger; aber hier sind überhaupt allmählich tiefe
Wandlungen in den Anschauungen eingetreten, welche noch nicht
zu einem Abschluß gekommen sind. Die Analogie von Licht
und Ton hat sich in der Entwicklung der theoretischen Physik
als höchst fruchtbar erwiesen; aber auf physiologischem Gebiet

scheinen erhebliche Unterschiede hervorzutreten. Man darf wohl den allgemeinen Satz wagen, daß das materielle Korelat der Lichtempfindungen nicht von derselben Art wie die Zustandsänderungen, also nicht Äthervibrationen oder elektromagnetische Vorgänge sind, welche wir im physikalischen Sinn als Licht bezeichnen.[1] Das Abhängigkeitsverhältnis der Lichtempfindungen von den Ätherwellen ist ein sehr verwickeltes, und immer mehr bricht sich die Überzeugung Bahn, daß dasselbe überhaupt nicht direkt, sondern ein durch wahrscheinlich chemische Vorgänge, die alsdann als das eigentliche Korrelat zu betrachten sind, vermittelt ist. Nun ist — von der Darlegung der subjektiven Erscheinungen ganz abgesehen — unsere Kenntnis von der Lichteinwirkung auf so komplizierte und leicht zersetzliche Stoffe, wie die supponierten Sehsinnsubstanzen sind, zu gering, um eine objektive Ableitung des im subjektiven Befunde Gegebenen auch nur in der angenäherten Form zu geben, bis zu welcher trotz einiger Schwierigkeiten die Hörtheorien fortgeschritten sind. Aber der Weg, durch das Studium der photochemischen Wirkungen des Lichtes Aufklärung zu gewinnen, scheint doch gangbar und durchaus nicht aussichtslos zu sein.[2]

Unter der Voraussetzung der Berechtigung dieser physikalischen Tendenz innerhalb der Physiologie kann nun gefolgert werden, daß die Bezugnahme auf eine besondere im nervösen System gründende Struktur zur Erklärung der Qualitäten wenigstens hinsichtlich der hier aufgeworfenen Frage sich erübrigt. Wenn es möglich ist, alle Eigentümlichkeiten im Auftreten der Qualitäten durch physikalische und chemische Vorgänge nach den allgemein geltenden Naturgesetzen darzustellen, dann besteht offenbar kein Zwang mehr, dem Ort der Verwirklichung dieser Vorgänge für den Empfindungseffekt eine eigene Bedeutung zuzusprechen. Nur insofern kämen dann die Sinnesapparate oder die nervösen Strukturen in Betracht, als sie die besonderen Bedingungen enthalten, welche die Modifikation oder die Transformation der Reizform in den Korrelatvorgang bestimmen. Aber eben darum wären wir berechtigt, von den mit diesen letzten Prozessen zugleich gegebenen Qualitäten aus auch auf eine

---

[1] Damit fällt das von Wundt, Phil. Studien, XII, 348, angezogene Argument von der Transformierbarkeit des „objektiven" Lichtes.

[2] Wundt, Physiologische Psychologie, 5. Aufl., I, 458f.

qualitative Beschaffenheit jener Vorgänge zu schließen, von denen sie nur einen modifizierten Teil bilden.

Und für dieses Ergebnis der Sinnesphysiologie, daß die Entstehung der Empfindung unmittelbar durch die im peripheren Organ ausgelösten materiellen Prozesse bedingt sei, erweist sich auch, was bisher von der Bedeutung und Funktion der zentralen Partien des Nervensystems ermittelt ist, keineswegs so ungünstig, daß eine prinzipielle Revision desselben erforderlich scheint. Es ist ja eine Annahme, die sich noch weiter Verbreitung erfreut, daß der Entstehungsort der Empfindungen ausschließlich in den mehr zentralwärts gelegenen Teilen, sei es den subkortikalen Zentren oder den Rindenganglien gesucht werden müssen. Aber sieht man auch von dem einer metaphysischen Denkweise entstammenden Vorurteil ab, nach welchem die Empfindung oder das sie hervorrufende Korrelat nach irgend einem Zentrum, dem „Ort des Bewußtseins" geführt werden müsse, da das Verhältnis der Seele zum Körper schließlich nur als ein räumliches vorstellig ist, so können doch auch die zu ihren Gunsten sprechenden, aus der Erfahrung geschöpften Gründe nicht als vollgültige Beweise für sie betrachtet werden.

Zunächst besagen die Exstirpationsversuche und die Erscheinungen der zentralen Läsionen, sowie die Untersuchungen der Elementarstrukturen der Zentralorgane, die alle gleichmäßig zu einer Lokalisation, wenigstens der elementaren Funktionen in den Zentren beim Säugetiergehirn führen, nicht notwendig, daß nun die Seh- und Hörsphäre etwa als der ausschließliche Sitz der Licht- und Tonempfindungen zu betrachten seien. Schon der Umstand, daß bei gewissen Wirbeltieren und in anderen Gruppen des Tierreiches, denen die Perzeption von Lichtempfindungen nicht wohl abzusprechen ist, die Verhältnisse ganz anders liegen, muß gegen solche weitgehende Folgerungen Bedenken erwecken. Und zudem scheint überhaupt die Bedeutung dieser Zentren wesentlich umfassender zu sein; hätten sie keine weiteren Aufgaben, als die in den peripheren Organen ausgelösten Erregungen einfach zu wiederholen, um sie nun erst mit dem Empfindungsäquivalent zu versehen, so wäre diese Verdoppelung ein Luxus in der Einrichtung unseres Körpers, für welchen jedes Analogon fehlt. Aber die Einsicht, daß diese Zentren doch zugleich die Gebiete sind, wo die mannigfachen Funktionen, die zum Vollzug eines wirklichen Wahrnehmungsvorganges, etwa des Sehaktes, erforderlich sind, zusammenwirken, die vollständige Berücksichtigung der funktionellen wie der anatomischen Verhältnisse macht doch immer mehr wahrscheinlich, daß in ihnen vor allem Regulierungseinrichtungen zu erblicken sind, durch welche der von der Peripherie eintreffende Reiz in das System erhaltungsgemäßer Leistungen des Gesamtorganismus eingeordnet wird. So wäre allerdings die unversehrte Tätigkeit dieser Zentren eine Vorbedingung für das Zustandekommen einer vollendeten Wahrnehmung, aber nichts hindert grundsätzlich den physiologischen Reiz schon im Organ derart formiert zu denken, daß er als Träger einer bestimmten Empfindungsqualität erachtet werden kann. Die zentralen Prozesse mögen dann hinsichtlich ihres psychologischen Wertes als die Grundlagen für die in jedem Akt der Wahrnehmung enthaltenen Vorgänge von Unterscheidung u. s. w. fungieren; während die zu unterscheidenden Erregungen selbst im peripheren Organ vorgebildet sind.[1]

Gleichwohl ist es möglich, daß diese Auffassung, die man wohl als Identitätstheorie bezeichnen kann,[2] insofern die durch die äußeren Einwirkungen in den Endapparaten der Sinnesnerven hervorgebrachten objektiven Veränderungen identisch mit dem Inhalt der durch sie erzeugten Empfindungen sind, in einigen Punkten einer Berichtigung bedarf. So könnten in den Tatsachen der Empfindung selbst Eigentümlichkeiten enthalten sein, welche für einen mehr zentralen Ursprung derselben sprechen. In der Tat ist so die Vermutung ausgesprochen worden, daß etwa bloß die achromatische Lichtempfindung im Gegensatz zu dem eigentlichen Farbensinn auf zentralen Bedingungen beruhe, so daß in unserem Sehorgan gewissermaßen zwei Apparate hintereinander geschaltet sind, und G o l d s c h e i d e r und v. K r i e s haben neuerdings auf Grund der für das Erkennen der Abweichung von der Farblosigkeit bestehenden Schwelle die Annahme nahegelegt, daß vielleicht die Entstehung der farbigen Empfindung an interneuronale Umsetzungen gebunden ist.[3] Ein ähnliches für die Tonempfindungen anzunehmen, scheint bisher noch nicht erforderlich, da über die einzige bisher hier in Betracht kommende Erscheinung, die Tatsache der Verschmelzung, die Akten noch nicht geschlossen sind. Sowohl eine rein psychologische Erklärung

---

[1] Ib. III, 246.
[2] Boll, Archiv für Physiologie, I, 1877, S. 34f.
[3] Nagel, Handbuch, III, 272.

dieses Phänomens etwa im Sinne Wundts,[1] noch eine rein
physiologische oder wie man eigentlich richtiger sagen sollte
physikalisch - physiologische Erklärung im Sinne von Ebbinghaus[2] kann noch nicht in jeder Hinsicht widerlegt gelten, ganz
abgesehen davon, daß der Leistungswert anderer Hörtheorien,
etwa der Ewaldschen Hypothese, in diesem Zusammenhang
noch nicht erprobt ist.

Aber es ist vor allem eine andere Gruppe von Erfahrungen,
welche zu einer Ergänzung der Identitätsanschauung drängen, und
die noch immer für den zentralen Ursprung der Empfindungen
angeführt werden.   Hierher gehören die Erscheinungen, die man
unter dem Namen der zentralen Erregung von Sinnesempfindungen zusammengefaßt hat, also die Halluzinationen, die Traum-
phänomene und die subjektiven und die gedächtnismäßig reproduzierten Empfindungen.

Nun unterliegt es aber keinem Zweifel, daß in der theoretischen Auffassung dieser Vorgänge sich eine erhebliche Umwandlung, wenn nicht schon vollzogen, so doch allmählich vorbereitet
hat. Für Descartes und das 17. Jahrhundert waren der Traum und
die Halluzination noch Schöpfungen einer eigenen Welt aus rein
subjektiven Elementen, gleichsam aus dem Nichts.   Die fortschreitende Untersuchung hat aber gelehrt, daß in allen diesen
Fällen eine viel engere und zwar stets durch präsente Sinneseindrücke vermittelte Beziehung der subjektiven Gebilde zu der
Umgebung besteht.   Die Übergänge der Halluzinationen zu den
Illusionen, den falsch gedeuteten aber peripher erregten Empfindungen, sind so fließend, daß man, streng genommen, dieselben
nur als Grenzfälle bezeichnen kann, in denen der das Phantasma
auslösende Sinneseindruck so schwach oder an Ausdehnung so
beschränkt ist, daß er nicht bemerkt wird.[3]   Zudem erhöht die
gesteigerte Reizbarkeit in pathologischen Zuständen die Neigung
zur phantastischen Umgestaltung minimaler Reize, die der normalen
Wahrnehmung entgehen, und andrerseits scheinen in den auffallendsten der Halluzinationen noch ganz andere Motive, die etwa einem
lastenden Gefühlsdruck entspringen, wirksam zu sein. Und ganz
ähnlich verhält es sich mit dem Traumleben; auch hier hat ein
methodisches Studium der Bedingungen, unter denen Träume

---

[1] Wundt, a. a. O., III, 526.
[2] Psychologie, I, 326 f.
[3] Wundt, a. a. O., III, 647.

entstehen, den überwiegenden Einfluss äußerer oder auch innerer Reizeinwirkungen, die in den peripheren Sinnesapparaten Erregungen hervorrufen, nachweisen können; Riehl bezeichnet es daher geradezu als unvollkommenes, unzusammenhängendes Wachen.[1] Und so wenig wie die Traumvorstellungen dürfen die reproduzierten Vorstellungen im wachen Zustande als allein durch zentrale Vorgänge hervorgebracht und unabhängig von den uns beständig bestürmenden Eindrücken der Außenwelt bestehende Gebilde aufgefaßt werden. Es gibt, so faßt Wundt wohl in Übereinstimmung mit der Auffassung, die in der neueren Psychologie die Herrschaft errungen hat, zusammen,[2] es gibt „überall keine unveränderte Widererneuerung früherer, selbständiger Vorstellungen, sondern was wir Reproduktion nennen, ist nur eine Assimilationsform, bei der sich gewisse dominierende Elemente vergangener Vorstellungen mit den entsprechenden Elementen neuer Eindrücke verbinden." So zerstört die psychologische Analyse auch hier, wie bei den einfachen Sinneswahrnehmungen, den Schein der Einfachheit der Vorgänge, und indem sie, entgegen dem natürlichen Abstraktions- und Hypostasierungsverfahren einer vergangenen Psychologie die psychischen Prozesse in ihrem natürlichen Zusammenhang, in der ganzen Breite ihrer Beziehungen zu den verschiedenen Funktionen untersucht, hebt sie die künstliche Scheidung der einzelnen Seelenkräfte und ihrer Leistungen auf, befreit sie die Seele von jenem Getümmel selbständiger Wesenheiten, die als Vorstellungen, Wahrnehmungen einer Schar von Geistern gleich ihren Raum einnahmen. Und zwar tritt immer mehr die Bedeutung unserer Sinnesorgane und deren Erzeugnisse, der Empfindungen, hervor, die, wie Kant bemerkt, zumeist unser Gemüt besetzt halten. In dieser Richtung liegt, was in der sensualistischen Auffassung des Seelenlebens berechtigt ist. Hier entsteht ihr vor allem die große Aufgabe einer Reform der Assoziationslehre, die noch immer in ihrer geschichtlichen unhaltbaren Gestalt umgeht. Aber soweit, als der Umfang der rein zentralen Leistungen eingeschränkt wird, läßt die Berechtigung nach, einen ausschließlich zentralen Ursprung der Empfindungen anzunehmen. Nicht einmal die Fälle, in denen die Einwirkung äußerer Reizursachen mit Sicherheit ausgeschlossen werden kann, sind beweiskräftig. Daß Halluzinationen und Träume auch nach völliger Zerstörung des peripheren Sinnes-

---

[1] Philos. Kritizismus, II, 2, 131.
[2] Ib. 309.

apparates und Nerven auftreten, die Phantasmen enthalten, die durch
jene unter normalen Bedingungen hervorgebracht wurden, lehrt
allerdings, daß zentrale Vorgänge auch von Empfindungen begleitet sein können. Aber ganz abgesehen davon, daß über die
Lebhaftigkeit der Empfindungen bei diesen Zuständen geschwächter
Urteilskraft eine Kontrolle nicht leicht gesichert ist, stehen zwei
Tatsachen dem entgegen, daß nun dies Verhältnis als das normale
und gar als das allein mögliche angesehen werde. Einmal sind peri-
phere Erregungen, also etwa Umsetzung des physikalischen Lichtes
in jene photochemischen Vorgänge, die die physiologische Bedingung der normalen Lichtempfindung bilden, mindestens zur ersten
Entstehung dieser spezifischen Empfindungen nötig; Blindgeborne
haben erfahrungsgemäß keine optische Phantasmen.   Anderseits aber sprechen doch alle physiologischen Theorien, die bisher
hervorgetreten sind, im allgemeinen dafür, daß diejenigen Prozesse,
welche die Empfindungen bestimmen und daher als ihr mechanisches Korrelat angesehen werden dürfen, in den peripheren
Organen ihren Ort haben.   Soweit es gelingt, die Erscheinungen
aus dieser Annahme heraus zu erklären, ist der Rückgang auf
zentrale Prozesse methodisch entbehrlich.   Das schließt natürlich
nicht aus, daß die Erregungsvorgänge in den zentralen Apparaten
durch den von den in den peripheren Organen stattfindenden
Erregungsvorgängen ausgeübten Einfluß denselben allmählich
ähnlich werden können; und hier ist auch der Weg eröffnet, jene
Halluzination bei Erblindeten zu erklären.[1] Aber es scheint doch
nicht, daß dieselben an und für sich hinreichend sind, den Ort
der Empfindungen auf der Rinde zu lokalisieren.

Aus allen diesen Gründen kann wenigstens zur Zeit die Annahme noch immer als eine wahrscheinliche, wenn nicht die
wahrscheinlichste, gelten, welche eine eindeutige Zuordnung der
Empfindungsinhalte zu mechanischen Vorgängen und zwar Vorgängen, die sich als Modifikationen der objektiven Reize darstellen,
für durchführbar hält. In der Richtung dieser Auffassung bewegt
sich durchgängig die neuere Sinnesphysiologie; so berücksichtigt
sie gleichmäßig die Fälle anormalen Verhaltens, von denen die
Müllersche Auffassung ihren Ausgang nahm, ohne doch den
natürlichen Zusammenhang, in dem das sich orientierende Individuum mit seiner Umwelt verbunden ist, aufzulösen. Und eben
darin trifft sie mit der Tendenz zusammen, welche zugunsten einer

---

[1] Ib. I, 305.

realistischen Naturbetrachtung gegen die Alleinherrschaft des mechanischen Natursystems erhoben hat.

Der Begriff von Wirklichkeit, der von der Grundlage dieser Betrachtungen abgeleitet werden kann, ist schon oben annähernd umschrieben worden. Allerdings entfernt er sich beträchtlich von dem, was als Inhalt der sogenannten naiven Weltauffassung angesehen wird. Indem er die Einsicht zum Ausdruck bringt, daß die empfundenen Qualitäten gewiß durch die Tätigkeit und den Bau unserer Sinne bestimmt und daher in erster Linie von ihnen in Abhängigkeit gedacht werden müssen, rückt die sinnliche Wahrnehmung in eine ganz andere Beleuchtung, ergibt sich eine Reform des natürlichen Weltbildes, die sehr wohl mit der durch die kopernikanische Kosmologie eingeleiteten Revolution unserer astronomischen Vorstellung verglichen werden kann. Aber wie die neue Lehre von unserem Planetensystem letzthin nur eine Erkenntnis der wahren Ordnung der Wirklichkeit ist, deren Elemente als solche unverändert in ihrem Bestande erhalten bleiben, so scheint auch die Kritik der sinnlichen Wahrnehmung nur den Wert der Auflösung eines perspektivischen Scheines beanspruchen zu dürfen. Jedenfalls reichen die der Physik und der Physiologie entnommenen Gründe nicht hin, um die Subjektivität der Qualitäten in einem anderen Sinne wahrscheinlich zu machen, als sie in dem Theorem von der Relativität ausgedrückt ist. Wird dies aber zugestanden, so folgt, daß den Qualitäten derselbe Realitätswert wie den Dingen unserer Erfahrung, d. h. eine vom empirischen Individuum unabhängige Existenz innerhalb der gemeinsamen Erfahrungswelt zuzuschreiben ist. Welches Vorzeichen man dem Ganzen gibt, mag man es als metaphysische Entität oder als bloßen Bewußtseinsinhalt bestimmen, mag man die mechanische Naturanschauung für die abschließende Form unserer Naturerkenntnis erachten oder nicht, ist für die Annahme, daß die Inhalte der sinnlichen Empfindungen „empirisch-real" und so objektiv wie der Raum und die Dinge in ihm sind, ohne weitere Folgerung: sie ist mit allen diesen Auffassungen verträglich. Nur ein Spiritualismus im Sinne von Berkeleys erster Epoche steht zu ihr in einem unversöhnlichen Gegensatz; aber für die Begründung dieses Standpunktes ist eben die Lehre, welche hier abgelehnt wird, Voraussetzung.

Die kollektiven Formen der Energie.

Georg Helm.

Die Aufmerksamkeit, die bereits Fechner den Kollektivgegenständen widmete, ist in den letzten Jahrzehnten hauptsächlich in
biologischer Absicht angeregt geblieben. Das Wesentliche ist
immer, daß ein Kollektivbegriff — wie beispielsweise die Sitzhöhe des
zehnjährigen Schulknaben, die Körpergröße des deutschen Rekruten,
die Zahl der Strahlblüten von Chrysanthemum leucanthemum, die
Sterblichkeit eines bestimmten Altersjahres —, daß ein Sammelbegriff nicht durch die Angabe seines Mittelwertes genügend
bestimmt ist, sondern daß unser Wissen über ihn erst durch die
Angabe, wie die Einzelexemplare um den Mittelwert verteilt sind,
durch die Angabe der Streuung, vollständig beschrieben wird,
sei es nun, daß diese Streuung durch eine Tabelle oder durch
ein analytisch formuliertes Gesetz gegeben ist, oder in geeigneten
Fällen durch eine einzige Zahl, etwa den mittleren Fehler. Und
in methodischer Hinsicht ist das Wesentliche der Sache, daß unser
Wissen über einen Kollektivgegenstand ein lediglich statistisches
Wissen ist, für das die Einzelexemplare durch nichts unterschieden
sind, als durch eine Nummer; wenn wir den Sammelbegriff vollständig kennen, wissen wir nichts Individuelles über irgend eins
der Einzelexemplare, die in ihm zusammengefaßt sind; wir wissen
nur, daß ihm der Mittelwert mit einer bestimmten und jeder
andere mögliche Wert mit einer anderen bestimmten Wahrscheinlichkeit zukommt. So tritt denn besonders in der mathematischen
Behandlung[1] der Sammelbegriffe deutlich hervor, daß sie in
methodischer Hinsicht eine Erweiterung und Vertiefung der seit

---

[1] Bruns, Wahrscheinlichkeitsrechnung und Kollektivmaßlehre. Leipzig 1906.
— Vergl. auch Helm, Die Wahrscheinlichkeitslehre als Theorie der Kollektiv-
begriffe. Ann. d. Naturphilosophie, 1.

Gauß geläufigen Fehlertheorie darstellen; in der Tat ist z. B. das Gewicht eines Körpers ein Kollektivbegriff, insofern es den Inbegriff aller Wägungen dieses Körpers darstellt.

Die Physik hat zwar den Namen Kollektivgegenstand bisher nicht verwendet, aber die Sache ist ihr keineswegs fremd. Nach Gründlichkeit der theoretischen Behandlung steht wohl unter allen Kollektivgegenständen in erster Linie der, mit dem sich die kinetische Gastheorie beschäftigt. Denkt man sich die Energie eines Gramms Gas in Elemente zerlegt, so kann man bei gegebenem Druck und Volum des Gases sagen, wieviel dieser Elemente eine nach Größe und Richtung bestimmte Geschwindigkeit besitzen, aber man weiß nicht, welchen Elementen diese zukommt oder wie diese Elemente zu gegebener Zeit über den Raum verteilt sind. Diesem Sammelbegriff hat Planck[1] einen andern angeschlossen, die Strahlungsenergie einer monochromatischen, polarisierten Strahlung; hier sind die Energieelemente über die verschiedenen Amplituden und Phasen statistisch verteilt.

Neben diesen quantitativ bearbeiteten Sammelbegriffen stehen aber eine ganze Reihe physikalischer und chemischer Vorgänge, die offenbar kollektiver Natur sind, von denen aber nur der Mittelwert, nicht die Streuung, quantitativ festgehalten wird. Bezeichnen doch überall, wo die räumliche oder zeitliche Gleichartigkeit eines Vorgangs gestört wird, elementare Unordnungen, Verwirrungen und Erschütterungen die Störungsstelle; wir sind in solchen Fällen entweder überhaupt außerstande, die Energie jedes einzelnen Teiles genau zu beschreiben oder wir verzichten aus Gründen einfacher, zusammenfassender Darstellung auf diese Beschreibung. Man denke z. B. an den Gegenstand der praktischen Hydraulik, das fließende Wasser, oder an die bewegte Luft. Hier hat die Angabe der Strömungsgeschwindigkeit offenbar die Bedeutung eines Mittelwerts, um den die Geschwindigkeiten der einzelnen Teile kollektiv ausgebreitet sind. Es wäre belanglos, für jeden Teil einzeln die Geschwindigkeit zu ermitteln, aber die statistische Kenntnis ihrer Verteilung ist nicht belanglos, sondern gerade für die verschiedenen Fälle charakteristisch. Wir vermindern z. B. die Streuung durch Anwendung von Gerinnen und Röhren, aber unser quantitatives Wissen hierüber steht noch auf tiefer Stufe. Andere Fälle, in denen eine sich mit Mittelwerten behelfende

---

[1] Planck, Vorlesungen über die Wärmestrahlung. Leipzig 1906.

Theorie nur unvollkommen die kollektiven Vorgänge erfaßt, bieten die Erscheinungen der Reibung, bei der durch Glätten und Schmieren die Streuung und dadurch mittelbar auch der Mittelwert der Energie geändert wird. Daß es sich beim Erddruck, bei vielen Erscheinungen der Elastizität und Festigkeit, bei den elektrischen Entladungsformen, sowie beim natürlichen, nicht-polarisierten Licht um kollektive Vorgänge handelt, bedarf kaum der Erwähnung.

Ja, streift man das atomistische Bild von den molekularen Vorgängen ab, was bleibt übrig, als Kollektivenergie, die über so kurze Zeiten und so kleine Räume verteilt ist, daß alle Raum- und Zeitteile von uns zugänglicher Kleinheit homogen den Mittelwert zeigen, während doch die Streuung dieser Energie sehr entscheidend ist für ihre Umwandlungen. O. Lehmanns Homöotropie[1] ist wohl die jüngste Anwendung dieser Auffassungsweise. Treffend hat Gibbs diese statistische Betrachtung molekularer Vorgänge geschildert mit den Worten:[2] „Was wir über einen Körper wissen, kann im allgemeinen am genauesten und einfachsten beschrieben werden, indem wir sagen, daß er aus einer großen Anzahl vollkommen bestimmter Körper blindlings herausgegriffen ist".

Bei dieser Sachlage erscheint es angezeigt, vor allem zu erörtern, was man über kollektive Energie allgemein auszusagen vermag, ganz unabhängig davon, welche besondere Energieform, welche Intensität und Extensität in Betracht steht. Zu diesem Zwecke stellen wir uns vor, daß ein Körper $\Re$ eine gewisse Energieform e in sehr mannigfachen Zuständen, z. B. kinetische Energie in mannigfachen Geschwindigkeitskomponenten, aufzunehmen vermag, d. h. also, daß verschieden große Intensitäten i von gleicher Art in ihm bestehen können, auf die die Energiebeträge de, die ihm zugehen, in ihm gelangen. Dabei mögen die im Körper $\Re$ vorhandenen Intensitäten sowohl von Ort zu Ort verschieden sein, als auch am selben Ort zeitlich schnell wechseln, beides aber in elementar völlig unbekannter, nur statistisch feststellbarer Weise, also nicht etwa periodisch.

Versteht man dann unter m die Extensität der in Betracht stehenden Energieformen e, also eine nur vom augenblicklichen

---

[1] Phys. Ztschr. 8, S. 386.
[2] Gibbs, Elementare Grundlagen der statistischen Mechanik. Deutsch von Zermelo. Leipzig 1905. S. 167.

Zustande des die Energie aufnehmenden Körpers $\Re$ abhängige Größe, so ist $de : i = dm$ ein vollständiges Differential.

Nun möge jedes der Energieelemente de aus einem anderen Körper $\Re'$, in dem es auf der Intensität i' stand, auf den Körper $\Re$ übergangen sein. Nach dem Intensitätsgesetze ist $i < i'$, wenn de positiv ist, dagegen wird $i > i'$ bei negativem de, d. h. wenn die Elementarenergie von $\Re$ auf $\Re'$ übergeht. Jedenfalls ist

$$\frac{de}{i} > \frac{de}{i'}, \text{bei } i \gtrless i'$$

und nur im Grenzfalle $i = i'$ wird $de : i = de : i'$.

Summiert man jetzt über alle Elementarenergien de, die in demselben Zeitelement übergegangen sind, so ergibt sich

2. $$\Sigma \frac{de}{i} > \Sigma \frac{de}{i'},$$

während $\Sigma\, de$ den Gesamtbetrag der kollektiven Energieform darstellt, die durch reinen Übergang zwischen $\Re$ und $\Re'$ auf $\Re$ gelangt ist. Nur im Falle völliger Gleichheit aller Intensitäten wären die beiden Seiten der Ungleichung 2 nicht verschieden.

Nun kann man zwar mathematisch stets einen Mittelwert J bezw. J' der Intensitäten i bezw. i' einführen durch die Definition

3. $$\Sigma \frac{de}{i} = \frac{\Sigma\, de}{J}, \text{bezw.} \Sigma \frac{de}{i'} = \frac{\Sigma\, de}{J'},$$

aber einen physikalischen Sinn bekommen J und J' nur, wenn sie unabhängig sind von der Zahl der im Summenzeichen zusammengefaßten Glieder, denn nur dann läßt sich erkennen, ob zwei Körpern $\Re$ und $\Re'$ dasselbe J zukommt.

Nehmen wir an, die einzelnen Intensitäten i' hätten sich im Körper $\Re$ untereinander ausgeglichen, so daß alle Energiebeträge der in Rede stehenden Form im Körper $\Re'$ auf ein und derselben Intensität J' stehen. Außerdem möge $\Re'$ von so großer Extensität sein, daß die Koppelung mit $\Re$ keine merkliche Änderung seines Zustandes hervorbringt, so daß man die gesamte übergehende Energie $\Sigma\, de$ als merklich von derselben Intensität J' kommend ansehen kann. Dann ist

4a. $$\Sigma \frac{de}{i} > \frac{\Sigma\, de}{J'}$$

und in dem Grenzfalle, daß alle i gleich J', also überhaupt keine kollektive Zersplitterung der Energie im Körper $\Re$ eintritt, wird

4b.
$$\Sigma \frac{de}{i} = \frac{\Sigma\,de}{J} = \frac{\Sigma\,de}{J'}.$$

Hier spielt offenbar $\Re'$ ganz die Rolle eines der Wärmespeicher, die bei der exakten Darlegung des Carnotschen Kreisprozesses aus der klassischen Thermodynamik bekannt sind.

Aber bei Kollektivzuständen muß auch noch der Fall erörtert werden, daß sich die Elementarintensitäten i' in einem Körper überhaupt nicht zu einer einzigen Mittelintensität J' ausgleichen können; wenigstens nimmt die kinetische Gashypothese an, daß der Kollektivzustand eines Gases sich kollektiv erhält. Man muß dann sagen, ein Körper $\Re$ befindet sich hinsichtlich der Energie e in einem Erhaltungszustande, wenn innerhalb von Zeiträumen und Volumstücken, die zu klein sind, um für unsere Hilfsmittel praktisch zerlegbar zu sein, bereits die Erhaltung eines durch Gleichung 3 bestimmten Mittelwertes J' hinreichend genau zutrifft. Und der Körper $\Re'$ ist hinsichtlich der Kollektivenergie e im Gleichgewicht mit $\Re$, wenn beide sich wie ein einziger, im Erhaltungszustande befindlicher Körper verhalten.

Diese Erhaltungszustände aber hat man sich so vorzustellen, daß bei dem Übergange der Kollektivenergie von $\Re'$ auf $\Re$ ein Teil der Energie, die $\Re'$ verliert, umgewandelt wird, wie das nach dem Gesetz von der Erhaltung der Extensitäten (z. B. der Bewegungsgrößen) erforderlich ist. Nur im Falle des Gleichgewichts zwischen $\Re$ und $\Re'$, bei dem die beiden Körper hinsichtlich der Energieausgleichung vertauschbar sind, kann man allgemein sagen, was aus der umgewandelten Energie wird: sie wird dann benutzt, um ebensoviel Energie von niederer auf höhere Intensität zu bringen, als beim Übergang von höherer Intensität in $\Re'$ auf niedere in $\Re$ gelangt war. Die Gesamtwirkung ist dieselbe, als wären die beiderseitigen Intensitäten nicht verschieden und J' erhält einen bestimmten physikalischen Sinn, wird z. B. im Falle der Wärme durch ein Thermometer gemessen, das mit $\Re'$ in thermischem Gleichgewicht steht.

So gelangt man auch in dem Falle, daß sich die Elementarintensitäten nicht auszugleichen vermögen, zu der Beziehung

4.
$$\Sigma \frac{de}{i} \geq \frac{\Sigma\,de}{J'},$$

wobei das Gleichheitszeichen nur gilt, wenn die linke Seite in der Form $(\Sigma\, de):J$ geschrieben werden kann, d. h. keine Kollektivenergie besteht.

Die linksstehende Summe aller beim Übergang im Körper $\Re$ entstandenen Extensitäten

5.
$$\Sigma\frac{de}{i} = \Sigma\, dm = dS,$$

die eine Funktion des augenblicklichen Kollektivzustandes von $\Re$ darstellt, ist nun, was man in der Thermodynamik als Entropie bezeichnet, denn sie genügt der Beziehung

6.
$$dS \geq \frac{\Sigma\, de}{J'},$$

wobei das Gleichheitszeichen nur gilt, wenn keine kollektive Zerlegung der Energie $\Sigma\, de$ stattfindet. Aber ihre aus der Thermodynamik bekannten, aus 6 folgenden Eigenschaften, vor allem die Eigenschaft, daß sie, solange ein System gegen die Energieform e isoliert, $\Sigma\, de = 0$ ist, in ihm nie abnehmen kann, sind nicht auf die Energieform der Wärme beschränkt.

Die Wärme nahm bisher energetisch eine Ausnahmestellung ein, insofern nur ihr eine Entropiefunktion zukam, die im Zeitverlauf wächst. Nach den vorangehenden Erörterungen ist damit eine Eigenschaft bezeichnet, die jeder kollektiven Energieform zukommt, und nur deshalb bei der Wärme zuerst erkannt wurde, weil in alle Wärmeerscheinungen kollektive Vorgänge hineinspielen.

Man wird hiernach zweckmäßigerweise neben den einfachen Energieformen, für die Erhaltung der Extensität und volle Umkehrbarkeit der Vorgänge stattfindet, die kollektiven Energieformen zu beachten haben, deren Auftreten die Nichtumkehrbarkeit bedingt. Sie bestehen zwar aus einfachen Energieformen, doch so, daß deren Zusammenfügung zur Gesamtenergie nur statistisch bekannt ist. Da sich nun die Bestimmungsstücke i und dm der Elementarenergien unserer Beobachtung entziehen oder doch aus Darstellungsgründen unbeachtet bleiben, so ist man darauf angewiesen, sich mit der Gesamtenergie $\Sigma\, de$ und mit Durchschnittsintensitäten J' zu behelfen, die im Gleichgewichtsfalle den entsprechenden Durchschnittsintensitäten J des Körpers $\Re$ gleichen. Beispielsweise ist man bei Wärmeübergängen auf die nur im Gleichgewichtsfalle definierten Temperaturen angewiesen, bei Übergängen kinetischer Energie oft auf Durchschnittsgeschwindigkeiten. Dieses unvollkommene Wissen findet in der Ungleichung 6 seinen Ausdruck.

Derartige Betrachtungen sind wiederholt mit den Hilfsmitteln der Mechanik durchgeführt worden, schon von Clausius, zuletzt von Gibbs in seiner statistischen Mechanik. Aber die Plancksche Behandlung der Strahlungsenergie beweist, daß man sich nicht auf die mechanische Auffassung der kollektiven Energien beschränken darf, und die Energetik gestattet, ohne weiteres diese Fessel abzulegen. Es ist nicht einmal zweckmäßig, sich immer kollektive Energie als Bewegungsenergie zu denken, wie es z. B. die kinetische Wärmehypothese tut, weil die individuellen Träger, an die man dadurch die Elementarenergien bindet, unwesentlich sind. Es kommt darauf an, wieviel Energieelemente einer der Elementarformen angehören, nicht welche Massenpunkte ihre Träger sind. Jedenfalls ist der Unterschied im Verhalten einfacher und kollektiver Energieformen ganz unabhängig davon, ob es sich um Bewegungsenergie handelt oder nicht.

Wie einst durch die Einführung örtlich und zeitlich periodischer Schwankungen Akustik und Optik ihren festen Boden gewannen, so scheint jetzt die Beachtung örtlich und zeitlich ungeordneter Schwankungen, deren Verteilung nur statistisch erfaßbar ist, durch die Entwicklung der Wissenschaft an die Hand gegeben zu sein.

Zur wissenschaftlichen Grenzbereinigung.

Von

Theodor Hager.

Der VI. Band der „Annalen der Naturphilosophie" enthält eine interessante Arbeit Julius Baumanns: „Kritische Bemerkungen zur modernen Mathematik", deren Leitprinzip das aller echten Wissenschaftlichkeit, die Voraussetzungslosigkeit, ist. Der Verfasser wirft kritische Streiflichter in noch ziemlich dunkle Gebiete, und der Leser mag den Anreiz dazu fühlen, ihnen nachzugehen, wie auch mir geschah, indem sie mich dazu anregten, in die so eröffneten Gedankenreihen nachprüfend einzutreten.

Den Ergebnissen seiner kritischen Gänge kann ich nur beipflichten, da er nur Unhaltbares ablehnt und schwankenden Boden nur zweifelnd betritt. Dort sind es Cantors „aktuell unendliche oder transfinite Zahlen", hier ist es die „rein logische Deduktion als mathematische Methode", was dem Kritiker zu Steinen des Anstoßes wird. Baumann faßt mit gutem Fug den Unendlichkeitsbegriff nicht als konstitutiv für das Sein: „Das Unendliche ist ein modus procedendi im Denken"; auch mein 1898 erschienenes „Brevier" der Seinslehre sagt (S. 30): „Unendlichkeit ist nur eine Folgerung aus der Unterschiedlosigkeit des Teillosen ohne innere, also auch ohne mögliche äußere Grenzen". Teillos sind die Kontinua Raum und Zeit, die Teilbeständiges, Diskontinuales beherbergen, das den Gesetzen ihrer inneren Ordnung folgt, der Ordnung der Erscheinungssphäre als solcher. Sphäre und Inhalt berühren sich nicht, schließen sich daher nicht aus, während schon Philosophen den Satz aufstellten: „Raum ist für Raum undurchdringlich."

Russels absoluter Raum existiert gar nicht; er müßte Bedingtes beherbergen, während der Raum doch innerlich und äußerlich Begrenztes in sich hegt, also Teilbeständiges, Diskontinua, was er nur kann, weil er Kontinuum ist. So beherbergt das Absolutum Vernunft die Relativa Realidee und Denken.

Es gibt kein Transfinites für das Denken von Raum und Zeit, also dem Infiniten; nur für das Vorstellen besteht die Sphäre darin, in deren Zentrum der Vorstellende steht. Das philosophische Denken webt und löst (nicht nur letzteres) als ein Bedingtes im Reiche absoluter Identität, dem Logos Vernunft; nur das geometrische Denken hat auch noch die Fessel der begrenzten Anschauung, und nur an deren verschwimmenden Grenzen steht das „Sta, viator!" Darum war Kants „Raum aus Räumen" eine bedenkliche Entgleisung zum Transfiniten hin, da die Vorstellung der Ausdehnung durch eine Wiederholung nicht erweitert werden kann, so wenig, wie das Denken durch Tautologie.

Das Pendeln zwischen dem „idealen" Raum als Anschauung (die ihn doch nicht umspannen kann) und „realen" (besser: seienden) Raum hätte die Unzulänglichkeit aller Versuche, das Wesen des Raumes als dem Bewußtsein eigene Erfassungsform Ausdehnung zu erklären, verraten müssen.

„Die geometrische Formalsynthese hat keine Größendimension, wie die Realsynthese im räumlichen Dasein sie hat, sondern nur Verhältnisse der Lage und Ausdehnung", sagt mein „Brevier". Darauf beruht die Gemeingültigkeit der Geometrie; sie mißt nicht Raum, sondern räumlich, wie die Arithmetik nicht Zeit mißt, sondern Sequenz- und Simultaneitätsreihen gleicher Glieder. Daher sind für alle Dimensionen die geometrische Kugel, der Kreis, die Ebene und Gerade innerhalb und jenseits des vorstellbaren Raumes dieselben: keine noch so groß gedachte Kreislinie nähert sich der geraden; „Krümmungsmaße" hat nur die dimensional begrenzte, wie die eines Bogenteils. Die Ebene wird nie bloße begrenzte Fläche, sondern bleibt unbegrenztes Schema, ebenso die Schnittlinie zweier sich schneidenden Ebenen. Der Punkt bleibt größenlos und ist also nie Glied einer dimensionalen Größe. Wie die gerade Fläche die begrenzte Ausfüllung des unbegrenzten Schema Ebene der Geometrie, so ist die arithmetische Reihe aus gleichen Elementen (Einheiten), die Zahl, begrenzte Ausfüllung eines unbegrenzten Schema, des Zahlensystems, in welchem Null als Stufe mit allen anderen Stufen gleichwertig ist, ohne für sich allein betrachtet, mehr zu sein, als eine Grenze zwischen Plus und Minus, während das Jetzt des Zeitschema schon Grenzgebiet zwischen Vergangenheit und Zukunft ist, nur ganz so größen-unbestimmt, wie der Ort im Raume. Das arithmetische Schema ist:

$$. \; . \; . \; . \; . \; (+3)\,(+2)\,(+1)\,(0)\,(-1)\,(-2)\,(-3) \; . \; . \; . \; . \; . \; .$$

Das Reihenschema ist nicht selbst Zahlreihe und seine Unbegrenztheit ist nicht die unmögliche der Zahlen.

Baumanns Auffassung des potentiell Unendlichen deckt sich im wesentlichen mit der meinigen des arithmetischen Schema der Zahlenreihe. Cantors Beispiel eines aktuell Unendlichen: „der Gesamtheit aller Punkte, die auf einem gegebenen Kreise oder irgend einer anderen bestimmten Kurve liegen" lehnt Baumann ab, weil solche Punkte keine Gesamtheit bildeten. Für mich sind Punkte hier nur Grenzen von Teilstrecken, sind Determinationen, also Ausdehnungsverneinung, und nur die gedachten Teilstrecken im Kreise sind als Größen, was die Quotienten der Division einer Zahl sind. Die unbegrenzte Teilbarkeit einer bestimmten Kreislinie, also auch ihre Erfüllbarkeit mit endlos verkleinerbaren Teilen, unterscheidet sich gar nicht von derjenigen einer gegebenen Zahl, die doch kein Unendliches ist.

Zum zweiten Haupteinwurf Baumanns übergehend, finde ich noch zu bedenken: ￼

Die Beschränkung der Logik auf die formale Denklehre ist die Folge der Verkennung ihrer Bedeutung für die Tektonik der Synthese in der Erscheinungssphäre der Identität, also im Vernunftgebiet. So erklärt sich, daß Conturat sagen konnte: „Es gibt nur Eine Logik, die der Deduktion" (also eine analytische). Mein „Brevier" könnte vor diesem Fehler warnen. Ebenso schneidet es dem „Vernünfteln" (um mit Kant zu reden) über Punkte, Linien und Ebenen der Geometrie, behufs philosophischer Grundlegung für diese Lehre der formalen Raumsynthese, Mittel und Wege ab. Den Exkurs Wellsteins: „Was wäre aus der Geometrie geworden, wenn ihre Ebenen (wie bei den Wasserflächen) in Wirklichkeit große Kugeln wären?)" lehnt Baumann ab, und seine Kritik trifft ins Schwarze, wenn sie für solche Betrachtungen keine neue Logik erforderlich findet. Wellsteins Frage kann nur dahin beantwortet werden, daß dann die Geometrie keine gemeingültige Formalwissenschaft mehr wäre, deren Notwendigkeit keiner Zufälligkeit des Wirklichen weichen darf, dem die Fläche, nicht die Ebene, angehört.

Die logische Analyse Deduktion auf Grund des Nexus der

Identität, mit der ratio des Logos als Wurzel, ist auch nur Folgerung, Konsequenzreihe. Schopenhauers Jugendarbeit, seine größte Leistung für die Wegsicherung der philosophischen Forschung, faßt mit Recht die Wurzel als Träger des Nexus zwischen Synthesen in gleicher Sphäre, weshalb er neben die Kausalität des Sukzessiven nicht die Zweckherrschaft der Finalität, sondern die Motivation des Finalen stellt (beide freilich auch vermengt).

Er stand suchend vor nur angelehnten Türen und ließ sich durch Einblicke in allerlei Nebengemächer davon ablenken, sie aufzustoßen. So stand einst Kant sinnend vor seiner „Architektonik der Vernunft", grübelte und — ging fürbaß, um bei seiner Dynamis „Vernunft als Seelenvermögen" Unterstand zu behalten.

Die zyklischen Kausalreihen.

Von

Dr. Wilhelm M. Frankl.

In meinem Beitrag „Zur Kausalitätslehre" (Annalen d. N., V., S. 446) habe ich die zyklische Kausalreihe definiert als eine Reihe des Ungleichen mit Wiederholung, wobei immer das zeitlich unmittelbar vorhergehende Glied Gesamtursache des folgenden ist. — Man hätte auch einfach definieren können, eine Kausalreihe mit Wiederholung und in diesem Falle wäre die kausale Beharrungsreihe, d. h. die kausale Reihe des Gleichen, nur als ein Grenzfall der zyklischen Kausalreihen auffaßbar gewesen.

Aus der Eindeutigkeit der Kausalität haben wir daselbst die Endlosigkeit solcher zyklischer Reihen ihrer Natur nach, d. h. ab-gesehen von äußeren Einflüssen, abgeleitet.

Implicite lag in der genannten Arbeit ferner die Erkenntnis, daß sie aus beliebigen Reihen des Ungleichen hervorgehen bezw. daß den allgemeinen Voraussetzungen gemäß beliebige „Ver-änderungsreihen" in zyklische münden können.

Die Eindeutigkeit der Kausalität ad posterius bedingt, daß in einer Reihe, in der sich mindestens ein Glied wiederholt, sich alle Glieder wiederholen, und zwar immer in der nämlichen Reihenfolge.[1]

Eine Reihe von der Form *abaca* kann daher keine zyklische Kausalreihe sein; denn dann würde der Gesamtursache *a* das eine Mal *b*, das andere Mal *c* als Wirkung zuzuordnen sein, was der vorausgesetzten Eindeutigkeit widerspricht. Ebensowenig kann eine Reihe von der Form *abcba* zyklische Kausalreihe sein, weil hier dem *b* einmal das *c*, das andere Mal das *a* zuzuordnen wäre. Diese Erkenntnis kann auch in anderer Form ausgesprochen

---

[1] Die Reihe der Ziffern an der Einerstelle, die der Reihe der natürlichen Zahlen entspricht, kann als Analogon gelten — es kommt eben nur auf pro-gressive Eindeutigkeit an. Vergl. Mill, Logik, Bd. III, Kap. V, § 7. Auch hier sind zunächst die S. 3 definierten Totalreihen in Betracht zu ziehen.

werden. Benennen wir nämlich ein Stück einer zyklischen
Reihe von einem beliebigen Glied angefangen (inklusive)
bis zu seiner nächsten Wiederholung (exklusive) als
zyklischen Abschnitt oder Periode „jenes Gliedes" (also ist
z. B. der zyklische Abschnitt von *a [Pa]* der zyklischen Reihe
aba—ab), so können wir nicht nur behaupten, „die zyklischen
Abschnitte desselben Gliedes derselben zyklischen Kausalreihe sind einander gleich" — sondern auch — wenn wir die
Anzahl der Glieder einer Periode als deren Wertigkeit bezeichnen — „die Wertigkeiten der zyklischen Abschnitte
beliebiger Glieder derselben zyklischen Kausalreihe sind
einander gleich" — in einer zyklischen Reihe ist also nicht
nur die Wirkung durch die Ursache, sondern auch die
Ursache durch die Wirkung eindeutig bestimmt (Regressive
Bestimmtheit).[1] Der Mangel an faktischer regressiver Bestimmtheit in einem Falle ist ein Beweis dafür, daß in diesem Falle eine
zyklische Kausalreihe nicht vorliegt. — In der Kausalreihe *daba*
gehört *d* noch nicht dem zyklischen Verlaufe an.

Innerhalb eines zyklischen Abschnittes findet keine
Wiederholung vollständiger Glieder statt.

Aus dem Gesagten geht hervor, daß es (rein) umkehrbare
Kausalreihen nur von der Wertigkeit 1 (Beharrungsreihen) und 2
geben könne. Nun kommt aber die Wertigkeit 2 als solche
praktisch nicht in Betracht, denn die betreffenden Glieder müßten
in diesem Fall zeitlich punktuell gedacht werden — es läge zwischen
ihnen eine Zeitstrecke. Diese ist nun entweder mit relevanten
Kausaltatbeständen erfüllt oder nicht. Im ersteren Falle wäre die
faktische Wertigkeit > 2; der letztere Fall ist wohl abzuweisen, da
er eine unvermittelte zeitliche Fernwirkung involvierte.

Da man nun bei Beharrung nicht von einem „Prozesse" reden
kann, so können wir allgemein sagen: kein vollständiger
Kausalprozeß oder keine kausale Veränderungsreihe ist
umkehrbar. Der Mohriner Krebs (Humoreske von Kopisch) ist
also wohl nicht zu fürchten.[2]

---

[1] Daß sich diese regressive Eindeutigkeit aus einer bloß funktions-theo-
retischen Betrachtung nicht ergibt, erklärt sich daraus, daß zyklische Kausalreihen
einen Anfang haben können bezw. aus beliebigen Veränderungsreihen ableitbar
sein können.

[2] Der Satz „facta infecta fieri nequeunt" gilt also nicht nur im Hinblick
auf die absolute Zeit, sondern auch hinsichtlich ihres kausalen Inhaltes. Doch

Zur Konstitution einer Kausalreihe überhaupt forderten wir nur, daß die Ursachen Gesamtursachen seien. Demgemäß hätten als Wirkungen sowohl Teilwirkungen wie Gesamtwirkungen in Betracht kommen können.

Reihen, in denen nur Gesamtwirkungen in Betracht kommen, wollen wir Totalreihen, die anderen Partialreihen nennen.

Es ist nun äußerst wahrscheinlich, daß in Totalreihen überhaupt jene regressive Eindeutigkeit besteht, die ein konsekutives Merkmal (nicht Kennzeichen!) der zyklischen Kausalreihen ist. Es besteht also nach dem, was wir bisher betrachteten, kein Hindernis, den Weltprozeß als einen zyklischen Prozeß zu denken.[1]

Gewiß ist die Wirklichkeit durch letzte Möglichkeiten (die unmittelbar verwirklicht sind)[2] eingeschlossen — nach deren Gründen zu fragen es keinen Sinn hätte, weil jede Antwort sie selber (sc. die letzten Möglichkeiten) voraussetzte. — Aber darum braucht der Spielraum, den jene Möglichkeiten einschließen, nicht ein endlicher zu sein und nur aus seiner Endlichkeit ließe sich die zyklische Beschaffenheit des Prozesses erweisen — vielmehr ist es wahrscheinlich, daß er ein unendlicher sei. — Das spricht keineswegs gegen eine Wiederholung des Ähnlichen, ja sogar des Gleichen in einzelnen Teilen oder verschiedenen Teilen des Kosmos.

Den kausalen Wert, der seiner Natur nach Ausgangspunkt einer zyklischen Reihe ist, nennen wir Zyklant.

Ein Zyklant kann als Gesamtursache fungieren, kann aber nicht aus sich selbst seinen kausalen Charakter als Zyklant ändern.

Der Zyklant ist nicht ein Wert, der die Einteilung der kausalen Werte in Konstabeln (natürliche Ausgangspunkte von Beharrungsreihen), Varianten (natürliche Ausgangspunkte von Veränderungsreihen), Indifferenten (die für sich allein, weder von Beharrungs- noch von Veränderungsreihen Ausgangspunkte sind) ergänzen würde. (Diese Einteilung ist nämlich vollständig.) Sondern

---

kann es Reihen von der Form $a\,b\begin{pmatrix}c\\x\end{pmatrix}\begin{pmatrix}b\\y\end{pmatrix}a$ geben, welche eine illusive zyklische Reihe enthalten. Zyklische illusive Reihen von allen sieben Gattungen der illusiven Reihen sind möglich.

[1] Diesbezüglich ist außer auf gewisse alte Philosophen (Pythagoräer u. s. w. das [astronomische] platonische Jahr) auf Nietzsches Idee einer ewigen Wiederkunft des Gleichen, sowie auf Revels Buch „Versuch eines auf das Gesetz des Zufalls gegründeten Systems der Natur" zu verweisen.

[2] Vergl. des Aristoteles' Regreß auf die Urwirklichkeit (actus purus). Was dann auch mit dem ontologischen Argument verquickt wurde.

der Zyklant im engeren Sinne ist ein besonderer Fall der Variante, im weiteren Sinne umfaßt er noch die Konstable und in diesem Sinne kann die Gesamtheit der kausalen Werte auch in Zyklanten und Azyklanten eingeteilt werden, wobei dann die letztere Gruppe sowohl die unzyklischen Varianten wie die Indifferenten umfaßte.

In bezug auf den Zyklanten können die Glieder des zyklischen Abschnittes als seine „Phasen" bezeichnet werden.

Welcher kausalen Gruppe ein Komplex von Zyklanten angehört, läßt sich a priori nicht bestimmen. (Vergl. Ann. d. N., VI., p. 447, Satz 10.) Ein Komplex von einander nicht störenden zyklischen Kausalreihen ist selbst eine **erweiterte zyklische Kausalreihe, und zwar ist ihre Periodenzeit das kleinste gemeinsame Vielfache der Periodenzeiten der einfachen zyklischen Kausalreihen** bezw. ein solcher Komplex ist nur dann wieder eine zyklische Reihe, wenn es ein solches kleinstes gemeinsames Vielfache reell in der Wirklichkeit gibt. Wir haben z. B. die einfachen Reihen $\alpha\beta\alpha\beta\alpha\beta\alpha$ und $abcabca$ dann sind die

Glieder der erweiterten Reihe $\begin{pmatrix}\alpha\\a\end{pmatrix}\begin{pmatrix}\beta\\b\end{pmatrix}\begin{pmatrix}\alpha\\c\end{pmatrix}\begin{pmatrix}\beta\\a\end{pmatrix}\begin{pmatrix}\alpha\\b\end{pmatrix}\begin{pmatrix}\beta\\c\end{pmatrix}\begin{pmatrix}\alpha\\a\end{pmatrix}$.

Die allgemeinen kausalen Grenzwerte.

Von

Dr. Wilhelm M. Frankl.

Von Grenzwerten (der mathematische Limes ist ein besonderer Fall) im eigentlichen Sinne kann nur in bezug auf eine Reihe gesprochen werden. — Kausale Grenzwerte sind solche in bezug auf eine Kausalreihe. — Allgemeine kausale Grenzwerte sind kausale Grenzwerte nicht hinsichtlich einer bestimmten individuellen[1] Kausalreihe, sondern hinsichtlich der Kausalreihe überhaupt, in abstracto, sofern sie der Gesamtheit aller Kausalreihen koinzidiert.

Es gibt drei Hauptgrenzwerte in bezug auf jede beliebige Reihe:

> das erste Glied,
> das letzte Glied,
> das Allglied.

Die ersten zwei kann man die „einfach negativen" Grenzwerte nennen; sofern das erste nicht in der „reihenbildenden Relation" ad prius,[2] das zweite nicht in der reihenbildenden Relation ad posterius steht.

Das Allglied, wohl zu unterscheiden von der Summe der Reihenglieder, ist „doppelt negativ" — ihm fehlt ebenso die reihenbildende Relation ad prius wie ad posterius.[3] Aber zugleich ist es etwas, das mit der Reihe mitgegeben ist.

---

[1] Nebenbei sei erwähnt, daß die Individualität von Kausalreihen an der Individualität der in Betracht kommenden Ursachen hängt.

[2] Terminologisch ließe sich hier besser mit den Terminis Korrelat (Frankl, Ökonomie des Denkens in Meinong, Untersuchungen zur Gegenstandstheorie und Psychologie, S. 272) bezw. Ante- und Postkorrelat operieren, doch wurde hier aus Gründen der Kürze davon abgesehen. Die reihenbildende Relation kann natürlich einfach oder kompliziert sein.

[3] Das Allglied kann aufgefaßt werden als Endglied einer sekundären Reihe, die sich auf die erste in der Weise aufbaut, daß ihr erstes Glied zugleich ein beliebiges Glied der ersten Reihe ist, das zweite ein Gliedpaar in der Reihenrelation, das dritte drei Glieder in der Reihenrelation u. s. f.

Sein Gegenbild, doppelt positiv — zweiseitig in der reihenbildenden Relation stehend — ist kein Grenzwert der Reihe, sondern deren allgemeines Mittelglied.[1]

„Ursache, aber nicht Wirkung" betitelt sich der untere Limes der Kausalreihe. „Nicht Wirkung" kann heißen „Nicht Gesamtwirkung" oder „Überhaupt nicht Wirkung, weder Gesamt- noch Teilwirkung". Im ersteren Sinne ist der Wert reell und findet sich dort, wo von einer reinen Spaltung von Kausalreihen[2] geredet werden kann, ist jedoch kein allgemeiner kausaler Grenzwert. Als solcher könnte nur etwas, das zwar Ursache, aber weder Gesamt- noch Teilwirkung wäre, in Betracht kommen. — Ein solcher Wert kann als „imaginär" bezeichnet werden: er enthält zwar keinen Widerspruch in sich selbst (ist nicht absurd)[3] widerspricht aber unserer Formulierung des Kausalgesetzes.[4] Er wäre ein „ens a nullo (ente)". (Der scholastische Begriff des ens a se gehört meines Erachtens einem rationalen, nichtkausalen Begriffsgebiete an.)

„Wirkung, aber nicht Ursache" betitelt sich der obere Limes. „Nicht Ursache" kann heißen „Nicht Gesamtursache" oder „Überhaupt nicht Ursache, weder Gesamt- noch Teilursache". Und auch hier wieder kommt die erste Interpretation für allgemeine kausale Grenzwerte nicht in Betracht: der ihr entsprechende Wert findet sich an der Mündungsstelle konvergenter Kausalreihen. „Wirkung, aber weder Teilursache noch Gesamtursache" ist der allgemeine obere Kausalreihenlimes. Solange man nicht außerhalb unserer Kausalbetrachtungen[5] eventuell liegende Instanzen in Betracht zieht, ist dieser Wert als ein reeller zu bezeichnen. Wir wollen ihn den kausalen Schwundwert[6] nennen, denn er

---

[1] Zu dieser Vierheit vergl. das Skotus Erigena, Einteilung der Natur in die schaffende ungeschaffene, schaffende geschaffene, nicht schaffende geschaffene, nicht schaffende ungeschaffene!

[2] Kommt also nach Frankl, Zur Kausalitätslehre, Annalen d. N., V., S. 447. F 3, nur bei Veränderungsreihen vor.

[3] Vergl. Meinong, „Über Gegenstandstheorie" (S. 39), Mally, „Zur Gegenstandstheorie des Messens" (S. 128f., 212), in Meinong, „Untersuchungen zur Gegenstandstheorie und Psychologie."

[4] „Jede positive zeitliche Tatsache ist durch eine andere, ihr unmittelbar vorausgehende, eindeutig bestimmt." Vergl. Frankl, „Zur Kausalitätslehre", Annalen d. N., V., S. 447, Satz 2!

[5] Frankl, Zur Kausalitätslehre, Annalen d. N., V., S. 446f., VI., S. 16f.

[6] Ein solcher kann sich klärlich nur am Ende von Veränderungsreihen befinden. Die Endlosigkeit von Kausalreihen ad post konnten wir Annalen d. N.,

muß vom Sein ins Nichtsein übergehen. In welche von den drei Gruppen kausaler Werte wäre er zu rangieren? Da er weder natürlicher Ausgangspunkt einer Beharrungs- noch einer Veränderungsreihe ist, kann er nur zu den Indifferenten gehören. (Während das erste Glied allgemein an sich sowohl Konstable wie Variante sein könnte.) Alle isolierten Indifferenten stellen kausale Schwundwerte dar.[1]

Das Nichtsein des Schwundwertes ist zwar sein notwendiges Konsequens, kann aber nur als dessen „Quasiwirkung"[2] bezeichnet werden, da wir das Kausalgesetz definitorisch nur auf positive Tatbestände (Frankl, Zur Kausalitätslehre, Annalen d. N., V., S. 446 V) bezogen haben.

Spinoza,[3] Ursache und Grund in eins verwebend, fordert für jedes Nichtsein einen Grund. Wir können immerhin für jedes zeitliche Nichtsein eine Quasiursache annehmen. Diese wird — soweit das Negative (bezw. Privative) im Positiven begründet liegt — die tatsächliche Ursache jenes Positiven sein, dessen Sein mit dem Sein des anderen Positiven unvereinbar ist. So liegt z. B. der Grund für das Nichtkreisförmigsein eventuell im Viereckigsein und ist quasi verursacht von der Ursache des Viereckigseins — zunächst aber wenigstens gibt es — und in jedem Falle wird es für ein Nichtsein eine Quasiursache negativer Natur geben, und diese wird bestehen im Nichtsein einer Ursache für ein jenem Nichtsein kontradiktorisch entgegengesetztes Sein. — Wenn z. B. der Boden nicht naß ist, so war eben keine Ursache da, aus der jenes Naßsein mit Notwendigkeit resultiert wäre.

Der dritte Grenzwert, den wir zu behandeln haben, ist dasjenige mit der Kausalreihe gegebene, was weder Ursache

---

S. 446 f., nicht ableiten; dagegen sind Beharrungsreihen ihrer Natur nach endlos. — In anderer Betrachtungsweise erscheint er als „letzter Endzweck".

[1] Denn solange es ist, müßte es entweder beharren oder sich verändern, und zwar notwendig.

[2] Ebenso wie Schwundwert und dessen Nichtsein sind auch Superiora (vergl. Meinong, „Über Gegenstände höherer Ordnung") quasi-kausale Werte, und zwar sofern deren Inferioren als Ursache oder Wirkung in Betracht kommen. In erster Linie, primär sind es Realrelationen, d. h. nicht a priori erkennbare Relationen (siehe Meinong, Hume-Studien). Wer z. B. ein Stück Holz rot färbt, bewirkt damit quasi dessen Ähnlichkeit mit allem Roten in bezug auf die Farbe, und zwar, indem er das Stück Holz in eine a priori nicht erkennbare Relation zur roten Farbe bringt.

[3] Ethik, pars I, demonstr. propos. XI.

noch Wirkung ist. Das aber ist die Reihe selber,[1] d. h. die Gesamtheit der Reihenglieder in der Reihenkomplexion. Gerade so
wie die Reihe aller Zahlen selber keine Zahl ist, so ist die Kausalreihe weder Ursache noch Wirkung. Das, was weder Gesamtursache noch Gesamtwirkung wohl aber Teilursache und Teilwirkung ist, hat nur spezielle Bedeutung.[2]

Dem allgemeinen kausalen Allgliede steht gegenüber das, was
sowohl Ursache als Wirkung ist, das allgemeine kausale Mittelglied.

Bemerkenswert ist es immerhin und wert, darauf hinzuweisen,
daß das erste Glied in eigentümlicher Beziehung zum Gott der
Monotheisten, das letzte zum buddhistischen Nirwana und das
Allglied zur Gottheit der Pantheisten steht.

Bei all dem ist aber doch daran zu erinnern, daß das Kausal-
gesetz, wie wir es annahmen, nur eine beliebig wahrscheinliche
Voraussetzung ist, und daß die sich aus demselben ergebenden
Folgerungen demgemäß nur hypothetische Gültigkeit haben.

---

[1] Vergl. Schopenhauer über die Unstatthaftigkeit, das Kausalgesetz auf
die Totalität der Kausalreihe anzuwenden.

[2] Ob nicht in rerum natura alle Teilursachen zugleich Gesamtursachen
eines Teileffektes sind, diese empirisch zu erörternde Frage kann hier unberücksichtigt bleiben: aus dem reinen Kausalgesetze folgt die Unmöglichkeit reiner
Teilursachen nicht und die Indifferenten müßten solche sein.

Zur Kritik der künstlichen Weltsprachen.

Von

J. Baudouin de Courtenay.

(Veranlaßt durch die gleichnamige Broschüre von Karl Brugmann und
August Leskien.)

I. Allgemeiner Teil.

1. Vorbemerkungen.[1]

§ 1. Brugmann (S. 16)[1] fordert Jespersen und mich auf,
uns über unsere Stellung zu dem Problem der Weltsprache zu
äußern. Da wir auf der Liste der Delegation als „Fachmänner"
figurieren, so ist diese Forderung Brugmanns vollkommen berechtigt.

Was mich persönlich betrifft, so habe ich bis jetzt geschwiegen,
weil ich zu wenig Vorstudien gemacht hatte und mich folglich
für nicht kompetent genug hielt. Erst in der letzten Zeit habe
ich mich eingehender mit der Frage beschäftigt, und zwar angeregt durch die Verpflichtung, die ich, als Mitglied des von der
Delegation gewählten Komitees, auf mich genommen habe. Diesem
Komitee bin ich ohne irgendwelche Restriktion beigetreten, da ich
die Frage für höchst wichtig, wenn nicht für die ganze Menschheit (das würde ja zu stolz klingen), so doch wenigstens für einen
nicht gerade verächtlichen Teil derselben halte. Und wenn selbst
der Beschluß des Komitees sich später als mißlungen erweisen,
wenn in einer mehr oder weniger entfernten Zukunft die ganze
Bewegung mit einem Fiasko endigen sollte — ein meiner Meinung nach unmöglicher Fall —, so würde selbst dies für die daran
beteiligten Sprachforscher und Philologen — trotz aller Befürcht-

---

[1] Die Seitenzahlen beziehen sich auf die Broschüre: Zur Kritik der
künstlichen Weltsprachen. Von Karl Brugmann und August Leskien.
Straßburg, Verlag von Karl J. Trübner, 1907.

ungen Brugmanns (S. 22—23) — noch keine „Blamage“ bedeuten. Mit der Beteiligung an einer edlen und das Wohl der Menschen bezweckenden Aktion kann man sich keineswegs „blamieren.“ Etwaige mißbilligende und verspottende Urteile seitens der Zeitungen oder seitens der sogenannten „öffentlichen Meinung“ sind mir absolut gleichgültig.

An dieser Stelle beabsichtige ich nicht, die ganze Frage der internationalen Hilfssprache allseitig zu betrachten, sondern beschränke ich mich auf Bemerkungen, die zu den von Brugmann und Leskien ausgesprochenen Meinungen in irgendwelcher Beziehung stehen.

§ 2. Dabei darf selbstverständlich das Scherzhafte und das Witzige wohl nicht ernsthaft genommen werden. Zu dieser Kategorie gehört z. B. der Vorschlag Brugmanns, eine Insel im Ozean zu wählen, dieselbe in ein eigenartiges Zuchthaus mit Sträflingen zu verwandeln, denen es verboten würde, irgend eine andere als einzig und allein die auserkorene Kunstsprache zu gebrauchen, und so mit Hilfe eines solchen Sprachzwanges für die Kunstsprache ihre eigene „Heimat“ und Korrektivnorm zu schaffen (S. 25).

Wenn sich „die Weltsprachler aufs Akademiegründen verstehen“, so verstehen sich wieder „Patrioten“ gewissen Schlages auf Sprachzwang und Sprachverbot ausgezeichnet. „Alldeutsche“ möchten alles in „ihrem Reiche“ mit Gewalt germanisieren, „Allmagyaren“ magyarisieren, „Allitaliener“ italianisieren, „Allrussen“ russifizieren, „Allpolen“ polonisieren, „Alllittauer“ lituanisieren u. s. w. Hoffentlich hegen die Anhänger der Weltsprachenidee keinerlei solche Absichten. Die eifrigsten Esperantisten z. B. schwärmen nicht im entferntesten von einer Zwangsesperantiesierung der ganzen menschlichen Welt und von der Ausrottung anders sprechender Menschen. Die von Brugmann ausgesprochene Idee einer Ozeaninsel als Heimat der Kunstsprache ließe sich wohl ohne strengste Beaufsichtigung, ohne Spionage, ohne Denunziation nicht verwirklichen. Selbstverständlich würde Brugmann gegen solche Konsequenzen seiner scherzhaften Idee mit voller Entschiedenheit protestieren.

§ 3. Nebenbei noch eine Bemerkung. Brugmann irrt, wenn er behauptet: „Die französische Sprache, und so jede lebende Sprache, hat eine Heimat“ (S. 25).

Eine kollektive „Sprache“ hat keine „Heimat“ in dem von

Brugmann gemeinten Sinne. Eine individuelle Sprache hat wohl eine „Heimat" in dem Kopfe ihres Trägers, d. h. des sie redenden Menschen. Und wenn sich in einem Kopfe mehrere „Sprachen" eingepflanzt haben, so besitzen sie dann eine gemeinsame Heimat, ohne sich gegenseitig zu verfolgen und zu vertilgen. Dabei braucht die betreffende Sprache gar nicht zu den sogenannten „lebenden" gehören. Auch Latein, Griechisch, Hebräisch, Sanskrit u. s. w. haben jetzt ihre Heimat, insofern sie als individuell erworbene Sprachen in einzelne Köpfe eingedrungen sind.

. In ganz demselben Sinne bekommt ihre „Heimat" auch „die internationale Kunstsprache, die nichts Bodenständiges ist, sondern eine dreiste freie Mache Einzelner" (S. 25).

Jede „Sprache" kann in jeden gesunden menschlichen Kopf eingeführt werden. Besondere Sprachen sind nichts weniger als etwas an und für sich angeborenes. Nur ganz allgemeine sprachliche Anlagen sind allen Menschen auf dem Vererbungswege gegeben, von den speziell ethnographischen Eigentümlichkeiten aber nur minimale Unterschiede, minimal differenzierte Neigungen. Ein seiner biologischen Abstammung nach chinesisches oder hottentottisches Kind kann sprachlich ohne weiteres deutsch werden, wenn es von Anfang an in deutscher Umgebung erzogen wird, und umgekehrt. Linguistische Vorfahren sind also etwas ganz anderes als biologische Vorfahren. Die Identifizierung der Abstammung mit der Sprachzugehörigkeit und selbst mit dem Sprachzwange beruht auf einer beklagenswerten, weil ebenso unlogischen wie auch unmoralischen Begriffsverwirrung.

2. Voreilige und ungerechte Vermutungen.

§ 4. Einige Forscher bemühen sich, zu erklären, warum sich einzelne Völker an der weltsprachlichen Bewegung in verschiedenem Grade beteiligen. Nach der Meinung Brugmanns soll die angebliche Enthaltsamkeit der Deutschen davon herrühren, daß gerade „in Deutschland durch die neueren Fortschritte der Sprachwissenschaft, insbesondere durch Bücher, wie Hermann Pauls „Prinzipien der Sprachgeschichte" und Wilhelm Wundts „Völkerpsychologie, Erster Band: Die Sprache", das Verständnis für Wesen und Leben der Sprache erfreulich gewachsen ist" (S. 28—29). Alle solche Betrachtungen und Vermutungen halte ich einstweilen für voreilig. Es interessieren sich für die internationalen Kunstsprachen nur einzelne Deutsche, Franzosen,

Engländer, Italiener, Russen, Polen, Tschechen u. s. w., und ihre
Zahl ist noch zu klein und zu schwankend, um sie als statistisches
Material zu wissenschaftlich begründeten Schlüssen zu benutzen.

§ 5. Ich bitte meinen hochverehrten Kollegen B r u g m a n n
um Verzeihung, aber ich muß hervorheben, daß er k e i n R e c h t
hat, die „Weltverbesserer", d. h. d i e A n h ä n g e r d e r W e l t -
s p r a c h i d e e, d e s E i g e n n u t z e s z u v e r d ä c h t i g e n, und doch
tut er es, indem er sagt:

„Das natürlichste Heilmittel" (gegen das Übel der den Verkehr störenden Vielsprachigkeit) „wäre, daß eine der beteiligten
Sprachen allmählich immer weitere Kreise um sich zöge, sämtliche
Konkurrentinnen nach und nach in die Ecke drängte und schließlich alle völlig zerträte.[1] Daß aber die Geschichte diese Radikal-
kur vollzöge, darauf möchten diejenigen unserer Weltverbesserer,
die sich diese heutige Sprachmisère zum Gegenstand ihres Sinnens
erkoren haben, begreiflicherweise nicht gerne warten. D e n n s i e
s e l b e r h ä t t e n k a u m m e h r e t w a s d a v o n"[2] (S. 6—7).

Ebenso nicht ganz gerecht scheint mir folgender, gegen M a x
M ü l l e r gerichteter Ausfall:

„Da Müller die Stille und Zurückgezogenheit der Studier-
stube nicht genügte und er sich gerne die Gunst des größeren
Publikums sicherte, was Wunder, wenn er den Dilettanten auch
in den Weltsprachfragen liebenswürdig entgegenkam?" (S. 15).

E n d l i c h z i e m t e s s i c h m e i n e s E r a c h t e n s n i c h t, d i e B e -
g e i s t e r u n g u n d d e n E i f e r i n d e r P r o p a g a n d a d e r W e l t -
s p r a c h i d e e b l o ß a u f e i n e R e k l a m e s u c h t z u r ü c k z u f ü h r e n:

„Am meisten wird, besonders in Frankreich, für Esperanto,
das von dem Warschauer Arzt Z a m e n h o f erdacht ist, Reklame
gemacht, und dieses hat in dem Wettlauf augenblicklich entschieden
die Führung" (S. 11). „Wiederum sucht man auch besonders die
Gelehrtenkreise für sich mobil zu machen, einesteils um mit der
Zahl und den Namen der Gewonnenen dem größeren Publikum
zu imponieren, andernteils in der Meinung, daß nur mit der
Unterstützung der Professoren auch die Regierungen gewonnen
werden könnten" (S. 12). „Immerhin dürfte es gut sein, wenn
jemand, der mit Bestimmtheit erwarten muß, daß seine Aussprüche
gedruckt und zu Reklamezwecken benützt werden, sich selbst ein

---

[1] Der gesperrte Druck stammt von mir, da ich das Wort „zerträte", als
besonders charakteristisch, hervorheben möchte.

[2] Auch von mir unterstrichen.

Verzeichnis derselben anlegte" (S. 16, Bemerkung Gustav Meyers, gegen Max Müller gerichtet und von Brugmann zitiert).

Leider kann ohne gewisse „Reklame" nichts von den menschlichen Unternehmungen gedeihen; aber es gibt ja verschiedene „Reklamen", und nicht jede „Reklame" ist unwürdig und verwerflich.

3. Unpassende und zu verwerfende Bilder.

§ 6. Schlechter als „Reklame" sind gewisse vage, inhaltlose Phrasen, „mit welchen man den Laien imponieren will." Zu solchen rechne ich vor allem die von Brugmann angeführte Expektoration Gustav Meyers:

„Leben und Wachstum, zwei Begriffe, die man mit Recht auf die Sprache übertragen hat, sind für Volapük unmöglich, weil kein Blut in seinem Körper rollt, wie es nur die natürliche Zeugung[1] gibt. Es ist ein lebensschwaches Geschöpf, dem der frühe Tod auf der Stirn geschrieben steht; es ist ein Homunculus" (S. 26, Fußnote).

Dieses bombastische Gerede G. Meyers erinnert an die sinnlose Behauptung, die Sprache sei ein lebender (respektive „toter") Organismus, und doch wird es von Brugmann ohne die verdiente Rüge wiederholt. Brugmann gibt zwar zu, daß der Vergleich Meyers hinkt, findet ihn aber in einem Punkte (in dem Punkte des „Homunculusbildes") völlig zutreffend (S. 26—27). Ja noch mehr. Brugmann bekennt sich ausdrücklich zu der Denkweise G. Meyers, wenn er behauptet, „daß es zwischen den verschiedenen Sprachen, die aufeinanderstoßen, zu einem Ringen auf Leben und Tod[1] kommt" (S. 5—6).

Ob wirklich „zwischen Sprachen"? Und können denn Sprachen aufeinanderstoßen? Sie können es ja cum grano salis, in gewissem Sinne, als individuelle Sprachen in einzelnen Köpfen, aber dort kann von einem „Kampfe", von einem „Ringen" keine Rede sein. In einem Kopfe bestehen ja mehrere Sprachen ruhig und friedlich nebeneinander.

§ 7. Die „Mutter Natur" und die „menschliche Natur", welche in dem Motto Brugmanns (S. 5) den Menschen selbst gegenübergestellt werden und sich angeblich nicht „überlisten" lassen, gehören zu den poetischen Fiktionen, die in einer echten und ernst-

---

[1] Von mir gesperrt.

haften Wissenschaft nicht am Platze sind. Man kann sie, ohne jeglichen Schaden für jemanden, samt den „Sprachorganismen", in die Rumpelkammer der längst überwundenen Gelahrtheit werfen.

Und doch fährt B r u g m a n n in demselben Tone fort:

„Der Hauptsache nach bleibt die Kunstsprache eine individuelle Schöpfermache, bei der nichts die Probe, ob es sich zum ganzen o r g a n i s c h [1] (!!) fügt, bestanden hat" (S. 26—27).

Ich gestehe offen, daß ich nicht imstande bin, diesen „wohlklingenden" Satz zu verstehen. Was soll ich mir unter dem berüchtigten „o r g a n i s c h" denken?

Eben so ist der Ausdruck „t o t e Sprachen" (S. 7) bloß ein Bild, und eine ernste Wissenschaft sollte sich hüten, mit Bildern und ungenauen, unlogischen Vergleichungen (c o m p a r a i s o n n'e s t p a s r a i s o n) zu operieren. Jede „Sprache" ist für uns „tot", solange wir sie nicht beherrschen; und jede „Sprache" wird „lebendig", sobald wir sie in unseren Kopf (respektive in unsere „Seele") einführen. Es würde aber am besten sein, wenn man diese irreführenden und der Wirklichkeit nicht entsprechenden Ausdrücke, „lebende Sprache", „tote Sprache", ein- für allemal aus der Wissenschaft verbannen würde.

§ 8. Ich bekenne auch, daß mir folgende Vergleiche B r u g - m a n n s etwas schief und ungenau zu sein scheinen:

„Bei der wissenschaftlichen Wertung unseres Problems, bei dessen Behandlung so vielfach nur der Wunsch der Vater des Gedankens gewesen ist, tut, das wird jeder zugeben müssen, vor allem Nüchternheit not. Diese vermißt man ganz und gar z. B. bei Nietzsche (Menschliches, Allzumenschliches), der den allgemeinen Gebrauch der künstlichen Hilfssprache mit Sicherheit voraussieht und dabei sagt: „Wozu hätte auch die Sprachwissenschaft ein Jahrhundert lang die Gesetze der Sprachen studiert und das Notwendige, Wertvolle, Gelungene an jeder einzelnen Sprache abgeschätzt?" Dies setzt ganz willkürlich die Durchführbarkeit des Unternehmens als bewiesen voraus, und man darf etwa dagegen stellen: es muß bald ewiger Frieden in der Welt werden, wozu hätten auch die Staatswissenschaften so lange die Gesetze des Staatslebens studiert? — oder: wir bekommen bald Brot aus Erde gebacken, wozu hätte auch die Chemie so lange die Stoffe der Körper studiert?" (S. 17—18).

---

[1] Gesperrt von mir.

An den Begriffen: „Sprachwissenschaft" und „künstliche Hilfssprache", „Staatswissenschaften" und „ewiger Friede", „Chemie" und „Brot aus Erde" läßt sich weder arithmetische, noch geometrische, noch schließlich logische Proportion ausfindig machen.

4. „Aristokratische" Vorurteile. Subjektive Gefühle.

§ 9. Trotz allem eifrig gepredigten „Demokratismus" in Anwendung an unsere sozialen und ökonomischen Einrichtungen, stecken wir noch, leider auch im Gebiete des geistigen Lebens, in den von dem Altertume und von dem Mittelalter überlieferten „aristokratischen" Vorurteilen. Dieser „Aristokratismus" gibt sich auf verschiedene Weise kund. Der reine „Wissenschaftler" (ich erlaube mir diesen Ausdruck angesichts des B r u g m a n n schen „Weltsprachler"), der reine Theoretiker betrachtet die Anwendung der wissenschaftlichen Resultate auf die Praxis als eine minderwertige Beschäftigung. Umgekehrt sieht der eingebildete Praktiker von oben herab auf die „graue Theorie" und die Stubengelehrsamkeit.

So erklärt es sich, warum solche Versuche, wie die Erfindung einer „Kunstsprache", gerade von den meisten Sprachforschern mit Geringschätzung, im besten Falle mit nachsichtigem Lächeln behandelt werden. Man sieht darin „Fabrikate", „Machwerke" oder ähnliches und die darnach strebenden nennt man verächtlich „Weltsprachler", „Weltverbesserer" und ähnlich. Der auch dem gelehrtesten Gelehrten innewohnende Männerstolz läßt uns der „arbeitslosen Frauen" (S. 19) ironisch erwähnen. Überhaupt kommen dabei die „von der Natur" beeinträchtigten Mitmenschen nicht besonders glänzend davon. Eine aristokratisch-philologische Behandlung der Weltsprachefrage hindert uns, anzuerkennen, daß eine solche wirklich neutrale Sprache in manchen Fällen auch uns, den Auguren und Hauptpriestern der Wissenschaft, gewisse Dienste leisten könnte. Wir überlassen dieselbe dem gemeinen Manne, dem „profanum vulgus".

§ 10. Einen doppelten Anstrich von „Aristokratismus" trägt an sich auch die Erwähnung der „schönen Literatur" und der „ästhetischen Befriedigung" (S. 20—21). Erstens muß bei der Betrachtung der Weltsprachefrage die „schöne Literatur" und die „ästhetische Befriedigung" hinter die plebejischen Bedürfnisse des täglichen Lebens zurücktreten. Zweitens gebührt einer „künstlichen Sprache" auch in Anwendung auf die schöne Literatur eine nicht zu unterschätzende Rolle. Bei der Betrachtung solcher Fragen berücksichtigt man gewöhnlich nur „große Völker" und weitverbreitete, sprachlich einheitliche Literaturen. Man sollte sich aber dabei erinnern, daß auch in den weniger verbreiteten Sprachen „minderwertiger Nationalitäten" Meisterwerke erscheinen und große Gedanken und beachtenswerte wissenschaftliche Kombinationen veröffentlicht werden können, zu deren Popularisierung gerade die Existenz einer wirklich neutralen, leicht erlernbaren Weltsprache ungemein viel beitragen würde.

Bei der Lösung der Weltsprachefrage verdienen weder irgendwelche „Gefühle", noch speziell ästhetische Gefühle, weder allgemeine „Schönheit" der betreffenden Sprache, noch ihr „Wohlklang" und „Harmonie" in Erwägung gezogen zu werden. Alles dieses stützt sich, bis jetzt wenigstens, auf bloße unberechenbare Subjektivität. Aus denselben Gründen ist das sogenannte „Sprachgefühl" — falls man sich darauf ohne genaue Motivierung beruft — auch zu verwerfen. Der reine Utilitarismus muß hier das einzige entscheidende Moment bilden.

5. „Künstlich" und „Natürlich". Vergötterung des Unbewußten. Naiver Romantismus. Spracherfindungen.

§ 11. Man stellt das Künstliche dem Natürlichen entgegen und man behauptet, es dürfe sich das menschliche Bewußtsein in den natürlichen Gang des sprachlichen Lebens nicht einmischen. Die Sprache, als Gottesgabe oder meinetwegen Naturgabe, solle cum beneficio inventarii angenommen werden, und das menschliche Streben nach Vervollkommnung solle dabei nicht ins Spiel treten.

Ganz richtig. Der Gesundheitszustand eines Menschen ist etwas ganz natürliches, und die Einmischung seitens der Heilkunst muß verpönt werden. Stinkende, pestverbreitende Sümpfe sind auch ganz natürlich, und eine auf die Beseitigung dieses Unheils hinzielende Einmischung des Menschen ist geradezu eine Naturlästerung. Menschliche Ignoranz und menschliches Elend gehören ebenfalls zur Kategorie natürlicher Erscheinungen, und jeder Versuch, diese natürlichen Zustände zu ändern, muß mißbilligt werden.

Und doch begeht man ungeniert und unerschrocken beständige Verbrechen gegen die „heilige Mutter Natur", man erlaubt sich das „Natürliche" künstlich zu modifizieren, das Unbewußte mit Bewußtsein zu beleuchten, dem „blinden Zufall" unsere Absicht und unseren Willen entgegenzusetzen, das Kollektive durch das Individuelle zu stärken und zu vervollkommnen, „elementare Kräfte" zweckmäßig zu maßregeln, mit einem Wort in dem angeblich untastbaren Gebiete der Natur die auf das Wohl oder das Leiden der Menschheit hinzielende menschliche Tätigkeit sich betätigen zu lassen.

Man wird uns erwidern: Ja, es geschieht dies alles, aber nur in Anwendung auf die „physischen Kräfte". Mit der „äußeren", physischen Welt macht man keine Umstände. Man zwingt sie in unsere Dienste zu treten. Man geht selbst weiter: man treibt eine künstliche Pflanzen- und Tierzucht. Nur im Bereiche des rein Menschlichen darf man sich keinen Angriff gegen die natürliche Keuschheit erlauben.

Ist es aber richtig? Und zweitens ist es wirklich wahr?

Wenn man die Energie der physischen Welt zur Schaffung künstlicher Gebilde ausnutzt, um unsere Existenzbedingungen erträglicher zu machen, warum soll man sich nur angesichts psychisch-sozialer Kräfte neutral verhalten? Soll man sich hier mit einer indolenten und impotenten Bewunderung und Vergötterung des allmächtigen „Unbewußten" begnügen? Soll denn hier einzig und allein der im Dunkeln wirkende „heilige Geist" oder diejenige Fiktion Bürgerrechte besitzen, welche, gleich der alttestamentlichen Eselin Bileams, „nie irrt" und „unfehlbares Volk" heißt?

§ 12. Aber ist es wirklich wahr, daß man im Gebiete des psychisch-sozialen Lebens dem allherrschenden Unbewußten mit solcher unbeschränkter Hingebung und Untertänigkeit entgegentritt? Nicht im geringsten. In vielen Gebieten des psychisch-sozialen Lebens hat man sich schon längst von diesem naiven Romantismus verabschiedet. Trotz aller Anerkennung für imposante Leistungen des sogenannten „Volksgeistes", d. h. der unbewußten kollektiven Arbeit vieler eine soziale Einheit bildender Individuen, schreitet man doch mit bewußter Intervention in verschiedene Gebiete dieses Schaffens ein. Neben dem Gewohnheitsrechte haben wir eine organisierte Gesetzgebung; neben traditioneller Sitte bewußt aufgestellte ethische Forderungen und Vorschriften; neben der anonymen Volkskunst und Volksdichtung individuell gefärbte Werke einzelner Künstler und Dichter; neben der traditionellen Erziehung wissenschaftlich begründete Methoden der Pädagogik und des Unterrichts . . . . . Und in einigen Sphären geht man selbst so weit, daß man keine „Natur" mehr anerkennt und dieselbe

durch „künstliche Fabrikate" und „Machwerke" ersetzt. So läßt
man z. B. im religiösen Gebiete dem menschlichen Geiste nicht
die geringste Freiheit, sich „natürlich" zu entwickeln, sondern man
greift in harter Weise ein, man zwingt den fertigen Glauben auf,
ohne sich zu scheuen, daß man damit die natürlichen Keime des
gesunden Verstandes verstümmelt und zerrüttet.

Wenn man sich also in verschiedenen anderen Gebieten des
psychisch-sozialen Lebens mit einem bequemen „laissez faire,
laissez passer" nicht begnügt, und zwar selbst dann nicht, wenn
man sogar mit seinem bewußten Handeln einen Schaden bereitet,
warum soll nur die Sprache eine Ausnahme bilden?

§ 13. Existiert denn der Mensch für die Sprache oder
die Sprache für den Menschen?

Die Sprache ist weder ein in sich geschlossener
Organismus, noch ein unantastbarer Abgott, sondern ein
Werkzeug und eine Tätigkeit. Und der Mensch hat nicht
nur das Recht, sondern geradezu die soziale Pflicht, seine
Werkzeuge zweckmäßig zu verbessern, oder sogar die schon be-
stehenden Werkzeuge durch andere bessere zu ersetzen.

Da die Sprache von dem Menschen untrennbar ist und ihn
beständig begleitet, so muß er sie um so mehr vollständig beherrschen und sie von seinem bewußten Eingreifen noch viel mehr
abhängig machen, als es mit anderen Gebieten des psychischen
Lebens der Fall ist.

Und sogar die eifrigsten Gegner der künstlichen Sprachen
müssen sich die unleugbare Tatsache gefallen lassen, daß man auch
ohne künstliche Weltsprache den „natürlichen Verlauf" des Sprachlebens mit „künstlichen" und bewußt geregelten Eingriffen ein-
schränkt und absichtlich ändert. So ist vor allem jeder Sprach-
unterricht, sei es der sogenannten „Muttersprache", sei es fremder
Sprachen, ein Attentat gegen die „natürliche Sprachentwicklung".
Wenn man „Sprachfehler" oder „Schreibfehler" korrigiert, sündigt
man gegen das Prinzip der Natürlichkeit. Jeder sprachliche
Purismus, jede Jagd gegen sprachliche „Fremdlinge" einerseits und
dann alle orthographischen Reformen anderseits gehören in das
Gebiet der das natürliche Vorsichgehen beschränkenden Künstlichkeit. Eine Unmasse von neuen Ausdrücken, von wissenschaftlichen
und sonstigen termini technici entsteht nur auf dem „künstlichen",
d. h. von dem Bewußtsein geregelten Wege.

§ 14. „Es ist schon alles gut", wird man mir erwidern. „Wir

geben es zu, daß in allem oben genannten eine künstliche Intervention in den natürlichen Verlauf des sprachlichen Lebens stattfindet; aber alles das ist etwas ganz anderes, als die Erfindung
einer besonderen Sprache. Man kann doch keine Sprache erfinden".

Leider wird diese scheinbar richtige Erwiderung ihrerseits
durch die unbestreitbare Tatsache von wirklichen Spracherfindungen widerlegt. Diese Spracherfindungen haben sich entweder
„unbewußt", richtiger halbbewußt, durch die Wirkung „elementarer Kräfte", oder bewußt, absichtlich, auf dem durch und durch
„künstlichen" Wege vollzogen. Zu der ersten Kategorie gehören
alle „künstlichen" Grenzsprachen, „Mischsprachen", welche den
Verkehr zwischen stammverschiedenen Völkern (z. B. zwischen
Russen und Chinesen, zwischen Engländern und Chinesen u.s w.)
vermitteln; dann geheime Sprachen und Argots der Studenten, der
Gassenjungen, der Strolche u. s. w. in verschiedenen Ländern und
zu verschiedenen Zeiten. Die zweite Kategorie besteht aus den
mehr oder weniger „wissenschaftlich" konstruierten „künstlichen"
Sprachen, die darauf Anspruch erheben, als internationale Hilfs-
sprachen zu fungieren. Was in der ersten Sprachenart nur halb-
wegs und planlos geschieht, wird in den internationalen Hilfs-
sprachen in viel größerem Maßstabe und mit voller Konsequenz
durchgeführt.

6. Professionelle Rechte der Fachmänner. Theorie und Praxis. Wissenschaftliche Entdeckungen und praktische Erfindungen. Kollektive und individuelle Tätigkeit. Fachmänner und Dilettanten.

§ 15. Aber man versöhnt sich schließlich prinzipiell mit dem
Gedanken einer künstlichen internationalen Sprache. Man möchte
nur dabei professionelle Rechte der sogenannten „wirklichen Sprachforscher" wahren. So lesen wir z. B. bei Brugmann:

„Nur ein Sprachgelehrter von der Weite des Blicks, wie sie
selber" (die von Brugmann oben genannten Sprachforscher) „sie
haben, wäre imstande etwas Brauchbares zu liefern" (S. 16).

Auch viele andere Gelehrten sind der Meinung, „es sollten
eine künstliche Sprache Fachmänner erfinden", und zwar nicht nur
solche, die sich mit arioeuropäischen (indogermanischen) Sprachen
beschäftigen, sondern auch diejenigen, die mit den Sprachen anderer
Stämme ganz genau bekannt sind.

Was aber tun, wenn die Fachmänner nichts von der Frage der internationalen Sprachen wissen wollen, wenn sie diese Frage von oben herab betrachten, und wenn sogar viele von ihnen sich solchen Sprachen gegenüber feindlich verhalten?

Brugmann macht dabei einen konkreten Vorschlag:

„Warum lassen also die Herren" (Schuchardt, Jespersen und Baudouin de Courtenay), „Schuchardt nun schon seit zwei Jahrzehnten, tausende und abertausende von Menschen Zeit und Mühe vergeuden, ohne selber praktisch zu helfen?" (S. 17). „Jedenfalls sind sie" (Jespersen und Baudouin de Courtenay) „nicht selber als Erfinder einer Kunstsprache aufgetreten" (S. 16).

Es ist leicht zu reden, aber nicht so leicht auszuführen. Wenn man auch willig ist, so hat man in der Regel weder Zeit, noch Vorbedingungen, noch Talent dazu. Und wenn man auch alles dieses besitzt, so vermißt man dabei gewöhnlich Eingebung, Inspiration, ohne welche an eine Erfindung nicht im entferntesten zu denken ist.

§ 16. Es sind gerade Fachmänner, d. h. Theoretiker, nur höchst selten geschickte Erfinder. Ich weiß nicht, in wie weit es wahr ist, aber es wurde mir von Helmholtz erzählt, er habe versucht, ein Musikstück zu komponieren, und diese Erfindung eines der größten Akustiker und Theoretiker der Musik ist nichts weniger als gelungen ausgefallen. Unterdessen werden die großen Meisterwerke der Musikkunst auch von solchen Menschen verfaßt, die von den theoretischen Grundprinzipien der Akustik keine Ahnung haben. Ob die Erfinder der Uhr auch theoretisch geschulte Mechaniker waren, bleibt zweifelhaft. Vor einer Zeit wurde in einigen Städten Europas das Modell der berühmten Straßburger Uhr ausgestellt, dessen Erfinder ein beinahe analphabeter Junge war, ohne jegliche Kenntnis der theoretischen Mechanik. Alle Erstlingserfindungen der menschlichen Kultur, wie Anwendung des Feuers, Kochkunst, Glas, primitive Schrift u. s. w., verdanken ihren Ursprung den genialen Köpfen, deren Besitzer gewiß keine Physiker, keine Chemiker, keine bewußten Theoretiker im heutigen Sinne des Wortes waren. Ja noch mehr. Sogar jene bewunderungswerten Leistungen und Konstruktionen einiger Tierarten genügen allen Forderungen der Mechanik, und doch kann man eine theoretische Kenntnis der Gesetze dieser Wissenschaft weder Bibern, noch Bienen, noch Ameisen, noch Spinnen, noch überhaupt irgend einer anderen Gattung unserer sprachlosen Mittiere zumuten.

§ 17. Aber auch in der sprechenden und bewußt denkenden Menschenwelt gehen oft genug Theorie und Praxis auseinander. Es sind zwei verschiedene Spezialitäten, die sich mit gleicher Intensität nur höchst selten in einem und demselben Kopfe vereinigen. Etwas anderes ist Verwirklichung „wissenschaftlicher Gesetze" und schöpferische Tätigkeit, und wieder etwas anderes Entdeckung und theoretische Begründung dieser „Gesetze". Dichtung und künstlerische Tätigkeit brauchen gar nicht mit dem Verstehen und der Erklärung dieser künstlerischen Tätigkeit Hand in Hand gehen.

Die Sprache ist wohl ein viel komplizierteres Gebilde, als z. B. ein Gedicht oder ein Musikstück, aber es ist auch gewissermaßen ein Kunstprodukt. Neben der „kollektiven" Schöpfung einer ganzen Sprachgenossenschaft ist auch hier eine individuelle schöpferische Tätigkeit hervorragender Erfinder denkbar. Eine solche Tätigkeit ist zwar vom Bewußtsein geregelt, aber für den Erfolg auf diesem Gebiete sind Intuition und Inspiration unbedingt nötig.

Selbst solche wirklich hervorragende und mit ihren Namen gewisse bedeutende und weittragende Wendungen in der Geschichte des sprachwissenschaftlichen Denkers markierende Gelehrten, wie es zweifelsohne L e s k i e n und B r u g m a n n sind, würden kaum imstande sein, eine „künstliche Sprache" zu erfinden. Und es ist leicht begreiflich. Man kann nicht in allen Richtungen gleichmäßig groß sein. Wie gesagt, schließen sich schöpferische Theorie und schöpferische Praxis, theoretische Genialität und praktische Genialität sehr häufig gegenseitig aus.

Was mich persönlich betrifft, so habe ich, obgleich ich mich mit den genannten Forschern nicht messen darf, doch etwas weniges im Bereiche der theoretischen Sprachwissenschaft geleistet. Von den Versuchen aber, eine künstliche Sprache zu erfinden, kann bei mir schon deswegen keine Rede sein, weil ich an fast vollkommenem Mangel der künstlerischen Phantasie leide.

§ 18. Aus dem vorhergehenden erhellt, wie es mir scheint, zur Genüge, daß, insofern es sich um die Erfindung und Verwertung einer künstlichen Sprache handelt, ein höhnisches Verhalten seitens der „Sprachforscher von Beruf" den „Professoren der Geographie", „Professoren der Chemie", „Zoologie- oder Astronomieprofessoren", und selbst den „Ärzten", „Zahnärzten", „Pfarrern", „Kaufleuten", „Offizieren" ..... gegenüber nicht am Platze ist.

Es ist überhaupt eine T e i l u n g d e r M e n s c h e n i n F a c hmänner und Dilettanten in den meisten Fällen unbegründet. Bei der Beurteilung der Frage der internationalen Sprache verdienen vielleicht einige Philosophen, Mathematiker, Chemiker, Ärzte u. s. w. den Namen des „Dilettanten" weniger, als einige patentierte Sprachforscher. Der Ausspruch „ars non habet osorem nisi ignorantem" kann auf alle Menschen, ohne Unterschied ihres Berufes, angewendet werden.

II. Das Esperanto in der Beleuchtung Leskiens.

1. Vorbemerkungen.

§ 19. Ich wende mich jetzt zu der speziellen Kritik des Esperanto. Dabei muß ich mich gegen den Verdacht verwahren, ich selber sei ein Esperantist. Ich bin kein Anhänger, kein Bekenner des Esperanto. Ich gehöre keiner Sekte an: weder zur Sekte der Abolitionisten, noch zur Sekte der Antialkoholiker, noch zur Sekte der Volksuniversitätler, noch zur Sekte der Pazifisten (Friedensliga) . . . ., noch schließlich zur Sekte der Esperantisten. Um so eher kann ich mich dem Esperanto gegenüber unparteiisch und kritisch verhalten.

Wenn ich einerseits den Fleiß und Scharfsinn anerkenne, mit welchen mein verehrter Freund, Professor Leskien, an die Kritik von Esperanto herantrat, so muß ich anderseits hervorheben, daß diese ernsthafte und geistreiche Kritik durch eine Reihe von Mißverständnissen hervorgerufen wurde.

Wenn man von einer künstlichen internationalen Hilfssprache redet, darf man nie folgende Voraussetzungen außer acht lassen:

1. Eine solche Sprache wird nie von Unmündigen auf dem Wege des unmittelbaren Verkehrs mit sprechender Umgebung, d. h. nie in derselben Weise, wie die sogenannte „Muttersprache", erlernt werden.

2. Eine solche Sprache soll erst in späterem Alter, als eine künstliche, vor allem mittels der Lektüre anzueignende Sprache in unsere Psyche eingeführt werden. Das „spätere Alter" bedeutet dabei nicht gerade ein „vorgerücktes Alter", sondern auch die Kinderjahre, aber erst nach fester Aneignung irgend einer anderen Sprache.

3. Folglich haben wir kein Recht, zu vermuten, daß auch die künstliche Sprache ebensolchen „elementaren Kräften" preisgegeben wird, die zu einer stufenweisen Veränderung und „Entartung" anderer Sprachen führen.

2. Phonetisches und Graphisches.

§ 20. Dieses vorausgeschickt, können wir einzelne Punkte der Leskienschen Kritik besprechen.

So vor allem begegnen wir im Gebiete der Phonetik einem Vorwurfe, das Esperanto besitze zu viel schwer aussprechbare und schwer voneinander zu unterscheidende Laute (S. 31—32).

Wenn man sich auf den subjektiven Standpunkt von Angehörigen einzelner Sprachstämme und Völker stellt, ist diese Behauptung Leskiens vollkommen richtig. Aber um einem solchen Vorwurfe seitens übertriebener und mäklerischer Kritik zu entgehen, müßte man sich schließlich mit einer kleinen Anzahl von „Lauten" begnügen, die etwa mit folgenden Buchstaben zu bezeichnen wären:

p t k, s, m n l, a e o u i.

Das Nebeneinander von *p t k* und *b d g* ist, mit Rücksicht auf Mitteldeutsche, Dänen und andere Völker, denen es schwer fällt diese Konsonantenreihen zu unterscheiden, nicht zulässig.[1] Für einen urwüchsigen Esten, für einen Altaier bilden ihre eigenartigen *p t k* und ihre eigenartigen *b d g* keine selbständig gedachten und auszusprechenden Konsonanten, sondern ihr Unterschied hängt mit der Stellung im Worte (Inlaut, Anlaut, Auslaut) zusammen.

Das *f* sei auszumerzen, weil es in der Aussprache baltischer Völker ebenso arioeuropäischen wie auch finnischen Stammes (einerseits Litauer, Letten, anderseits Finnen, Esten) einen Stein des Anstoßes bildet. Alle *h-* und *ch-*artigen Konsonanten sind z. B. einerseits für urwüchsige Litauer und Letten, anderseits wieder für urwüchsige Italiener (mit Ausnahme der Einwohner von Florenz mit Umgebung) etwas unerreichbares und unüberwindliches.

An ein Nebeneinander von *s* („scharfes *s*") und *z* (*z* der

---

[1] Höchst wertvoll ist in dieser Hinsicht der von L. Couturat und L. Leau in ihrem neulichst erschienenen Werke: „Les nouvelles langues internationales, suite à l'Histoire de la langue universelle (Paris 1907)", pag. 23—24, erwähnte Versuch von Carpophorophilus, welcher schon im Jahre 1734 eine künstliche „aposteriorische", aus dem lateinischen Materiale zusammengeschmiedete Sprache vorschlug. Der Verfasser war augenscheinlich ein Mitteldeutscher, und, „pour éviter toute confusion entre *d* et *t*, *b* et *p*, *f* et *v*", hat in seinem Alphabete nur *b*, *d*, *g*, *f* zugelassen, mit vollständiger Beseitigung von *p*, *t*, *k* und *c*, *v*. Es war also für ihn dieser sonst so leichte Unterschied schwierig. Seine Arbeit heißt: **Carpophorophili** novum inveniendae Scripturae OEcumenicae consilium, in Acta Eruditorum, t. X. sect. 1 (Leipzig, 1734).

Slaven und Franzosen, gelindes *s*) ist ungefähr aus denselben Gründen nicht zu denken, welche ich gelegentlich des Unterscheidens von *p t k* und *b d g* hervorgehoben habe.

Es gibt Völker und sonstige Sprachgenossenschaften, denen das Unterscheiden von *s* und *š* (*sch*) und ähnliches große Schwierigkeiten bereitet. Auf Grund dessen ist eine solche Unterscheidung in einer künstlichen internationalen Hilfssprache nicht zulässig.

Mit Rücksicht auf die Chinesen hat Schleyer aus seinem Volapük den mit *r* bezeichneten Konsonanten ausgeschlossen. Aber nicht nur die Chinesen, sondern auch einige Europäer (Individuen und Sprachgenossenschaften) ersetzen das *r* durch ein lautliches Produkt, welches an den Konsonanten *r* in dem eigentlichen Sinne des Wortes nur sehr wenig oder selbst gar nicht erinnert. Folglich kein *r* in der künstlichen Sprache!

Aber auch das *l* bleibt nicht unangetadelt, wenn man z. B. die japanesische Aussprache berücksichtigt, welcher gerade das wirkliche *l* fremd ist.

Was scheint denn einfacher als der Vokal *a*. Und doch ist dieser Vokal z. B. der englischen Aussprache nur in bedingter Stellung eigen; die Engländer besitzen kein selbständig gedachtes und unabhängig auszusprechendes *a*. Dasselbe gilt von manchen anderen Sprachgenossenschaften, z. B. von einigen deutschen Dialekten u. s. w.

§ 21. Wir lesen bei Leskien:

„Der Erfinder des Esperanto . . . . . hat seine Weltsprache ungewöhnlich schwer sprechbar gemacht. Dazu einige Beispiele:

„Außerordentlich häufig braucht das Esperanto die Laute *tsch* (geschrieben *ĉ*), *dsch* (geschrieben *ĝ*; eigentlich *d* + französisch *j*) und das französische *jod* (geschrieben *j*). Die beiden letzten kommen in der deutschen Sprache überhaupt nicht vor, das *tsch* nur im Innern von Worten, am Anfang nie.[1] Trotzdem mutet nun der Dr. Zamenhof den Deutschen zu, sich dem anzubequemen; noch dazu ganz ohne Not, denn diese Laute hätten sich völlig vermeiden lassen und wären von jedem vermieden worden, der sich lebendige, sprechende Menschen vorstellt und nicht bloß eine Weltsprache in abstracto" (S. 32).

Was die Laute betrifft, so kann man vor allem der deutschen

---

[1] Ich erlaube mir doch nur an solche in deutschen Zeitungen und populären Ausgaben vorkommenden Wörter zu erinnern, wie Tschechen, Tscherkessen, Tschuwaschen, Dschuma u. ä.

Aussprache diejenige vieler anderer Völker (Italiener, Franzosen, Engländer, alle slavischen Völker u. s. w.) entgegenstellen. Die Deutschen könnten also dieses kleine Opfer bringen und sich der Aussprache dieser ihnen von Geburt an fremden konsonantischen Laute ganz einfach anbequemen, wie wieder anderen Völkern eine Anbequemung an andere Laute und Lautkombinationen zufallen würde. Sonst muß ich zugestehen, daß gerade diese im Esperanto mit *ĉ*, *ĝ* und *ĵ* bezeichneten Konsonanten, — besonders wenn man dazu noch *ŝ*, *s*, *c*, *dz* (also: *ĉ* neben *ĝ*, *ŝ* neben *ĵ*, *c* neben *dz*, *s* neben *z*, *ĉ* neben *ŝ*, *ĝ* neben *ĵ*, *c* neben *s*, *dz* neben *z*, *ŝ* neben *s*, *ĵ* neben *z*, *ĉ* neben *c*, *ĝ* neben *dz*) nimmt, — für ein ungewohntes Ohr vielleicht etwas zu feine Nuancen bieten. Aber ein solches ungewohntes Ohr könnte sich schließlich angewöhnen und die nicht hinlänglich eingeübten Sprechorgane sich einüben.

Wenn man auf die Zulassung solcher „feinen Nuancen" verzichtet, gerät man mit der Aufstellung phonetisch unterscheidbaren, nicht „homonymen" „Wurzeln" in große Verlegenheit. Die Zahl verfügbarer Wurzeln würde dabei sehr stark zusammenschrumpfen.

So unterscheidet z. B. das Esperanto die „Wurzeln" *gust-* (schmeck-, Geschmack) und *ĝust-* (recht-, richtig-), *pag-* (zahlen) und *paĝ-* (Seite im Buche) und ähnliches; mit dem Wegfallen von *ĝ* würde ein solches Unterscheiden unmöglich gemacht. Wenn man noch weiter gehen und, — mit Rücksicht auf die oben erwähnte Unfähigkeit der Dänen, Mitteldeutschen und anderer, *p t k* von *b d g* deutlich zu unterscheiden, — auch diese Unterscheidung wegschaffen und sich bloß entweder mit *p t k* oder mit *b d g* begnügen wollte, würde man sich die Aufrechterhaltung des Unterschiedes zwischen solchen „Wurzeln", wie *bak-* (back-, backen), *pak-* (pack-, packen) und *pag-* (Seite im Buche); *teg-* (deck-, überziehen) und *dek* (zehn); *krad-* (Gitter), *grad* (Grad) und *grat-* (kratzen) und ähnliche unmöglich machen.

Wenn man sich entschlossen hätte, diesen Entsagungsweg einzutreten und die soeben berührten feineren Unterschiede zwischen einzelnen Konsonantenreihen zu beseitigen, würde man gleichzeitig gezwungen sein, bei der Aufstellung der Wortbasen oder der sogenannten „Wurzeln" zu ganz anderen Prinzipien greifen.

§ 22. Ich meinerseits kann also der Einführung der konsonantischen Laute *ŝ*, *ĵ*, *ĉ*, *ĝ* in die Esperantosprache meine volle Billigung nicht versagen; über die dazu angewandten Buchstaben spreche ich unten. Mißbilligen aber muß ich das Unterscheiden

von *h* und *ĥ*. Prinzipiell habe ich gegen das Unterscheiden
zweier derartiger Konsonanten nichts einzuwenden. Was mich
aber unangenehm berührt, ist die entschiedene Unklarheit in der
Formulierung dieses Unterschiedes. Nicht nur verschiedene Verfasser der Esperantistischen Grammatiker, sondern selbst der Erfinder dieser künstlichen Sprache geben sich keine Rechenschaft
darüber, wie man diesen Unterschied zwischen *h* und *ĥ* in der
wirklichen Aussprache auffassen soll. Nach dem Durchlesen aller
darauf bezüglichen Erklärungen ist man ebenso klug, wie zuvor.
Man weiß wohl, daß dem *ĥ* etwa die Funktion des deutschen
und polnisch-tschechischen *ch*, des kroatisch-slovenischen *h*,
des neugriechischen χ, des russischen *x* zukommt; aber was ist
mit dem esperantistischen *h* anzufangen? Der Deutsche stellt sich
die Aussprache dieses „künstlich" eingeführten Konsonanten ganz
anders, als z. B. einerseits der Franzose, der Italiener, anderseits
ein Mitglied slavischer Sprachgenossenschaften. Jedenfalls ist dabei
eine störende Konfusion nicht zu vermeiden. In der Praxis wird
diese Konfusion durch die Tatsache einer auf diese oder andere
Weise durchgeführten Unterscheidung von *h* und *ĥ* neutralisiert.
Um aber ins Reine zu kommen und Begriffsverwirrung zu vermeiden, darf man sich nicht mit solchen vagen Ausdrücken, wie
„*h*— aspiré", „*ĥ*— un *h* très fortement *aspiré et guttural*" (?), nicht
begnügen, sondern man soll die Anthropophonik (Sprachphysio-
logie) zu Hilfe nehmen und auf dieser Grundlage ganz genaue
Definition formulieren.

§ 23. Bei dieser Gelegenheit halte ich es für nicht überflüssig,
auf die optische Seite der esperantischen Buchstaben mit diakritischen Zeichen, *ĉ, ĝ, ĥ, ĵ, ŝ, ŭ*, aufmerksam zu machen. Erstens
stehen die mit solchen Buchstaben bezeichneten Laute gar nicht
in einem ständigen gleichmäßigen Verhältnisse zu den Lauten,
welche mit den entsprechenden Buchstaben ohne jegliches dia-
kritisches Zeichen assoziiert werden. Phonetisches Verhältnis der
mit den optischen Vorstellungen *c* und *ĉ, s* und *ŝ* assoziierten phonetischen Vorstellungen hat einen anderen Charakter, als das Verhältnis *h : ĥ* einerseits und die Verhältnisse *j : ĵ* und *g : ĝ* andererseits. Der Unterschied zwischen den esperantischen Lauten *j* und *ĵ*,
g und *ĝ* ist zu groß, als daß man das Recht hätte, sie mit denselben, nur etwas modifizierten Buchstaben (*j : ĵ, g : ĝ*) auszudrücken.
Der Konsonant *j* ist mittellinguale tönende Spirans oder selbst
konsonantisches *i*, während der Konsonant *ĵ* als vorderlingualer

tönender Zischlaut (Spirans) aufgefaßt werden muß. Mit *g* bezeichnet man eine hinterlinguale tönende Clusilis-Explosiva, mit
dem optischen Bilde von *ĝ* dagegen vereinigt man die Aussprache
eines vorderlingualen tönenden Diphthonges (*dj*). Wenn man
neben *s* ein *ŝ* und neben *c* ein *ĉ* eingeführt hat, so müßte man
neben *z* nicht *ĵ*, sondern *ẑ*, und neben *dz* nicht *ĝ*, sondern *dẑ*
gebrauchen.

Der Verfasser von Esperanto wollte mit seinen *ĝ* und *ĵ* eine
angebliche graphische „Internationalität" erreichen. Dieses Motiv
ist meines Erachtens ganz nichtig. Wenn man von der graphi-
schen Seite etwas an der sonst zweifelhaften „Internationalität"
gewinnt, verliert man um so mehr durch die Inkonsequenz und
Begriffsverwirrung. Man sollte also wählen: entweder *ẑ*, *dẑ*, wie
ŝ, *ĉ*, oder für alle diese Laute besondere Buchstaben. Aus technischen Gründen würde sich diese letztere Entscheidung empfehlen,
d. h. man sollte anstatt aller dieser Buchstaben mit Zeichen droben,
also nicht nur anstatt *ŝ*, *ĉ*, *ĵ*, *ĝ*, sondern auch anstatt *ĥ* und *ŭ* besondere einfache, in sich geschlossene Buchstaben einführen. Wie
diese Buchstaben aussehen sollten, mag vorderhand dahingestellt
bleiben. Nur eins möchte ich schon hier vorschlagen: anstatt des
technisch unbequemen *ŭ* würde sich das einfache *w* empfehlen.

Als einen alphabetischen Mangel des Esperanto betrachte ich
auch die Inkonsequenz, welche man in der Anwendung von *dz*
neben *c* konstatiert. In beiden Fällen sollte man entweder gleichmäßig doppelte Buchstaben, oder in beiden Fällen gleichmäßig
einfache Buchstaben anwenden. Also entweder neben *dz* auch *ts*
(anstatt *c*) und außerdem *dẑ* (anstatt *ĝ*) und *tŝ* (anstatt *ĉ*), oder
neben *c* irgend ein einfacher Buchstabe anstatt *dz* und im Einverständnis damit nicht nur *ĉ*, sondern auch derselbe einfache
Buchstabe mit dem diakritischen Zeichen, selbstverständlich wenn
man nicht auf meinen oben ausgesprochenen Vorschlag eingeht,
alle diakritisch gekennzeichneten Buchstaben durch einfache zu
ersetzen.

Sonst bilden weder Buchstaben mit diakritischen Zeichen,
noch alle oben erwähnten Unkonsequenzen ein großes Unglück.
Wenn die in erster Reihe interessierten Esperantisten damit einverstanden sind, dann ist es schon ihre eigene Sache. Man darf
ja nicht vergessen, daß manche nationale Alphabete eine viel
größere Anzahl von punktierten, gestrichenen und sonst durch
allerlei Zeichen modifizierte Buchstaben besitzen, und trotzdem

sind die solche Alphabete handhabenden Völker damit vollkommen zufrieden.

§ 24. Leskien begnügt sich nicht mit dem Tadel von *ĉ*, *ĝ* und *ĵ*, sondern weist auch andere schwache Seiten in der phonetischen Beschaffenheit des Esperanto. Er sagt nämlich:

„Es ist jedem, der französisch kann, bekannt, daß diese Sprache die Diphthonge (wie im Deutschen *ai au* u. s. w.) vermeidet. Der Esperantoerfinder überlädt seine Sprache geradezu mit solchen: *au, eu, ai, ei, oi, ui* (geschrieben *aŭ, aj* u. s. w.). Sie kommen auch nicht etwa nur in einzelnen Wörtern vor, sondern außerordentlich häufig, z. B. jeder Plural endet auf *-oj* oder *-aj*, *patroj*, Väter, *bonaj viroj* gute Männer. Es werden damit den Franzosen eine Menge für sie schwer sprechbarer Silben aufgebürdet" (S. 32).

Um diese Mißbilligung wenigstens teilweise zu widerlegen, brauche ich nur solche französische Worte, wie *canaille, patrouille* und ähnliche anzuführen, in denen doch etwas sehr stark an die Diphthonge *ai (aj)*, *ui (uj)* erinnerndes ausgesprochen und gehört wird.

Sonst bieten solche Diphthonge niemandem eine Schwierigkeit, und die Besorgnisse Leskiens um die Bequemlichkeiten der Franzosen sind, in diesem Falle wenigstens, ganz überflüssig.[1]

Aber Leskien fährt fort und ist nicht nur um die Franzosen, sondern auch um die Engländer besorgt. Er sagt nämlich:

„Weiter: es ist bekannt, daß kein Engländer die Konsonanten *kn* am Wortanfange spricht, sondern statt dessen ein einfaches *n:* *knave* = *nāw*. Der Erfinder des Esperanto scheint das nicht zu wissen, sonst würde er doch wohl nicht höchst ungeschickter- und überflüssigerweise das deutsche Wort „Knabe" als *knabo* in seine Sprache aufgenommen haben" (S. 32—33).

Der Schluß von *kn* auf die Unwissenheit des „Erfinders des Esperanto" ist wohl etwas zu kühn und voreilig. Auch bei ausgezeichneter Kenntnis der englischen Sprache braucht man nicht

---

[1] Während meines Aufenthalts in Paris im Oktober d. J. 1907 wohnte ich am 23. Oktober (Rue de Poissy, 27) zwei Kursen des Esperanto bei: einem für Anfänger und einem anderen für Vorgeschrittene. Es war für die Anfänger erst die zweite Stunde des Unterrichts. Alle von ihnen (junge Kinder, Erwachsene, alte Männer und Weiber) sprachen die esperantistischen Diphthonge *aŭ*, *eŭ*, *oj*, *aj*, *ej*, *uj*, und selbst solche auslautenden Verbindungen, wie *ajn*, *ojn*, *ujn*, ohne jegliche Schwierigkeit ganz deutlich und vernehmbar aus. Es bieten also diese Diphthonge gerade für die Franzosen gar keine Schwierigkeit.

den Engländern gegenüber so zuvorkommend sein, daß man ihretwegen gewisse Lautgruppen aus seiner künstlichen Sprache verjagt. Wenn die Engländer das Esperanto erlernen wollen, müssen sie es so nehmen, wie es ist, und sich bemühen, alle Laute und Lautverbindungen genau auszusprechen. Und sie tun es wirklich. Alle das Esperanto beherrschenden Engländer sprechen *kn* ohne jeglichen Anstoß aus.

§ 25. Wenn man alle solche phonetischen Gewohnheiten verschiedener Völker berücksichtigen wollte, müßte man in dieser Selbstbeschränkung und Entsagung viel zu weit gehen. Die Esten z. B. haben in ihrer Sprache keine anlautenden Konsonantengruppen. Ein *st-* wird bei ihnen zu *t-*, ein *kl-* zu *l-*. Soll also der Erfinder einer künstlichen Sprache, den Esten zuliebe, auf alle anlautenden Konsonantengruppen verzichten und z. B. *brav-* (tüchtig), *brust-* (Brust), *blond-*, *drap* (Tuch), *flor-* (blüh-, blühen), *frak-*, *glas-*, *gras-* (Fett), *klub-*, *knab-* (Knabe), *kred-* (Glauben), *Krist-* (Christus), *plum-* (Feder), *plumb-* (Blei), *pres-* (drucken), *sci-* (wissen), *skal-* (Maßstab), *star-* (stehen), *ŝtel-* (stehlen), *strat-* (Straße), *ŝmir-* (schmieren), *ŝnur* (Schnur, Strick), *spin-* (Rückgrat), *ŝpin-* (spinnen), *traf-* (treffen) ... mit *rav-* (entzücken), *rust-* (rostig), *lond-*, *rap-* (Rübe), *lor-*, *rak-*, *las-* (lassen), *ras-*, *lub-*, *nab-*, *red-*, *rist-*, *lum-* (leuchten), *lumb-* (Lende), *res-*, *ci-* (du), *kal-* (Hühnerauge), *tar-*, *tel-*, *rat-* (Ratte), *mir-* (sich wundern), *nur* (nur), *pin-* (Fichte), *raf-* .... ersetzen?

§ 26. Die oben genannten phonetischen Eigentümlichkeiten veranlassen Leskien, den allgemeinen Schluß zu ziehen, „der Erfinder des Esperanto" habe „seine Weltsprache ungewöhnlich schwer sprechbar gemacht" (S. 32). Nachdem ich mir einzelne Einwände Leskiens näher angesehen habe, halte ich sein Urteil für ungerecht.

Eine ideale Leichtigkeit der Aussprache ist in einer künstlichen Sprache ebenso schwer zu erreichen, wie in den bestehenden traditionellen Sprachen. Wenn man sich eine künstliche Sprache aneignen will, muß man sich ebenso üben, wie bei jeder anderen Sprache. Für jedes Kind sind Sprechtätigkeiten seiner Umgebung schwer, es überwindet aber diese Schwierigkeiten und assimiliert sich auch in dieser Hinsicht seiner Umgebung. Für alle Kinder aller Völker mit einem vorderlingualen *r* ist die Aussprache eines solchen *r* absolut schwer, und doch, bis auf wenige Ausnahmen, wird diese schwierige Aussprache nach einer gewissen Zeit erreicht.

Um das „schwer Sprechbare" nicht nur in den „künstlichen", sondern auch in den „natürlichen" Sprachen auf das Minimum zu reduzieren, müßte man Methoden des Sprachunterrichts vervollkommnen, mit Anwendung von Resultaten der Anthropophonik (Lautphysiologie), etwa in der Weise, wie man es bei dem Unterricht der Taubstummen tut.

§ 27. Ferner warnt Leskien (S. 33) vor der Gefahr, welcher sich esperantische Verbindungen von Konsonanten mit dem Vokal *i*, besonders vor einem folgenden Vokal, aussetzen. Er hat vollkommen Recht, wenn er behauptet, daß „zwei nebeneinander gesprochene Laute einander beeinflussen", daß „in ganz besonderem Grade *i*-Laute verändernd auf vorangehende Konsonanten einwirken (es sei erinnert an die italienische Aussprache des lateinischen *k* [*c*] als *tsch*, z. B. *tschittá = kivitas)*", daß „diese Wirkung besonders leicht eintritt, wenn die Lautfolge Konsonant + *i* + Vokal stattfindet", und „daß die verschiedenen Völker solche Lautgruppen sehr verschieden behandeln" (S. 33). Er unterläßt aber folgendes Korrektiv zu seinen sonst ganz richtigen allgemeinen Behauptungen hinzuzusetzen:

1. Mit der optischen Vorstellung eines Buchstaben *i* assoziieren sich sehr verschiedene akustische und überhaupt phonetische Vorstellungen. Man darf also überhaupt nicht von einem *i*-Laute, sondern von den *i*-artigen Vokalen reden.

2. Es gibt Völker und lange Epochen des Sprachlebens einzelner Völker, in welchen der phonetische Einfluß desjenigen Lautes, welchen man mit *i* bezeichnet, gar nicht oder fast gar nicht zum Vorschein kommt. Ich brauche nur auf die kleinrussische (ukrainische) Aussprache hinzuweisen. Und auch sonst ist in der Sprachengeschichte ein durchgreifender „zerstörender Einfluß" des „Vokals *i*" auf vorhergehende Konsonanten die Ausnahme, während eben die Erhaltung der Konsonanten als Regel gelten muß. Erstens wirkt das *i* zerstörend vorzugsweise auf vorhergehende hinterlinguale Konsonanten *(per abusum* Gutturale genannt), aber auch diese Konsonanten halten sich eine lange Zeit ohne besonders markierte Veränderung. So bietet uns z. B. die mittlere Zone der slavischen Sprachenwelt („mittlere" zwischen dem slavischen Norden und äußersten Süden), zu welcher außer den oben erwähnten Kleinrussen auch Slovaken und Tschechen gehören, in der Regel

unveränderte Verbindungen *ki, gi, chi (ky, gy, chy)*. Aber auch sonstige Slaven (ebenso im Norden, wie auch im Süden) behalten alle historisch neu entstandene Verbindungen *ki, gi, chi* mit deutlicher mehr hinterlingualer „Artikulation" des konsonantischen Elements, höchstens mit einer „Erweichung" (Palatalisierung) desselben, aber ohne es mit den so nah liegenden vorderlingualen Palatalen *(t', d' . . . .)* zu verwechseln. Wenn es also ein solcher phonetischer „Konservatismus" in den frei lebenden, nicht normierten Sprachen möglich ist, so läßt er sich um so mehr in einer künstlichen, von dem Willen abhängigen und mit vollem Bewußtsein normierten Sprache durchführen.

Es irrt L e s k i e n, wenn er behauptet: „Das *i* solcher Silben verwandelt sich, mag auch der Esperantogrammatiker vorschreiben, man solle es deutlich aussprechen, ohne weiteres in *j*, und dann werden z. B. *kjo* und *tjo* im Munde der meisten Leute einfach zusammenfallen. Wer es als Deutscher, Engländer, Skandinavier fertig bringt, im Sprechen deutlich zu unterscheiden die Esperantowörter: *kiuj* welche, *tiuj* jene, *tschiuj* alle, der verdient „alle Bewunderung" (S. 33).

§ 28. „Es verwandelt sich", aber wo verwandelt es sich? Doch nicht in der Luft?

Man ist gewohnt, auf die absolute Unabänderlichkeit der sogenannten „Lautgesetze" ohne jeglichen Vorbehalt zu schwören. Ich bekenne mich als Ketzer und erlaube mir alle „Lautgesetze" zu leugnen. Es gibt wohl phonetische Gleichmäßigkeiten und streng bestimmte Entsprechungen (Korrespondenzen), aber ihr Zustandekommen hängt, im Grunde genommen, von psychischen Faktoren ab. Und das Psychische läßt sich bis zu einem gewissen Grade von dem Bewußtsein und von dem menschlichen „Willen" abhängig machen. Aber auch außerhalb des Bewußtseins und des „Willens" gehört der sprachliche Verkehr und der die Fortpflanzung der Sprache regulierende Nachahmungstrieb ins Bereich nicht des Lautlichen, des Physischen, sondern des Psychisch-Sozialen.

In Anwendung also auf die esperantischen „Lautgruppen" *kiu tiu ĉiu*, würden die Befürchtungen L e s k i e n s berechtigt sein, aber nur:

1. wenn man sich den darin enthaltenen *i*-artigen Vokal unbedingt mit einer „Erweichung" (Mouillierung, Palatalisation) des vorhergehenden Konsonanten vorstellt;

2. wenn man denselben *i*-artigen Vokal nicht betont, sondern reduziert, nachlässig ausspricht;

3. wenn man überhaupt die künstliche, von Bewußtsein und Absicht zu regelnde und zu normierende Aussprache eines Esperanto dem „blinden Zufall" und den „unbewußt wirkenden elementaren Kräften" frei geben würde.

Leskien sagt: „Die Aufgabe einer Weltsprache wäre es daher, solche Gruppen möglichst zu vermeiden" (S. 33). Ich stimme ihm auch gewissermaßen bei, aber aus anderen Motiven. Falls solche Phrasen, wie z. B. *ĉio tio ĉi, kion mi vidis* (alles dasjenige, was ich gesehen habe), sich oft wiederholen sollten, würden sie der Sprache den Charakter einer ermüdenden Monotonie verleihen. Aber erstens kommen solche Wendungen selten vor und die Behauptung Leskiens, das Esperanto wimmele geradezu von Silben, wie *kiu, kia, kie, tiu, tio, tschia*, ist stark übertrieben; und zweitens, gesetzt sogar, es sei wirklich wahr, müßte man doch als die höchste Instanz das gegenseitige Einverständnis der esperantischen Sprachbeteiligten betrachten: wenn solche Lautgruppen in den in erster Linie Interessierten keinen Anstoß erregen, können sich die Fremdlinge alle Besorgnisse ersparen.

§ 29. Um aber jede Versuchung zu „lautgesetzlichen Weiterentwicklungen" von solchen Lautgruppen unmöglich zu machen, sollte man für alle Angehörigen einzelner Sprachgenossenschaften, die sich gleichzeitig an dem esperantischen mündlichen Sprachverkehre beteiligen wollen, folgende zu beherzigende Warnungen aufstellen:

1. Der *i*-artige Vokal soll immer deutlich und betont ausgesprochen werden.

2. Mit diesem *i*-artigen Vokal darf nie die Vorstellung der „Erweichung" (Mouillierung) des ihm vorangehenden Konsonanten assoziiert werden. Das allgemeine streng „phonetische" Prinzip der esperantischen Orthographie kann nur so verstanden werden, daß eine einheitliche Buchstabenvorstellung einzig und allein zu der entsprechenden einheitlichen Lautvorstellung in eine Beziehung gesetzt werden darf, ohne daß dadurch das Nachbarverhältnis, sei es des vorhergehenden, sei es des folgenden, graphisch-phonetischen Paares affiziert werde. Folglich muß man sich bemühen, die Konsonanten *k g* in Verbindungen *ki gi, ke ge* genau so auszusprechen, wie in den vor der „lautgesetzlichen Erweichung" (Mouillierung) geschützten Verbindungen *ka ga, ko go, ku gu*. Minimale Differenzen werden wohl immer durch die *vis major*

der Sprechmechanik bedingt, aber solche Differenzen bleiben für
den gleichmäßigen einheitlichen Eindruck des betreffenden Konsonanten vollständig irrelevant. Man sollte also beispielsweise einem
Polen oder einem Russen aufs Herz legen, er solle mit der Vorstellung eines *k* in den esperantischen geschriebenen *ki kiu kia
kio kie . . ., ti tiu tia tio tie . . .* keineswegs die Vorstellung des *k*
oder des *t* in den entsprechenden Buchstabenverbindungen seines
eigenen heimischen Schrifttums assoziieren, sondern sich anstatt
dessen ein solches *k* und *t* vorstellen und aussprechen, welches
in den in seiner heimischen Graphik mit *ky kyo kya kyo kye . . .,
ty tyo . . .* faktisch bezeichneten (bei den Polen) oder in der üblichen
wissenschaftlichen Transkription (mit lateinischen Buchstaben) zu
bezeichnenden (bei den Russen) Lautgruppen vorkommt. Den
Kleinrussen, Slovaken, Tschechen, Serben . . . würde eine solche
Forderung keine Schwierigkeit bereiten.

Die Aussprache der Gruppen *kio tio ćio . . .* als *kyo tyo čyo
. . .* (d. h. mit einem *i*-artigen Vokale, aber ohne „Erweichung"
oder „Mouillierung" des vorhergehenden Konsonanten, selbstverständlich mit der Betonung auf *y*) würde vielleicht nicht so
„wohlklingend" sein, als *k'io t'io ć'io . . .* (mit „weichen" oder
„mouillierten" *k, t, ć*), aber jedenfalls deutlich, folglich praktisch
und zweckmäßig.

§ 30. L e s k i e n ist auch um die fatalerweise zu erwartende
Undeutlichkeit der Vokale der letzten Silben in esperantischen
Wörtern besorgt, welche sich ihm als Folge der Betonung auf der
vorletzten Silbe darstellt. Er sagt:

„Der Esperanto-Erfinder schreibt vor, man solle jedes Wort
a u f d e r v o r l e t z t e n S i l b e betonen, hat aber dabei nicht bedacht,
daß er auf diese Weise eine Menge unbetonter Endsilben schafft,
die, wenn sie deutlich hörbar sein sollen, mit stark im Klang verschiedenen und darum leicht unterscheidbaren Vokalen versehen
sein müssen. Er tut aber gerade das Gegenteil, z. B. es heißt:
ich liebe *mi ámas*, ich werde lieben *mi ámos*, ich würde lieben
mi ámus. Man lasse das einmal einen Deutschen oder Engländer
auch nur mit der gewöhnlichen Sprechgeschwindigkeit aussprechen,
und man wird sofort merken, daß die Endsilben *-as, -os, -us* mit
einem dumpfen unterschiedslosen ,Vokal gesprochen werden, so
daß die Bedeutungsunterschiede der Formen verschwinden. Alle
Vorschriften der Esperantolehrbücher oder Esperantolehrer werden
dagegen nichts ausrichten" (S. 33—34).

Diese Befürchtung Leskiens beruht auf einem augenschein-
lichen Mißverständnisse. In einer zweckmäßig verfaßten
„künstlichen“ Sprache ist der Wortakzent nur als *malum
necessarium*, als *vis major* der menschlichen Sprechgewohnheiten anzusehen. Die einzige Rolle, die ihm in einer solchen
Sprache zukommen kann, ist: samt der Wortpause ein anderes
noch bequemeres Mittel zu sein, einzelne Wörter voneinander zu
unterscheiden. Nie und um keinen Preis darf mit dem Akzent-
wechsel irgend ein Bedeutungswechsel verbunden werden. Mag
man die Worte einer „künstlichen“ Sprache auf der letzten, auf
der vorletzten, auf der ersten . . . Silbe betonen (akzentuieren),
es kommt schließlich auf eins und dasselbe an. Bezüglich der
Deutlichkeit der Aussprache ist folgendes Prinzip festzuhalten:
Es darf eigentlich keine Silbe als lautlich bevorzugt
hervorgehoben, und jeder Laut, jede Aussprachestelle
soll deutlich ausgesprochen werden.

Die das Esperanto als gesprochene Sprache anwendenden
Deutschen, Russen, Slovenen, Engländer . . . . . müssen sich ab-
gewöhnen, unbetonte Silben zu schwächen und zu reduzieren und
infolge dessen einzelne Vokale und überhaupt Laute, wie man
sagt, zu verschlucken. Sie sollen andere, deutlich sprechende
Völker, wie Italiener, Spanier, Franzosen, Serben, Tschechen, Polen,
Magyaren, Finnen u. s. w., nachahmen. Man muß sich Mühe
geben, deutlich zu „artikulieren“ und nicht „mit Nudeln im Munde“
aussprechen, wie es z. B. die Süddeutschen und viele anderen
Deutschen tun. Etwas Altruismus würde jedenfalls auch
im sprachlichen Verkehre nicht schaden.

Um also verschiedenartige Vokale in auslautenden Silben
-*as* -*es* -*is* -*os* -*us* vor Verwechslung, infolge ihrer Akzentlosigkeit,
zu schützen, muß man sich bemühen, sie entweder mit dem
„Nebenakzent“, oder sogar mit dem „Hauptakzent“, jedenfalls klar
und deutlich auszusprechen. Man muß wollen und sich bemühen!

§ 31. Einzelheiten, auf welche Leskien seine allgemeinen
Schlüsse stützt, berechtigen ihn nicht zur Behauptung, Herr
Zamenhof habe „nicht die einfachsten lautphysiologischen Beobachtungen gemacht“ (S. 34). Jedenfalls werden Einwendungen
Leskiens durch Beobachtungen und Erfahrungen widerlegt, die
man bei dem gegenseitigen mündlichen Verkehr der Esperantisten
macht. Sei es in Privatgesprächen, sei es selbst auf den Kongressen
verstehen sich die Esperantisten aus verschiedensten Ländern zur

Genüge, und wir haben kein moralisches Recht, ganz zuverlässige Angaben darüber zu bezweifeln.

3. Morphologisches. (Wortbildung. Syntax.)

§ 32. Wir wollen jetzt zu den Einwänden übergehen, welche Leskien gegen den morphologischen Bau des Esperanto („Wörter und Wortformen", S. 34 ff.) macht.

Leskien hat nichts dagegen einzuwenden, daß „die ungeheure Mehrzahl der Wörter des Esperanto aus den romanischen Sprachen genommen ist" (S. 34). „Aber der Esperanto-Erfinder hat es nicht lassen können, den Wortschatz dieser Sprachen zu verbessern. Untersucht man das dabei eingeschlagene Verfahren, so kommt man auf fast unglaubliche Dinge. Z. B. „Vater" heißt *patro*. Es wird nun wohl jeder erwarten, daß „Mutter" durch *matro* wiedergegeben wäre, denn das Wort lautet ähnlich so von Kalkutta bis Island. Aber durchaus nicht; Herr Zamenhof braucht die Endung -*ino* als Bezeichnung weiblicher Wesen gegenüber männlichen gleicher Art, z. B. *tschevalo* heißt bei ihm „Pferd", *tschevalino* „Stute", folglich hängt er an *patro* sein -*ino* an, und die Mutter heißt *patrino*, zu deutsch „Vaterin". Daß es eine Verdrehtheit ist, „Mutter" in der Weise als Femininum zu „Vater" hinzustellen, wie „Stute" zu „Hengst", scheint keinem Esperantisten aufzufallen. Das schöne Gebilde verdankt sein Dasein nur dem Grundsatz, der im Esperanto wie in anderen Weltsprachen oft recht verständnislos gehandhabt wird, keine „Ausnahme" von „Regeln" zuzulassen (S. 34).

Ich verstehe nicht, warum dieses unglückliche *patrino* so viel böses Blut verursacht. Solche Ausgleichungen und Vertilgungen, wie der Ersatz der ˙ „Mutter" durch *patrino*, sind auch in den „natürlichen" Sprachen ganz gewöhnlich. „Vatersbruder" und „Mutterbruder" besitzen in einigen Sprachen zwei verschiedene Bezeichnungen, in anderen wieder fließen sie in einem Worte zusammen. „Vater" und „Mutter" werden manchmal kollektiv gedacht und mit einem einheitlichen Worte bezeichnet, welches in der Regel dem Stamme des Wortes für „Vater" entnommen ist. So kann z. B. auf dem polnischen Sprachgebiete *ojcowie* (Pluralis von *ojciec*, „Vater") nicht nur „Väter", sondern auch „Vater und Mutter" bedeuten. Und wenn auch solche Bildung, „Mutter" von „Vater" mit Hilfe eines Suffixes, ein Idiotismus der künstlichen

Sprache wäre, wem könnte es schaden, wenn nur die an dem betreffenden Sprachverkehre Beteiligten damit einverstanden sind?

Der Schwund eines besonderen, von einer selbständigen „Wurzel" hergeleiteten Wortes für „Mutter", „Vater" und ähnliche würde selbst in den „natürlichen" Sprachen nichts widernatürliches bieten. Unsere jetzige Auffassung des Verhältnisses zwischen den einzelnen Familiengliedern ist eine ganz andere als es diejenige war, welche der Urepoche der sozialen Verhältnisse, der Epoche der Schöpfung entsprechender Wörter eigen war. „Andere Zeiten —, andere Vögel; andere Vögel — andere Lieder."

§ 33. Gegen die Bildung des *patrino* (Mutter) von *patro* (Vater), des *fratino* (Schwester) von *frato* (Bruder), des *knabino* (Mädchen) von *knabo* (Knabe), des *bovino* (Kuh) von *bovo* (Stier), des *ćevalino* (Stute) von *ćevalo* (Pferd) u. s. w. möchte ich etwas anderes einwenden. Solche Bildung erinnert mich zu stark an die biblische Legende, an die in unser Blut und Knochen eingedrungene biblische Weltanschauung, an die Schaffung von Eva aus der Rippe von Adam; sie ist als solche widernatürlich, trägt zu der Beeinträchtigung des weiblichen Geschlechtes wesentlich bei und paßt schon aus diesem Grunde in eine „künstliche", auf Widerspiegelung natürlicher Verhältnisse Anspruch erhebende Sprache keineswegs. Das Neutrale, Geschlechtslose wird hier gewaltig ins Männliche verwandelt. Jedes Stück Rindvieh ist vor allem „Stier" (ob „Ochs" auch?), und nur bei besonderer Kennzeichnung „Kuh". Alles lebende ist in ihrem Ursprunge immer männlich gedacht, und nur in abgeleiteter, sekundärer Form als auch weiblich. Um wie viel richtiger verfahren in solchen Fällen das Hottentotische und einige andere südafrikanische Sprachen! Diese Sprachen besitzen für jede sexuell (geschlechtlich) gespaltene Tierart (mit Einschluß des Menschen) vor allem eine *neutrale*, gemeinsame Form (*commune*) und nebenbei zwei andere, mit besonderen Exponenten gekennzeichneten Formen für männliche und weibliche Wesen.

Wenn also der Esperanto-Erfinder rationell und naturgemäß verfahren wollte, müßte er dieselbe Methode befolgen. Ein Wort wie *bov-o* sollte ein „Rindvieh" im allgemeinen, ohne Unterschied des Geschlechtes, bedeuten. Ebenso *paser-o* (Sperling im allgemeinen), *ćeval-o* (Pferd), *sinjor-o* (Herr oder Frau, unterschiedslos), *knab-o* (Knabe oder Mädchen, unterschiedslos), *frat-o* (eins von Geschwistern, Bruder oder Tochter), *patr-o* (ein von Eltern, Vater oder Mutter) u. s. w. Wenn aber *bov-in-o* „Kuh", *paser-in-o* „Weibchen-Sperling",

ceval-in-o „Stute", *sinjor-in-o* „Frau, Dame", *knab-in-o* „Mädchen",
frat-in-o „Schwester", *patr-in-o* „Mutter" . . . bedeutet, müßte für
die Wesen männlichen Geschlechtes die Bildung mit einem
anderen Suffixe, z. B. -*un*-, -*im*- oder -*or*- fixiert werden. Also
z. B. *bov-un-o* respektive *bov-im-o* oder *bov-or-o* „Stier", *paser-
un-o*, *paser-im-o* oder *paser-or-o* „Männchen-Sperling", *ceval-
un-o* oder *ceval-im-o* „Hengst", *sinjor-un-o* oder *sinjor-im-o* „Herr",
knab-un-o oder *knab-im-o* „Knabe", *frat-un-o* oder *frat-im-o*
„Bruder", *patr-un-o* oder *patr-im-o* „Vater" . . . Diese Bildungsweise würde dazu führen, daß man mit *hom-o* ein „Menschen-
geschöpf", eine „Person" überhaupt, mit *vir-o* „Mann" oder „Frau",
dagegen mit *hom-un-o* oder *hom-im-o* einen „Mann" (Mensch
männlichen Geschlechtes), mit *vir-un-o* oder *vir-im-o* „Mann",
und mit *hom-in-o* „Weib", mit *vir-in-o* auch „Weib" (aber mit
Hervorhebung der sozialen Energie) bezeichnen könnte.

Noch besser ließe sich die Unterscheidung der männlichen
und weiblichen Wesen mit den an das Grundwort anzuhängenden
Präfixen, etwa *mas*- und *fem*-, erreichen. Also z. B. *mas-bov-o*
„Stier" neben *fem-bov-o* „Kuh", *mas-paser-o* „Sperling-Männchen"
— *fem-paser-o* „Sperling-Weibchen", *mas-ceval-o* „Hengst" —
fem-ceval-o „Stute", *mas-sinjor-o* „Herr" — *fem-sinjor-o* „Frau",
mas-knab-o „Knabe" — *fem-knab-o* „Mädchen", *mas-frat-o* „Bruder"
— *fem-frat-o* „Schwester", *mas-patr-o* „Vater" — *fem-patr-o* „Mutter",
mas-hom-o „Mann" — *fem-hom-o* „Weib" . . . . .

Übrigens sehe ich in der Maskulinisierung substantivischer
Wortbasen keinen wesentlichen Fehler, sondern nur einen Mangel
des Esperanto. Inwieweit die Esperantisten selbst mit dieser Un-
konsequenz und Naturwidrigkeit einverstanden sind, ist wieder
ihre interne Sache.

§ 34. Ebenso unlogisch und einseitig, wie die Bildung der
Feminina von Maskulina, ist auch die von Leskien gerügte
Bildung der gegensätzliche Begriffe ausdrückenden Wörter vermittelst des Präfixes *mal* (S. 34). Warum gerade die Wörter für
„gut", „jung", „Jüngling", „hoch", „schätzen", „schließen" und
ähnliche mit einfachen Basen („Wurzeln") bezeichnet, die ihnen
angeblich entgegengesetzten Begriffe („schlecht", „alt", „Greis",
„niedrig", „verachten", „öffnen" u. s. w.) aber von denselben Basen
mittelst des genannten Präfixes *mal*- weitergebildet werden (*bon*-
— *mal-bon-*, *jun* — *mal-jun*, *junulo* — *mal-junulo*, *alt*- — *mal-
alt*-, *estimi* — *mal-estimi*, *fermi* — *mal-fermi* u. s. f.), ist nicht

immer leicht einzusehen. Warum nicht gerade umgekehrt? **Warum**
sollten **wir** uns nicht erlauben, „gut" als abgeleitet von „schlecht",
„jung" als abgeleitet von „alt", „hoch" als abgeleitet von „niedrig",
„schätzen" als abgeleitet von „verachten", „schließen" als abgeleitet von „öffnen? u. s. w aufzufassen? Logisch müßte **man**
hier zur ähnlichen Bildungsweise Zuflucht nehmen, welche ich
bei der Bildung von geschlechtlichen (Genus bezeichnenden)
Wörtern empfohlen habe. Wenn es sich wirklich um gegensätzliche Begriffe handelt, sollte man das Mittlere, das Neutrale als
Base, als Urwort betrachten, und davon ebenso die eine wie die
andere Richtung, das eine wie das andere Extrem ableiten. Also
z. B. *fermi* — eine vage Vorstellung, weder „schließen" noch
„öffnen", sondern potentiell beides; davon *mal-fermi* „öffnen",
„aufmachen", und z. B. *bon-fermi* oder, um die Verwechslung mit
bon „gut" zu vermeiden, *bin-fermi* „schließen", „zumachen".
Etwas ähnliches bieten uns „natürliche" Sprachen, z. B. deutsch
auf- und ab-steigen, ein- und aus-schließen, auf- und zumachen, wobei jedoch mit dem -machen eine spezielle Bedeutung
assoziiert wird. Nach dem Muster der „natürlichen" Sprachen
besitzt auch das Esperanto solche, einen Gegensatz ausdrückende
Paare von Präpositionen und Präfixen.

§ 35. Auf die mißlungene kritische Bemerkung Leskiens
betreffend das Wort *prejejo* „Kirche", als „Betort" aufgefaßt, wobei
ihm die esperantische Übersetzung der Phrase „Papst ist Ober-
haupt der katholischen Kirche" „das Unsinnige solcher Bildungen"
beweisen solle (S. 34—35), wurde schon früher hingewiesen.[1] Für
den Begriff „Kirche", als Institution und Gemeinde (Inbegriff aller
Gläubigen) besitzt das Esperanto ein besonderes Wort, *eklezio*.
Trotzdem muß ich meinerseits einen darauf bezüglichen Mangel
des Esperanto konstatieren. Ich vermisse nämlich in dieser Sprache
ein Wort für die Kirche vom architektonischen Standpunkte aus,
einfach als Gebäude, ohne Rücksicht darauf, ob man darin betet
oder gebetet hat oder beten wird. Einige „natürliche" Sprachen
sind in dieser Hinsicht reicher und genauer. So besitzt z. B. das
Tschechische drei Worte: *kostel* (Kirche als Gebäude), *chrám*
(Tempel, Betort), *církev* (Kirche als Institution).

Dasjenige, was von Leskien über das vergrößernde Suffix

---

[1] Samideano „Le professeur Leskien et l'Esperanto." (L'Espérantiste.
Organe propagateur et conservateur de la langue internationale. „Esperanto."
Louviers [Eure]. Juillet 1907, No. 7, p. 146.)

ego- und besonders über das Verhältnis der Worte *pordo* „Tür"
und *pordego* „Tor" vorgebracht wird (S. 35), könnte nur in dem
Falle als gerechter Vorwurf gelten, daß man absolute Größen
berücksichtigt. Man muß aber an das Verhältnismäßige, an das
Relative des Maßstabes denken. „Tor" ist immer größer, als die
in demselben Maßstabe gedachte „Tür". Eine gewisse Denk-
perspektive ist immer zu beobachten.

Bei dieser Gelegenheit möge nicht unerwähnt bleiben, daß
das polnische Wort *lapa* (Tatze, große Hand) weniger einen
„verächtlichen", von Leskien (S. 35) einzig zugelassenen, als
vielmehr einen vergrößernden Sinn besitzt: große, grobe, un-
geschickte, plumpe Hand.

Wenn Leskien dem Esperanto vorwirft, es besitze zweifache
Wörter mit dem Auslaute *-ero*, nämlich einerseits solche, in welchen
das *-er-* zur Wortbase („Wurzel") gehört (*dangero, papero, kajero,
rivero, ingeniero, vetero* .....), anderseits wieder andere mit dem
„ein einzelnes aus einem Haufen gleicher Dinge" bezeichnenden
Suffixe *-er-* (z. B. *sabl-o* Sand, *sabl-er-o* Sandkorn) (S. 35), so macht
er, streng genommen, einen gerechten Vorwurf. Jedenfalls ist es
eine dem Esperanto mit den „natürlichen" Sprachen gemeinsame,
leider äußerst schwer zu vermeidende schwache Seite dieser
„künstlichen" Sprache.

§ 36. Das dem Deutschen entlehnte esperantische Präfix *ge-*
erregt in Leskien einen leicht verständlichen Anstoß. „Wenn
der Esperanto-Erfinder das Deutsche zu Hilfe nimmt, wird er ganz
merkwürdig. Er weiß, daß man im Deutschen zuweilen durch
die Vorsilbe *ge-* Dinge zusammenfaßt, die an sich eng zusammen-
schlagen, z. B. „Geschwister", er übersetzt das also durch *gefratoj*
ins Esperanto, hat aber offenbar gemeint, man könne eine beliebige Gruppe aus Männlichem und Weiblichem so zusammenfassen; denn nur so konnte er auf den Einfall kommen, „Freund
und Freundin" als ein *geamikoj* zu verbinden. Daß es keinem
Menschen sonst einfallen würde, seinen Freund und seine Freundin,
wenn sie nicht zufällig ein Ehepaar sind, so zusammenzufassen,
ist wohl klar genug" (S. 35—36).

Ich glaube, daß sich die Sache gerade umgekehrt verhält.
Wenn ein Esperantist ausdrücklich hervorheben will, daß es sich
weder um lauter *amikoj* (Freunde männlichen Geschlechtes), noch
um lauter *amikinoj* (Freundinnen), sondern um eine gemischte Gesellschaft handelt, d. h. daß sich unter seinen „*amikoj*" auch

„*amikinoj*" befinden, hat er kein anderes Mittel, als zu einem
äußeren Exponenten Zuflucht zu nehmen. Ob gerade das Präfix
ge- oder irgend ein anderes Bildungsaffix dazu dienen soll, bleibt
sich gleichgültig. Ein solcher Notbehelf wird so lange unumgänglich sein, bis die Esperantisten an dem unlogischen Grund-
satze ihrer Sprache festhalten, Feminina aus Maskulinis mit Hilfe
des Suffixes -*in*- zu bilden. Es würde diesem Übel einfach ab-
geholfen werden, wenn man, meinem oben (§ 33) gegebenen Vor-
schlage gemäß, nicht nur Feminina, sondern auch Maskulina aus
der neutralen Base vermittelst eines parallelen Suffixes oder
Präfixes bilden wollte. Dann würden *frat-in-oj* („resp. *fem-frat-oj*)
„Schwester", *amik-in-oj* (resp. *fem-amik-oj*) „Freundinnen" ....,
frat-un-oj oder *frat-im-oj* (resp. *mas-frat-oj*) „Brüder", *amik-un-oj*
oder *amik-im-oj* (resp. *mas-amik-oj*) „Freunde" ....., *frat-oj* dagegen
„Geschwister" (Bruder und Schwester, Brüder und Schwestern),
amik-oj „Freunde beiderlei Geschlechtes" bedeuten.

Übrigens, wenn es sich um Billigung oder Tadel esperant-
ischer Formen handelt, muß man vor allem die Esperantisten
selbst befragen. Wenn ihnen ihre *ge-fratoj*, *ge-amikoj* u. s. w.,
ebenso wie *patrino* neben *patro* und ähnliche (siehe oben §§ 32
bis 33) munden, muß man damit einverstanden sein und die
Tatsache so nehmen, wie sie ist.

§ 37. Nach der Meinung L e s k i e n s „ist der Akkusativ völlig
überflüssig" (S. 36). Ich möchte aber fragen, wie ohne eine besondere Akkusativform Wendungen in der Art von „auf dem
Tische" und „auf den Tisch", „in dem Wasser" und „ins Wasser"
oder ähnliche zu unterscheiden sind. Ich halte den Akkusativ für
sehr erwünscht, als Objektkasus, als Kasus, wohin eine gewisse
Handlung als gerichtet vorgestellt wird. Eine andere Frage ist es,
wie man dieses Ziel erreicht: ob mit Hilfe eines Suffixes (einer
Endung) -*n* oder auf eine andere Weise. Falls aber die Sprachbeteiligten von Esperanto mit dem -*n* einverstanden sind, bleibt
es ihre eigene interne Sache.

Nebenbei sei bemerkt, daß in einer solchen „analytischen"
(d. h. dezentralisierten) Sprache, wie das Esperanto, Gegenüberstellung vom Akkusativ und „Nominativ" auf falscher Auffassung
beruht. Es gibt da keinen Nominativ; dasjenige, was so heißt,
ist in der Tat eine allgemeine nominale Base (Stamm), *casus
generalis*, „*sen-kaz-a form-o*".

Auf das esperantische Participium futuri passivi *farota*

darf man doch nicht durch die Brille des deutschen „gemacht werden werdend" schauen (S. 36). Im Vergleich mit dem deutschen Kunststück ist das esperantische *farota* entschieden eine Vereinfachung. Ich halte sechs Participia des Esperanto für nicht so schrecklich, obwohl man vielleicht einige von ihnen entbehren könnte.

§ 38. Im Bereiche der syntaktischen Verhältnisse und Bedeutungsunterschiede wird vor allem die nach dem englischen Muster *I love* und *I am loving* auch in das Esperanto eingeführte Unterscheidung *mi amas* und *mi estas amanta* u. s. w. von Leskien mißbilligt (S. 36—37). Es ist vielleicht eine überflüssige Unterscheidung, aber wenn die Esperantisten imstande sind sie durchzuführen, kann man es ihnen nicht übelnehmen.

Der Konjunktiv des Esperanto wird ebenfalls von Leskien getadelt (S. 37). Dieser Tadel jedoch scheint auf einem Mißverständnisse zu beruhen. Der esperantische Konjunktiv ist kein Tempus abhängiger Sätze; es ist eigentlich ein Desiderativ, ein Imperativ oder ein „Volitiv", ganz unabhängig von der syntaktischen Unterordnung der Sätze. In der Phrase *mi desiras, ke li estu feliĉa* (ich wünsche, daß er glücklich sei), haben wir zwei unabhängige nebengeordnete Sätze: „*mi desiras*" (ich wünsche) und „*li estu feliĉa*" (möge er glücklich sein), und die Konjunktion *ke* ist bloß ein Zeichen, ein Exponent einer näheren Verbindung dieser Sätze.

Seine allgemein gehaltenen Einwände: erstens, daß die Unzweckmäßigkeit der esperantischen Partikeln (Bindewörter) zur Einleitung untergeordneter Sätze (Nebensätze) erstaunlich sei, und zweitens, daß „die syntaktischen Ungeschicklichkeiten des Esperanto nicht geringer sind als die in anderen sprachlichen Verhältnissen" (S. 37), begründet Leskien nicht näher; darum können wir dieselben stillschweigend übergehen.

§ 39. Für mich ist der Mangel im Esperanto eines von dem *tempus praesens* unterschiedenen temporis aeterni oder temporis indefiniti ein wirklicher, nie stark genug zu betonender Mangel. Es haben zwar unsere „natürlichen" Sprachen, bis auf hie und da aufkommende Ansätze dazu (wie z. B. in den slavischen Sprachen, in dem deutschen „pflegen zu" und ähnliche), auch keine besondere, Form für das tempus aeternum, und begnügen sich, dank dem psychischen Prozesse „*pars pro toto*", mit der formellen Identifizierung desselben mit dem tempus praesens. Unterdessen lassen

sich nicht nur alle Sätze der Physik, der Chemie, der Psychologie u. s. w., sondern sogar viele Beobachtungen im alltäglichen
Leben keineswegs als Präsens auffassen. „Das Wasser zerlegt
sich bei gewissen Bedingungen in Oxygen und Hydrogen“, „die
Luft besteht aus mehreren gasartigen Substanzen“ und ähnliches —
sind ja doch keine Präsentia; sie drücken ewige Wahrheiten oder
meinetwegen ewige Vorurteile aus. Das Wort „ewig“ ist dabei selbstverständlich cum grano salis zu nehmen. Diesem Bedürfnisse
nach der Unterscheidung des tempus aeternum, als eines Präsens
der Gewohnheit, des allgemeinen Gesetzes, der natürlichen Erscheinung und ähnliche, von dem gewöhnlichen Präsens vorüber-
gehender Tatsachen, genügt La langue Bleue des Herrn Bollack,
und in diesem Punkte übertrifft sie entschieden das Esperanto.
Das tempus aeternum schließt auch das tempus praesens in sich
und ist also für dasselbe in gewissem Sinne ein unechter verbaler
Pluralis, ebenso wie „wir“ nur als unechter Pluralis zu „ich“ aufgefaßt werden darf. Das „wir“ besteht nur aus einem einzigen
„Ich“ samt einer unbestimmten Anzahl von anderen Personen.
Ebenso zerlegt sich das praesens aeternum in ein tempus
praesens und eine unendliche Reihe verschiedener unendlich
kurzer Zeitperioden.

§ 40. Hätte sich Leskien die Konstruktion des esperantischen
Wörterbuches näher angesehen, so würde vielleicht sein Urteil
etwas milder ausfallen. Dieses Wörterbuch ist großartig verfaßt.
Alle wirklich lebenden sprachlichen Bestandteile werden darin
berücksichtigt: nicht nur alle semasiologisch gefärbten Wortbasen
(„Wurzeln“), sondern auch alle formativen Elemente (Morpheme),
d. h. Präfixe, Suffixe, Endungen. So finden sich z. B. von dem
Worte *frat-in-o* (Schwester) seine drei morphologischen Bestandteile, *frat-, -in-, -o*, auf ihren alphabetisch bestimmten Plätzen im
Wörterbuche. Das esperantische Wörterbuch sollte als Muster für
alle anderen Wörterbücher dienen. Dr. Zamenhof ist rein intuitiv
zu fast demselben lexikalischen System gelangt, welches als ein
für uns unerreichbares, aber von den indischen (sanskritischen)
Grammatikern und Lexikographen erreichtes Ideal eines Wörterbuches betrachtet wird.

4. Allgemeines Urteil über das Esperanto.

§ 41. Leskien bestreitet die „Leichtigkeit“ des Esperanto
und hält es im Gegenteil für eine schwer erlernbare Sprache

(S. 31, 37—38). Wie Leskien richtig bemerkt, „schwer und leicht sind relative Begriffe" (S. 37). Bei seinem Urteile stützt er sich auf eigene Erfahrung. Ich möchte dabei auch von meiner Erfahrung sprechen. Ich bin gewiß weniger sprachbegabt als Leskien. Wenn ich die Zeit zusammenrechne, die ich auf das Esperanto verbraucht habe, werden es höchstens zwei Wochen sein, selbstverständlich Wochen intensiver Arbeit, nicht mit einem achtstündigen, sondern wenigstens mit einem zwölfstündigen Arbeitstage. Jetzt verstehe ich, bis auf wenige hie und da zerstreute Worte, jeden esperantischen Text ohne Schwierigkeit. Selbst zu sprechen oder zu schreiben habe ich bis jetzt weder versucht, noch Gelegenheit gehabt; glaube aber, daß es mir nach einer verhältnismäßig kurzen Praxis gelingen würde. Wenn Leskien, seiner eigenen Angabe gemäß, verhältnismäßig viel Zeit auf das Studium des Esperanto verwenden mußte und auf Grund dessen „diese künstliche Sprache" für „schwer" erklärt, so hängt es vielleicht mit dem in allem menschlichen Tun so mächtigen Elemente des Willens und Widerwillens zusammen. Das Behagen, welches man am Studium findet, beschleunigt dasselbe; im Gegenteil tritt bei Voreingenommenheit und Widerwillen Verzögerung ein. Die lateinische und griechische Sprache sind zwar schwer, aber nicht in dem Maße, daß man sie nach einigen Jahren des Unterrichts nicht bewältigen könnte; und doch verlassen unsere zum Erlernen des Schulklassizismus gezwungenen Gymnasiasten ihre Lehranstalten meistenteils nur mit einer ziemlich ungenauen Halbkenntnis dieser Sprachen. In verschiedenen Ländern treibt man eine sprachliche Denationalisation und zwingt der Jugend die Staatssprachen ein; die Resultate solches Zwangsstudiums sind gewöhnlich beklagenswert. So wird z. B. in Rußland die oktroyierte russische Sprache sogar von den Angehörigen anderer slavischen Stämme (vor allen von den Polen) nur mit Mühe angeeignet; während umgekehrt, bei freiem und willigem Erlernen, z. B. ein polnisches Kind in einer kurzen Zeit das Russische beherrschen lernt. So liegt es wahrscheinlich auch in diesem Falle. Ich habe mich an das Esperanto ohne jeglichen Widerwillen gemacht, Leskien wohl nicht.

§ 42. So kann ich auch das Urteil Leskiens:

„Das Esperanto zeigt, daß sein Erfinder, ohne jede lautphysiologische Beobachtung und ohne Erfahrung aus der wirklichen Sprachenwelt, sich die prinzipiellen Vorfragen, die vor der Aufstellung einer Weltsprache zu erledigen waren, gar nicht auf-

geworfen hat. Er hat, gebunden an die Vorstellungen, die er
aus der Schulgrammatik mitgebracht hat, sein Elaborat auf dem
Papier gemacht, ohne eine Ahnung, was in der Sprache — nach
Maßgabe der vorhandenen, beobachtbaren menschlichen Sprachen
— als schwer oder leicht, als nötig oder unnötig, als zweckmäßig
oder unzweckmäßig betrachtet werden kann. Sein Werk ist
daher ein gänzlich mißlungener Versuch, das Problem
der Weltsprache zu lösen« (S. 37)
nicht unterschreiben.

Das Esperanto ist noch weit von einem Sprachideal entfernt,
— das ist richtig. Aber es hat für sich folgendes:

1. es ist eine wirkliche Sprache;
2. es ist nicht zu einseitig romanisch;
3. es ist nicht zu künstlich;
4. es besitzt also praktische Vorzüge vor den meisten anderen
   „Weltsprachen«;
5. es ist gegenwärtig von allen „künstlichen« Weltsprachen
   die verbreitetste.

Daß das Esperanto mancher Verbesserung bedürftig ist, bekennt auch sein Erfinder selbst. Er hat schon im Jahre 1894 einen
Reformentwurf veröffentlicht, welcher jetzt von neuem unter
dem Titel:

„Pri Reformoj en Esperanto, artikoloj publikigitaj de
Dᵣₒ Zamenhof en la Nurnberga gazeto „Esperantisto« dum
la unua duonjaro de 1894, kopiitaj kaj represitaj per zorgo de
Dᵣₒ Emil Javal. Coulommiers. Imprimerie Paul Brodard. 1907«
wieder abgedruckt wurde. Nebenbei bemerkt, sind diese Reform-
vorschläge des Dr. Zamenhof nicht immer als gelungen anzusehen.

Eine strenge, aber wohlwollende Kritik des Esperanto,
vorderhand nur mit Berücksichtigung einiger Eigentümlichkeiten
dieser Sprache, stammt von Professor Louis Couturat:

„Étude sur la dérivation en Esperanto dediée à M M.
les membres du Comité de la Délégation pour l'adoption d'une
langue auxiliaire internationale par Louis Couturat Docteur ès
lettres. Coulommiers 1907«.

III. Schlußbemerkungen.

1. Ein Rückblick auf das Esperanto.

§ 43. Das Esperanto samt einigen anderen auf demselben „aposteriostischen" Prinzipe konstruierten „künstlichen" Sprachen läßt sich als unsere Sprache, als Sprache des modernen europäisch-amerikanischen sprachlichen Denkens charakterisieren. In Esperanto gibt es nichts, was nicht auch in den traditionellen Sprachen zu konstatieren wäre. Man hat da dieselben Elemente, dieselben Eigentümlichkeiten und dieselben Tendenzen, bloß in anderer Gruppierung und in anderen quantitativen Verhältnissen untereinander.

Es besitzt also das Esperanto alle Merkmale einer echten „natürlichen" Sprache, ebenso seitens der Aussprache und des ganzen phonetisch-akustischen Bestandes, wie auch seitens des morphologisch-syntaktischen Baues, seitens der semasiologischen Beschaffenheit, seitens der etymologischen Verwandtschaft einzelner Worte, seitens der Art und Weise der sogenannten Entlehnungen aus anderen Sprachen und schließlich seitens des Schrifttums und dessen Verhältnisses zu der gesprochenen und als solche vorgestellten Sprache.

Vom Standpunkte der reinen Phonetik haben die sogenannten Sprachlaute oder Phoneme, ganz nach dem Vorbilde traditioneller Sprachen, auch im Esperanto eine andere Geltung, als vom Standpunkte der Morphologie. Vom Standpunkte der Morphologie und der Semasiologie sind einzelne Phoneme als integrierende Bestandteile einzelner Morpheme, d. h. morphologisch und semasiologisch ungeteilten und unteilbaren Einheiten, zu betrachten, z. B. *vol-*, *patr-*, *est-*, *far-*, *nov-*, *ad-*, *mal-*, *-ec-*, *-o*, *-i* oder ähnliche.

Wir haben im Esperanto besondere morphologische Exponenten einzelner Beziehungen: Präfixe, Suffixe, welche ihrerseits selber als besondere Worte auftreten können, z. B. *-ar-* und *ar-* (Sammlung, Allgemeinheit), *-id-* und *id-* (*id-o*, Nachkomme, Abkömmling), *-ig-* und *ig-* (*ig-i*, veranlassen, etwas machen lassen), *iĝ-* und *iĝ-* (*iĝ-i*, werden). Ähnliches haben wir auch in traditionellen Sprachen, denen solche selbständig auftretenden Affixe, sei es im lebendigen Gebrauche, sei es nur im überlebenden Zustande, eigen sind. Ich brauche nur an deutsche Suffixe -heit, -lich, -sam, -los ..., an das italienische -mente, französisches -ment, an die französischen Formen je-fer-ai, tu-fer-as ..., an die deutschen ich-habegesehen, **ich-werde-**sehen..., an das englische **I-will-**go, **I-do-not-**go...zu erinnern.

Unsere neu-europäischen Sprachen streben alle demselben morphologischen Bau zu, welcher im Esperanto mit einem Schlage verwirklicht worden ist. Dieser morphologische Bau besteht in einer kombinierten, ebenso präfixalen, wie auch suffixalen Agglutination, d. h. in der Verbindung bestimmter, unveränderlicher Exponenten semasiologischer und morphologischer Beziehungen, unter vollständiger Beseitigung etwaiger Alterationen („Umlaut", „Ablaut" und ähnliche) im Innern von einheitlichen Morphemen. Der lautliche Bestand aller Morpheme (Wurzeln, Basen oder Stämme, allerlei Affixe...) bleibt immer ein und derselbe. So z. B. *bon-, bon-a, mal-bon-a, bon-ig-i, mal-bon-ig-i, patr-o-j-n, patr-in-o-j-n, ge-patr-o-j, vol-as, vol-is, vol-os, vund-o, vund-a, sen-vund-a, flor-et-o-j-n*...

§ 44. Ebensowenig kann man die sogenannte „Natürlichkeit" und das „Unbewußte" für das charakteristische Merkmal traditioneller Sprachen ansehen, im Gegensatz zu der „Künstlichkeit" und zu dem „Bewußten", welche den „künstlichen" Sprachen, darunter dem Esperanto, eigen sein sollen. Beides, ebenso das Natürliche und Unbewußte, wie auch das Künstliche und Bewußte, findet sich in beiderlei Sprachen, nur in verschiedenem Grade und in verschiedenem Maße. Alle sogenannten Schriftsprachen (Deutsch, Französisch, Englisch, Italienisch, Russisch, Polnisch u. s. w.) sind zweifelsohne „künstlich" und vom Bewußtsein geregelt, nicht viel weniger als das Esperanto und andere derartige Sprachen.

Warum soll nun eine „künstlich" konstruierte, auf synthetischem zielbewußten Wege entstandene Sprache „unnatürlich" sein? Stehen denn das Bewußtsein und das zielbewußte Wollen außerhalb der „Natur"?

Folglich ist auch jede „künstlich" erfundene internationale Hilfssprache auf dem „natürlichen Wege" (S. 5) entstanden, und die Erlernung einer solchen Sprache neben der Muttersprache ist keineswegs als eine Entfernung von dem „natürlichen Gange der Sprachengeschichte" (S. 7) anzusehen.

§ 45. Wie oben (§ 43) erwähnt, sind in dem Esperanto dieselben Tendenzen zu bemerken, welchen wir in den natürlichen Sprachen auf jedem Schritt begegnen.

So gibt sich z. B. in unseren Sprachgenossenschaften eine Tendenz zu einer „naturgemäßen" Orthographie kund, d. h. zur

Verwirklichung auch in diesem Gebiete des Prinzips möglichst einfacher Assoziation der Vorstellungen (in gegebenen Falle der graphisch-optischen und phonetisch-akustischen Vorstellungen). Diese Tendenz hat im Esperanto ihr Ziel nach Möglichkeit erreicht. Dadurch unterscheidet sich das Esperanto z. B. von solchem Idiom Neutral, wo man nach der Feststellung von beinahe chinesischen, im besten Falle englischen orthographischen Gewohnheiten trachtet, so daß man eigentlich die Schrift des täglichen Gebrauchs in historisch zu entziffernde und zu erklärende Hieroglyphen verwandelt.

Die berühmte „Ausnahmslosigkeit der Lautgesetze" wird im Esperanto auf dem vom Bewußtsein geregelten Wege erreicht. Alle Lautverbindungen und Lautabhängigkeiten werden hier auf dem synthetischen Wege vorhergesehen, und es bleibt für die „blinde Natur" nur das geringe und beschränkte Feld minimaler Schattierungen übrig, welche sei es in der vis major der Mechanik der menschlichen Sprechorgane überhaupt, sei es in den nationalen oder sogar individuellen Gewohnheiten der an dem esperantischen Sprachverkehre Beteiligten wurzeln und nicht zu beseitigen sind.

§ 46. In allen bestehenden traditionellen Sprachen bemerkt man das unaufhörliche Streben nach Vereinfachung der sprachlichen Formen, nach Formausgleichung, nach Beseitigung rein formeller, mit keinem sonstigen raison d'être zu rechtfertigenden Unterschiede. Dieses Streben verwirklicht sich aber dort nicht rasch genug, um alle sogenannten Ausnahmen und Unregelmäßigkeiten je zu beseitigen. Von der Vergangenheit ererbt man eine zu große Anzahl von überlebenden, zu dem in der gegebenen Zeit vorherrschenden Sprachtypus nicht passenden Formen, und bevor man mit der Beseitigung nur einiger von ihnen fertig ist, kommen neue derartige Aufgaben an die Reihe, und zwar infolgedessen, daß einerseits einige der früheren typischen Formen zu „Archaismen", zu „survivals" werden, anderseits aber Vorläufer künftiger Eigentümlichkeiten an verschiedenen Punkten des gegenwärtigen Sprachzustandes auftauchen. In dem Esperanto wird dieses in den „natürlichen" Sprachen nie zu erreichende Ziel mit einem Schlage erreicht. Es bietet ja uns doch das Esperanto nur einen einzigen Typus im Bereiche der einzelnen Formsysteme, ohne jegliche Ausnahmen. Es erinnert an ähnliches zielbewußtes und von dem menschlichen Willen abhängiges Verfahren im Bereiche anderer

Manifestationen der psychisch-sozialen Energie, vor allem im Bereiche der Gesetzgebung (Gleichberechtigung, Preßfreiheit und ähnliches).

In den bestehenden traditionellen Sprachen wendet man verschiedenartigste Mittel an, um die sogenannten Redeteile von einander zu unterscheiden. Es dienen dazu entweder verschiedene, aber nicht in allen Fällen gleichmäßige, ständige äußere Exponenten, oder die Stellung im Satze, oder auch andere Mittel. Meistenteils aber gehört diese so wichtige Unterscheidung der Redeteile zum Bereiche der von Bréal so treffend genannten *„idées latentes du langage"*. In dem Esperanto herrscht in dieser Hinsicht eine vollständige Klarheit und Bestimmtheit. So dient das auslautende morphologisierte *-o* als Zeichen aller Substantiva, ein ebensolches *-a* als Zeichen aller Adjektiva, *-e* — aller abgeleiteten Adverbia. Leider werden Adverbia auch anders gebildet. Im Gebiete der Verba besitzt man im Esperanto keinen besonderen Exponenten, sondern es variieren verbale Exponenten je nach der Verschiedenheit der Verbalformen, und darin nähert sich das Esperanto an bestehende traditionelle Sprachen.

§ 47. Vom individuellen Standpunkte aus, kümmert man sich um die „Vorgeschichte" der gegebenen Sprache ebenso wenig beim Erlernen einer künstlichen, wie auch einer natürlichen Sprache. Brugmann behauptet, man lerne nur die fremden Sprachen, also „z. B. das Lateinisch aus Büchern und lernt lebende Sprachen wie Französisch oder Englisch, ohne sich bei der Aneignung dieser Sprachen von ihrer Vorgeschichte berührt zu fühlen" (S. 27). Wie könnte aber Brugmann beweisen, daß man sich beim Erlernen der sogenannten Muttersprache an die „Vorgeschichte" dieser Sprache erinnert? Für jedes Individuum, objektiv genommen, existiert keine Vorgeschichte irgend welcher durch den gewöhnlichen sozialen Verkehr gewonnenen Sprache; für das Individuum beginnt ja die Geschichte seiner Sprache erst von dem Momente an, wo es in den sprachlichen Verkehr der betreffenden Sprachgenossenschaft eintritt. Und diese Beseitigung alles Archäologischen tritt bei der Erwerbung der Kunstsprache besonders deutlich auf.

§ 48. Ähnlich verhält es sich auch mit der dialektischen Differenzierung, welche Brugmann als eine drohende Gefahr für die Einheitlichkeit jeder künstlichen Sprache voraussieht. Eigentlich ist jede noch so geringe Sprachgenossenschaft dialektisch differenziert. Denn jedes Individuum bietet uns, als Träger der betreffenden Stammessprache, eine besondere dialektische Nuancierung. Wenn „das spanische *h* für *f*, wie in *hijo* „Sohn" = lat. filius, darauf beruht, daß die Iberer in ihrem Lautbestand *f* nicht hatten und da, wo sie die Römer *f* sprechen hörten, das ihnen geläufige *h* substituierten" (S. 24), so ist dies ebenso aufzufassen, als die entweder individuelle, oder sich selbst auf ganze Gegenden erstreckende Substitution eines hinterlingualen oder uvularen *r* („*r*-grasseyé") an die Stelle von den vorderlingualen *r*, die Substituierung eines *t*- und *d*-artigen Konsonanten an die Stelle von *k* und *g* u. s. w., die doch das gegenseitige Verstehen aller an einer gemeinsamen „Sprache" beteiligten Sprachgenossen nicht hindern. So können auch „verblaßte bildliche Ausdrücke" einzelner „natürlichen" Sprachen insoweit in die internationale Kunstsprache „hineingeworfen werden" (S. 27), in wie weit sie bei dem sprachlichen Verkehre nicht störend wirken. Alle solche Idiotismen und lokal gefärbten Eigentümlichkeiten können also das Leben keiner, sei es „natürlichen", sei es „künstlichen" Sprache gefährden und zu keinem „Zerfall" führen, wenn sie durch die Kontrolle seitens des vom Bewußtsein geregelten Sprachunterrichtes neutralisiert werden. Und das ist bei einer „künstlichen" Sprache noch leichter zu erreichen, als bei einer „natürlichen" nationalen Gemeinsprache. Der Forderung Brugmanns, „es dürften keine Verfließungen eintreten, die zu solchen Verschiedenheiten führten, daß das gegenseitige Verstehen sehr wesentlich beeinträchtigt und allmählich ganz aufgehoben würde" (24), wird bei der „künstlichen" Sprache zur Genüge Folge geleistet.

§ 49. Man muß nur an das Esperanto und an alle ähnlichen Sprachen denselben Maßstab anlegen, wie an die traditionellen Normalsprachen, und man wird sich überzeugen, daß beiderseits dieselben Tendenzen zu einer „sprachlich-nationalen Einheit" zutage treten.

Wie das internationale Maß- und Gewichtssystem, wie die ·internationale Münze u. s. w., so muß auch die internationale Sprache einer ständigen und sorgfältigen Kontrolle unterliegen.

Wie das Zustandekommen und das Bestehen einer als normal anerkannten „Natursprache" durch das Bewußtsein einer kulturell-nationalen Einigkeit ermöglicht wird, so wird durch das Bewußtsein der Einheit der ganzen Menschheit das Zustandekommen und das Bestehen einer künstlichen internationalen Sprache ermöglicht.

Und man soll sich dabei nicht auf die „Brüderlichkeit" und „Liebe" berufen; solche Losungsworte klingen heuchlerisch und werden von der Wirklichkeit geleugnet. Das Einzige, was uns dazu treiben kann, ist die Anerkennung der menschlichen Solidarität im Kampfe mit der physischen und psychischen „Natur".

Der Ausspruch Brugmanns: „Die Sprache ist, wie alles kulturelle Tun, ununterbrochen der Entwicklung, dem Wandel unterworfen" (S. 23) ist zwar ganz richtig, man muß aber dazu in der Unterscheidung elementarer, „blinder", unbewußter Kräfte und einer bewußten, von dem menschlichen Willen regulierten Kontrolle einen Korrektiv suchen.

§ 50. Auch durch ihren „schädlichen" Einfluß auf die menschliche Psyche erinnert das Esperanto an „natürliche" Sprachen.

1. Die allen Schriftsprachen, d. h. Sprachen mit phonetisch-akustischer und graphisch-optischer Seite eigene Vermischung von Buchstaben und Lauten, von Graphemen und Phonemen, findet sich auch in dem Esperanto, obgleich sie dort auf ein Minimum reduziert wird. Mit den optischen Eindrücken und Vorstellungen assoziieren sich auch in dem Esperanto akustische Eindrücke und Vorstellungen, nicht aber Eindrücke von den Arbeiten der Sprechorgane und Vorstellungen dieser Arbeiten.

2. Das Esperanto gehört nicht zu derartigen nüchternen Sprachen, welche sich entweder bloß mit den Suffixen, oder bloß mit den Präfixen begnügen, sondern besitzt, nach dem Muster unserer in dieser Hinsicht chaotischer Sprachen, beiderlei: Präfixe und Suffixe. Dadurch wird eine gewisse Unbestimmtheit, ein Schwanken des Denkens, gefördert, die sprachliche Aufmerksamkeit nach zwei Richtungen geteilt, und es findet also beim sprachlichen Denken ein zu großer Aufwand und ein unnützer Verbrauch der psychischen Energie statt.

Durch die Vermeidung von Homonymem aber und durch die Beseitigung aller bedeutungsvollen Nuancierung im Innern der Wurzeln überragt das Esperanto bei weitem alle unsere „natürlichen" Sprachen.

3. Wie alle unsere ario-europäischen (indogermanischen) Sprachen, so übt auch das Esperanto einen schädlichen Einfluß auf unsere Psyche in ethisch-sozialer Hinsicht. Es leitet Feminina von Masculinis ab und bekräftigt uns dadurch in dem Vorurteile der Priorität und der sozusagen „natürlichen" Herrschaft der Männer- und Männchenwelt. Es hebt überhaupt das Sexuelle hervor, ob-

wohl in einem beim weiten geringeren Maße als die meisten unserer Sprachen, und nähert sich in dieser Hinsicht dem Englischen.

§ 51. Nach der Erwägung alles obenerwähnten muß man zum Schlusse kommen, daß die Einführung des Esperanto in den internationalen Verkehr keine sprachliche „Revolution«, keinen bodenlosen anarchistischen Umsturz bedeutet. Man wirft hier nicht alles mit einem Male aufeinander, man greift die Bausteine seiner Synthese nicht aus der Luft, sondern es werden alle Elemente dem wirklichen Sprachleben entlehnt und vernünftig, vorsichtig verwertet.

2. Praktische Seite der Frage.

§ 52. Brugmann hat vollkommen recht, wenn er behauptet, daß weniger eigentlich mehr wäre (S. 28—29), und daß man sich mit einem bescheidenen Anfang, d. h. vor allem mit der Anpassung der internationalen Hilfssprache an die „Bedürfnisse des täglichen Lebens« (vergl. S. 20—21) und an den „Handel und Verkehr« (S. 19) begnügen sollte. Ich erlaube mir aber hinzuzufügen, daß auch der Wissenschaft seitens einer solchen Sprache gewisse Dienste geleistet werden könnten. Ich brauche nur an internationale Kongresse und an den internationalen wissenschaftlichen Verkehr mit kleineren, weniger verbreitete Sprachen redenden Völkern zu erinnern. Ironische Auslassungen Brugmanns (S. 19) überzeugen mich nicht.

Man muß dabei etwas weiter in die Zukunft sehen und die Sache sub specie aeternitatis betrachten. Es würde gewiß für uns (d. h. für unsere gelehrten Zeitgenossen) schwierig sein, „noch eine neue Fremdsprache hinzuzulernen« (S. 18—19), aber es würde noch kein so großes Opfer bedeuten, da doch diese neue Fremdsprache, für das Verstehen wenigstens, eine viel leichtere ist, als alle anderen. Wenn man sich aber aus rein egoistischen Gründen dagegen sträubt, so dürfte man doch an keine orthographischen Reformen in verschiedenen Ländern und bei verschiedenen Völkern denken, wobei man seine eigenen Gewohnheiten opfert, um nur den kommenden Geschlechtern den Unterricht zu erleichtern und der Klärung des sprachlichen Denkens beizusteuern.

§ 53. Wenn man mit den Vorschlägen auftritt, Bestellungen auf künstliche Sprachen zu veröffentlichen, diesbezügliche Preise zu stiften, Kommissionen zu gründen, die sich mit Erfindung einer neuen Sprache beschäftigen sollen u. s. w., so will man eigentlich die ganze Sache begraben. Wir haben fertige und praktisch verwendbare Systeme künstlicher Sprachen und sollen nur unsere Wahl treffen. Wie in der Politik, so ist auch auf diesem praktischen Gebiete das Bessere der Feind des Guten. Wer überhaupt nur Ideale anerkennt, der will eigentlich keine Besserung.

Das Bedürfnis nach einer künstlichen internationalen Hilfssprache wird immer größer und ist für uns entscheidend. Man wird sich gewiß so lange nicht beruhigen, bis man eine solche Sprache endgültig festsetzt. Vorderhand wird man sich mit einer solchen internationalen Hilfssprache begnügen, die dem sprachlichen Denken europäisch-amerikanischer Völker entspricht. Mit der Erweiterung des internationalen Verkehrs wird man sich wohl an die Schaffung einer solchen Hilfssprache machen, welche als Resultante nicht nur unseres ario-europäischen (indogermanischen) sprachlichen Denkens, sondern auch anderer vielleicht unserem eigenen überlegener Sprachsysteme betrachtet werden könnte. Dieses aber gehört einer etwas entlegenen Zukunft an.

Jedenfalls wird die Verwirklichung der Idee einer internationalen Hilfssprache zu den größten und wohltätigsten Erfindungen unserer Zeit gehören. Sie paßt gerade zu der uns versprochenen Möglichkeit einer Verwandlung aller chemischen Elemente ineinander und zu der Theorie der ewig bestehenden und ewig sich fortsetzenden physischen Energie. Neben die Einheit der physisch-chemischen und der biologischen Welt stellt sich würdig die Einheit der psychisch-sozialen Welt.

§ 54. Die Existenz einer solchen, die ganze Menschheit vereinigenden Weltsprache wird dem nationalen und staatlichen Größenwahn seinen scharfen und giftigen Zahn abbrechen. Das Streben nach Weltbeherrschung und nach Vernichtung anderer Nationalitäten wird durch die Weltsprache neutralisiert und paralysiert werden.

Eine internationale Hilfssprache wird für die Pazifizierung der Menschen sehr viel mehr beitragen, als alle jene Konferenzen verschiedener Ausrotterer und Unterdrücker, die Friedensfragen heuchlerisch behandeln und bei sich zu Hause mit größtem Eifer Menschenjagd treiben und die ihnen unterworfenen Völker und deren Sprachen verfolgen.

Die von oben herab schauenden „Fachmänner" der Sprachwissenschaft mögen den Satz beherzigen, daß man mit dem vornehmtuenden Ignorieren großer Ideen weder jemandem einen Dienst erweist, noch überhaupt weiter kommt.

Man muß sich mit der Tatsache versöhnen; man muß heruntertreten, die Sache kennen lernen und sich womöglich an der gemeinsamen Arbeit beteiligen.

Die mächtige Idee einer internationalen Hilfssprache ist schon soweit vorgeschritten, daß sie sich nicht mehr wegschweigen und wegironisieren läßt.

Resumé.

1. Der Vorschlag Brugmanns, man sollte eine Insel im Ozean wählen, um so eine eigene Heimat für die internationale künstliche Sprache zu schaffen, kann wohl nicht ernsthaft genommen werden (§ 2).

2. Man hat kein Recht, die Anhänger der Weltsprachidee, sei es des Eigennutzes, sei es der Reklamesucht zu verdächtigen (§ 5).

3. Solche Ausdrücke, wie „Sprachkörper", „Sprachblut", „Sprachenkampf", „Mutter Natur", „organisch", „tote Sprachen", „lebende Sprachen" . . ., sind bei einer ernsten sprachwissenschaftlichen Analyse nicht zulässig und gehören in die Rumpelkammer einer längst überwundenen Gelahrtheit (§§ 6—8).

4. Der manchen sprachwissenschaftlichen Theoretikern eigene Aristokratismus im Verhalten gegen alle Versuche, synthetisch zu verfahren und künstliche Sprachen zu erfinden, muß einer demokratischen Nüchternheit den Platz räumen (§ 9).

5. Bei der Betrachtung der Weltsprachefrage müssen Rücksichten auf die „schöne Literatur" und die „ästhetische Befriedigung" hinter die plebejischen Bedürfnisse des täglichen Lebens zurücktreten. Irgendwelche „Gefühle", das sogenannte „Sprachgefühl" mit eingeschlossen, spielen keine entscheidende Rolle und müssen einem reinen Utilitarismus weichen (§§ 9, 10).

6. Die indolente und impotente Bewunderung und Vergötterung des allmächtigen „Unbewußten" soll verpönt und durch eine bewußte, absichtsvolle Handhabung ersetzt werden (§§ 11, 12).

7. Nicht der Mensch existiert für die Sprache, sondern die Sprache für den Menschen (§ 13).

8. Die Sprache ist weder ein in sich geschlossener Organismus, noch ein unantastbarer Abgott, sondern ein Werkzeug und eine Tätigkeit. Und der Mensch hat nicht nur Recht, sondern geradezu die soziale Pflicht, seine Werkzeuge zu verbessern, oder

nötigenfalls die schon bestehenden Werkzeuge durch andere, bessere, zu ersetzen (§ 13).

9. Auch ohne künstliche Sprachen greift man in den „natürlichen Verlauf" des Sprachlebens „künstlich" und bewußt ein (§ 13).

10. Auch ohne „künstliche" Sprachen im eigenen Sinne des Wortes hat man „künstliche" Grenzsprachen, „Mischsprachen", geheime Sprachen (§ 14).

11. Spracherfindungen sind eine bestehende, nicht wegzuleugnende Tatsache (§ 14).

12. „Fachmänner", d. h. Theoretiker, sind nur höchst selten geschickte Erfinder. Theorie und Praxis gehen sehr oft auseinander (§§ 15—17).

13. Eine Teilung der Menschen in Fachmänner und Dilettanten ist in den meisten Fällen unbegründet (§ 18).

---

14. Eine künstliche internationale Hilfssprache wird nie von Unmündigen auf dem Wege des unmittelbaren Verkehrs mit sprechender Umgebung erlernt werden (§ 19).

15. Eine solche Sprache soll erst in späterem Alter, vor allem mittels der Lektüre, in unsere Psyche eingeführt werden (§ 19).

16. Wir haben also kein Recht, zu vermuten, daß auch die künstliche Sprache ebensolchen „elementaren Kräften" preisgegeben wird, die zu einer stufenweisen Veränderung und „Entartung" anderer Sprachen führen (§ 19).

17. Der Vorwurf, das Experanto besitze zu viel schwer aussprechbare und schwer voneinander zu unterscheidende Laute, ist vom allgemein sprachwissenschaftlichen Standpunkte aus nicht stichhaltig. Die Schwierigkeit und Leichtigkeit sind in diesem Falle ganz relative Begriffe. Jeder Laut ist für denjenigen schwer, der an ihn nicht gewöhnt ist. Unterschiede, die für Angehörige einer Sprachgenossenschaft deutlich markiert sind, werden von den Angehörigen anderer Sprachgenossenschaften gar nicht bemerkt (§ 20).

18. Die mit $\check{c}$, $\hat{g}$, $\hat{j}$ bezeichneten esperantischen Laute sind gar nicht so absolut schwierig, wie man es darstellen will (§§ 21—22).

19. Dasselbe läßt sich auch von den Diphthongen *au, eu, ai, ei, oi, ui*, von der Konsonantengruppe *kn* ... sagen (§ 24).

20. Wenn man alle phonetischen Gewohnheiten verschiedener Völker berücksichtigen wollte, müßte man in dieser Selbstbeschränkung und Entsagung viel zu weit gehen (§ 25).

21. Das Urteil Leskiens, der Erfinder des Esperanto habe seine Weltsprache ungewöhnlich schwer sprechbar gemacht, halte ich für ungerecht (§ 26).

22. Eine ideale Leichtigkeit der Aussprache ist in einer künstlichen Sprache ebenso schwer zu erreichen, wie in den bestehenden traditionellen Sprachen (§ 26).

23. Um das „schwer Sprechbare" nicht nur in den „künstlichen", sondern auch in den „natürlichen" Sprachen auf das Minimum zu reduzieren, müßte man die Methoden des Sprachunterrichts vervollkommnen, unter Anwendung von Resultaten der Anthropophonik (Lautphysiologie), etwa in der Weise, wie man es bei dem Unterricht der Taubstummen tut (§ 26).

24. Der „zerstörende Einfluß" des Vokals *i* auf vorhergehende Konsonanten ist in der künstlichen Weltsprache nicht zu befürchten (§§ 27—29).

25. Es gibt keine „Lautgesetze" im üblichen Sinne des Wortes. Das Zustandekommen phonetischer Gleichmäßigkeiten und streng bestimmter Entsprechungen (Korrespondenzen) hängt, im Grunde genommen, von psychischen Faktoren ab. Das Psychische aber läßt sich bis zu einem gewissen Grade von dem Bewußtsein und von dem menschlichen „Willen" abhängig machen. Und selbst außerhalb des Bewußtseins und des „Willens" gehört der sprachliche Verkehr und der die Fortpflanzung der Sprache regulierende Nachahmungstrieb ins Bereich nicht des Lautlichen, des Physischen, sondern des Psychisch-Sozialen (§ 28).

26. Es ist kein Grund zu Befürchtungen vorhanden, es müssen, infolge der paroxytonischen Betonung, die Vokale *a i o u* in den unbetonten auslautenden Silben *as is os us* der esperantischen Verbalformen verwechselt werden (§ 30).

27. In einer zweckmäßig verfaßten „künstlichen" Sprache ist der Wortakzent nur als malum necessarium, als vis major der menschlichen Sprechgewohnheiten anzusehen. Es darf eigentlich keine Silbe als lautlich bevorzugt hervorgehoben, und jeder Laut, jede Aussprachestelle soll deutlich ausgesprochen werden (§ 30).

28. Die Untersuchung einzelner phonetischer Eigentümlichkeiten des Esperanto berechtigt Leskien nicht zum Schlusse, Herr Zamenhof habe nicht die einfachsten lautphysiologischen Beobachtungen gemacht (§ 31).

29. Ich sehe nichts schreckliches darin, daß das esperantische Wort für „Mutter" von dem Worte für „Vater" abgeleitet wird.

Die Bildung der weiblichen Namen aus den männlichen ist aus anderen Gründen zu rügen, nämlich, weil sie auf die Weltanschauung der eine solche Sprache redenden Individuen eine schädliche Wirkung ausübt (§§ 32—33).

30. Ebenfalls läßt sich die einseitige und von Leskien gerügte Bildung der gegensetzliche Begriffe ausdrückenden Wörter vermittelst des Präfixes *mal-* von dem esperantistischen Standpunkte aus rechtfertigen (§ 34).

31. Einwendungen Leskiens gegen die Wortbildung und gegen den syntaktischen Bau des Esperanto beruhen teilweise auf Mißverständnissen und lassen sich meistenteils zurückweisen (§§ 35—39).

32. Bei der Billigung oder Mißbilligung irgendwelcher sprachlicher Formen haben die an dem betreffenden Sprachverkehre beteiligten Individuen das erste entscheidende Wort. Wenn die Esperantisten selbst mit gewissen bizarr aussehenden Bestandteilen ihrer gemeinsamen Sprache einverstanden sind, haben die anderen zwar das unbeschränkte Recht zu urteilen, aber ohne praktische Einmischung in die internen Angelegenheiten der esperantischen Sprachgenossenschaft (§§ 28, 32, 33, 36, 37).

33. Die Konstruktion des esperantischen Wörterbuchs, welches nicht nur fertige syntaktische Einheiten, d. h. Worte, sondern auch alle semasiologisch lebende morphologische Teile (Morpheme) in sich aufnimmt, übertrifft alle lexikalischen Systeme „natürlicher" Sprachen und erinnert an das System altindischer Grammatiken (§ 40).

34. „Leichtigkeit" und „Schwierigkeit" bei der Erlernung fremder Sprachen sind relative Begriffe. Jedenfalls muß das Esperanto schon deswegen leichter sein, als alle „natürlichen" Sprachen, weil es, bei einem ähnlichen morphologischen und syntaktischen Bau, keine „Ausnahmen" zuläßt. Beim Erlernen einer Sprache spielt das Element des Willens oder Widerwillens eine hervorragende Rolle (§ 41).

35. Mit dem Urteile Leskiens, das Esperanto sei ein gänzlich mißlungener Versuch, das Problem der Weltsprache zu lösen, bin ich nicht einverstanden (§ 42).

36. Weit entfernt davon, das Ideal einer künstlichen Sprache zu sein, zeigt das Esperanto folgende Vorzüge: a) Es ist eine wirkliche Sprache. b) Es ist nicht zu einseitig romanisch. c) Es ist nicht zu künstlich. d) Es übertrifft also die meisten

anderen „Weltsprachen". e) Es ist gegenwärtig von allen „künstlichen" Weltsprachen die verbreitetste (§ 42).

37. Das Esperanto samt einigen anderen, auf demselben Prinzip
konstruierten „künstlichen" Sprachen läßt sich als Sprache des
modernen europäisch-amerikanischen Denkens charakterisieren
(§§ 43—51).

38. Die Frage der internationalen Hilfssprache muß sub specie
aeternitatis betrachtet werden (§§ 52—53).

39. Eine solche Sprache wird zur Pazifierung der Menschheit
viel beitragen (§ 54).

40. Die Idee einer internationalen Hilfssprache läßt sich weder
wegschweigen, noch wegironisieren.

Zuordnung und Kausalität.

Von

Paul Hausmeister.

Alle unsere wissenschaftlichen Erkenntnisse sind auf das Ge-setz der Kausalität oder besser auf den Satz vom zureichenden Grund gestellt und beschränkt. So viele philosophische Systeme auch schon das Licht der Welt erblickt haben, sie kranken aus-nahmslos an dem Übel, daß beim Regreß bis zu — sagen wir dem *n*-ten — Glied der Kausalreihe alle Qualitäten der Kausalität vollständig verwertet werden, daß aber, um zu dem gewünschten Abschluß unseres Weltbildes zu gelangen, das *n*-te Glied von einem wesentlichen Merkmale der ganzen Reihe (also auch der einzelnen Glieder), dem Bedingtsein befreit und unter irgend-welchem Namen — Gott, Materie, Wirbel — willkürlich als An-fangsglied bezeichnet wird. Wäre nun die Kausalität eine dem Ding an sich anhaftende Bestimmung, so müßte natürlich, ganz abgesehen von der Aufstellung eines vollständigen Systems, jeder bescheidene Versuch, uns über diese Bestimmung hinwegzusetzen, aussichtslos erscheinen. Da aber seit Kant die Einsicht, daß die Kausalität nichts weiter als diejenige Form unseres Verstandes ist, durch welche dieser die ihm durch die Sinne übermittelten Emp-pfindungen in zusammenhängende Vorstellungen transformiert, Allgemeingut der wissenschaftlichen Welt geworden ist, so leuchtet es ein, daß die Bildung eines umfassenderen Begriffs, dem die Kausalität untergeordnet ist, wenigstens in abstracto ohne inneren Widerspruch denkbar ist; das Kriterium der konkreten Möglichkeit bezw. Nützlichkeit dieser neuen Einführung wird darin bestehen, ob dieser neue Begriff in das Chaos der Empfindungen ebenso gut oder vielleicht noch besser als der Satz vom zureichenden

Grund Ordnung bringen kann. Es mag hier eingeschaltet werden, daß es für die folgenden Betrachtungen ganz gleichgültig ist, ob man die Kausalität als reine Zutat unseres Gehirnes ansieht, oder auch dem Ding an sich eine Beschaffenheit von der Art zuschreiben will, daß es von den — vielleicht ∞ vielen — möglichen Anschauungsformen unseren Verstand gerade zu der der Kausalität anregt; es genügt, sich über den **wesentlich subjektiven** Charakter des Satzes vom zureichenden Grund einig zu sein.

Die Mathematik nun als diejenige Wissenschaft, welcher abstrakte Gebilde am häufigsten entgegentreten, behandelt, ohne sich der philosophischen Tragweite dieser Übung völlig bewußt zu sein, schon längst unter dem Namen Zuordnung Beziehungen, die auf den Satz vom zureichenden Grund in keiner seiner vier Formen gestützt sind. Wir begegnen ihr in der Mechanik und besonders häufig neuerdings in der Funktionenstheorie und projektiven Geometrie. Wenn wir die Spannung überhitzten Dampfes bei wachsender Temperatur betrachten, so entspricht jeder Temperatursteigerung eine gewisse Zunahme der Spannung, und wir wissen, daß die zugeführte Wärme die Ursache der Spannung ist. Entwickeln wir dagegen die Temperaturschwankungen in der Luft während 24 Stunden als Funktion der Zeit in einer Fourierschen Reihe oder setzen wir im Sinne der Funktionentheorie fest, daß, während die unabhängige komplexe Variable $z = x + iy$ in ihrer z-Ebene eine Kurve $\varphi(x, y) = o$ beschreibt, die abhängige Variable $w = f(z)$ in einer anderen (der W-Ebene) ebenfalls eine Kurve beschreibt, so gehört allerdings auch notwendig zu jeder Zeit eine bestimmte Temperatur τ, resp. zu jedem Wert z ein bestimmter Wert w auf einer Kurve der W-Ebene; aber niemandem wird es einfallen, die Zeit als Ursache der Temperaturänderung oder die Änderung von z als Ursache der Veränderung von w anzusehen, vielmehr sagt man, die Temperatur sei der Zeit und die Kurve in der W-Ebene der Kurve $\varphi(x, y) = o$ zugeordnet.

Nun tritt allerdings der Satz vom zureichenden Grund, außer in der Gestalt von Ursache und Wirkung noch in anderen Formen[1] auf; wir müssen daher zunächst nachweisen, daß der Begriff der Zuordnung mit keiner dieser Formen identisch ist. Daß kein Motiv, also kein zureichender Grund des Handelns vorliegt, ist offenbar; eher wäre

---

[1] Vergl. Schopenhauer, Über die vierfache Wurzel des Satzes vom zureichenden Grund.

man versucht, an einen zureichenden Grund des Seins zu denken,
da die als Beispiel angeführten Relationen der Anschauung ent-
nommene Elemente enthalten. Der Satz vom zureichenden Grund
des Seins duldet aber ausschließlich unmittelbar und notwendig aus
der Anschauung fließende Bestimmungen; der Satz beispielsweise,
daß zu einem Dreieck drei Seiten gehören, ist ein natürliches
und für jeden Menschen zwingendes, durch andere Hilfsmittel
nicht zu beweisendes Ergebnis unserer Raumanschauung. Was
dagegen in aller Welt nötigt uns, die Temperaturschwankungen
gerade als Funktion der Zeit zu betrachten? Ebensogut können
wir etwa am Meeresstrand irgend ein Maß für Ebbe und Flut
als unabhängige Variable einführen und auf diese die Temperaturzunahme beziehen. In noch helleres Licht wird die Willkür in
der Funktionentheorie gesetzt. Denn das wir den algebraischen
Ausdruck $w = f(z)$ überhaupt geometrisch interpretieren und daß
wir ihn gerade auf diese Weise uns darstellen, ist absolut kein
Imperativ unserer Anschauungsformen, sondern ein durch Zweck-
mäßigkeitsrücksichten empfohlener Akt unserer reinen Willkür;
die Zuordnung ist also von dem zureichenden Grund des Seins
wesensverschieden.

Bedeutend komplizierter gestaltet sich die Abgrenzung zwischen
dem Gebiet der Zuordnung und dem des zureichenden Grundes
des Erkennens, besonders des logisch-formalen Erkennens, im
wesentlichen also des analytischen Urteils. Denn da eine Anzahl
geometrischer Urteile insoweit analytisch ist als, die auf synthetischem Weg gefundenen Grundsätze einmal als gegeben vorausgesetzt, sie mit Hilfe des Satzes vom Widerspruch aus diesen
abgeleitet sind (Kant, Kritik der reinen Vernunft. Einleitung V),
so liegt es nahe, auch die Zuordnung analog zu erklären, d. h. zu
sagen, wenn wir einmal etwas angenommen haben (etwa die Art
der Abbildung von w in der W-Ebene), so entwickeln wir alle
Folgerungen, indem wir unsere sonstigen Grundsätze mit dem Satz
des Widerspruchs kombinieren. Zur Widerlegung dieses auf den
ersten Blick sehr plausiblen Schlusses müssen wir etwas weiter
ausholen, um so mehr, als mit dieser Betrachtung die philosophische Bedeutung der Zuordnung steht und fällt.

An der soeben zitierten Stelle weist Kant nach, daß selbst
die so selbstverständlich erscheinende algebraische Gleichung
$7 + 5 = 12$ synthetisch ist. Ich möchte nun diesen Beweis in
einer von Kant etwas abweichenden Form geben, um anschließend

an den hierbei zu gewinnenden Gedankengang unserem heutigen Problem näher zu kommen.

Beweis für den Kantschen Satz:

Es ist immer möglich ein Zahlengebilde so zu definieren, daß es als Ergebnis der Addition $7+5$ eindeutig bestimmt ist, und diesem Gebilde einen beliebigen Namen, etwa β oder ebensogut auch 12, zu erteilen. Soweit die Gleichung $7+5=12$ nur eine symbolische Abkürzung obiger Definition sein soll, ist sie zweifelsohne analytisch. Allein, wenn wir das Wort 12 aussprechen, so stellen wir uns dabei ein ganz bestimmtes Gebilde vor, das keineswegs allein durch die Gleichung $7+5$, sondern auch durch viele andere, etwa $4+8$, bestimmt ist. Wäre nun unser algebraischer Satz analytisch, so könnte das durch $8+4$ definierte Gebilde mit dem durch $7+5$ definierten nicht identisch sein. Es muß also zwischen den auf ∞ viele Weisen definierten, doch stets einheitlich empfundenen Prädikaten 12 eine Verknüpfung bestehen, die, wie wir gesehen haben, nicht in ihren Subjekten $(7+5, 8+4, \ldots.)$ enthalten ist, also irgendwelchen, hier nicht näher zu untersuchenden synthetischen Charakter trägt.

q. e. d.

Nun wenden wir dieses Verfahren auf die w- und z-Kurve an. Wir können aus allgemeinen geometrischen Grundsätzen und dem Satz des Widerspruchs eine Kurve $w=f(z)$ unter der einmal gegebenen Annahme, daß die W- und Z-Ebene verschieden sind, analytisch[1] definieren; um aber einzusehen, daß die so definierte Kurve mit anderen, auf den mannigfachsten Wegen abgeleiteten Kurven wesensgleich ist, und daß deshalb — nur deshalb — die für diese bestehenden Beziehungen auch für $w=f(z)$ gelten, dazu gehört, wie bei der Addition, ein Akt synthetischer Verknüpfung.

Etwas komplizierter, dafür aber beinahe noch instruktiver für unsere Erkenntnismethode ist das Beispiel der Temperaturzunahme. Zunächst ergibt eine dem obigen analoge Betrachtung, daß die hierbei auftretende Fouriersche Reihe synthetischen Charakter trägt; denn wäre sie ausschließlich analytisch definiert, könnten wir nur die schon in der Definition enthaltenen Eigenschaften herauslesen.

---

[1] Analytisch ist in diesem Aufsatz überall in philosophischem Sinne zu verstehen (also nicht im Gegensatz zu geometrisch).

In Wahrheit dagegen schaffen wir doch künstlich diese Reihe, um an ihrem Ablauf Eigenschaften zu entdecken, die aus den bloßen Voraussetzungen — nämlich den empirisch gegebenen Beobachtungen — nicht hervorgehen, vielmehr erst durch einen Akt synthetischer Verknüpfungen mit anderen bekannten Funktionen hineingetragen werden. Es ist also nachgewiesen, daß sich die Zuordnung außer auf dem zureichenden Grund des Seins und dem Satz des Widerspruchs noch auf einem weiteren Glied, das wir später näher untersuchen, aufbaut, und eben dieses Glied ist für die Zuordnung charakteristisch.

Nur um der exakten Ausdrucksweise willen muß noch erwähnt werden, daß infolge des nur eine Annäherung gestattenden Charakters der Fourierschen Reihe materiell nicht jeder Zeit t eine ganz bestimmte Temperatur τ zugeordnet ist, sondern daß nur zu jedem t ein (beliebig kleiner) Bereich $\tau_0 - \tau$ gehört, innerhalb dessen (der Fehlergrenze) τ liegen muß. Formal gehört natürlich, sobald durch die Reihe die Beziehung $\tau = f(t)$ geschaffen ist, zu jedem t ein bestimmtes τ. Höchst bezeichnend für die Methodik unserer Vernunft ist es, daß auch hier, wo erfahrungsgemäß zwischen Zeit und Temperatur nur ein zufälliges Zusammentreffen besteht, unser Verstand unwillkürlich das Bedürfnis empfindet, durch Schaffung eines künstlichen Gesetzes wenigstens eine konventionelle Notwendigkeit zu konstruieren.

Ich verstehe unter konventioneller Notwendigkeit eine solche, die durch Zuordnung, also durch Setzung eines willkürlichen Elementes entsteht. Formale Notwendigkeit ist eine solche, die ohne willkürliches Element direkt aus unseren Anschauungsformen, resp. aus dem Satz vom zureichenden Grund hervorgeht. Materielle Notwendigkeit endlich wäre eine solche, die dem Ding an sich unabhängig von unseren Anschauungsformen anhaftet; diese Notwendigkeit kann schon ihres rein transzendenten Charakters halber nicht weiter in Betracht kommen, abgesehen davon, daß es zum mindesten sehr zweifelhaft erscheint, ob dem Begriff der Notwendigkeit außerhalb unserer Anschauung überhaupt irgend eine Bedeutung zukommt. Man ersieht aus dieser Darstellung sogleich, daß die konventionelle Notwendigkeit, d. h. die Zuordnung, der allgemeinere Fall der formalen Notwendigkeit, d. h. der Kausalität ist, welch letztere aus der Zuordnung durch eine Spezialisierung, nämlich durch Wegfall des willkürlichen Elementes, gewonnen wird, genau ebenso wie etwa aus der linearen Differentialgleichung $\frac{d^2y}{dx^2} f_1(x) +$

$\frac{dy}{dx} f_2(x) + y \cdot f_3(x) + f_4(x) = o$ durch Spezialisierung, nämlich
durch Setzung $f_4(x) = o$ eine homogene lineare Differentialgleichung entsteht. Wenn also beispielsweise plötzlich unser Verstand
eine bestimmte Anschauungsform für die komplexe Zahl bekäme
— und zwar gerade die bisher willkürlich angenommene — so
wäre das willkürliche Element in $w = f(z)$ in ein bestimmtes verwandelt, in $w = f(z)$ fände sich kein willkürliches Element mehr,
die w-Kurve wäre der z-Kurve nicht mehr zugeordnet, sondern durch
einen zureichenden Grund des Seins mit ihr verknüpft.

Wir haben bisher hauptsächlich untersucht, was die Zuordnung
nicht ist, um auf diesem, mitunter recht zweckdienlichen Wege
zu einer scharfen Umgrenzung zu gelangen. Erst am Schlusse
des vorigen Absatzes konnte endlich eine, allerdings wesentlich
mathematische, dafür aber auch überaus klare Definition gegeben
werden, die ihrer eleganten Prägnanz halber eine ausgiebige Verwertung gestattet. Immerhin mag es angezeigt erscheinen, auch
eine mehr erkenntnistheoretische Definition zu bilden, welche
natürlich dasselbe besagen muß.

Indem wir auf die früheren Untersuchungen zurückweisen,
die die Wesensverschiedenheit der Zuordnung vom zureichenden
Grund des Seins und vom analytischen Urteil sowie die Eigenheit
unseres Verstandes, nur notwendige Verknüpfungen systematisch
verwerten zu können, erläutert haben, können wir sagen:

Die Zuordnung ist eine Beziehung von der Art, daß
zwar die durch sie ausgesprochene Verknüpfung als
solche notwendig ist, daß aber in die der Verknüpfung
zugrunde liegenden Voraussetzungen ein willkürliches
Element eintritt, welches mit dem ganzen Vorstellungs-
komplex synthetisch verbunden ist. Auch hier springt die
Überordnung des Begriffes der Zuordnung über den des zureichenden Grundes in die Augen: denn von zwei Begriffen ist
immer der untergeordnet, welchem neben den Merkmalen des
anderen noch ein Spezialmerkmal zukommt. Nun hat aber offenbar ein Komplex mit $(n + 1)$ bestimmten Elementen ein Spezialmerkmal gegenüber einem solchen von n bestimmten und einem
willkürlichen Element, nämlich gerade die Festlegung dieses
$(n + 1)$ten Elementes.

Wir haben die Möglichkeit des Begriffes der Zuordnung jetzt eingesehen und haben den Begriff selbst genau definiert; es erübrigt, noch seinen philosophischen Wert zu prüfen; daß es sich hier nicht um ein bloßes Spiel mit Worten handelt, geht schon daraus hervor, daß sich der Begriff der Zuordnung im Laufe geometrischer und algebraischer Untersuchungen sozusagen von selbst gebildet hat und heute für die Mathematik unentbehrlich geworden ist. Bei dem engen Zusammenhang dieser letzteren Wissenschaft mit der Erkenntnistheorie sollte schon diese Tatsache die Philosophie veranlassen, sich mit der Zuordnung zum mindesten auseinanderzusetzen. Leider ist dies bisher nur in sehr bescheidenem Maß geschehen. Aber auch über diesen Zusammenhang hinaus scheint mir die Zuordnung für die Konstruktion unseres ganzen Weltbildes von nicht geringer Bedeutung. Nachdem die Versuche, mit den glänzenden Hilfsmitteln moderner Naturwissenschaft den transzendenten Problemen zu Leibe zu rücken, vollständig fehlgeschlagen haben, hat man — nach der alten Erfahrung „les extremes se touchent" — aus diesem — vom erkenntnistheoretischen Standpunkt aus zu erwartenden — Mißerfolg auf eine Diskreditierung unserer exakten Wissenschaften auch auf dem ihr doch schon von Kant mit so viel Nachdruck erkämpften Gebiet der Empirie geschlossen. Gerade von den hervorragendsten naturwissenschaftlichen Gelehrten, die durch neue theoretische und praktische Werte unsere Kultur bereichert haben, haben sich in den letzten Jahren nicht wenige zu einer gewissen Mutlosigkeit und Skepsis, ja selbst zu einer Art Mißtrauen gegen ihre eigene Disziplin bekannt. Woher rührt nun diese eigenartige Wandlung? Wir sind gewöhnt, nur solche Erscheinungen als Objekte der Wissenschaft zu betrachten, zwischen denen ein kausaler Zusammenhang besteht. Da aber einerseits bekanntlich mit Hilfe des Satzes vom zureichenden Grund allein die letzten Fragen nicht gelöst werden können, anderseits auch unsere empirischen Kenntnisse auf vielen Gebieten, z. B. bei den Erscheinungen des Bewußtseins und organischen Lebens für die Anwendung der Kausalität noch lange nicht weit genug vorgeschritten sind, so ist diese hoffnungslose Stimmung, wenn auch sicher unbegründet, so doch psychologisch verständlich. Wenn es nun eine Art der Verknüpfung gäbe, welche (1) ohne Zwang mit den natürlichen Anschauungsformen unseres Intellektes in Einklang steht, (2) ein weiteres Gebiet als die Kausalität umspannt, (3) die für die wissenschaftliche Methodik unentbehrliche Notwendigkeit enthält, so müßte unsere wissenschaftliche Erkenntnis durch Aufnahme dieser Verknüpfung wesentlich gewinnen. Die Zuordnung entspricht nun, wie im Laufe dieser Untersuchung ausführlich nachgewiesen, jenen drei Bedingungen, es steht also nichts im Wege, auch Beziehungen, die nicht kausal, sondern nur durch die viel allgemeinere Zuordnung verkettet sind, wissenschaftlich zu registrieren, d. h. wir brauchen nicht mehr alle diejenigen Erscheinungen, für die wir keine kausale Erklärung haben, mit einem ignoramus beiseite legen, sondern jede Erscheinung, die irgend einer bekannten — in vielen Fällen wird es die Zeit sein — Beziehung sich irgendwie zuordnen läßt, bleibt Gegenstand der wissenschaftlichen Forschung. Natürlich soll durch diese neue Betrachtung die Kausalität nicht ausgeschaltet werden, die Zurückführung auf diese bleibt vermöge der eigentümlichen Beschaffenheit des menschlichen Geistes stets das Endziel, aber gewissermaßen als Vorbereitung zur späteren kausalen Einordnung können wir empirische Objekte, zwischen denen keine kausale Relation besteht und an denen wir daher heute vorbeigehen müssen, in der Form der Zuordnung dem Forum der Wissenschaft zuführen. So können wir beispielsweise die Assoziationsvorgänge im Bewußtsein, die bisher jeder Erklärung spotten, als Funktionen der Zeit darstellen (denn bei jedem Individuum gehören zu einer bestimmten Zeit bestimmte Assoziationen); ordnen wir ferner noch andere Bewußtseinsvorgänge und physiologische Umsetzungen der Zeit zu, so ist es möglich, daß auf Grund reichlichen Beobachtungsmaterials und scharfsinniger theoretischer Schlüsse unter Elimination der Zeit bisher verborgene Zusammenhänge zwischen der Assoziation und anderen Bewußtseinsvorgängen bezw. physiologischen Umsetzungen entdeckt werden, welche gemäß den formalen Bedingungen unseres Denkens nunmehr als kausale erkannt werden.

Der eventuelle Einwand, daß man mit der Zuordnung der materiellen Wahrheit um keinen Schritt näher komme, läßt sich leicht mit dem Hinweis widerlegen, daß aus denselben Gründen, die das Erkennen der materiellen Notwendigkeit ausschließen und die wir oben dargelegt haben, uns auch die materielle Wahrheit unzugänglich und daher überhaupt nicht Gegenstand der Wissenschaft ist. Entsprechend dem willkürlichen Element in der Zuordnung sind in abstracto auch andere Formen zur Erweiterung der Kausalität denkbar und es ist möglich, daß die fortschreitende Entwicklung unserer Kenntnisse in Zukunft zu einer anderen Erweiterung des Satzes vom zureichenden Grunde führt. Für jetzt aber steht uns außer der Zuordnung kein Begriff zur Verfügung, der die Notwendigkeit der Verknüpfung auch über das Gebiet der Kausalität hinausträgt, und so darf man wohl sagen, daß die Zuordnung, auch wenn sie unsere Erkenntnismittel nicht prinzipiell vermehrt, doch die Rüstkammer der Vernunft um ein wesentliches Stück bereichert.

Kausalgesetz und Erfahrung.

Von

Philipp Frank
in Wien.

Der französische Mathematiker Henri Poincaré hat in den beiden naturphilosophischen Schriften „Wissenschaft und Hypothese" und „Wert der Wissenschaft" den Standpunkt vertreten, daß viele von den allgemeinsten Sätzen der theoretischen Naturwissenschaft (z. B. das Trägheitsgesetz, der Satz von der Erhaltung der Energie u. s. w.), von denen man oft nicht recht weiß, ob sie empirischen oder apriorischen Ursprungs sind, in Wirklichkeit weder das eine noch das andere sind, sondern rein konventionelle, von der menschlichen Willkür abhängige Festsetzungen.

Es soll der Zweck dieser Arbeit sein, diese Auffassung auf den in gewissem Sinn allgemeinsten Satz der theoretischen Naturwissenschaft, den Kausalsatz, zu übertragen. Die unmittelbare Anregung dazu gab ein Buch, das eigentlich eine ganz entgegengesetzte Tendenz verfolgt, das scharfsinnige und in vielen Dingen ungewöhnlich vorurteilslose Werk „Naturbegriffe und Natururteile" von Hans Driesch. Es kommt Driesch darauf an zu zeigen, daß der Satz von der Erhaltung der Energie einen apriorischen Kern hat, der in nichts anderem bestehen soll als dem scharf gefaßten Kausalgesetz. Um aber die Apriorität des Energiesatzes zu erweisen, führt Driesch eine Reihe sehr glücklicher Argumente an, die zeigen, daß die Erfahrung den fraglichen Satz nie widerlegen kann. Diese Argumentation erinnert in ganz überraschender Weise an die Poincarés für seine Auffassung des Energiesatzes als Konvention. Die Übereinstimmung ist um so auffallender, als beide Autoren offenbar vollkommen unbeeinflußt voneinander schreiben. Man braucht in der Tat nur vor der Konklusion umzubiegen und die beiden anscheinend so divergierenden Ansichten gehen ineinander über. Da nun die Argumentation Drieschs vielfach auf das Kausalgesetz selbst anwendbar ist, sah ich darin eine neue Stütze für meine bereits bei der Lektüre Poincarés als notwendige Konsequenz empfundene Auffassung des Kausalgesetzes.

Die These, die wir zu erweisen haben, lautet: Das Kausalgesetz, das Fundament jeder theoretischen Naturwissenschaft, läßt sich durch Erfahrung weder bestätigen noch widerlegen, aber nicht aus dem Grunde, weil es eine a priori denknotwendige Wahrheit wäre, sondern weil es eine rein konventionelle Festsetzung ist.

Wir wollen die Form des Kausalgesetzes zugrunde legen, die am meisten frei von undefinierten und zweideutigen Ausdrücken ist, vielmehr nur die unvermeidlichen enthält, die direkt auf sinnliche Gegebenheiten hinweisen.

Das Gesetz lautet: Wenn im Laufe der Zeit einmal auf den Zustand *A* der Welt der Zustand *B* gefolgt ist, so folgt jedesmal, so oft *A* eintritt, auch *B* darauf.

Dieser Satz enthält alles, was am Kausalsatz realer Inhalt ist. Wichtig zum Verständnis des Satzes ist, daß er nur auf das gesamte Weltall, nicht aber auf einen Teil desselben angewendet werden kann. Dadurch wird er aber empirisch unkontrollierbar. Denn erstens kann man nie den Zustand des ganzen Weltalls kennen und zweitens ist es überhaupt nicht sicher, ob es möglich ist, daß ein Zustand *A* des Weltalls je wiederkehrt. Wenn aber kein Zustand *A* sich je wiederholen könnte, wäre der Satz auch theoretisch sinnlos, da er sich ja nur auf wiederkehrende Zustände bezieht.

Es ist aber glücklicherweise nicht der exakte Kausalsatz selbst, der in der Naturwissenschaft Anwendung findet, sondern eine Fassung desselben, die nichts exaktes, sondern nur ungefähres aussagt. Er lautet dann so: Wenn in einem begrenzten System von Körpern einmal auf den Zustand *A* der Zustand *B* gefolgt ist und ein andres Mal auf *A* der Zustand C, so können wir durch Hinzunehmen seiner Umgebung das System so groß wählen, daß der Zustand C dem Zustand *B* beliebig ähnlich wird.

Oder anders ausgedrückt: In begrenzten Systemen gilt der Kausalsatz umso besser, je größer sie sind. Wenn wir also den Kausalsatz auf ein begrenztes System anwenden wollen und wir fragen, ob das System groß genug dazu ist, so hängt die Antwort davon ab, eine wie große Genauigkeit für das Eintreffen der vorausgesagten Wirkung wir verlangen. Ein einfaches Beispiel wird dies zeigen, das wir der am rationellsten durchgearbeiteten Naturwissenschaft, der Astronomie, entnehmen. Betrachten wir das System, das aus Sonne und Erde besteht, so folgt auf einen Zustand *A*, der durch eine bestimmte Entfernung und Geschwindigkeit der beiden gegeben ist, immer dieselbe Reihe von Zuständen, wie oft auch *A* wiederkehrt; nur dürfen wir das Wort „dieselbe" nicht gar zu genau nehmen. Denn in Wirklichkeit hängt die auf *A* folgende Reihe von Zuständen auch noch von der Entfernung und Geschwindigkeit aller übrigen Planeten und Fixsterne ab und wir müssen auch diese zum System rechnen. Je mehr Himmelskörper wir hinzunehmen, umso genauer ist der Kausalsatz erfüllt. Aber schon wenn wir nur alle Planeten samt ihren Satelliten zum System rechnen, ist die Genauigkeit längst für alle praktischen Zwecke ausreichend. Wir sehen an diesem Beispiel, daß es auch begrenzte Systeme gibt, auf die der Kausalsatz anwendbar ist. Ob ein gegebenes System ein derartiges ist, läßt sich im vorhinein nicht angeben und aus diesem Grunde hat sich die sogenannte induktive Methode herausgebildet. Wenn ein Naturforscher sieht, „daß in einem System nicht einmal, sondern oftmals auf *A* immer der Zustand *B* folgt, so wird er sagen, daß *A* die Ursache von *B* ist, d. h. aber nichts anderes als daß auf das fragliche System der Kausalsatz anwendbar ist. Für ein alles umfassendes System genügt schon ein einmaliges Folgen von *B* auf *A* um auf das allemalige zu schließen. Für ein begrenztes System aber muß in jedem einzelnen Falle erst entschieden werden, ob der Kausalsatz anwendbar ist; natürlich ist eine derartige Entscheidung nie eine endgültige; denn der auf begrenzte Systeme angewendete Kausalsatz ist nicht der wirkliche, sondern nur ein Surrogat desselben. Er selbst führt nur eine ideale Existenz als ein Grenzfall, dem der Satz für begrenzte Systeme sich nähert, wenn die Systeme immer größer werden.

Doch wollen wir uns hier um die aus der Begrenztheit der empirischen Systeme entspringenden Schwierigkeiten nicht kümmern, sie werden uns bald relativ unwichtig erscheinen gegenüber den Argumenten, die den Kausalsatz, wenn er auch für begrenzte Systeme streng gültig wäre, was wir von jetzt an annehmen wollen, in ein merkwürdiges Licht rücken werden.

Wir hätten also ein begrenztes System, für das der Satz gilt: Folgt einmal auf den Zustand *A* der Zustand *B*, so folgt jedesmal auf *A* der Zustand *B*. In diesem Satz kommt ein einziges Wort vor, das sich nicht durch den Hinweis auf sinnliche Gegebenheiten von selbst erklärt, das Wort „Zustand". Und die Analyse dieses einen Wortes wird genügen, um den scheinbar so festgefügten Sinn des Satzes aus den Angeln zu heben.

Was heißt „Zustand eines Systems?" Die naheliegendste Erklärung wäre die: Zustand nennen wir die Gesamtheit der sinnlich wahrnehmbaren Eigenschaften eines Systems. Das wäre ein klarer Sinn. Nehmen wir aber das Wort „Zustand" in diesem Sinne, so wird, wie schon einfache Beispiele zeigen, der Kausalsatz unrichtig. Nehmen wir an, das System bestehe aus zwei Eisenstäben, die nebeneinander auf dem Tisch liegen. Das sei der Zustand *A*. Sich selbst überlassen, werden sie ruhig liegen bleiben, d. h. auf *A* folgt wieder *A*. Wenn wir aber an Stelle der einen Eisenstange eine ganz gleich aussehende magnetische legen, so wird der Ausgangszustand nach unserer Definition des Wortes Zustand derselbe sein, nämlich wieder *A*; die Stangen werden aber jetzt sich gegeneinander bewegen, d. h. auf *A* folgt jetzt nicht *A*, sondern *B*. Damit wir aber doch sagen können, daß der Kausalsatz nicht verletzt ist, müssen wir sagen: Die Ausgangszustände waren nur scheinbar dieselben. Wir müssen also unter Zustand nicht nur die Gesamtheit der sinnlich wahrnehmbaren, sondern noch andere Eigenschaften verstehen, z. B. in unserem Falle die Magnetisierung. Eine Eigenschaft, die zur Definition des Zustandes gehört, nennt man eine Zustandsgröße des Systems.

Wie komme ich aber dazu, den Körpern außer den sinnnlich wahrnehmbaren noch andere Eigenschaften zuzuschreiben? Solche Eigenschaften, wie z. B. elektrische Ladung, chemische Affinität u. s. w. sind Ausdrücke, die anzeigen, wie sich der Körper, der sie besitzt, in gewissen Situationen, in die ich ihn bringe, verhält. Sie sind „Inbegriffe von Möglichkeiten als Wirklichkeit gesetzt" (Driesch).

Das heißt aber nichts anderes als: Wenn ein Körper in einer Situation sich anders verhält als ein anderer, dessen Zustand im zuerst definierten Sinne der gleiche ist, schreiben wir ihm neue Zustandsgrößen zu den sinnlich wahrnehmbaren zu. Das heißt aber wieder nichts anderes als: Wenn das Kausalgesetz nach einer Definition des Zustandes nicht erfüllt ist, definieren wir den Zustand eben so, daß das Gesetz erfüllt ist. Wenn dem aber so ist, verwandelt sich das scheinbar eine Erkenntnis aussagende Gesetz in eine bloße Definition des Wortes „Zustand." Wir können das Kausalgesetz geradezu in folgender Form aussprechen: Unter Zustand versteht man die sinnlich wahrnehmbaren Eigenschaften eines Körpersystems samt einer Reihe fiktiver Eigenschaften, deren wir so viele hinzufügen, daß auf gleiche Zustände immer gleiche Zustände folgen. In dieser Form sieht der Kausalsatz schon gar nicht mehr wie ein Gesetz aus.

Dadurch, daß das Wort Zustand, das in der zuerst zugrunde gelegten Form des Kausalsatzes vorkam, erst durch den Kausalsatz definiert wird, verliert das Gesetz den Charakter eines eigentlichen Urteils, es wird zu einer Definition. Von einer Definition kann man aber weder sagen, daß sie empirisch, noch daß sie apriorisch ist, sie ist lediglich ein Werk menschlicher Willkür, die Festsetzung einer Terminologie.

„Der Kausalsatz ist nur eine terminologische Festsetzung", wäre also der Schluß, zu dem unsere bisherigen Überlegungen führen. Weil aber auf diesem Gesetz die gesamte theoretische Naturwissenschaft beruht, ist auch diese selbst nichts als eine passend gewählte Terminologie. Während die experimentelle Naturwissenschaft die sinnlich gegebenen Eigenschaften der Körper und deren Veränderung beschreibt, besteht die Aufgabe der theoretischen Naturwissenschaft darin, die Körper mit den fiktiven Eigenschaften auszustatten, die erst die Geltung des Kausalgesetzes sichern, die theoretische Naturwissenschaft ist nicht Forschung, sondern gewissermaßen Umdichtung der Natur, sie ist Phantasiearbeit. Daraus erhellt auch, woher die sogenannte reine (d. h. apriorische) Naturwissenschaft, deren Möglichkeit schon Kant zu seiner Vernunftkritik anregte, die Sicherheit von ihrer Richtigkeit schöpft. Die Sätze der reinen Naturwissenschaft, deren oberster der Kausalsatz ist, sind darum sicher wahr, weil sie nichts sind als verkleidete Definitionen.

Die reine Naturwissenschaft sagt über die empirische Natur nichts aus, sondern gibt Anweisungen zur Umdichtung der Natur und alle Argumente, die Driesch neuerdigs wieder in so scharfsinniger Weise für die Existenz einer reinen Naturwissenschaft angeführt hat, beweisen wohl, daß es Sätze gibt, die von der Erfahrung unabhängig sind, sagen aber gar nichts darüber aus, warum sie das sind. Diese Gründe aber erhellen aus der oben dargelegten Auffassung vollkommen.

Und so erneuert die neueste Naturphilosophie in überraschender Weise den Grundgedanken des kritischen Idealismus, daß Erfahrung nur einen Rahmen ausfüllt, den der Mensch schon von Natur aus mitbringt; nur daß die alten Philosophen diesen Rahmen für ein notwendiges Gewächs der menschlichen Organisation hielten, während wir in ihm ein Erzeugnis menschlicher Willkür erblicken.

Wie oft ist nicht die Frage aufgeworfen worden: Wieso kann es kommen, daß der menschliche Verstand die äußere Natur, die doch von ihm vollkommen unabhängig ist, restlos aufarbeiten kann? Sind nicht Natur und Menschengeist etwas inkommensurables? Von unserem Standpunkt aus ist die Antwort leicht: Die Natur, welche der menschliche Geist durch die theoretische Naturwissenschaft rationalisiert, ist gar nicht die Natur, die wir durch unsere Sinne erkennen. Das Kausalgesetz und mit ihm die ganze theoretische Naturwissenschaft haben zu ihrem Gegenstand nicht die empirische Natur, sondern die fiktive Natur, von der wir oben sprachen; diese aber ist nicht nur Objekt, sondern geradezu Werk (und zwar nicht etwa Werk in irgend einem metaphysischen, sondern im ganz trivialen Sinne) des Menschen, also selbstverständlich restlos von ihm erfaßbar.

Auf die Grundfragen der theoretischen Naturwissenschaft kann Erfahrung und Experiment niemals eine unzweideutige Antwort geben. Wenn ich will, kann ich die Körper zur Erfüllung das Kausalgesetzes mit lauter qualitativ verschiedenen Zustandsgrößen ausstatten, ich kann Wärme, Elektrizität, Magnetismus u. s. w. als voneinander wesentlich verschiedene Eigenschaften der Körper auffassen, wie es die moderne Energetik und auch Driesch tut; wenn ich will, kann ich aber auch mit weniger qualitativ verschiedenen Eigenschaften auskommen, ich kann z. B. nur Bewegung von Massen einführen, muß aber dann, um die nötige Mannigfaltigkeit zu erzielen, zu unkontrollierbaren verborgenen Bewegungen meine Zuflucht nehmen und dieser Weg führt zum rein mechanischen Weltbild, wie es schon Demokrit als Ideal vorschwebte und das meist in der Form des Atomismus auftritt. Seine konsequenteste Ausbildung hat dieses rein quantitative Weltbild, das mit einem Minimum an Qualitäten auszukommen strebt, in dem Buch „Philosophie der unbelebten Materie" von Adolf Stöhr gefunden, wo selbst die dem mechanistischen Atomismus noch anhaftenden qualitativen Spezifitäten zugunsten rein geometrisch - quantitativer Schemata zurückgedrängt werden, und das als radikalste Durchführung des Programms der Atomisten eine markante Stellung in der naturphilosophischen Litteratur einnimmt. In ganz anderer Weise haben wieder H. A. Lorentz und seine Schüler ein quantitatives Weltbild geschaffen, indem sie, von den mechanistischen Überlieferungen sich loslösend, als Zustandsgrößen elektrischer Ladung, elektrische und magnetische Feldstärke einführten. So entsteht das elektromagnetische Weltbild. Zwischen allen diesen läßt sich durch Erfahrung nicht eindeutig entscheiden. Das eine ist einfacher, das andere komplizierter, aber keines wahr oder falsch.

Wir sehen so, daß es keineswegs eine im engeren Sinne naturwissenschaftliche Frage ist, welches Weltbild ich mir mache, daß es vielmehr mehr oder weniger nur verschiedene Ausdrücke sind, die ich für die eine Sache, die empirische Natur, gebrauche.

Aber noch mehr. Dasselbe gilt für eine Frage, die seit jeher als eine sogenannte Weltanschauungsfrage gegolten hat, deren Beantwortung man in erster Linie von dem Naturforscher verlangte, an der Gefühlswerte in unendlicher Zahl zu hängen scheinen und die doch nichts ist als eine Frage der Terminologie. Es ist, um hier zum Schluß wieder an das anfangs erwähnte Buch von Driesch anzuknüpfen, die Frage, ob die Erscheinungen des tierischen und pflanzlichen Lebens durch physikalisch-chemische Gesetzmäßigkeiten erklärt werden können, die Frage, die man gewöhnlich in die Schlagworte „Vitalismus oder Mechanismus?" zusammenfaßt.

Wir verdanken Driesch die erste klare und vorurteilslose Formulierung des Problems, das wir im Anschluß an ihn und mit Rücksicht auf das bisher gesagte folgendermaßen aussprechen: Müssen wir, um im Gebiet des Lebens das Kausalgesetz erfüllen zu können, den Körper außer den Eigenschaften (Zustandsgrößen), die wir ihnen in der Physik und Chemie zuschreiben, noch andere qualitativ verschiedenen zuschreiben? Driesch sucht zu beweisen, daß wir das in der Tat müssen und führt als eine den lebendigen Körpern eigentümliche Zustandsgröße die Entelechie ein. Dieser Unmöglichkeitsbeweis Drieschs allerdings, mit den Zustandsgrößen der Physik und Chemie auszukommen, erscheint mir nicht vollkommen überzeugend. Driesch zeigt wohl, daß wir für die Lebensvorgänge eine spezifische Zustandsgröße annehmen können, nicht aber, daß wir es müssen. Denn es ist niemals möglich, jeden Kniff, den man in der Fiktion von verborgenen Kombinationen der anorganischen Zustandsgrößen noch erfinden wird, voraussehen zu können. Zugunsten des Vitalismus möchte ich nur bemerken, daß ebensowenig wie ich jemanden, der die Wärme als spezifische Zustandsgröße ansehen will, zwingen kann, sie für eine Bewegung kleiner Massenteilchen zu halten, ich den Anhänger der Entelechie werde zwingen können, sie durch fiktive Zustandsgrößen zu ersetzen. Doch das ist uns alles für den Zweck dieser Arbeit weniger wichtig; worauf es uns ankommt, ist, daß aus den biotheoretischen Arbeiten von Driesch, wenn wir sie von dem von uns eingenommenen Standpunkt betrachten, klar erhellt, daß die Frage „Mechanismus oder Vitalismus" keine Tatsachenfrage ist, keine Frage, auf die ein experimentum crucis mit ja oder nein antworten kann, sondern eine Frage, deren Lösung von der Findigkeit der menschlichen Phantasie abhängt und niemals eine alle Menschen überzeugende sein kann. Die Frage lautet nicht: „Ist das so oder so?" sondern „Können wir das Bild in dieser oder in jener Technik malen oder in beiden?"

Mit Weltanschauung im ethisch-religiösen Sinn hat das alles gar nichts zu tun.

Die Kulturbewegung.

Von

W. Fulda
in Griesheim a. M.

I. Was ist Kultur?

Die Eigenschaft, die das Leben vor allem charakterisiert, ist das Auftreten des Selbsterhaltungstriebes. Wenn sich auch in der anorganischen Natur einige Analoga dazu leicht finden lassen, so zeigt sich doch bei näherem Betrachten, daß diese Analogien rein äußerlicher Natur sind. Inwiefern der Selbsterhaltungstrieb mit dem in dem anorganischen Reich herrschenden Entropiebegriff in Zusammenhang steht, ist noch nicht ermittelt. Obwohl also der Selbsterhaltungstrieb wahrscheinlich in der Zukunft durch einen erweiterten Begriff ersetzt werden wird, so glaube ich, ihn doch zur Grundlage für das Folgende annehmen zu dürfen. Ehe man den Begriff und die Gesetze der freien Energie kannte, konnte man auch die Gesetze der Wärme richtig erfassen, wenn man von der Tatsache ausging, daß ein erhitzter Körper die Tendenz hat, sich abzukühlen und seine kältere Umgebung zu erwärmen. Ganz ähnlich liegt der Fall bei unserem Problem.

Setzen wir den Erhaltungstrieb der Gattungen und der Individuen dieser Gattungen voraus, so ist die erste Frage: wodurch erhalten sich die Individuen und Gattungen von Pflanze und Tier? Es geschieht dies zunächst durch Anpassung ihrer Körper an die Kräfte der Umgebung. Die Anpassungserscheinungen im engeren und weiteren Sinn sind so oft beobachtet worden, auf dieselben ist so oft hingewiesen worden, daß die Erwähnung dieser Tatsache hier wohl genügt. Man kann die Tiere — für die Pflanzen gilt dasselbe von diesem Gesichtspunkte aus — heteronome oder Autoritätsgeschöpfe nennen, denn ihre Entwicklung richtet sich nach den äußeren Kräften, die ihnen fremd sind, auf deren Größe

29*

und Veränderlichkeit sie keinen Einfluß haben. Von den Kräften der Außenwelt und den Bedingungen, die durch ihr Zusammenwirken entstehen, hängt in erster Linie das Leben der Tierarten ab. Welche Vorteile und Nachteile bietet nun dem Erhaltungstriebe der Tiere dieses Mittel, Anpassung? Zunächst die Möglichkeit zum Leben, und in der immer weitgehenderen Anpassung im allgemeinen eine immer gesichertere und zuverlässigere Lebensmöglichkeit. Doch darf man eines nicht außer acht lassen: Das Prinzip der Anpassung rechnet damit, daß die äußeren Verhältnisse sich nur langsam verändern. Wären sie ganz konstant, so wäre für die Lebenserhaltung die Anpassung das Mittel, was zur denkbar größten Vollkommenheit führen müßte. Da sich aber die äußeren Kräfte mehr oder weniger langsam ändern, so müssen die Tiergattungen eine Sisyphusarbeit auf sich nehmen. Hat sich im Verlauf vieler Generationen eine Gattung bestimmten Verhältnissen angepaßt, so kann eine nicht einmal sehr große Veränderung der äußeren Kräfte die Existenz der Gattung in Frage stellen oder wenigstens die Entwicklung der vorhergehenden Generationen überflüssig machen. Die Tausende untergegangener Tierarten zeigen, daß diese nicht schnell genug den veränderten Verhältnissen durch ihre Anpassung zu folgen vermochten. Lebewesen, die durch Anpassung ihr Leben zu erhalten suchen, stehen der Zukunft gegenüber vis-à-vis de rien. Sie müssen darauf gefaßt sein, morgen als Last zu tragen, was Jahrhunderte ihnen Nahrung verschaffte. Eine Kultur, d. h. ein derartiger Zustand, daß eine Tierart besser als alle anderen unter den verschiedenen Verhältnissen den Kampf ums Dasein aufnehmen kann, ist nicht denkbar. Die Tatsache, daß einerseits die Anpassung keineswegs ein ideales Mittel, das Leben zu erhalten, und daß anderseits bestimmte Tierarten, insbesondere der Mensch, ihre Existenz sicherer gestellt haben als andere Tiere, lassen vermuten, daß das Sichanpassen nicht das einzige Mittel ist, das Leben zu erhalten. Es ist eine defensive Kampfesweise, die ein Lebewesen oder eine Gattung mittels der Anpassung ausführt. Ändern sich die äußeren Bedingungen und bedrohen das Leben, so schützt sich die Tierart, indem sie in bestimmter Weise auf den Angriff reagiert und die gefährlichen Folgen paralysiert, soweit dies mit ihrer Entwicklungsfähigkeit möglich ist. Man kann sich auch denken, daß eine Tierart zum Angriff übergeht und die äußeren Bedingungen zwingt, zu ihren Gunsten sich zu verändern.

Mit anderen Worten: Die Tierart kann die Natur beherrschen. Dies ist bekanntlich beim Menschen in hohem Maße der Fall. Bietet nun dieses Streben einzelner Tierarten (besonders des Menschen) einen Vorteil für die Erhaltung ihres Lebens? Darauf ist mit ja zu antworten. Anstatt der Sisyphusarbeit der Anpassung erhält die Tierart mit der wachsenden Fähigkeit, die Naturkräfte zu beherrschen, eine immer weitergehendere Sicherheit. Die Änderungen der äußeren Bedingungen können ihr immer weniger gefährlich werden. Denn sie weiß sich durch andere von ihr beherrschte Naturkräfte zu schützen. Sie wird allmählich unabhängig von den Änderungen der äußeren Kräfte: sie wird autonom. Besonders im Hinblick auf die Zukunft ist diese Freiheit, sich nicht nach den Verhältnissen der Außenwelt entwickeln zu müssen, für die Gattung von geradezu grundlegender Bedeutung. Erst hierdurch wird das Fortbestehen der Art garantiert. Je mehr eine Gattung die Außenkräfte beherrscht, um so höher steht sie, d. h. um so mehr Kultur hat sie.

Bevor ich näher auf die beim Menschen sich zeigenden Kulturerscheinungen eingehe, will ich versuchen, die im vorigen dargelegten Verhältnisse mathematisch zu fassen.

Die äußeren Kräfte, die die Lebensbedingungen ausmachen, mögen v heißen; die unter der Einwirkung und in Abhängigkeit von v existierenden Tierarten seien u. Dann ist

$$u = f(v) \quad \cdots \cdots \cdots \quad (1)$$

Beschränken wir uns auf eine Tierart U und die für U in Betracht kommenden äußeren Kräfte V und nehmen zunächst an, daß die Tierwelt dem Prinzip der Anpassung folgt, so mag zu einer gewissen Zeit t_1

$$f(V_1) = U_1 \quad \cdots \cdots \cdots \quad (2)$$

sein. Ändern sich die äußeren Verhältnisse in der Zeit t_1 bis zur Zeit t_2 von $f(V_1)$ zu $f(V_2)$, so sollte sich auch U in die neue Gleichgewichtslage einstellen, so daß

$$f(V_2) = U_2 \quad \cdots \cdots \cdots \quad (3)$$

Dies ist aber nicht immer der Fall, wenigstens nicht in endlicher Zeit. Die Anpassungserscheinungen gehen ja nicht momentan vor sich, sondern erfordern oft die Zeit von vielen Generationen. Man kann nur sagen, U tendiert auf U_2 zu oder

$$f(V_2) = \lim_{t = \infty} U_2 \quad \cdots \cdots \cdots \quad (4)$$

Zu einer bestimmten Zeit t_0, wird also zwischen dem erstrebten Werte U_2 und dem tatsächlich vorhandenem Werte U_0 eine positive Differenz A bestehen, so daß

$$U_2 - U_0 = A \quad \ldots \quad \ldots \quad \text{(5)}$$

ist. Der Erhaltungstrieb sucht A möglichst klein zu halten. Wächst A zu sehr, dann geht die Tierart zugrunde.

Kehren wir zu der Gleichung (1) $u = f(v)$ zurück und fragen, was wird aus dieser Gleichung, wenn eine Tierart der Tendenz der Überwindung der Naturkräfte folgt? Man redet von Anpassung, wenn eine Tierart keinen nennbaren Einfluß auf die Gestaltung der übrigen Energien hat, d. h. annährend ist $v = f^1(u)$ = konstant und u ist bei Änderungen von v sehr weitgehenden Änderungen unterworfen. Mit anderen Worten, der Differentialquotient:

$$\frac{du}{dv} = z \quad \ldots \quad \ldots \quad \text{(6)}$$

ist dabei eine variable, sehr große Zahl. Je mehr Kultur eine Tierart hat, d. h. je mehr Energien es zu seiner Lebenserhaltung verwenden kann, je mehr Energien es beherrscht, um so weniger werden die erwähnten Gleichungen zutreffen. Im Grenzfall, auf der höchsten Kulturstufe, wird das Leben unabhängig von den Änderungen in der Außenwelt, die Gleichung (1) $u = f(v)$ wird sich einem konstanten Werte nähern und $\frac{du}{dv} = 0$ werden. Man kann also sagen: Die Gleichung (1) zeigt, von welchen äußeren Energien und in welchem Maße das Leben einer Tierart abhängig ist. Die Kulturstufe ist damit noch nicht gegeben, sondern diese zeigt sich erst durch die Veränderung, die u erleidet, wenn v sich ändert, d. h. sie ist gegeben durch den Quotienten $\frac{du}{dv}$. Je kleiner dieser ist, um so höher der Kulturgrad. Der Kulturfortschritt ist dann gegeben durch die Größe des zweiten Differentialquotienten $\frac{d^2u}{dv^2}$.

Zusammenfassung des ersten Teils: Wenn man sagt, die Tierwelt erhält ihr Leben durch Anpassung an die äußeren Verhältnisse, so heißt das, die in der Tierwelt auftretenden Veränderungen sind abhängig von den Kräften (oder besser Energien) der Außenwelt. Diese Einwirkungsmöglichkeit der Außenwelt auf den Tierorganismus zieht als Folge nach sich, daß das Tier auch die Außenwelt beeinflussen kann. Je mehr dies letztere bei einer bestimmten Tierart in einer bestimmten Weise geschieht, d. h. mit anderen Worten, je mehr eine Tierart die Außenwelt beherrscht, um so weniger braucht sie sich zu ändern, wenn die Energien der Außenwelt sich ändern, um so seltener wird sich die Außenwelt in einem ungünstigen Sinne ändern, um so gesicherter ist die Zukunft der Tierart. Kultur ist eine in bestimmter Richtung geleistete Arbeit.

II. Worin zeigt sich die Kultur?

Die Kulturbewegung des Menschen, d. h. der Kampf um die Befreiung des Lebens von den wetterwendischen Naturkräften, wird sich hauptsächlich auf drei Gebieten abspielen. Es handelt sich zunächst um die Beherrschung des eigenen Organismus.

Der Tierkörper ist im wesentlichen ein Produkt der Anpassung. Ebenso ist das psychische Leben des Tieres, sein Erhaltungstrieb, in der Hauptsache mit Anpassungsversuchen beschäftigt. Nur in gewissem Maße auf bestimmten Gebieten läßt sich bei höheren Tieren auf das Streben schließen, die Naturkräfte zu überwinden. Das Auftreten dieses Strebens fällt wohl zusammen mit dem Vorhandensein eines Bewußtsein, was vielleicht wieder an die Existenz des Gehirns geknüpft ist.

Auch beim Menschen herrschen die Anpassungserscheinungen vor. Alle Reflexbewegungen, alle Handlungen zur Befriedigung sinnlicher Genüsse gehören hierher. Aber gerade die am weitesten fortgeschrittenen Menschen haben gefühlt, daß Handlungen dieser Art wohl für den Augenblick helfen, aber keinen prinzipiellen Fortschritt bedeuten. Alle Anpassungshandlungen erscheinen ihnen als minderwertig, als Handlungen der Not.

Nach unseren Ausführungen fördern alle diese Handlungen nicht die Kultur, sie befreien die Menschheit nicht, sie tragen nichts dazu bei, die Zukunft der Menschheit zu sichern. Am Anfang aller Kultur stehen deshalb die religiösen Bewegungen, d. h. Bewegungen, die lehren, daß die Anpassung nicht das *A* und *O* alles Trachtens sein soll. Ein Anpassungsmensch nimmt die äußeren Verhältnisse als gegeben und unveränderlich hin und sein Selbsterhaltungstrieb führt ihn dazu, sich mit diesen gegebenen Größen so gut wie möglich abzufinden und sie zur Erhaltung des „Ichs" zu gebrauchen. Er wird Herrschsucht, Habsucht, Genußsucht oder Furcht, Unterwürfigkeit, Unwahrhaftigkeit zeigen, je nachdem es ihm für sein Leben nützlich erscheint. Für die Kultur ist ein solcher Mensch wertlos. Zur Beherrschung der gesamten Lebenslage der Menschheit ist gemeinsame Arbeit der Individuen nötig, indem einer weiterbaut, wo der andere angefangen hat. Die Kulturbewegung hatte also die Aufgabe, diese Zusammenarbeit zu ermöglichen, d. h. die inneren Kämpfe der Menschheit möglichst zu beseitigen, zu predigen: Liebe deinen Nächsten. Man wird mir hier vielleicht einwenden, daß die großen · Egoisten auf politischem und wirtschaftlichem Gebiet in alter und neuer Zeit auch viel zur Befreiung der Menschheit beigetragen. Das gilt doch nur in gewissem Sinne. Diese Männer wandelten, soweit sie Egoisten waren, die Abhängigkeit der Menschheit von anderen Faktoren in eine solche von ihnen selbst um. Zuzugeben ist, daß diese Abhängigkeit von einzelnen Menschen, die an sich nicht weniger groß als die von Naturkräften zu sein braucht, oft leichter beseitigt werden kann. Die Taten der Herrscher, der Unternehmer haben also oft als Mittel, als Weg für die Befreiung (als Katalysatoren) der Kultur gedient. Naturwissenschaftlich ausgedrückt kann man sagen: sie setzen oft potentielle Freiheitsenergie in kinetische um. Man muß sich vergegenwärtigen, daß alle egoistischen Handlungen Essen, Trinken, Schlafen u. s. w. diesen Wert haben können: sie bringen die Welt selbst nicht vorwärts, aber sie ermöglichen ein Vorwärtskommen.

Doch keineswegs in allen Fällen ist die auf oben geschilderte oder andere Weise entstehende Abhängigkeit der Menschen voneinander ohne Kampf beseitigt worden, sondern dazu mußte neben der religiösen Bewegung noch eine andere entstehen: die liberale. Beide Bewegungen ergänzen sich. Der nach Befreiung strebende Mensch sucht die Naturkräfte so zu dirigieren, daß sie für das Leben der Menschheit nicht gefährlich werden können, sondern nützlich werden. Er beeinflußt natürlich zunächst die ihm nahestehenden Naturkräfte: sich selber, geht dann über auf andere Menschen und schließlich auf die organische und anorganische Natur. Die liberale Bewegung der letzten beiden Jahrhunderte spielte sich in zwei Phasen ab: das Ringen um die Erlangung der Freiheit (liberale Bewegung im engeren Sinne) und der Kampf um die, Verhinderung des Mißbrauchs der Freiheit (soziale Bewegung).

Auch historisch betrachtet, hat die Kulturbewegung zur Besiegung der Naturkräfte, der Kapitalismus, zuletzt eingesetzt. Alle Wirtschaftsformen, die vor dem Kapitalismus lagen, waren gebunden an Ort, Zeit und vor allem an den einzelnen Menschen, d. h. waren Anpassungswirtschaften. Erst der Kapitalismus zerbricht die Fesseln von Tag zu Tag mehr. Ein Beispiel möchte ich hier anführen: die Trustbildung der modernen Industrie. Die Produktion, der Absatz, der Gewinn: alles wird berechnet. Der Zufall (d. h. äußere, unbeherrschte Naturkräfte) sind nahezu ausgeschaltet. Der (Aktien-)Unternehmer, der Direktor, der Beamte, der Arbeiter sind ebenso ersetzbar wie der englische Stahl durch den deutschen oder amerikanischen. Zur Beherrschung der Naturkräfte gehört zunächst Kenntnis derselben, d. h. Wissenschaft im weitesten Sinne. Wo diese Kenntnisse noch gering sind, kann der Kapitalismus nicht vorwärts dringen, z. B. in der Landwirtschaft, in der bekanntlich die Anpassung an die äußeren Kräfte noch die hervorragendste Rolle spielt, und die deshalb wirtschaftlich eine Provinz mit vorkapitalistischen Reservatrechten ist. Die zur Herstellung eines Produktes theoretisch aufzuwendende Arbeit dividiert durch die tatsächlich aufgewandte menschliche Arbeit ist charakteristisch für den (äußeren) Kulturgrad des Menschen in bezug auf dieses Produkt.

Wir stehen in vieler Beziehung noch im Anfang der Kulturbewegung. Dies zeigt sich besonders darin, daß man im allgemeinen sehr enge Grenzen unserer Entwicklungsmöglichkeit annimmt und weitere Ziele, in denen erst oft die vorwärtstreibenden Kräfte liegen, kaum ausgesprochen werden. So sind z. B. die Menschen ausgezeichnete Anpassungsprodukte besonders in der Beziehung, daß sie nur kurze Zeit lebensfähig sind und durch den schnellen Generationswechsel sich sehr leicht neuen Verhältnissen anpassen können. Für eine von den äußeren Kräften unabhängige Menschengattung ist natürlich der Tod etwas ganz Überflüssiges, der Kulturmensch wird deshalb darauf hinarbeiten, die Unsterblichkeit der Protozoen — ohne deren Schwäche — wieder zu erlangen.

Man kann wohl sagen, daß die Tendenz besteht, daß die innere Unfreiheit gleich der äußeren wird, d. h. daß alle die Faktoren, von denen der Mensch nach seinem körperlichen und geistigen Zustand abhängig ist, bei passender Zeit und Gelegenheit den Menschen auch wirklich in seinem Handeln bestimmen. Die Kulturbewegung nimmt nun gewöhnlich den Verlauf, daß durch die religiöse Bewegung eine gewisse innere Freiheit geschaffen wird. Dem Menschen scheinen infolge dessen gewisse Abhänglichkeiten, in denen er sich in seiner historischen Lage befindet, unnötig und lästig. Er schüttelt sie mit Erfolg ab (liberale Bewegung). Gewöhnlich geht er nun bei dieser Gelegenheit zu weit und erwirbt mehr Freiheit, als er nach seiner Konstitution verträgt. Dieses Plus bringt neue — bisher latent gebliebene — innere Unfreiheiten zur Erscheinung; er verfällt in Sinnengenuß, Abhängigkeit von anderen Menschen u. s. w. bis die Gleichung wieder annähernd erfüllt ist. Dann setzt wieder eine religiöse Bewegung ein u. s. f.

Ich darf wohl nicht von Kulturbewegung sprechen, ohne auch der Kunst einen Platz angewiesen zu haben. Zur Kunstbetätigung sind zwei Voraussetzungen nötig. Zunächst muß der Mensch eine gewisse innere Freiheit erlangt haben, d. h. er darf die Außenwelt nicht mehr allein unter dem Gesichtspunkt betrachten, inwiefern sie ihm nützlich oder unnützlich ist, sondern muß ein Interesse an den Beziehungen der Objekte untereinander haben. Eine bestimmte Beziehung (Abhängigkeit) zu entdecken und sie dann charakteristisch darzustellen,' ist die Aufgabe der Kunst. Dies ist aber nur möglich, wenn der Mensch die Außenwelt in gewissem Grade beherrscht, d. h. wenn er eine gewisse technische Kulturhöhe erlangt hat. Die Kunst hat also die vorher besprochenen Kulturbewegungen zur Voraussetzung, sie ist gewissermaßen deren Resultat und deren Gradmesser.

Zusammenfassung des zweiten Teils: Die Kultur zeigt sich in der religiösen Bewegung, in der liberalen und in der Bewegung, die Naturkräfte zu beherrschen. Als Gradmesser der Kultur und als die aus den obigen Bestrebungen kombinierte Bewegung kann die Kunst gelten. Daß im Vorhergehenden eine Theorie des Handelns (inkl. einer Theorie der Politik) implicite gegeben ist, darauf brauche ich wohl nicht näher hinzuweisen. Eine Gelegenheit, diese Seite der Sache näher anzuführen, bietet sich wohl später einmal.

Das Kausalgesetz.[1]

Von

A. von Oettingen.

Vor 57 Jahren hat in der Königlich Sächsischen Gesellschaft der Wissenschaften Fechner einen Vortrag über das Kausalgesetz gehalten.[2] Ihm lag daran, die Beziehungen der belebten und der unbelebten Natur zu beleuchten und Gesichtspunkte zu finden, von denen aus sich die Freiheit des Willens erkennen ließe. Ich beschränke mich auf das Kausalgesetz in bloß materieller Hinsicht und möchte darauf hinweisen, daß, obwohl sehr viel über diesen Gegenstand geschrieben worden ist, ein wesentliches Moment so gut wie gänzlich übersehen zu sein scheint. Alle Philosophen stimmen darin überein, daß als wesentliche Eigenheit eines ursächlichen Zusammenhanges die zeitliche Folge anzusehen sei; die Ursache gehe der Wirkung zeitlich voran, die Wirkung folge ihr. Gerade diese Auffassung ist es, die zu bestreiten ist.

Leider herrscht in diesem, wie in dem gesamten Gebiete der Mechanik, eine schlimme Unsicherheit der Benennungen. Nicht bloß Ursache und Wirkung werden in ganz verschiedenem Sinne gebraucht, auch für die grundlegenden Begriffe gelten keine festen Bezeichnungen. Der Sprachgebrauch in der Wissenschaft, in der Technik und im Volksmunde stimmt nicht überein; auch tritt ein Gegensatz der historischen Entwicklung uns entgegen. Hartnäckig behaupten sich alte Bezeichnungen mit einer Zähigkeit, gegen die alle Anstrengung auf Grund neuerer Erkenntnis sich vergeblich zeigt. Wir dürfen uns wohl des erfreuen, daß die wissenschaftlichen Begriffe geklärt sind, aber dem entspricht nicht immer die Ausdrucksweise, die schon vom pädagogischen Ge-

---

[1] Vorgetragen in der Leibnizsitzung der Kgl. Ges. d. Wiss. am 14. November 1906.

[2] Sitz.-Ber. d. Kgl. Ges. d. Wiss. Bd. I, Seite 98—120.

sichtspunkte aus immer und ohne Ausnahme zutreffen sollte.
Die Worte „Gewicht" und „Masse" werden selbst in wissenschaftlichen Werken durcheinander geworfen.[1] Ein im Volksmunde gebräuchliches Wort wie Gewicht wird schwerlich jemals
durch das allein richtige „Masse" ersetzt werden. Verhängnis-
vollen Verwechslungen sind fast alle Grundbegriffe, wie Kraft,
Bewegung, Grund und Folge unterworfen, besonders aber Ursache
und Wirkung, und zwar in allen Sprachen; so auch im Lateinischen:
„Vis" ist ebenso vieldeutig wie „Kraft", „Actio" wie „Wirkung".
Newtons „Actio" und „Reactio" wird meist mit Wirkung und
Gegenwirkung übersetzt, während Kraft und Gegenkraft allein
richtig ist.

Robert Mayer, der tiefsinnige Denker, der die Erhaltung
der Energie zuerst in allem Geschehen erkannt hat, kämpft vergeblich gegen das Wort „Kraft" als Antrieb, der sich in der
Beschleunigung kund tut. Er findet diesen Kraftbegriff unsinnig,
dabei aber übersieht er, daß er eben für den Antrieb jegliche
Benennung verliert. Die heutige Wissenschaft hat das Wort
„Kraft" auf den Antrieb beschränkt, daher darf Energie nicht
mehr „Kraft" genannt werden. Übrigens scheinen die Worte
„Energie" und wohl auch „Arbeit" im Volke keinen Anklang zu
finden. Man konsumiert elektrische Kraft, und verwechselt Kraft
und Energie, ebenso wie Potential und Spannung.

Die verschiedenen Bedeutungen, die man dem Worte „Actio"
gibt, sind auf Newton selbst zurückzuführen. Es läßt sich
zeigen, daß in der kurzen Einleitung zu seinen „Principia
Philosophiae naturalis" dieses Wort sowohl als Kraft wie gleich
darauf als Arbeit gebraucht wird, worauf weiter unten zurückzukommen ist.

Auf die Verwechslung von „Causa" und „Ratio" oder von
„Ursache" und „Grund" hat Schopenhauer hingewiesen, ohne
die Frage endgültig zu erfassen, da er Reize und Motive zu den
Ursachen zählt, denen keine Wirkungen der Größe nach entsprechen. Motive aber sind keine Ursachen; sie müssen zum

---

[1] In Thomson und Taits Handbuch der theoret. Physik, Braunschweig,
1874, S. 185, wird zuerst vom Gewicht einer Masse in verschiedenen Breiten
gesprochen und richtig Gewicht als Kraft dargetan, aber auf derselben Seite
heißt es: „Gewichte sind Massen, nicht Kräfte". Hier wird das Wort „Gewicht"
im volkstümlichen Sinne eines Stückes gebraucht, wie auch Chemiker und Physiker immer noch von Gewichtssätzen anstatt von Massensätzen reden.

Begriff der Auslösung gerechnet werden. Trotz Schopenhauers Warnung gebrauchen die heutigen Naturforscher immerwährend das Wort Ursache, wo es „Grund" oder „Anlaß" heißen sollte.

Als Kausalgesetz stellt Fechner[1] den Satz auf, „Daß überall und zu allen Zeiten, insoweit dieselben Umstände wiederkehren, auch derselbe Erfolg wiederkehrt; soweit nicht dieselben Umstände wiederkehren, auch nicht derselbe Erfolg wiederkehrt." In dieser unangreifbaren Fassung wird indes die Hauptfrage nicht berührt, worin nämlich die Ursache und worin der Erfolg bestehe.

Unter Physikern und Mathematikern dürfte ziemlich allgemein feststehen, daß nur in energetischen Beziehungen der Kausalzusammenhang zu finden ist. In diesem Sinne bewegt sich auch eine umfangreiche Zusammenstellung, die kürzlich I. Hickson in der Zeitschrift für wissenschaftliche Philosophie veröffentlicht hat. Nur sträubt er sich hartnäckig gegen mathematische Formeln, wie aus einer gegen Mach gerichteten Stelle hervorgeht: „Das Streben seitens gewisser Anhänger der reinen Erfahrung, die Schwierigkeiten, etwa die Unbestimmtheiten in schon längst feststehenden und bedeutungsvollen philosophischen Begriffen, z. B. im Kausalbegriff dadurch zu beseitigen, daß man diese Begriffe in eine höhere Sprache der leeren Buchstaben übersetzt, erscheint uns ganz naiver Art." Zu diesem naiven Ausspruche gesellt sich noch die Mitteilung, daß ihm die potentielle Energie unangenehm sei, er findet sie unklar!

Da wir den Kausalsatz energetisch fassen, so kann uns als Leitfaden der zuerst von Robert Mayer als allgemein für alle Teile der Physik geltende Satz dienen: „Causa aequat effectum." Hier schon ist es am Platze des zu gedenken, daß wir alle Begriffe, die in das Kausalgesetz eingehen, und zwar gerade in der Form, wie sie die heutige Physik und Mathematik erfaßt, Leibniz verdanken. Auch der vorstehende Satz ist in voller Klarheit bei ihm zu finden. In einer Abhandlung vom Jahre 1690: „De Causa Gravitatis et Defensio Sententiae Autoris de veris Naturae Legibus contra Cartesianos" heißt es in der Ausgabe von C. I. Gerhardt Band VI Seite 201: Ostendo „aequationem latentem inter causam et effectum nulla arte violabilem" esse.

Leibniz hat zuerst dem Worte „Kraft" die richtigen unter-

---

[1] a. a. O. Seite 100.

scheidenden Beiwörter zugesellt. Er nennt tote Kraft, vis
mortua, force absolue den bloßen Antrieb, — dagegen erfand
er die Benennung lebendige Kraft, vis viva, force vive absolue für die Bewegungsenergie. Von hervorragender Bedeutung
ist der „Essay de Dynamique" (Band IV, Seite 215—231). Hier
finden wir zum erstenmal alles, was zum Begriff der Energie gehört, klar auseinandergehalten, auch die Unzerstörbarkeit und die
Unvermehrbarkeit. „C'est la force vive absolue, qui s'estime par
l'effet, qui se conserve. Si cette force vive pouvait jamais
s'augmenter, il y aurait l'effet plus puissant que la cause, ... ce
qui est absurde."

Es soll nun gezeigt werden, daß Ursache und Wirkung,
wesentlich erfaßt, gleichzeitig statthaben, daß aber praktisch
durch Heranbringung willkürlich gearteter Fragestellung die Wirkung zeitlich der Ursache zu folgen scheine. Im Gedankengange
Leibnizens bleibend sagen wir:

Ursache ist schwindende Energie, Wirkung ist entstehende Energie. Die erste heiße S, die zweite E, so ist

$$S + E = 0,$$

wenn dem schwindenden S das negative Zeichen erteilt wird. In
dieser Form aber treffen wir noch nicht das Wesen des Vorganges, wir müssen uns von Leibniz noch weiter führen lassen
und uns des von seinem Genius ersonnenen Differentials bedienen; wollen auch für die eine Energieart P und für dessen
Differential dP, für die andere A und für ihr Differential dA
setzen, auch beachten, daß beide Änderungen in der Zeit dt vor
sich gehen; wir schreiben daher:

$$\frac{dP}{dt} + \frac{dA}{dt} = 0.$$

Ein Differential nach der Zeit bezeichnet die endliche Menge
von P, die in der Zeiteinheit schwinden würde, wenn die
Änderung gleichförmig weiterbestünde. Das negative Glied ist
die Ursache, das positive ist die Wirkung und quantitativ ist
die Ursache der Wirkung gleich. Das ist das Kausalgesetz in
Leibniz' Auffassung.

Hier muß nun untersucht werden, ob die Wirkung dA auf-
ritt, nachdem dP geschwunden ist. Darüber finden wir bei
Leibniz keine Andeutung und doch kann ein von ihm aus-

gesprochenes Gesetz herangezogen werden, das im Keim die Antwort enthält. Es ist das das Gesetz der Kontinuität: „Natura non facit Saltum." In der oben erwähnten Abhandlung heißt es auf Seite 229:

Il y a deux lois de la nature que 'j'ay fait connoistre le premier, dont la première est la loi de la conservation de la force absolue ou de l'action motrice dans l'univers avec quelques autres conservations nouvelles qui en dépendent et que j'expliquerai un jour, et la seconde est la loi de la continuité, en vertu de laquelle entre autres effets, tout changement doit arriver par des passages inassignables et jamais par saut. Hieran schließt beiläufig Leibniz den Erweis, es könne keine vollkommen unelastischen Körper geben.

Diesem Leibnizschen zweiten Gesetz der Kontinuität können wir in folgender Weise gerecht werden. Denkt man sich unter *dt* eine noch so kleine Zeitgröße, die der Forderung entspräche, daß nach deren Verlauf die Wirkung da sei, so läßt es sich erweisen, daß diese Annahme auf Widersprüche führt, denn nichts hindert uns, die Zeit *dt* in noch kleinere Teile zu teilen. In jedem dieser letzteren war aber ein Umsatz von Energie derselben Art geschehen. Daraus folgt, daß keine noch so kleine Zeit angebbar ist, in der nicht noch kleinere Teile denkbar sind, daß mithin es keine noch so kleine Zeit gebe mit der Eigenheit, daß nach deren Verlauf die Wirkung auftrete. Nach bekannter mathematischer Methode folgt daraus, daß schlechthin Ursache und Wirkung gleichzeitig statthaben; das Differential der Wirkung und das Differential der Ursache sind ein und dasselbe von verschiedenen Seiten her betrachtet. Der Begriff des Werdens hat immer zwei Seiten, Schwinden und gleichzeitig Entstehen. Zwischen beiden liegt keine noch so kleine angebbare Zeit. Es ist ein „dauerloser Moment" (Dühring). Leibniz würde nicht anstehen, das Zeitdifferential gleich Null zu setzen. In dieser Hinsicht war er so streng, daß er anfänglich nicht einmal den Ausdruck „unendlich klein" duldete. Die hier auftretende Schwierigkeit ist dieselbe, wie die der Bewegung eines Punktes, oder wie die Berührung einer Tangente mit der Kurve in einem einzigen Punkte.

Die wesentliche Gleichzeitigkeit von Ursache und Wirkung steht unanfechtbar fest; es muß daher der offenbar vorhandene scheinbare Widerspruch im Hinblick auf den Sprachgebrauch gekennzeichnet und beseitigt werden.

Man muß zwei Arten der Auffassung des Geschehens unterscheiden: einen Differentialvorgang und einen Integralvorgang. Der erstere ist in der obigen Formel erschöpft. Der Integralvorgang tritt uns entgegen, wenn wir das Geschehen während einer endlichen Zeit ins Auge fassen. Die Summe der geschwundenen Energie ist dann der Summe der erzeugten Energie gleich. Wir haben eine Ursachensumme und eine Wirkungssumme; letztere könnte man mit „Erfolg" bezeichnen. Der Erfolg ist seinem Betrage nach verursacht, die Ursachensumme ist verwirkt und in Zeichen wäre demgemäß zu schreiben:

$$\int_{t_0}^{t_1}\frac{dP}{dt}\cdot dt + \int_{t_0}^{t_1}\frac{dA}{dt}\cdot dt = 0.$$

Die Zeitgrenzen t_0 und t_1 sind willkürlich wählbar, nur muß beachtet werden, daß, wenn im Laufe der Zeit dP und zugleich dA ihr Zeichen wechseln, auch Ursache und Wirkung sich vertauschen. Es ist daher zu empfehlen, die Grenzen bei den Umkehrmomenten, wo die Differentialquotienten gleich Null werden, anzunehmen. Den Erfolg kann man nur dann beschreiben, wenn gesichtet wird, in welchem Sinne die Änderungen geschehen. Die von allen Philosophen behauptete zeitliche Folge der Wirkung gehört nicht zum Wesen des Vorganges; es ist hier ein willkürliches Moment zu praktischem Behufe hinzugebracht worden.

Im Sprachgebrauch nennt man oft Ursache, was nur Bedingung ist. Fechner schlug vor, diese Bedingungen die „Umstände" zu nennen. Einen Vorgang können wir auch in unserer Vorstellung erst dann erfassen, wenn eine ganze Verkettung von Beziehungen hingestellt worden ist. Es müssen die Zustände der ins Spiel tretenden Körper bezeichnet werden, so daß die Notwendigkeit eines Energieschwundes sich erkennen läßt. Zu solchen Bedingungen muß auch die Aussage gerechnet werden, welche Kräfte vorhanden sind. Als Beispiel nehmen wir die Schwere: Zwei Körper befinden sich in einer Entfernung r voneinander, es bestehe zwischen ihren Massen das Newtonsche Gesetz $m \cdot m_1/r^2$. Alles dieses ist als Bedingung anzusehen; dem entspricht auch, wenn v und v_1 die Geschwindigkeiten sind, der Ansatz:

$$m\frac{dv}{dt} = \frac{m m_1}{r^2} \quad \text{und} \quad m_1\frac{dv_1}{dt} = \frac{m m_1}{r^2}$$

und mithin:

$$m\frac{dv}{dt} = m_1\frac{dv_1}{dt} \text{ oder } \frac{dv}{dt} : \frac{dv_1}{dt} = m_1 : m,$$

also die Beschleunigungen verhalten sich umgekehrt, wie die bewegenden Massen. An diese Gleichung knüpfte sich der Streit der Cartesianer gegen Leibniz. Der Hauptinhalt von Newtons berühmtem dritten Gesetz findet hier seinen Ausdruck. Einige Forscher sehen noch heute in der erzeugten Bewegungsgröße mv die „Wirkung der Kraft", so z. B. Dühring in seiner „Kritischen Geschichte der Prinzipien der Mechanik", und auch Thomson und Tait. Es sei gestattet, etwas genauer auf Newtons Gesetz einzugehen, und danach erst auf den Kraftbegriff zurückzukommen. Die Lex III lautet:

„Actioni contrariam semper et aequalem esse reactionem: sive corporum duorum actiones in se mutuo semper esse aequales et in partes contrarias dirigi." Und in der Erklärung: „Quidquid premit vel trahit alterum, tantundem ab eo premitur vel trahitur... Si corpus aliquod in corpus aliud impingens, motum ejus vi sua quomodocunque mutaverit, idem quoque vicissim in motu proprio eandem mutationem in partem contrariam vi alterius (ab aequalitatem pressionis mutuae) subibi. His actionibus aequales fiunt mutationes, non velocitatum, sed motuum. Mutationes enim velocitatum, in contrarias itidem partes factae, quia motus aequaliter mutantur, sunt corporibus reciproce proportionales."

Newton hat offenbar an eine konstante Kraft p gedacht, daher er die Gleichung

$$mv = m'v' = pt$$

findet; daraus folgt:

$$v : v' = m' : m.$$

Nach dem Sinn des Gesetzes ist offenbar actio und reactio mit Kraft und Gegenkraft zu übersetzen. Findet man statt dessen stets die Worte Wirkung und Gegenwirkung, so ist zu untersuchen, ob die Bewegungsgröße mv eine Wirkung der Kraft genannt werden darf. Wir möchten die Frage entschieden verneinen, und zwar in dem Sinne, wie es nach Leibniz erst wieder von Robert Mayer in bewundernswerter Klarheit geschehen ist. Die Gleichung ist nämlich garnicht allgemein gültig; ein Ansatz

$$m \cdot dv = p \cdot dt$$

läßt gar keine Integration zu, weil p im allgemeinen durchaus nicht Funktion der Zeit ist. Richtig ist nur

$$m \cdot \frac{dv}{dt} = p$$

wo p als Funktion der Größen m, m_1 und r anzusehen ist, und da $v = \frac{dr}{dt}$ ist, schreibt man auch

$$m \cdot \frac{d^2 r}{dt^2} = p.$$

Die Angabe, wie das p beschaffen sei, gehört zu den noch näher zu gebenden Bedingungen.[1] Diese Gleichung ist lediglich eine Definition der Kraft als Masse mal Beschleunigung, und in p ist eine Funktion der Umstände zu erkennen; sie enthält nichts von Ursache und Wirkung. Erst wenn beiderseits die Fortrückung dr hinzutritt, steht der Ausdruck eines Geschehens da, dann erst erhalten wir:

$$m \cdot \frac{d^2 r}{dt^2} \cdot dr = \frac{m \cdot m'}{r^2} \cdot dr.$$

Wir sehen nun erst eine beiderseits integrierbare Gleichung vor uns; es ist

$$\tfrac{1}{2} \cdot m \cdot d \left(\frac{dr}{dt}\right)^2 = \frac{mm'}{r^2} dr = p \cdot dr.$$

Soll ein sogenanntes Zeitintegral gebildet werden, so muß die Multiplikation mit $\frac{dr}{dt}$ und dann mit dt vorgenommen werden und

$$m \cdot \frac{d^2 r}{dt^2} \cdot \frac{dr}{dt} \cdot dt = \frac{m \cdot m'}{r^2} \cdot \frac{dr}{dt} \cdot dt$$ führt zu demselben Resultat. Das Kausalgesetz steht nun da; Kräfte können nicht schwinden, nur ihre Arbeit kann sich umsetzen und umgekehrt.

Newton bringt aber im Scholium zu den drei Gesetzen zum Schluß eine Erweiterung vor, auf die Thomson und Tait ganz besonders aufmerksam machen. Während nämlich das Gesetz

---

[1] Fechner in der erwähnten Abhandlung (Seite 102) meint, „es hindere nichts zu denken, daß zu verschiedenen Zeiten und an verschiedenen Orten dieselben Umstände auch einen verschiedenen Erfolg mit sich führten, daß z. B. zwei Weltkörper von gegebener Masse und Entfernung sich heute so und morgen so anzögen." Hier scheint übersehen zu sein, daß in solch einem Falle die „Umstände" durchaus nicht mehr dieselben geblieben sind. Es kommt eben darauf an, daß die Kräfte zu den gegebenen Bedingungen zu rechnen sind.

selbst nur von Kräften handelt, wird zuletzt die „Actio Agentis" als Produkt aus Kraft und Geschwindigkeit gefaßt. Daß hiermit eine ganz andere Qualität oder Dimension als „Actio" bezeichnet wird, tritt nirgends im Text deutlich hervor; in dieser Hinsicht sehen wir bei Newton eine vollständige Vermengung der Begriffe „Kraft" und „Arbeit".[1] Thomson und Tait dagegen fassen den Schlußsatz als besondere Leistung auf, als Erweiterung des Kraftbegriffes. Sie gehen soweit in ihrer Überschätzung Newtons, daß sie ihm sogar die Erkenntnis des sogenannten d'Alembertschen Prinzips zusprechen. Im § 242 heißt es wörtlich: „Die beiden Jahrhunderte, die fast verflossen sind, seit Newton die drei Gesetze veröffentlichte, haben nicht die Notwendigkeit irgend eines Zusatzes oder einer Modifikation gezeigt." Diesem kühnen Ausspruch möchte man entgegenhalten, daß die Differentialrechnung erst später Grundlage der analytischen Mechanik werden konnte. Soviel mag indes zugegeben werden, daß in dem einen Worte „Accelerationes" im Schlußsatze des Scholiums das d'Alembertsche Prinzip im Keime enthalten ist, aber mehr auch nicht. Dieser Schlußsatz lautet: „Si aestimetur Agentis actio ex ejus vi et velocitate conjunctim; et similiter Resistentis reactio aestimetur conjunctim ex ejus partium singularum velocitatibus et viribus resistendi ab earum attritione, cohaesione, pondere, et acceleratione oriundis; erunt actio et reactio, in omni instrumentorum usu, sibi invicem semper aequales." ... Zutreffend dagegen ist die Bemerkung, daß hier eine „neue Auffassung des dritten Gesetzes" enthalten sei. Hieraus folgt aber ebenso sicher, daß man bei Newton vergeblich nach einer klaren Sichtung der Begriffe „Kraft" und „Arbeit" suchen wird. Die Ausdrucksweise ist unsicher und schwankend, ganz so wie das zum Teil heute noch statt hat.[2]

---

[1] Dühring, der immer für Newton eintritt, alle Angriffe gegen Leibniz richtet, muß doch zugestehen, daß die Klarheit der Begriffe bei Newton fehlt. Es heißt auf Seite 200: „Wir wollen hier die fremden, für Newton noch garnicht vorhandenen Begriffe der lebendigen Kraft und der Arbeit nur zur Erläuterung berührt haben. Die Sachen kannte er allerdings; aber die unterschiedenen und prinzipiell hervorgehobenen Vorstellungsarten nebst den zugehörigen Namen fehlten ihm."

[2] Ich verweise nochmals auf Thomson und Tait, l. c. §§ 217, 219, 220. Die Worte „Wirkung" und „Gegenwirkung" werden im Sinne von toten Kräften gebraucht, die Kräfte haben sogar Geschwindigkeiten; man achte auf den Wortlaut in § 263.

Wir kehren nach dieser Abschweifung zu unserem Haupt-
problem zurück. Bei jeder Bewegungserscheinung kommen
mindestens zwei Körper in Betracht. Lassen wir der Kürze
wegen die Kraft p konstant sein, so erhalten wir

$$m v = m_1 v_1 \text{ und } m : m_1 = v_1 : v.$$

Die kausale Beziehung muß jetzt für den fallenden Körper m
und für die ihm entgegensteigende Erde m_1 gesondert behandelt
werden. Es mögen die Fortrückungen s und s_1 heißen, alsdann
wird

$$\tfrac{1}{2} m v^2 = p \cdot s \text{ und } \tfrac{1}{2} m_1 v_1^2 = p \cdot s_1,$$

daher ist, wenn die entstehenden aktuellen Energien E und
E_1 sind,

$$E : E_1 = \tfrac{1}{2} m v^2 : \tfrac{1}{2} m_1 v_1^2,$$

und weil $m v = m_1 v_1$

$$\text{auch } E : E_1 = v : v_1 = s_1 : s = m_1 : m,$$

d. h. die kinetische Energie und damit zugleich auch der Energieumsatz in jedem der beiden Körper verhält sich umgekehrt wie
die Massen. Es ist ein Mangel im Lehrbuche oder im Lehr-
vortrage, die dem fallenden Körper entgegenstrebende Erde außer
acht zu lassen, denn ihre Beachtung ist lehrreich; gerade bei
der Gleichheit der beiderseits erteilten Bewegungsgrößen ist die
Ungleichheit im Geschehen, d. h. im Umsatz der Energien
hervorzuheben. An jedem der beiden Körper ist die Ursache
gleich der Wirkung, aber der Umsatz ist bei der ganzen Erde in
dem Verhältnis kleiner, als der fallende Körper kleiner ist als
die Erde.

Leibniz bringt, beiläufig bemerkt, auch schon Andeutungen
über die Wandlungen der mechanischen Energie in ihre anderen
Formen. In dem obenerwähnten Aufsatz sagt er bei Gelegenheit des Stoßes unelastischer Körper: „Une partie de la force
est absorbée par les petites parties qui composent la masse" und
ebenda Seite 231: „Ce qui est absorbé par les petites parties
n'est point perdu absolument pour l'univers, quoiqu'il soit perdu
pour la force totale des corps concordants".

Noch eine andere Stelle in jenem Aufsatze erscheint denk-
würdig, weil auch das statische Gleichgewicht von virtuellen
Arbeitsgrößen völlig klar unterschieden wird von den beim freien
Falle wirkenden Arbeitsgrößen. Es heißt (Band VI, Seite 217):

„La force absolue doit être estimée par l'effet violent qu'elle peut produire. J'appelle Effet violent, qui consume la force de l'agent, comme p. e. donner une telle vitesse à un corps donné, élever un tel corps à une telle hauteur ... Il arrive seulement dans le cas de l'Equilibre ou de la Force morte, que les hauteurs sont comme les vitesses et qu'ainsi les produits des poids par les vitesses sont comme les produits des poids par les hauteurs ...[1] Ainsi il est étonnant que M. Des Cartes a si bien évité l'écueil de la vitesse prise pour la force, dans son petit traité de Statique ou de la Force morte, où il y avait aucun danger, ayant tout réduit aux poids et hauteurs, quand cela était indifférent, et qu'il a abandonné les hauteurs pour les vitesses dans le cas où il fallait faire le contraire, c'est à dire quand il s'agit des percussions ou forces vives qui se doivent mesurer par les poids et les hauteurs ... Cela arrive, dis-je, seulement dans le cas de la Force morte, où du Mouvement infiniment petit, que j'ai coutume d'appeler Sollicitation, qui a lieu lorsqu'un corps pesant tache à commencer le mouvement, et n'a pas encore conçu aucune impétuosité; et cela arrive justement quand les corps sont dans l'Equilibre, et tachant de descendre s'empêchent mutuellement. Mais quand un corps a fait du progrès en descendant librement, et a conçu de la force vive, alors les hauteurs ne sont point proportionelles aux vitesses, mais comme les quarrés des vitesses."

Leibnizens Verdienste um die Mechanik sucht E. Dühring in jeder Hinsicht zu schmälern. An die Tatsache, daß Leibniz $m v^2$ statt $\frac{m v^2}{2}$ lebendige Kraft genannt hat, — was, wie er richtig bemerkt, „infolge des Hinblicks auf bloße Proportionalitäten geschehen ist", — knüpft Dühring folgende Auslassung: „Hiernach ist die Bezeichnung als lebendige Kraft sogar logisch fehlerhaft, und es wäre am besten, mit der toten auch die falsche lebendige Kraft von Leibniz zu begraben." Hier hätte es doch nahegelegen, zu bedenken, daß der Faktor $^1/_2$ nur eine Maßfrage berührt, und in diesem Sinne unwesentlich ist. Bis zur Verleumdung aber steigert sich der unmittelbar darauffolgende Abschnitt: „Dieselbe nebelhafte Ungenauigkeit, welche

---

[1] Faßt man — wie Leibniz hier tut — das Hebelgesetz energetisch auf, (und bei Newton finden wir dasselbe), so scheint der richtige Ausdruck für das Gleichgewicht der virtuellen Arbeitsgröße darin zu bestehen, daß die Ursache gleich der Gegenursache sei, daher es zu keiner Wirkung kommt.

der Leibnizschen Metaphysik des Infinitesimalen anhaftet, hat
auch in seinen Vorstellungen über die Aufbrauchung von Geschwindigkeit einen Mangel an Strenge und eine Zweideutigkeit
veranlaßt, deren Folgen sich zwar nicht in gleicher Weise, wie
die falsche Metaphysik des Differentialkalküls bis heute vererbt
aber doch vielfach dazu beigetragen haben, die naturgemäße
Fassung der mechanischen Grundbegriffe zu erschweren; Leibniz
wollte in der Tat aus einer unendlichen Wiederholung von dem,
was er tote Kraft nannte, mithin aus einer unbegrenzten Vielheit
von statischen Verhältnissen, die Wirkungsreihe, also in seinem
Sinne die Entwicklungsreihe der lebendigen Kraft hervorgehen
lassen. Dies ist nun ungefähr dasselbe, wie wenn jemand eine
Linie aus der Häufung unendlich vieler ausdehnungsloser Punkte
begreifen wollte.« Mit diesen Worten vergleiche man den schlichten
Satz aus der Beilage zur berühmten „Brevis Demonstratio erroris
memorabilis Cartesii et aliorum etc.« (Band VI, S. 121): „Est
autem potentia viva ad mortuam vel impetus ad cona-
tum ut linea ad punctum vel ut planum ad lineam.« Es
ist also genau das Gegenteil von dem, was Dühring behauptet, wahr, — Leibniz gebraucht sogar ganz dasselbe Bild
wie Dühring, um den fraglichen Unterschied der Dimension —
wie wir es heute nennen — darzutun. Die behauptete „nebelhafte Ungenauigkeit der Leibnizschen Metaphysik des Infinitesimalen« wird nirgends begründet. Dühring selbst steht
übrigens noch auf dem Cartesianischen Standpunkte, sofern er
die Wirkungen in der erzeugten Bewegungsgröße erkennt (vergl.
Dühring, l. c. S. 113).

In mathematischen Abhandlungen und ebenso bei Entdeckung
der Differential- und Integralrechnung pflegte Leibniz sich sehr
kurz zu fassen; er wollte, wie es damals allgemein üblich war,
dem Leser viel eigenes Nachdenken und Nachrechnen überlassen.
In einem Briefe an Bodenhausen schrieb er: „Es ist gut, wenn
man würklich etwas exhibiret, man entweder keine demonstration
gebe, oder eine solche, dadurch sie uns nicht hinter die schliche
kommen.«

Die obige Darlegung der Gleichzeitigkeit von Ursache und
Wirkung wird man vergeblich bei den älteren und jüngeren
Philosophen suchen. Doch mit einer bemerkenswerten Ausnahme.
Unsere Auffassung finden wir bei Aloys Riehl in dessen „Philo-
sophischem Kriticismus«, Leipzig, 1879. Im II. Bande, Seite 255,

heißt es: „Zwischen Ursache und Wirkung muß nach dem Satze
der zureichenden Begründung der letzteren durch die erstere eine
Gleichung stattfinden. Der Sinn dieser Forderung ist ein doppelter:
die Gleichung als begriffliche, oder zugleich als begriffliche und
quantitative zu verstehen." Und Seite 256: „Die Ursache setzt
sich dem Begriffe und der Größe nach identisch in der Wirkung
fort wie in einer mathematischen Gleichung die rechte und linke
Seite." In diesem Satze finden wir Leibnizens: „Causa aequat
effectum". Weiter sagt Riehl: „Durch die Gleichung von Ursache
und Wirkung wird die zeitliche Differenz beider überbrückt, es
wird die Kontinuität ihrer Sukzession als notwendig erkannt,
welche, schon wegen der unendlichen Teilbarkeit der Zeit, durch
reine Erfahrung niemals hinreichend bewiesen werden kann."
Auch in diesem Satz finden wir Leibnizens Kontinuitätsgesetz
wieder. Noch näher kommt unserem Resultat Riehl in folgendem
Satze. Seite 267: „Die Wirkung stellt sich uns dar als Produkt
einer zeitlichen Entwicklung und der Wechselwirkung gleich-
zeitiger, in den Raumverhältnissen der Elemente angelegter Umstände. Mit Bezugnahme auf diesen räumlichen Teil der Ver-
ursachung können wir sogar behaupten, daß Ursache und
Wirkung jederzeit koexistieren müssen. Statt auf die
Priorität der Ursache in der Zeit werden wir mit Rücksicht auf
den Gesamtvorgang den Nachdruck vielmehr auf ihre Gleichzeitigkeit mit der Wirkung zu legen haben, wodurch die Analogie
zwischen ursächlichem Verhältnis der Kausalität und dem logischen der Begründung vollständig wird." Besonders deutlich ist
endlich folgender Ausspruch (Seite 268): „Indem ein Vorgang *A*
in einen zweiten *B* übergeht, bleibt er zugleich während der
ganzen Dauer dieses Überganges in der konstanten, numerisch
bestimmten Beziehung zu letzterem, die wir als seine Verwandel-
barkeit in diesen bezeichnen. Die Gegenseitigkeit der Größen-
beziehung zwischen Ursache und Wirkung bleibt somit in jedem
beliebigen Momente des Kausalvorganges gewahrt. *B* entsteht
auf Kosten von *A*; *A* hat in dieser Form erst dann aufgehört zu
existieren, sobald *B* vollständig an seine Stelle getreten ist." In
den letzten Schlußzeilen wird offenbar dem Integralprozeß Ausdruck gegeben, während das Voraufgehende sich auf den „Moment
des Kausalvorganges", also auf den Differentialprozeß bezieht.
Unter der Bezeichnung Vorgang *A* und Vorgang *B* versteht der
Verfasser offenbar Differentialelemente der beiden Energieformen,

die in Betracht kommen. Zu dieser ganzen vortrefflichen Darstellung ist nur noch der Gedanke der mathematisch zu fassenden Beweisführung hinzuzufügen.

Fassen wir die Resultate unserer Betrachtung zusammen:

1. Die Notwendigkeit des Eintrittes eines Vorganges wird durch Angabe der Umstände erkannt. Zu diesen gehört auch die Angabe der vorhandenen Kräfte im Sinne von Antrieben. Antrieb ist das Produkt der Masse in die Beschleunigung.

2. Kraft ist nicht als Ursache zu erfassen, sondern als Bedingung eines Geschehens. Das Wort Kraft soll nur im Sinne der Leibnizschen toten Kraft gebraucht werden. Leibnizens Begriff „Lebendige Kraft" ist durch das Wort „Kinetische Energie" oder Bewegungsenergie zu ersetzen.

3. Das Kausalgesetz heißt: Die Ursache ist der Wirkung an Wesen und Größe gleich. Es bezieht sich auf den Energieumsatz; Ursache ist schwindende Energie, Wirkung entstehende Energie.

4. Es ist ein Differentialprozeß vom Integralprozeß zu unterscheiden. Jener bezeichnet das Wesen des Geschehens in einem dauerlosen Momente. Die Wirkung folgt nicht zeitlich der Ursache; es sind Ursache und Wirkung ein und dasselbe von entgegengesetzten Seiten aus betrachtet.

5. Der Integralprozeß behandelt die Vorgänge zwischen willkürlich gewählten Zeitgrößen. Zwischen diesen Grenzen soll kein Zeichenwechsel statthaben.

6. Die erste klare Erfassung der Energie finden wir bei Leibniz in Anknüpfung an Galileis Fallgesetze und Huygens Pendeltheorien.

7. Die Fassung des Geschehens in Gestalt eines Differentialquotienten verdanken wir Leibniz.

8. Den Satz: „Causa aequat effectum" finden wir zuerst bei Leibniz. Dieses Axiom zwingt uns zur energetischen Auffassung des Kausalgesetzes.

9. Die wesenhafte Gleichzeitigkeit von Ursache und Wirkung kann aus Leibnizens Gesetz der Kontinuität erschlossen werden: „Natura non facit Saltum". Sobald man annimmt, die Wirkung trete ein, nachdem die Ursache als Energie geschwunden sei, wird ein „Saltus" angenommen.

10. Es ist Robert Mayers Verdienst, das energetisch ge-

faßte Kausalgesetz zuerst von der allgemeinen Mechanik auf alle Teile der Physik ausgedehnt zu haben.

11. Motive zu Willenshandlungen sind nicht Ursachen, sondern Vorgänge, die dem physikalischen Begriff der „Auslösung" entsprechen.

12. „Auslösung" ist ein Integralprozeß, dessen letztes Glied allein als Differentialprozeß den Beginn eines Vorganges ankündigt, daher allein wesentlich ist. Auslösung ist nicht Ursache, sie gehört vielmehr zur Bezeichnung der dem Prozeß vorangehenden, ihn bedingenden Umstände.

Zum Schlusse sei es gestattet, einen kleinen metaphysischen Gedanken dem Vorhergehenden anzuschließen:

Die in Newtons drittem Gesetz zum Ausdruck gebrachte Wechselbeziehung erfordert stets eine Untersuchung des Kausalzusammenhanges an mindestens zwei Orten. Beide Massen m und m_1 ziehen sich zwar gegenseitig an, aber Ursache und Wirkung spielen sich immer nur an je einer Seite ab; sowohl an m als an m_1 offenbart sich die Gleichheit von Ursache und Wirkung, obwohl der Antrieb je vom anderen Orte herstammt. Wir fanden beim fallenden Stein wie bei der entgegenfallenden Erde die Gleichheit von Ursache und Wirkung. Sagen wir der Kürze wegen statt Massenpunkt „Atom", so läßt sich dessen Dasein in zweierlei Beziehung vorstellen. Erstlich kann man sagen: ein Atom ist da, wo es Bewegung veranlaßt, und da die Gravitation im Weltall alle Massen umfaßt und jedes Atom auf jedes andere seinen Antrieb äußert: Ein Atom ist überall da, wo es nicht ist. In dieser Gestalt klingt der Satz widerspruchsvoll, doch ergibt sich die Lösung vollständig, wenn wir dieses Sein als die eine Seite des Daseins erfassen; es ist das aktive Dasein. Ihm gegenüber steht das passive Sein, demgemäß das Atom sich da befindet, wo es von den aktiven Kräften des Weltganzen erfaßt wird, wo die Richtungen aller Fernkräfte sich schneiden. Das aktive Sein ist ein Sein im Weltall, das passive Sein birgt in sich ein Dasein des Weltganzen im Atom, m. a. W.: Jeder Massenpunkt ist ein duales Weltganzes, ein Antreibendes und ein Angetriebenes, oder: Jedes Atom ist überall im Weltall und die ganze Welt in jedem Atom. Unser obiger Ausspruch wird verständlich durch Hervorhebung der doppelten Bedeutung des Daseins: Das Atom ist überall da — aktiv, wo es nicht ist — passiv. Stellen wir die beiden Daseinsformen ein-

ander gegenüber, so erscheint uns die passive als die bedeut-
samere, denn am passiv daseienden Atom spielt sich der Kausalvorgang so ab, daß das Atom Träger sowohl der schwindenden
als der entstehenden Energie ist. Im passiven Atom erscheint
der Integralantrieb des räumlich unendlichen Weltganzen, während der vom Atom erregte Kausalvorgang im
Weltall zersplittert auftritt, als Differentialglied, aber
überall.

Beide Daseinsformen treten in der Gravitation auf; es handelt
sich mithin um eine bedeutsame Erscheinung und nicht etwa um
verschwindend kleine Größen, denn das passive Dasein ist
das Gewicht.

Unsere metaphysische Betrachtung hängt mit einer sehr realen
Frage zusammen, nämlich mit der Frage einer etwa vorhandenen
Fortpflanzungsgeschwindigkeit der Fernkraft. Alle Rechnungen
haben bisher einen Wert als möglich gefunden, der um ein Viel-
faches die Lichtgeschwindigkeit übertrifft. Es liegt daher die
Frage nahe, ob diese gesuchte Geschwindigkeit nicht unendlich
groß sei. Diese Vorstellung findet am besten Ausdruck in dem
doppelten Dasein im Weltganzen, auch ist hier jedes aktive Kraft-
element gleich dem Gegenkraftelement, die Resultante jener gleich
der Antiresultante dieser.

Außer den Fernkräften kennen wir noch Berührungskräfte.
In dieser Hinsicht gilt derselbe duale Gegensatz, denn das Atom
ist aktiv gegen die Umgebung und passiv zugleich hinsichtlich
aller Teile seiner Umgebung. Alle Arten von Berührungskräften,
Elastizität, Elektrizität, Chemismus, lenken die Aufmerksamkeit
auf den Ort des Atoms, an dem der Kausalvorgang vorzustellen ist.

Die zeitliche Unendlichkeit ist eine Unzerstörbarkeit. Ihr
gesellt sich nunmehr die räumliche Unendlichkeit des Atoms
hinzu. Das Kausalgesetz aber birgt noch eine doppelte Eigenheit
der Atome: ihre Daseinsformen unterliegen dem Zwange, und
die durch ihre Kräfte bedingten Geschehnisse sind unfehlbar.
Die genannten Begriffe: Unendlichkeit (zeitlich), Unbeschränktheit
(räumlich) und Unfehlbarkeit, oder positiv gefaßt Ewigkeit, All-
gegenwart und vollkommene Richtigkeit sind Attribute,
die man dem Begriffe der Gottheit zuzusprechen pflegt. Den
Gegensatz hierzu finden wir in der Lebewelt. Im Leben des
Einzelwesens, des Individuums schwindet die Unzerstörbar-

keit, das Individuum ist sterblich, es entsteht und vergeht; es weicht jene räumliche Unendlichkeit des Atoms einem endlichen, geistig gearteten Wirkungsgebiete, der Unfehlbarkeit des materiellen Geschehens steht ein geistiges Ringen und Kämpfen, und vor allem das Irren des Lebewesens gegenüber. Es schwindet aber auch der Zwang oder die Notwendigkeit und gibt Raum dem Begriff der Freiheit, das „Muß" weicht einem „Soll", einem verantwortungsvollen Handeln. Das Reich der Freiheit erringt sich Herrschaft über das Gebiet des Zwanges. Die bewußte Geisteswelt der Freiheit ist der duale Gegensatz zur bewußtlosen Welt des Zwanges, und in jeder der beiden Welten gestaltet sich jener duale Gegensatz — hier wie dort gibt es eine Fernwelt und eine Berührungswelt — hier wie dort ein aktives und passives Dasein.

Neue Bücher.

Versuch einer Theorie von Urteil und Begriff. Von O. Freiherr v. d. Pfordten. (IV, 73 S.) Heidelberg, C. Winter 1906. Preis M. 2.—.

Die kleine Schrift, anscheinend die Erstlingsarbeit des Verfassers auf diesem Gebiete, bringt eine Anzahl sorgfältiger und auch selbständiger Untersuchungen, aber soweit der Berichterstatter erkennen kann, keine durchschlagende Förderung des Problems. Dies scheint in erster Linie daran zu liegen, daß der Verfasser das rationelle Verfahren, das ihm bekannt ist und das er gelegentlich auch anzuwenden sich bemüht: nämlich durch eine genetische Untersuchung zunächst die Tatfrage festzustellen, ehe man nach einer passenden Wortbezeichnung für diese sucht, allzu oft durch ein Gegenteil ersetzt. Es wird zu häufig nach der „eigentlichen“ Bedeutung der verschiedenen Bezeichnungen gesucht, indem stillschweigend angenommen wird, es gäbe hier etwas selbständig Gekennzeichnetes, weil ein Name vorhanden ist, und die Aufgabe sei, herauszubringen, was unter dem Namen zu verstehen sei.

Die entscheidende Bedeutung des Gedächtnisses für die Bildung der einfachsten Begriffe, welche das Material alles Denkens, auch des unbewußten, sind, und welche der Verfasser in Verkennung der Notwendigkeit einer Wiederholung übereinstimmender Erfahrungen Anschauungen nennt, wird ganz übersehen. So kommt in der Genesis der Denkvorgänge, welche der Verfasser entwickelt, das „Urteil“ viel früher, als der Begriff, welcher erst als Produkt mehrerer positiver oder negativer Urteile erscheint. Hierbei tritt naturgemäß eine Schwierigkeit ein, durch ein genaues Kennzeichen die Anschauung vom Begriff zu unterscheiden.

Auch im Einzelnen ist mancherlei zu erinnern. Bei der Untersuchung der Bestandteile des Urteils wird große Mühe darauf gewendet, zu beweisen, daß die Kopula „ist“ jedesmal die Existenz des Subjekts bejaht. Der Beweis wirkt nicht sehr überzeugend, vor allen Dingen wegen der Vieldeutigkeit der Kopula, welche u. a. einerseits Gleichheit (zweimal zwei ist vier), anderseits Subsumtion unter einen Oberbegriff (der Hund ist ein Säugetier) bedeuten kann. Auch hier erweist sich wieder einmal die Sprache als das größte Hindernis der Philosophie, und wer sich gern wie der Verfasser der Führung durch den Sprachgebrauch anvertraut, läuft beständig Gefahr, sich zu verirren. Die ausgedehnte Polemik gegen den „Individual-Begriff“ beruht auf der gleichen Verkennung des Wiederholungscharakters an den Denkelementen. Auch unsere Vorstellungen von jedem einzelnen Individuum beruhen auf vielfältiger Wiederholung der Wechselwirkung zwischen diesen und dem Subjekt; ein erstmaliges Erlebnis ohne jede Ähnlichkeit mit früheren bildet als solches niemals eine „Anschauung“ im Sinne des Verfassers. Seite 61 fehlt die Erkenntnis von der veränderlichen Beschaffenheit der mit gleichem Namen bezeichneten zusammengesetzten Begriffe, aus deren Elementen ganz verschiedene Teilgruppen im Bewußtsein verschiedener Subjekte zusammengefaßt erscheinen. So ergiebt sich S. 63 der auffallende Satz: „Den Begriff ‚Metall' kann die Chemie nicht missen, mit dem Begriff ‚Gold' wird sie nichts anzufangen wissen". Man kann leicht unternehmen, das Gegenteil ebenso plausibel zu machen, namentlich in Hinblick auf die Schwierigkeiten, ob gewisse Elemente den Metallen oder den Nichtmetallen zuzuordnen seien.

So wird man insgesamt von der vorliegenden fleißigen Arbeit nicht eben viel sachlich gefördert. Die Untersuchung der hier behandelten Vorgänge an dem Beispiel einer bestimmten Wissenschaft würde erheblich weiter geführt haben, als die Betrachtung zufälliger Beispiele; insbesondere würde dann leichter Klarheit über die Kennzeichnung individueller Dinge mittels allgemeiner Begriffe durch gegenseitige Einschränkung gewonnen worden sein und der Verfasser hätte seine Leser nicht mit unerledigten Schwierigkeiten (S. 71) zu entlassen gebraucht.

W. O.

Religionshygiene von J. Bresler. (55 S.) Halle a. S., C. M. Marhold 1907. Preis M. 1. —.

Dies von erfreulicher Gesinnung getragene und dem Andenken des eben verstorbenen P. Möbius gewidmete Schriftchen vertritt den Gedanken, daß ebenso wie der Hygieniker das äußere Leben des Menschen gereinigt, gesunder und erfolgreicher gemacht hat, so auch der Psychopathologe oder Seelenhygieniker seinem inneren, insbesondere dem religiösen Leben von entscheidendem Nutzen werden könne. Erst wenn das Allgemeine und Normale des religiösen Gefühlslebens klar erkannt und sein Ablauf von allem äußeren, dogmatischen Zwang befreit sei, könne es seine spezifische glückbringende Wirkung entfalten. Hieraus ergiebt sich eine doppelte Forderung: die Anerkennung der Naturwissenschaft (insbesondere der empirischen Psychologie) durch die Religionswissenschaft, und die Beseitigung der Religionspfuscherei.

Hierzu ist vielleicht zu bemerken, daß die Anerkennung der Naturwissenschaft durch die Religionswissenschaft zwar die notwendige Vorstufe, nicht aber das Ziel ist; letzteres ist vielmehr in der Anerkennung der Naturwissenschaft durch die praktische Religionsleitung zu suchen. Wie sehr, fast hoffnungslos weit wir zurzeit von einem solchen Ziele bei uns sind, brauche ich nicht erst zu entwickeln, so daß diesen Schwierigkeiten gegenüber die S. 49 und 50 ausgedrückte optimistische Ansicht des Verfassers der Zeit weit vorausgegangen zu sein scheint. Denn jene Anerkennung bedingt den Verzicht auf alle Ansprüche hinsichtlich der übernatürlichen und imperativen Beschaffenheit der religiösen Lehren; wo es Staatsreligionen gibt, wird ein solcher Verzicht nimmer ausgesprochen werden. Den Begriff der Religionspfuscherei hat der Verfasser in Anlehnung an den der Kurpfuscherei gebildet, und will ihn im Bewußtsein der Härte dieser Bezeichnung auf solche Fälle anwenden, wo kranken und bedrängten Menschen äußerliche religiöse Formen als Heilmittel angeboten werden. Dies bezieht sich offenbar auf Gesundbeten und ähnliche auffällige Verirrungen. Geht man aber der Analogie beider Begriffe weiter nach, so kommt man auf so weitgehende Konsequenzen, daß der Verfasser selbst, dem anscheinend ein lebhaftes religiöses Leben innewohnt, instinktiv sich von ihnen abgewendet zu haben scheint.

So haben wir es mit einer vielfach in wertvollem Sinne anregenden Schrift zu tun, wenn sie auch die letzten Zielpunkte des eingeschlagenen Weges nicht besonders scharf in die Erscheinung treten läßt. W. O.

Abhandlungen der Friesschen Schule. Neue Folge, herausgegeben von G. Hessenberg, K. Kaiser und L. Nelson. Zweites Heft: H. Eggeling, **Kant und Fries.** — L. Nelson, **J. F. Fries und seine jüngsten Kritiker.** — C. Brinckmann, **Über kritische Mathematik bei Platon.** — E. Blumenthal, **Über den Gegenstand der Erkenntnis, gegen H. Rickert.** — L. Nelson, **Bemerkungen über die Nicht-Euklidische Geometrie und den Ursprung der mathematischen Gewißheit.** — Drittes Heft: Schluß der letztgenannten Abhandlung. — **Vier Briefe von Gauß und W. Weber an Fries.** — M. Djunara, **Wissenschaftliche und religiöse Weltansicht.** — Viertes Heft: Hessenberg, **Grundbegriffe der Mengenlehre.** Zweiter Bericht über das Unendliche in der Mathematik. — K. Kaiser, **Das Muskelproblem.** — K. Grelling, **Über einige Mißverständnisse der Friesschen Philosophie und ihres Verhältnisses zur Kantischen.** — Göttingen, Vandenhoeck & Ruprecht 1905/6. Preis resp. M. 4.80, M. 2.40 und M. 7.60.

Mit diesen Heften ist der erste Band der Abhandlungen abgeschlossen, der in seiner Gesamtheit ein bemerkenswertes Stück philosophischer Arbeit darstellt. Die naheliegende Sorge, daß der im Titel ausgedrückte enge Anschluß an einen bestimmten Philosophen eine gewisse Einseitigkeit und insbesondere eine historische Abwendung von den gegenwärtigen Problemen zur Folge haben könnte, findet sich glücklicherweise durchaus nicht begründet. Abgesehen von den polemischen Aufsätzen, über deren Notwendigkeit oder Nutzen man verschiedener Ansicht sein kann, bringen die Hefte ganz vorwiegend Arbeit aus der vorgeschrittensten Front wissenschaftlicher Ausdehnungsbetätigung, und zwar in einem Teile, den man sachgemäß Naturphilosophie nennen darf. So kann der Berichterstatter in der hier vertretenen Gruppe rüstiger Forscher Arbeits- und Gesinnungsgenossen begrüßen, wenn auch naturgemäß nicht über alle Einzelheiten der Gesamtauffassung Einverständnis erreicht ist.

Von den mitgeteilten Arbeiten ist Nr. III und XII, Grundbegriffe der Mengenlehre von G. Hessenberg, wohl die wichtigste. Die als Grundlage aller rationellen Naturphilosophie so dringend erforderte Analyse der wissenschaftlichen Begriffe nebst Feststellung der irreduciblen oder elementaren Begriffe sowie der Gesetze ihrer gegenseitigen Reaktion — mit einem Worte: die Begriffschemie — wird zweifellos ihr wertvollstes und durchgearbeitetstes Material in diesem schnell aufblühenden Zweige der mathematischen Logik finden. Natürlich kann hier nicht unternommen werden, den Inhalt der ausgedehnten Arbeit auch nur zu skizzieren; ein Hinweis auf ihre Wichtigkeit konnte aber nicht unterlassen werden.

Somit muß zum Schlusse der Wunsch ausgesprochen werden, daß das erfreuliche Unternehmen dieser Abhandlungen in gleichem Geiste fortgesetzt werden möge. Die Teilnahme immer größerer und größerer Kreise der Nation an diesen Problemen ist zu erwarten, und es ist nötig, daß den Schwarmgeistern und Mystikern, die auch jetzt wieder unter der Fahne der Naturphilosophie hervorzuwimmeln beginnen, das klare Licht exakter Forschung entgegengehalten wird. Das können sie nämlich nicht vertragen. **W. O.**

Die Anfänge der menschlichen Kultur. Einführung in die Soziologie von L. Stein. (Aus Natur und Geisteswelt, Bd. 93.) (146 S.) Leipzig, B. G. Teubner, 1906. Preis M. 1.—.

Dieses Bändchen der weitverbreiteten, ungemein wohlfeilen und vielfach recht wertvollen Sammlung enthält eine summarische Darstellung des im Titel genannten Gegenstandes aus der beschwingten Feder des wohlbekannten Berner Philosophen. Wohl um dem populären Zweck der Sammlung Rechnung zu tragen, hat der Verfasser einen Ton des Vortrages gewählt, der gelegentlich bis zum Plaudern geht; demgemäß ist die Behandlung ein wenig ungleich und auch eine gelegentliche kleine Entgleisung ist nicht ausgeschlossen, wie S. 12, wo die Lebewesen zwar am Nordpol erfrieren, am Südpol aber verbrennen sollen.

Obwohl dem Verfasser die energetischen Gesichtspunkte im allgemeinen bekannt und sympathisch sind, hat er sie nicht für die Darstellung der Kulturgeschichte verwertet. Nun ist, wie an anderer Stelle ausführlicher gezeigt worden ist, die ganze Kulturgeschichte auf die Formel zu bringen, daß die Menschheit sich mehr und mehr der vorhandenen rohen Energien für ihre Zwecke bemächtigt, und daß sie diese dabei immer vollkommener und mit immer geringerer Verschleuderung in die zweckgemäßen Formen umzuwandeln lernt. Wenn man die Darstellung des vorliegenden Werkes unter dieser Beleuchtung liest, so wird man überrascht sein, wie viel klarer sich die einzelnen Probleme darstellen, und wie unmittelbar zweifelhafte Fragen entschieden werden. Vielleicht liest der Verfasser selbst sein Werk unter diesem Gesichtspunkte durch und erfreut uns mit einer entsprechenden Darstellung.

Zu S. 7 ist zu bemerken, daß die Selbsterhaltung nichts spezifisch menschliches ist; sie kommt jedem Lebewesen zu und ist die notwendige Voraussetzung für seine dauernde Existenz. Die Eigenschaft, welche spezifisch menschlich ist, ist dagegen die Selbstvervollkommnung oder der Fortschritt. Eine solche bewirken die Tiere und Pflanzen nicht von sich aus und auf dieser Eigenschaft beruht der immer größer werdende Abstand zwischen Mensch und Tier sowie die Beherrschung der Erde durch den ersteren. **W. O.**

Principes d'orientation sociale. Résume des études de M. E. Solvay sur le productivisme et sur le comptabilisme. 2me Edition. (92 S.) Brüssel und Leipzig, Misch & Thron 1904.

Wie mehrere andere Männer des technisch-kommerziellen Erfolges, hat E. Solvay, der Umgestalter der Sodaindustrie, sich später sozialen Problemen zugewendet und in Brüssel unter anderen Instituten auch eines zum Studium der sozialen Erscheinungen gegründet. Gleichzeitig hat er sich über die künftige Entwicklung der menschlichen Gesellschaft und insbesondere über die Mittel, diese Entwicklung in gute Bahnen zu leiten, mannigfaltige und, was von besonderer Wichtigkeit ist, praktische Gedanken gemacht. Die Grundlinien dieser Denkergebnisse finden sich in dem vorliegenden Schriftchen vereinigt, in dem sie durch befreundete Hand aus jenen Schriften ausgezogen und mit einer Vorrede von Solvay selbst versehen worden sind. Da hier ein Mann des praktischen Lebens über praktische Lebensgestaltung spricht, und zwar ein Mann, der sich imstande gezeigt hat, große Gebiete desselben zu meistern, so sind seine Darlegungen der ernstesten Aufmerksamkeit würdig. Da sie ferner auf dem Grundsatz von der unbedingten und allgemeinen Anwendung und Anwendbarkeit der Wissenschaft, auch zur Lösung der verwickelsten Probleme, beruhen, so entsprechen sie dem wesentlichsten und erfolgreichsten Grundgedanken unserer heutigen Kultur.

In sehr sympathischer und folgenreicher Weise wird zunächst der Energiebedarf des menschlichen Organismus als unbedingte Norm für alle seine Bemühungen zugrunde gelegt. Dies ergibt die allgemeine Anschauung, von der alles folgende abhängt und demgemäß wird die vorgetragene Lehre als Energetismus gekennzeichnet. Ihre Einzelheiten finden sich in einer besonderen Schrift, auf die später einzugehen sein wird. Als ökonomische Anwendung des Grundgedankens wird betont, daß der Mensch ihm gemäß dahin strebt, die Ausbeute seiner Anstrengungen möglichst zu erhöhen. Dies ergibt das Streben nach maximaler · Produktion oder den Produktivismus als Leitlinie der sozialen Entwicklung. Demgemäß soll keine Maßregel gut geheißen werden, durch welche die Produktion in irgend einem Sinne beschränkt werden könnte. Hier wäre vielleicht ein Einwand in solchem Sinne zu erheben, daß eine Linie der Verbesserung der menschlichen Verhältnisse auch dahin führen sollte, gewisse Produktionen und Konsumtionen, die nur den äußeren Luxus betreffen, der auf die Eitelkeit und den Wunsch, Neid zu erwecken, gerichtet ist, sachgemäß einzuschränken. Die Rationalisierung des menschlichen Lebens scheint daher mit der Steigerung der Produktion nicht immer in gleicher Richtung zu liegen, und es läßt sich ein hoher Kulturzustand denken, in welchem die Produktion bewußt innerhalb bestimmter Grenzen gehalten wird, die ausreichen, um alle sachgemäßen Bedürfnisse zu befriedigen, wobei die erforderliche Rücksicht darauf genommen wird,

daß die aufgespeicherten Energieschätze der Erde nicht stärker ausgenutzt werden, als notwendig. Doch würde die eingehendere Erörterung dieser Frage mehr Raum beanspruchen, als ihr hier zugewiesen
werden kann.

Die offenkundigen Schäden der Ansammlung großer Kapitalien in
einzelnen, unverantwortlichen Händen gedenkt der Verfasser dadurch
zu mildern und schließlich zum Verschwinden zu bringen, daß der
Staat von selbst bei jedem neuen Gesellschaftsunternehmen Geschäfts-
teilnehmer wird, ohne übrigens in dieser Eigenschaft mehr Rechte auszuüben, als die anderen Teilnehmer auch. Hiermit geht Hand in Hand
die Übernahme des gegenseitigen Geldverkehrs durch den Staat, der
durch ein System ähnlich dem der österreichischen Postsparkasse als
allgemeine vermögenverwaltende Bank aller seiner Angehörigen tätig
sein wird. Erhebliche Erbschaftssteuern, die nicht nur mit der Entfernung der Verwandtschaft nach den Seitenlinien, sondern auch nach
absteigender Linie schnell zunehmen sollen, würden allmählich einen
Zustand entwickeln, nach welchem zwar jedem Einzelnen der volle Wert
seiner Beiträge zur Produktivität der Gesamtheit verfügbar bleiben würde,
die zufällige Übertragung großer Reichtümer an den Unfähigen durch
den Erbgang aber verschwände. Gleichheit würde für alle Menschen
dann insofern bestehen, als alle gleiche Möglichkeiten für ihre Entwicklung bei der Geburt haben würden, während sich je nach ihren
Leistungen später die Verschiedenheiten entwickeln würden und müßten.

Wie man sieht, handelt es sich hier um weittragende Gedanken, ·
die aus einer fruchtbaren Verbindung allgemeiner und praktischer Ge-
sichtspunke entstanden sind und denen man eine große Bedeutung
für die bewußte Entwicklung der Menschheit zusprechen muß. W. O.

Esquisse d'une sociologie par E. Waxweiler. (Notes et mémoires de
l'institut Solvay de sociologie. Fasc. 2.) (306 S.) Brüssel und Leipzig,
Misch & Thron 1906. Preis Frcs. 12.—.

Das vorliegende Buch stellt eine Art spezieller Programmschrift
für die bevorstehenden Arbeiten des von E. Solvay gestifteten Instituts
für Soziologie dar. Der Verfasser kommt wiederholt auf die vom
Stifter skizzierte energetische Grundlegung der Soziologie zurück; doch
kann man eine innere Durchdringung seiner eigenen Gedanken mit
dieser allgemeinen Anschauung nicht erkennen. Selbst an Stellen, wo
sich die energetische Auffassung anbietet, ja aufdrängt, vermißt man
ihre Betätigung.

Es handelt sich in diesem Werk zunächst um eine methodische
Grundlegung der Soziologie, wobei der Verfasser von dem durchaus
anerkennenswerten Streben ausgeht, diese zu einer Erfahrungswissen-
schaft zu machen. Auch ist an manchen Stellen die von diesem Standpunkte aus geübte Kritik an dem in Reiseberichten und dergl. vorliegenden Material ebenso sachgemäß wie nötig, da diese vielmehr „der
Herren eigenen Geist" als eine objektive Schilderung des Geschehenen
zu enthalten pflegen. Das Inhaltsverzeichnis (welches vernünftiger Weise
im Gegensatze zu der Gepflogenheit der meisten französischen Bücher

am Anfang und nicht am Ende des Buches sich befindet) ergibt folgende
Übersicht: 1. Teil: Die Soziologie. 1. Die Anpassung der Wesen an
die Umgebung. 2. Die lebende und die soziale Umgebung. 3. Die sozialen Erscheinungen und die vergleichende Soziologie. – 2. Teil: Die
soziologische Analyse. 4. Quellen und Methode. 5. Die soziale Bildung.
6. Die sozialen Befähigungen. 7. Die sozialen Tätigkeiten. 8. Die sozialen Synenergieen. Im Anfang ist ein Lexikon soziologischer Begriffe
gegeben.

An dieser Einteilung kann man erkennen, wie wenig energetisch
sie ist. So gestattet und erfordert der Begriff der Umgebung (milieu)
alsbald eine energetische Definition und Unterteilung, etwa in Unter-
haltungs- (oder Nahrungs-)energieen und Reizenergieen, welche letztere
wieder nach den Sinnesapparaten und dem Anteil des Intellekts unterschieden werden könnten. Dazu ergibt sich als natürliches Gegenstück
die energetische Reaktion des Lebewesens. Die sozialen Bildungen
kennzeichnen sich unter diesem Gesichtspunkte als der verwickeltste
Fall energetischer Aktion und Reaktion. Alle diese Dinge sind in dem
Programm des Stifters bereits betont bezw. angedeutet, so daß es für
ihn wohl eine gewisse Enttäuschung gewesen sein mag, den angespon-
nenen Faden so bald wieder abreißen zu sehen.

Über die Einzelheiten möchte sich der Berichterstatter kein fach-
männisches Urteil gestatten; sie scheinen zuweilen etwas willkürlich gewählt. Deutsche und englische Zitate werden im Urtext angeführt und
dann übersetzt, wobei gelegentlich kleine Mißverständnisse unterlaufen.
So ist S. 77 „his mother-wit“ übersetzt mit l'intelligence de sa mère,
was sicher nicht die Bedeutung von „Mutterwitz“ ist. S. 56 wird im
Gegensatz zu Giddings behauptet, daß die soziale Verwandtschaft
(affinité sociale) der übereinstimmenden Reaktion verschiedener Individuen derselben Art vorausgehe. Wenn man aber z. B. einen Schwarm
wenige Tage alter Fischchen betrachtet und die militärische Pünktlichkeit beobachtet, mit welcher sie alle gleichzeitig auf Reize reagieren,
so hat man keinen Zweifel, daß jedes Individuum direkt reagiert, ohne
sich um seine Nachbarn zu kümmern. Auf der gleichen Seite hätte
die fundamentale Idee Herings vom Gedächtnis als einer allgemeinen
Funktion der Lebewesen erwähnt werden sollen.

Wenn die Kritik der vorliegenden Schrift vorwiegend negativ ausgefallen ist, so rührt dies, wie erwähnt, vom Verfehlen des wesentlichsten Leitgedankens her, der dem Verfasser dazu so nahe gelegt war.
Deshalb mag noch abschließend bemerkt werden, daß sonst das Buch
reichliche Anregung und manche gute Bemerkung enthält, und daß der
allgemeine wissenschaftliche Geist, den es zum Ausdruck bringt, gesund
und fruchtbar erscheint.   W. O.

Les origines naturelles de la propriété. Essai de sociologie com-
parée par R. Petrucci. (Notes et mémoires de l'institut de sociologie.
Fasc. 3.) (230 S.) Brüssel und Leipzig, Misch & Thron 1905. Preis
Frcs. 12.—.

Die Aufgabe der vorliegenden Arbeit ist, das Material zu sammeln und zu ordnen, welches die verschiedenen primitiven Formen des Eigentums bei den organischen Wesen, vom niedrigsten bis zum höchsten, erkennen lassen. Hierbei ist zunächst der Begriff des Eigentums festzustellen; der Verfasser benutzt hierzu die Definition, daß ein solches von jedem nicht zum Körper des Organismus gehörigen Gegenstande gebildet wird, den dieser zeitweise oder dauernd für seine Lebenszwecke verwendet. Hierdurch wird der Begriff allerdings sehr weit ausgedehnt, so daß bereits der Boden, in welchem eine Pflanze ihre Wurzeln verbreitet hat, als deren Eigentum angesehen wird. Natürlich ist der Verfasser berechtigt, für den erst mit bestimmtem Inhalte anzufüllenden Begriff jede ihm zweckmäßig erscheinende vorläufige Abgrenzung zu wählen. Die gewählte hat den Vorzug, so weit zu sein, daß schwerlich ein wichtiges Faktum der Betrachtung unter diesem Gesichtspunkt entgehen kann.

Auch in diesem Falle würden energetisch spezialisierte Betrachtungen alsbald viel weiter und tiefer führen. Der Verfasser beginnt mit der Frage, ob im Anorganischen der Eigentumsbegriff Anwendung finden könnte, verneint sie aber generell und glaubt nur im Verhalten der Kristalle Rudimente davon zu finden. Sowie man sich klar macht, daß anorganische Wesen stabile, organische dagegen nur stationäre Energiegebilde sind, so ergibt sich sofort, daß jeder Organismus zur Erhaltung seines Energiestromes entsprechender äußerer Vorräte bedarf. Den Teil der äußeren Energie, den der Organismus für diesen Zweck okkupiert hat, würde man dann sein Eigentum nennen. Hierbei ergeben sich alsbald die Klassen der direkten und der indirekten Energiewerte, erstere vornehmlich durch Nahrung, letztere durch Schutz gekennzeichnet.

Es geht natürlich nicht an, diese Gedankenreihe in ihre Einzelheiten zu verfolgen; doch läßt sich alsbald wieder erkennen, wie die Energetik nicht nur die allgemeinen Grundlagen, sondern auch gleichzeitig die rationelle Systematik für alle Gebiete ergibt, auf welche sie sachgemäß angewendet wird.

Als Hauptunterschied findet der Verfasser durchgehend den des individuellen und kollektiven Eigentums. Letzteres ist bei gewissen Insekten (Bienen, Ameisen, Termiten) so stark ausgebildet, daß das individuelle dagegen vollständig verschwindet. Beim Menschen halten sich beide ungefähr das Gleichgewicht, doch möchte der Berichterstatter nicht unterlassen, auf die starke Tendenz zum Kollektiveigentum hinzuweisen, die sich gerade in unserer Zeit wieder geltend macht.

Hierzu würde noch eine Untersuchung über den Begriff des Individuums anzustellen sein. Gegenwärtig verstehen wir darunter einen Gesamtorganismus, der durch eine gemeinsame Haut begrenzt ist, welche kein Teilorganismus mit der Möglichkeit und Freiheit der Wiederkehr verlassen kann. Es muß gefragt werden, ob das letztere, für den gegenwärtig üblichen Begriff maßgebende Kennzeichen wirklich eine so wesentliche Eigenschaft ist. Jedenfalls kennen wir Gesamtheiten mit der Möglichkeit des Verlassens und der Wiederkehr, welche im übrigen in hohem Maße individuale Eigenschaften aufweisen. Durch eine solche

Untersuchung würde auch der grundsätzliche Unterschied zwischen individuellem und kollektivem Eigentum innerhalb einer höheren Einheit verschwinden. Vielleicht könnte man sogar den Besitz von Eigentum als Kennzeichen des Individuums ansehen, da er einen Gesamtwillen oder wenigstens Gesamtzweck voraussetzt.

Wir können dem Verfasser natürlich nicht durch alle Stufen seiner Untersuchung folgen. Da er diese als eine Vorarbeit für eine künftige Synthese des rationellen Eigentumsbegriffes angeführt hat, so enthält sie das Material für jede sachgemäße Auffassung und hat insofern ihren dauernden Wert. Die eigenen Ergebnisse stellt der Verfasser in den nachstehenden Sätzen zusammen:

Das Eigentum erscheint mit den ersten Betätigungen des Lebens verbunden.

Es ist zunächst das Ergebnis einer individuellen Struktur und einer Anpassung.

Es nimmt die individuelle Form an, wenn es durch das Gesetz biologisch der Beschützung des Individuums bestimmt ist; entsprechendes gilt für die familiale und die kollektive Form.

Diese drei Formen sind spezifisch verschieden. **W. O.**

Mesure des capacités intellectuelle et énergétique par Ch. Henry.
(Inst. Solvay, trav. de l'inst. de sociologie. Notes et mémoires. Fasc. 6.)
(75 S.) Brüssel und Leipzig, Misch & Thron 1906. Preis Frcs. 4.—.

Das Problem, welches dieses interessante Schriftchen behandelt, ist das einer rationellen Messung intellektueller Kapazitäten. Hierzu dient das bekannte Fehlergesetz in folgender Gestalt. Ist eine irreducible Gesamtheit (d. h. eine solche, welche den fundamentalen Bedingungen der normalen Fehlerverteilung genügt) gegeben, und man findet die Abweichungen nicht dem Fehlergesetz entsprechend, so kann dies daran liegen, daß die benutzte Veränderliche kein quantitatives Maß der betreffenden Größe ist, sondern nur eine willkürliche Skala oder Kote. Es werden nun die Rechenvorschriften entwickelt, um die Abweichung der benutzten Skala von der quantitativen festzustellen und so zu einem wahren Maß der fraglichen Eigenschaft zu gelangen.

Als Beispiel dient eine von Waxweiler gegebene Statistik der Gehälter in Belgien. Falls das Gehalt wirklich das Maß der Leistung ist, so muß es um seinen Mittelwert nach dem Fehlergesetz verteilt sein. Das Ergebnis entspricht tatsächlich nicht dieser Forderung und die Differenz mißt das „soziale Unrecht" relativ zum Mittelwert.

Wie man sieht, handelt es sich hier um die wichtige und schwierige Frage der quantitativen Messung geistiger Eigenschaften und der Intensitäten überhaupt. Seit den ersten Ansätzen Fechners hat man immer wieder gegen die quantitative Psychophysik den Einwand erhoben, daß das Geistige an sich nicht meßbar, weil keine Größe sei. Eine Größe wird in dem vorliegenden Buch sachgemäß durch die Geltung des kommutativen Additionsgesetzes definiert (wie dies der Berichterstatter gleichfalls in seinen Vorlesungen über Naturphilosophie getan hat), und es ist noch die Frage zu beantworten, wie man sich zu solchen Fällen zu stellen hat, wo die Ordnung der Zusammenfügung psysisch unveränderlich gegeben ist, wie z. B. bei der Zeit. Die Antwort wird, soviel der Referent erkennen kann, dahin gehen, daß man die Annahme präzisiert, unter denen man zwei verschiedene Stücke des zu messenden Kontinuums einander gleich setzt; die entsprechenden quantitativen Beziehungen gelten dann insoweit, als diese Annahmen durchführbar sind. Damit hat man die Vertauschbarkeit der Stücke erlangt und kann dem Größenpostulat genügen.

Der Berichterstatter hat die Rechnungen nicht nachgeprüft und kann daher über ihre formale Richtigkeit kein Urteil abgeben. Die allgemeine Beschaffenheit der Behandlung aber gibt ihm das Vertrauen, daß es sich hier um eine nicht nur durch die Bedeutung ihrer Probleme, sondern auch durch die Sachgemäßheit der Technik ausgezeichnete Arbeit handelt. W. O.

Sur quelques erreurs de méthode dans l'étude de l'homme primitif par L. Wodon. 37 S. — **L'Aryen et l'anthroposociologie** par E. Houzé. 117 S. — **Origine polyphyletique, homotypie et non comparabilité des sociétés animales** par R. Petrucci. (126 S.) (Inst. Solvay. Notes et mémoires de l'inst. de Sociologie. Fasc. 4, 5 et 7.) Brüssel und Leipzig, Misch & Thron 1906. Preis Frcs. 2.50; 6.— und 5.—.

Nach den ausführlichen Berichten über die anderen Hefte dieser wertvollen Sammlung wird bei den vorliegenden die Anführung des Titels genügen, um den Leser über den Inhalt allgemein zu orientieren. W. O.

Schopenhauer, Wagner, Nietzsche. Einführung in moderne deutsche Philosophie. Von Th. Lessing. (V u. 482 S.) München, Oskar Beck 1906. Preis geb. M. 6.50.

Wenn ich in diesem Buche las, mußte ich mir immer den Autor als einen schönen Mann vorstellen mit glühender Denkerstirn und bleichen Dichteraugen – oder umgekehrt, der seine Zuhörer, meist Damen sehr junger oder auch recht alter Semester zu einem leidenschaftlichen Beifall hinreißt, welcher nicht nur der Erscheinung, sondern vorwiegend dem gehörten Worte gilt. Oder, unmittelbar zu reden: der Verfasser hat mancherlei zu sagen; er hat viel und Verschiedenes gelesen und viel und Verschiedenes gedacht. Aber die Freude am Wohlklang der Periode kommt ihm immer zwischen das folgerechte Denken, und so entsteht etwas, was sich immer vom Laien sehr angenehm hören, wenn auch vielleicht nicht ebenso angenehm lesen läßt, was aber sich der ernsthaften Bewertung eben durch das Vorwiegen der Form entzieht. Der Verfasser hat selbst derartiges gefühlt und es an verschiedenen Stellen ausgesprochen; auch hat er sich auf Grund seiner persönlichen Verhältnisse entschuldigt, daß er nicht wohl etwas Geschlosseneres hätte fertig machen können. Solche Umstände kommen menschlich, aber nicht sachlich in Betracht, und wenn jemandem die äußeren Umstände versagen, fertige Arbeit zu liefern — soweit bei solcher Arbeit von fertig die Rede sein kann —, so soll er sich eben bescheiden und lieber ein solides Kleines, als ein schattenhaftes Großes zu machen suchen.

Zu diesem scharfen Urteile veranlaßt namentlich die Schärfe, mit der der Verfasser seine eigenen Urteile zum Ausdrucke bringt. So sind auf S. 19 die Bemerkungen über Möbius, der ein ernster und hochbedeutender Forscher war, sicherlich ganz unberechtigt und im Munde des Verfassers geschmacklos. Denn er selbst läßt beständig erkennen, wie sehr er an der Oberfläche der Dinge haften bleibt, von denen er in so sicherem Tone redet. So kanzelt er S. 458 Ernst Haeckel ab wegen seiner Auffassung des Energiegesetzes als eines empirischen. „Das, was bei Bewegungen sich gleich bleibt, nennt die Naturwissenschaft eben Energie, d. h. die Fähigkeit, Wirkungen zu leisten, und wenn wir sagen, daß die Energie eine stabile Größe ist, so sagen wir eben das, was in der Definition des Begriffes steckt." Wie kommen wir denn dazu, J. R. Mayer als einen der größten Geister des neunzehnten Jahrhunderts zu feiern?

Daß bei solchem Vorwiegen der formalen Seite gerade diese gelegentlich im Eifer des Periodenbaues zu kurz kommt, muß man erwarten. So läßt der Verfasser S. 75 einen Bau so lange wachsen, als ihm Bausteine zufließen. Und S. 328 leistet er sich den Satz: „aber es liegt tief im Wesen unserer von Grund aus wahnsinnigen Lebensnatur, daß wir gerade diese hellste Flamme (den Geist) am wenigsten lieben und ertragen." Dann freilich! Dann rechtfertigt sich auch die Unbefangenheit, mit welcher der Verfasser sich neben Goethe stellt (S. 447): „Man berichtet, daß z. B. Goethe keine Zärtlichkeit für den Hundewert, jedoch Neigung für den Katzenwert gefühlt habe! Mir ergeht es umgekehrt...."

So werden die Leser der Annalen am besten tun, diesen Schriftsteller dem anderen Publikum zu überlassen, das ihm dankbarer sein wird, als sie.   W. O.

Los vom Materialismus. Bekenntnisse eines alten Naturwissenschaftlers. Von Professor Dr. Adolf Mayer. (VIII und 255 S.) Heidelberg, C. Winter 1906. Preis M 5.—.

Wenn der Berichterstatter nicht irrt, ist der Verfasser identisch mit dem Pflanzenphysiologen gleichen Namens, der während einer langen Zeit einer der führenden Forscher im Gebiete des Pflanzenbaues und der Düngerlehre war. Auch ihn hat die philosophische Strömung unserer Zeit ermutigt, seine Anschauungen im Zusammenhange vorzutragen. Der langen Zeit, während welcher er im fremdsprachigen Lande (Groningen) zubringen mußte, wird man auch die nicht selten bis zu Fehlern gesteigerten sprachlichen Nachlässigkeiten zuschreiben.

' Die Grundlinien des Inhaltes ergeben sich aus dem in der Vorrede niedergelegten Bekenntnis, daß der Verfasser den Materialismus seiner jungen und mittleren Jahre nunmehr unbefriedigend findet, dagegen keinen Widerspruch mehr zwischen seinen naturwissenschaftlichen Kenntnissen und den Grundlehren der christlichen Weltanschauung erkennt. Insbesondere liegt ihm an der persönlichen Unsterblichkeit und dem persönlichen Gott. Er ist bereit, anzuerkennen, daß diese Dinge sich nicht beweisen lassen; ohne sie sei aber Menschenleben trost- und wertlos. Dies ist offenbar ein Satz, der sich nur subjektiv aufweisen, nicht aber allgemein beweisen läßt, und beispielsweise jeder „Materialist", der nicht an beide glaubt, dabei aber ein tüchtiger Naturforscher und heiterer Mensch ist — und solcher Männer gibt es eine große Zahl — widerlegt die Allgemeingültigkeit dieses Urteils.

Sehr beachtenswert ist die naturwissenschaftliche Objektivität, mit der der Verfasser in der Vorrede sich selbst betrachtet. „Ob das, was ich in dem folgenden zu geben mich berufen hielt, der Kompromiß ist eines alternden Mannes, dem das Schaffen in seiner Spezialwissen- schaft endlich über seine Kräfte ging, mit den Vorurteilen einer hin- sterbenden Zeit, oder ob es die reife Frucht ist eines über die Grenzen der Naturwissenschaft hinaus vertieften Nachdenkens, darüber steht mir selber natürlich nicht zu, zu urteilen. Für die erstere Auffassung spricht, daß der Autor in seinen jungen Jahren mit vollen Segeln hinausfuhr auf die See der materialistischen Weltanschauung ..... und daß er nun am Ende seiner Laufbahn ..... eingestehen muß, daß auf diesem Wege allein das Heil wohl niemals zu finden ist. Ob dies nun aber eine Schwäche oder eine Kraft ist? Der Autor weiß es natürlich nicht, und auch der Rezensent nicht, wenn er ehrlich sein will."

Sehr viel Neues und Originales wird man allerdings nicht in dem Buche finden; als ehrliches Zeugnis für die eben angedeutete Entwick- lung eines namhaften Mannes hat es aber seinen ganz bestimmten Wert.

W. O.

Monistische Weltanschauung von Julius von Olivier. (VIII u. 157 S.) Leipzig, C. G. Naumann 1906. Preis M 4.—.

Es handelt sich um eine Naturphilosophie im heutigen Sinne, d. h. um den Nachweis der tatsächlich bekannten Zusammenhänge zwischen aufweisbaren, eventuell meßbaren Dingen. So beginnt der Verfasser mit einer Darstellung der Mechanik in seinem Sinne, welcher die drei ersten Kapitel gewidmet sind. Darauf folgen Kapitel über die Ent- stehung der kosmischen Gebilde, Atome und Äther, allgemeine Hypo- thesen und Gesetze, elementare Erkenntnistheorie, das metaphysische Problem, wie sollen wir handeln? Das letzte Kapitel enthält eine Reihe praktischer Vorschläge zur Verbesserung des Loses der ärmeren Be- völkerung.

Der Verfasser hat bereits vor einer Reihe von Jahren, als es noch unpassend für einen wissenschaftlichen Menschen erschien, Interesse an der Philosophie zu zeigen, mit der Veröffentlichung ähnlicher Schriften begonnen und er sieht in diesem Buche den Altersabschluß dieser seiner Tätigkeit. Es ist für den Berichterstatter nicht möglich, darüber Auskunft zu erlangen, wie groß der Einfluß dieser Tätigkeit gewesen ist, doch darf wohl vermutet werden, daß er nicht sehr weit gereicht hat. Denn das beste an diesem Buche, wie an den früheren, ist der redliche gute Wille, der insbesondere im letzten Kapitel zutage tritt.

Die Reformen der Mechanik dagegen, welche der Verfasser anstrebt
und seine entsprechende Begriffsbildung (welche naturgemäß auch eine
neue Bezeichnungsweise erfordert), haben schwerlich Aussicht auf Annahme. Denn sie stellen, soweit der Berichterstatter erkennen kann, mehr
eine persönliche Anpassung des Verfassers an die vorhandenen Probleme,
als eine innere abklärende Umgestaltung der letzteren dar.   W. O.

Die Welt als Widerspruch. Von G. Fred Kromphardt. (23 S.) Nia-
gara Falls, N.-Y., 1215 East Fall Street, Selbstverlag des Verfassers.
Preis M 3.—.

In sehr lebhafter Sprache stellt der Verfasser seine philosophischen
Ansichten dar, die etwa die eines wildgewordenen Nietzscheaners aus
dessen physiologischer Periode sind. Er hält den Pessimismus für die
bei einem denkenden Menschen einzig mögliche praktische Weltanschauung, lehnt aber die Selbstvernichtung ab, weil sonst nur die Philister,
die keine Pessimisten sind, übrig bleiben würden. Ich kann nicht recht
einsehen, was er dagegen hat, daß diese schlechte Welt ihrem Werte
gemäß solchen verächtlichen Bewohnern endgültig überlassen wird; es
scheint also irgend ein Rest von Optimismus noch der Ausrottung entgangen zu sein. Tatsächlich zeugt die Auffassung des Verfassers von
der Beschaffenheit seiner eigenen Leistung für das Vorhandensein eines
sehr erheblichen Betrages dieser philisterhaften Eigenschaft bei ihm
selbst, denn er schreibt: „Durch die Aufstellung meines Systems habe
ich den alten Streit der Idealisten und Realisten endgültig entschieden,
und zwar dadurch, daß ich die beiden Standpunkte in einen höheren
vereinige. Das Hegelsche System, die Vollendung des Idealismus,
läßt sich kurz dahin zusammenfassen: das Ich (die reine Vernunft, das
Absolute, das Denken) ist das einzig Reale, es ist gleichbedeutend mit
dem Werden, das sich als eine Vereinigung der Urbegriffe des Nichts
und des Seins darstellt. Mehr kann ich ja gar nicht verlangen. Hegels
Denken-Werden ist meine Bewegung ohne ein Bewegtes. Stelle ich
mich nun auf den idealistischen Standpunkt, so bin ich dies Werden,
und die Außenwelt ist nur ein Teil von mir; umgekehrt ist vom realistischen Standpunkt aus die Welt dies Werden und ich ein Teil von ihr.
Die Sache selbst bleibt immer dieselbe, von welcher Seite ich sie auch
ansehe. Meine Philosophie ist also der Gipfel, in den die philosophische Entwicklung der vergangenen Jahrtausende ausläuft. Ein Erntender
wie Hegel werde ich, ein unbegabter Mensch, ein armseliger Auto-
didakt, ein verirrter Knabe, darum doch nicht sein, denn die Wahrheit
ist viel zu rauh und deshalb nur den wenigsten annehmbar.“

W. O.

Die Fortschritte der kinetischen Gastheorie. Von G. Jäger. (Die
Wissenschaft, Heft 12.) (121 S.) Braunschweig, Vieweg & Sohn 1906.
Preis M 3.50.

Der Verfasser hat die kinetische Gastheorie zum Inhalte seines
ganzen wissenschaftlichen Lebens gemacht, und so darf man erwarten,
daß er sie so liebevoll darstellen wird, als sich nur denken läßt. Diese

Erwartung findet sich denn auch erfüllt; ob es ihm aber auch gelingen wird, für den Gegenstand seiner Begeisterung neue Bewunderer heranzuziehen, ist eine andere Frage. Den Berichterstatter hat das Schriftchen nicht zum Verlassen seiner skeptischen Stellung veranlassen können, und die vom Verfasser in der Vorrede betonte neueste Entwicklung der Atomistik in der Elektrizitätslehre ist auf dem besten Wege, die ganze Lehre zu explodieren. **W. O.**

Christentum und Haeckeltum. Eine kritische Studie. Von W. T. Mann. (162 S.) Dresden-Blasewitz, R. von Grumbkow 1907. Preis M 4.—.

Der Titel läßt eine der zahllosen apologetischen Schriften erwarten, welche vom christlichen Standpunkte aus gegen Häckel gerichtet sind, und denen man stets die sehr ernstliche Beunruhigung des Verfassers anmerkt. Indessen ergibt die Durchsicht des Buches, daß es zunächst mit einer sehr einschneidenden Kritik des Christentums anhebt. Diese ist vielfach recht beachtenswert; insbesondere wird auf die Punkte sachgemäß hingewiesen, durch welche sich die heutige allgemeine Abwendung von der Kirche erklären läßt und welche wesentlich auf den mangelnden sozialen Geist zurückzuführen sind. Eine Religion, welche das persönliche Seelenheil zum einzigen Inhalte des Strebens macht, findet in einer Zeit naturgemäß keine Wirkung, in welcher das Bewußtsein der menschlichen Gesamtorganisation sich so mächtig in den Vordergrund geschoben hat.

Dann folgt ein Teil, in welchem eine noch schärfere Kritik an den Anschauungen Haeckels geübt wird, wie sie insbesondere in dessen „Welträtseln" niedergelegt sind. Auch diese Kritik ist vielfach begründet. Sie verfehlt aber ganz und gar ihr Ziel, wenn der Verfasser, wie er es immer wieder tut, den Naturforschern das Recht absprechen will, sich über allgemeine Fragen und Angelegenheiten der Menschheit zu äußern. Er gestattet dies ausschließlich nur den Metaphysikern, zu denen er sich zweifellos in erster Linie rechnet.

Die eigenen Anschauungen des Verfassers, die er an die Stelle der von ihm verurteilten gesetzt sehen möchte, kommen auf einen dualistischen Theismus hinaus, wobei er trotz seiner oft ausgesprochenen Verehrung Kants von dem ontologischen Gottesbeweise, den dieser bekanntlich vernichtet hat, den ausgiebigsten Gebrauch macht. Der Beweis nimmt bei ihm die Form an, daß für irgend eine Eigenschaft auf das Vorhandensein zahlreicher Abstufungen hingewiesen wird. Hieraus folgert er, daß die Reihe bis ins Unendliche fortzusetzen und somit eine unbegrenzte Steigerung dieser Eigenschaft und die Existenz eines Wesens, in dem dieser unendlich hohe Wert verwirklicht ist, bewiesen sei. Die Quelle dieses Denkfehlers liegt in des Verfassers Auffassung vom mathematisch Unendlichen, auf die er nicht müde wird als auf die einzig „korrekte" (dies Wort findet sich immer wieder und kennzeichnet den Denkstil des Verfassers) hinzuweisen. „Die korrekte Auffassung des unendlich Kleinen, welche man auch die metaphysische nennen mag, steht der vulgären diametral gegenüber. Sie stellt diese Größe von vornherein als transzendent hin

... Hierbei kann unterdessen zu bemerken nicht unterlassen werden, daß selbst manche Mathematiker, mit mathematischem Wissen angefüllt, von der Grundlage ihres Wissens keine, oder eben nur eine vulgäre Vorstellung haben. Ihr Wissen ist kein eigentliches Wissen. Wie Papageien haben sie es sich angeeignet und wie Papageien geben sie es wieder von sich. Sie gleichen Kolossen auf tönernen Füßen.« Und noch eine andere Probe: „Lasse man doch diese Scheidekünstler, denen man mit anderen Gründen doch nicht beikommen kann, ruhig bei ihrem Glauben, daß da, wo sie nichts gefunden, auch nichts sei; aber das kann man wohl von ihnen fordern, daß sie ihre vermeintliche Weisheit hübsch für sich behalten, resp. für den kleinen Kreis ihrer Angehörigen und nicht unmündige und urteilslose Geister mit ihr zu betören suchen.« Könnte man nicht mit gleichem Recht dasselbe vom Verfasser fordern? Die Selbsterkenntnis, die aus der Bemerkung spricht: „Ein tüchtiger Physiker wird stets und naturgemäß ein schlechter Metaphysiker sein und vice versa« (der Verfasser gibt sich durchaus als Metaphysiker) verhindert ihn allerdings nicht, mit großer Sicherheit über physikalische Dinge zu urteilen und die anders Denkenden hart anzufahren. Auch Haeckels Frage, worin das Bewußtsein der unsterblichen Seele bestände, wenn sie nicht mehr ihre leiblichen Organe besitzt, antwortet der Verfasser einfach aber gedankenlos: „Habe erst eine unsterbliche Seele, dann wirst du auch wissen, worin das Bewußtsein derselben besteht.«

Aus diesem allen muß man schließen, daß man es mit einem Manne zu tun hat, dem vermutlich vermöge seiner Stellung und Betätigung die, mit denen er verkehrte, nicht haben widersprechen dürfen, und der deshalb die Prüfung seiner Ansichten sich selbst und ihre Begründung anderen gegenüber sich leichter gemacht hat, als üblich und statthaft ist. Da die Leser der Annalen nicht in diesen Kreis zu rechnen sind, so kann ihnen die Bekanntschaft nicht empfohlen werden.

W. O.

Für freie Universitäten neben den Staatsuniversitäten. Zugleich mit Ratschlägen für die letzteren. Von J. Baumann. (Pädagogisches Magazin. 309. Heft.) (VI u. 69 S.) Langensalza, Beyer & Söhne 1907.

In seiner originellen Weise, die sich wie eine fortlaufende Niederschrift aufkommender Gedanken bei der Lektüre ausnimmt, die hernach aneinander gereiht werden, hat der Verfasser dargelegt, daß neben den Staatsuniversitäten freie Universitäten notwendig sind, um das Ideal einer Anstalt für völlig freie Wissenschaft zu verwirklichen. Er geht alle Fakultäten durch, um im einzelnen nachzuweisen, daß überall die Aufgabe, dem Staate geeignete Beamte heranzubilden, bestimmte Richtungen in den Unterricht bringt und andere ausschließt, so daß die Allseitigkeit der wissenschaftlichen Erörterung nirgend erreicht wird. Am leichtesten gelingt ihm natürlich der Nachweis bei der Theologie und der Jurisprudenz. Bei der Medizin und den verschiedenen Fächern der philosophischen Fakultät erscheinen nicht sowohl die staatlichen

Forderungen, als vielmehr die des künftigen Broterwerbs als Hindernisse
der allseitigen Freiheit.

Als Gegenmittel werden freie Universitäten vorgeschlagen, die auf
Grund privater Gelddarbringungen gebildet und unterhalten werden sollen.
An solchen würden beispielsweise Vertreter sämtlicher verbreiteten Religionen, auch der asiatischen, die aus den betreffenden Völkern und
Kreisen stammen, nebeneinander tätig sein und so zu einer allgemeinen Religionswissenschaft, unabhängig von praktisch - politischen
Fragen, die Möglichkeit bieten. Das bloße Studium der fremden Religionen durch Landesangehörige, z. B. Deutsche, ergibt keine Sicherheit für das sachgemäße Verständnis der fremden Anschauungen. Ähnlich werden auch in den anderen Fakultäten Bedürfnisse nachgewiesen,
die bei dem gegenwärtigen Betrieb nicht genügend erfüllt werden
können.

Dem Berichterstatter scheinen diese Darlegungen nach vielen Richtungen bemerkenswert. Sie stammen von einem alten Universitätsprofessor, dessen besonderen Ansichten, soviel bekannt, niemals sichtbare Hindernisse seitens seiner Regierung in den Weg gelegt worden
sind. Es muß also bei ihm das Gefühl für die Unzulänglichkeit
unserer Universitätsverhältnisse aus allgemeinen Erfahrungen und Erwägungen lebhaft geworden sein. Vielleicht hat er die vorhandenen
Schwierigkeiten an einer etwas anderen Stelle gesucht, als wo sie liegen.

Die Schwierigkeiten sind nach Ansicht des Berichterstatters in erster
Linie daraus entstanden, daß die beiden gegenwärtigen Aufgaben der
Universität, einerseits die künftigen Vertreter der gelehrten Berufe für
diese ihre praktische Tätigkeit auszubilden, anderseits aber für den
Fortschritt der reinen Wissenschaft zu sorgen, nicht mehr ohne gegenseitige Schädigung innerhalb einer und derselben Organisation verwirklicht werden können. Einerseits wird betont, daß man nicht des
einen künftigen Wissenschaftlers wegen die neunundneunzig künftigen
Praktiker durch eine wissenschaftliche Vorbereitung führen darf, welche
für jene neunundneunzig viel zu ausgedehnt und daher undurchführbar
ist. Anderseits aber muß geltend gemacht werden, daß die freie
wissenschaftliche Arbeit auch vom späteren praktischen Standpunkte
aus so wichtig und notwendig ist, daß man sie um keinen Preis
heimatlos machen darf, indem man etwa die Universitäten zu strammen
Fachschulen für die Mittelmäßigkeit entwertet. Da beide Überlegungen
in ihrer Art Recht haben, so bleibt nichts übrig, als der Schluß, daß
beides gleichzeitig eben nicht ausgeführt werden kann. Bleibt also die
Frage, ob die Teilung innerhalb der Universität vorgenommen werden
soll, oder ob eine neue Organisation für die eine oder die andere der
beiden unvereinbar gewordenen Aufgaben geschaffen werden müsse.

Da es sich um ein praktisches Problem handelt, so kann man
nicht erwarten, daß sich die Antwort in ganz eindeutiger Weise geben
ließe. Am besten wird man die Geschichte fragen. Diese zeigt
uns, daß in früheren Zeiten auch das Gymnasium nicht selten ein Sitz
wissenschaftlicher Arbeit, wie sie damals verstanden wurde, gewesen ist,
die aber durch die immer strenger werdenden Forderungen des Unter-

richts in unseren Tagen fast vollständig verdrängt worden ist. Es liegt nahe, für die Universität als Unterrichtsanstalt für die gelehrten Berufe eine gleiche Verschiebung anzunehmen, und daraus ergibt sich bezüglich unserer Frage ein bestimmter Schluß. Die Anstalten für reine Forschung müßten neu organisiert werden. Ob im Zusammenhange mit den bestehenden Universitäten oder nicht, ist wiederum eine wesentlich praktische Frage, die in erster Linie durch die Größe der Stadt entschieden werden wird, innerhalb deren die Organisation stattfindet. Eine große Stadt, wie Berlin oder München, wird vermutlich am besten eine unabhängige Organisation haben; sind dagegen die vorhandenen Mittel an Menschen und Geld beschränkt, so wird man sich auf ein mehr oder weniger großes Stück Gemeinschaft einrichten. In dieser Richtung ist, wie bereits mehrfach bemerkt wurde, eine folgenreiche Wiederbelebung der gegenwärtig stark an Altersschwäche leidenden Akademien (deren bedauernswerter Zustand neulich wieder in dem Votum der Assoziation der Akademien bezüglich der internationalen Hilfssprache offenbar geworden ist) möglich.

Schließlich soll im Zusammenhange mit der letzten Bemerkung darauf hingewiesen werden, daß derartige Anstalten den internationalen Charakter der reinen Wissenschaft in allerdeutlichster Gestalt zum Ausdruck bringen würden. Für solche Stätten der reinen Wissenschaft ist daher als ein von nationalen Zufälligkeiten unabhängiges Verkehrs- und Publikationsmittel, d. h. eine internationale Hilfssprache, ein dringendes Bedürfnis. Da es ein allgemein biologisches Gesetz ist, daß ein Bedürfnis auch seine Abhilfe beschafft, so lange der Organismus lebensfähig ist, so braucht man nach solcher Richtung keine Sorge zu haben. Aber zu beachten ist doch, daß die einzelnen bereits bestehenden Anstalten solcher Art, wie das Carnegie Institute in Washington und die Solvayschen Anstalten in Brüssel, gerade durch den Mangel an einer internationalen Sprache schwer in ihrer internationalen Wirksamkeit behindert sind, die noch ihr eigentlichster und edelster Zweck ist.   W. O.

Lightning Source UK Ltd.
Milton Keynes UK
UKHW020237090119
334943UK00006B/742/P